D0298907

L'ULTIME ALLIANCE

Du même auteur

AUX MÊMES ÉDITIONS

L'Enfant du cinquième Nord
roman
et coll. « Points Roman » n° 152
Grand prix de la science-fiction française 1983

CHEZ D'AUTRES ÉDITEURS

L'Ogre de Barbarie
roman
Éd. Robert Laffont

publié aussi sous le titre :
Le Journal de Catherine W.
Montréal, Éd. Québec-Amérique

Le Livre de Seul
roman
Ottawa, Éd. Archambault

PIERRE BILLON

L'ULTIME ALLIANCE

roman

ÉDITIONS DU SEUIL
*27, rue Jacob, Paris VIe*

ISBN 2-02-012197-2.

A mon père,
pour le passé.
A Stéphane,
Pierre Charles
et Nicolas,
pour l'avenir...

L'humanité gémit, à demi écrasée sous le poids des progrès qu'elle a faits. Elle ne sait pas assez que son avenir dépend d'elle. A elle de voir d'abord si elle veut continuer à vivre. A elle de se demander ensuite si elle veut vivre seulement, ou fournir en outre l'effort nécessaire pour que s'accomplisse, jusque sur notre planète réfractaire, la fonction essentielle de l'univers, qui est une machine à faire des dieux.

Henri Bergson

We are just an advanced breed of monkeys on a minor planet of a very average star. But we can understand the universe. That makes us very special.

Stephen Hawking

La science a fait de nous des dieux avant même que nous méritions d'être des hommes.

Jean Rostand

Prologue

Finalement, Matt Simpson est allé chercher une échelle, mais comme elle était trop courte pour atteindre la fenêtre du deuxième étage, Robbie a proposé de la poser sur le toit de la camionnette de l'Institut. C'était une fichue bonne idée, sauf que le Pr McCloskey est parti ce matin à la pêche avec la camionnette et sa femme, ce qui fait qu'on s'est servis du camping-car du Dr Bennett. Il n'a pas osé refuser, mais on voit bien à sa tête qu'il a peur qu'on lui fasse des marques sur la carrosserie. Quand tout est arrangé et que Matt se prépare à monter, Élisabeth le retient par le bras et se tourne vers moi.

– Tu voudrais pas plutôt y aller, Petit Prince ? Il t'écoutera peut-être, toi ! Dis-lui que c'est ridicule, tout le monde l'attend, enfin quoi ! Non, ne lui dis pas que c'est ridicule, dis-lui simplement que nous l'aimons et qu'il ne peut pas nous faire ça ! Enfin débrouille-toi, tu trouveras bien les mots pour le convaincre. Et n'oublie pas de lui faire ton sourire à fossettes !

Moi je regarde mon père, qui lève les épaules avec une grimace en zigzag. C'est ni oui ni non, donc c'est d'accord.

– Aidez-moi à tenir les pieds de l'échelle, dit le Dr Bennett. Deux précautions valent mieux qu'une !

– Vas-y, mon Jacques ! dit Matt en m'aidant à grimper sur le toit de la voiture. Mais surtout, te balance pas en arrivant en haut !

En montant, je passe devant la fenêtre ouverte de la « salle de conférence ». (C'est pas vrai, c'est juste l'endroit où les gens du Centre se rencontrent le soir pour boire et discuter.) Les tables ne sont plus à la même place, un buffet a été préparé avec un gâteau à trois étages. Franchement, le Pr d'Aquino exagère, quand on pense tout le mal qu'on s'est donné pour lui faire plaisir. Ma mère et Miss

Cottingham finissent d'accrocher les guirlandes, pendant que Mrs Bennett reste assise à leur donner des conseils, parce qu'elle est maintenant presque complètement enceinte. Dès qu'elle me voit, ma mère vient à toute vitesse à la fenêtre pour me dire que c'est dangereux, que je vais tomber et me casser le cou, encore une chance que je sois pas vertigineux. Seulement, j'ai honte que tout le monde en bas puisse l'entendre crier comme une folle, surtout Élisabeth – et aussi Papa, encore que lui il a l'habitude.

Finalement, j'atterris en haut et je rentre dans une petite pièce pleine de classeurs et de piles de papiers. La porte est à moitié ouverte sur un labo comme celui de mon père, mais plus en désordre. M. d'Aquino est en train de travailler, et à la fin, comme il me tourne le dos, j'ose pas aller plus loin. J'ai pas envie de l'effrayer, des fois que cette histoire de pistolet serait pas une blague. C'est drôle, mais chaque fois qu'on se rencontre, je sais plus quoi dire et pourtant en général, d'après ce que dit Élisabeth, j'ai pas la langue dans ma poche. D'abord c'est un géant de naissance, il mesure six pieds et six pouces, et encore plus si on compte les cheveux avec. Il en a un paquet, et, même s'ils sont tout blancs, il refuse de les faire couper. Ensuite, tout le monde au Centre parle de lui quand il n'est pas là, pas vraiment pour se moquer, mais à cause de ses manières et de tout le reste. Il porte sans arrêt des sandales de gros cuir et une chemise qui lui sort des pantalons, et il a une voix que personne n'arrive à imiter, même en prenant l'accent. Le Dr Hamilton a dit une fois que c'était pas un chat qu'il avait dans la gorge mais un tigre, ça c'est bien vrai. Il n'a même pas besoin de parler, quand il se tait aussi, ça fait tout à coup comme un vieux bruit d'aspirateur dans sa poitrine, *rrrâh, rrrâh !* Quand on ne s'y attend pas, on a l'impression qu'il s'est déchiré quelque chose à l'intérieur et qu'il va tomber raide mort comme à la télé. Mais ce qui m'impressionne encore plus, c'est de voir que mon père lui aussi n'est pas le même quand ils sont ensemble, alors qu'avec les autres gens il est une *sommité* dans son domaine.

– Tu peux bien marcher sur la pointe des pieds, nous te sentons approcher, qu'est-ce que tu crois ? dit le Pr d'Aquino qui continue à faire semblant de travailler. Catimini... courant d'air... enfantôme ! C'est la Roumaine qui t'envoie, ne dis pas non, c'est écrit sur ton visage ! *Rrrrâh !*

Bien sûr, c'est pour rire, j'ai rien sur la figure, mais ça explique quand même pas comment il a su qui c'était sans se retourner – ni comment il a deviné que j'étais une idée d'Élisabeth. Je sais que ça tient pas debout, mais je vais à côté de lui parce qu'il me fait moins peur de près que de loin. De toute façon, j'ai jamais eu vraiment peur de lui.

– C'est quoi ?

Il est en train de regarder dans une cuvette en verre à travers une grosse loupe carrée attachée au bout d'une tige, et il me répond que c'est la moitié d'un cerveau. Moi je peux pas m'empêcher de lui dire que ça me donne envie de dégobiller. Au lieu de se moquer de moi, il a l'air de trouver que ce que je dis est intéressant. Il me demande pourquoi la plupart des enfants réagissent comme ça à ce qui est à l'intérieur de leur corps.

– Ben, parce que c'est dégoûtant ! C'est vous qui avez planté ces fils ?

– On a de bons yeux, garçon ! Depuis des années nous cherchons à percer un secret ici... résoudre une énigme... dévoiler le plus grand des mystères de l'univers ! *Rrrrâh !* Regarde, la cachette n'est pas grande pourtant ! Quinze cents grammes, dont quatre cinquièmes d'eau, avec une dizaine de milliards de neurones pour faire le compte ! Ces fils qui t'intriguent tant ne servent à rien pour le moment, c'est Carpentier qui s'est fait la main ! Du beau travail ! *¡ Une obra de arte !*

Le Dr Alexander Carpentier, c'est mon père, mais M. d'Aquino appelle tout le monde comme ça par son nom de famille, c'est une vraie manie. Tout de même, ça me fait drôle. Je lui dis en montrant la cuvette :

– Et lui, c'était qui ?

D'abord, il a l'air étonné, puis il me regarde profond en disant qu'il ne sait pas et que c'est une chance, autrement il serait incapable de travailler dessus. Il me dit aussi que ce cerveau-là est complètement vide et qu'on pourrait l'échanger pour n'importe quel autre, car tout ce qui le rendait unique et irremplaçable ne s'y trouve plus depuis longtemps.

– Alors pourquoi vous continuez à chercher ? Vous réussirez jamais, il faut prendre un cerveau tout plein.

– En es-tu sûr, garçon ? Pour toi, c'est l'évidence même, n'est-ce pas ? Oui, tu as sans doute raison... L'innocence a toujours raison ! Comme cela, pas d'autre alternative que le « cerveau plein » ? *Rrrrâh !*

Je comprends alors que les fils, c'est comme un micro pour écouter ce qui se passe dans la tête, et je demande si c'est mon père qui a trouvé la cachette en premier. Mais le Pr d'Aquino me montre des dessins accrochés au mur, en disant que les Pharaons en savaient déjà un bon bout sur la question. Je lui parle du *Mystère de la grande pyramide* avec Blake et Mortimer, mais il m'écoute pas et prend une photo de squelette sur une feuille transparente, en expliquant que, s'il le pose sur le plan du temple de Louxor, chaque morceau du squelette va entrer dans une des parties du temple, exactement comme dans une boîte. Il fait la même chose avec les salles souterraines, il pose dessus le dessin d'une tête coupée en deux comme une pomme, et on voit que les portes et les ouvertures sont à la même place que la bouche, les oreilles, les yeux et les trous de nez. M. d'Aquino me montre alors la place du sanctuaire le plus secret du temple, et c'est exactement à cet endroit qu'on a planté les fils dans le cerveau vide sur la table. Comme ça commence à devenir un peu trop compliqué, je le regarde parler et ça m'empêche de continuer à l'écouter. Élisabeth a dit l'autre jour qu'il a seulement douze ans de plus que mon père, mais de près la différence est encore plus grande. Son visage est plein de faux plis et il fait sans arrêt une grimace, comme s'il avait léché avec sa langue une tranche de citron. Juste comme je pense à son âge, je me souviens pourquoi je suis entré par la fenêtre. Je lui dis :

– Tout le monde vous attend en bas ! Pourquoi vous voulez pas venir ? C'est pas chic. Il y a même un gâteau.

– Comme si nous ne les avions pas prévenus ! Mais les chronophages en ont fait à leur tête, et la Bogdan-Popesco mène le bal comme d'habitude ! *Rrrrâh !* Tu sais ce que c'est, un chronophage, garçon ? C'est un croque-mort qui se déguise en croque-vivant, qui grignote vos minutes et vos heures... comme si la réserve du temps était inépuisable ! *¡ Chuponas horrorosas, vampiros hambrientos !** Toi qui es fort en calcul, dis-nous : si notre existence devait se prolonger jusqu'à l'âge de quatre-vingt-dix ans – Dieu a commis pire ! –, faudrait-il dire que nous avons encore trente ans à vivre, ou bien que nous sommes déjà mort de soixante ans ? Tu ne réponds pas ? Tu as raison de ne pas répondre ! On vient nous faire la leçon en entrant comme un cambrioleur, mais n'a-t-on pas quelque chose à se reprocher ? Une parole donnée qui n'aurait pas été tenue ? Pourquoi as-tu cessé de venir nous voir, garçon ? Tu veux une augmentation de salaire ?

* Des goules hideuses, des vampires affamés !

Je sais plus où me mettre, j'étais sûr qu'il allait me demander ça. C'est vrai, on a fait un marché tous les deux, il me donne un dollar chaque fois que je viens lui raconter mes rêves le matin avant de partir à l'école. Comme il se tait et que le bruit dans sa poitrine est de plus en plus détraqué, je me sens forcé de dire la vérité.

– C'est pas de ma faute, c'est ma mère qui me défend de venir déranger. Elle invente des raisons, mais je l'ai entendue dire à Papa que vous aimez trop les petits garçons. Lui il est pas d'accord, il croit qu'elle se fait des peurs à cause de ses nerfs.

Même s'il est bronzé, M. d'Aquino est capable de devenir blanc comme n'importe qui, et il se lève pour crier avec sa voix d'estomac des choses complètement espagnoles. Je ne comprends pas un mot mais ça vaut peut-être mieux, parce que c'est sûrement des jurons aussi pires que *fuck you* et *cock sucker*. Il lève ses deux poings au-dessus de sa tête et, sans exagérer, ils sont aussi gros que des ballons de *soccer*. Je peux pas m'empêcher d'avoir peur, mais, dès qu'il s'en rend compte, il arrête sa colère d'un coup et se met à genoux devant moi pour me prendre par les épaules. Même comme ça, il est toujours plus grand que moi.

– La pauvre créature, elle a dit cette chose ? Que nous aimons trop les petits garçons ? Peut-être une demi-douzaine à la coque pour le petit déjeuner ? *¿ Sabe solamente que nosotros somos tambien madre ?** Et toi, tu crois que nous serions capable de te faire du mal ? Alors réponds ! Le crois-tu ?

– Évidemment, mais pas par exprès. C'est vrai, cette histoire de revolver ?

Il ne s'attend pas à mes questions, ça doit être pour ça qu'il répond. Il lève sa chemise pour me montrer un pistolet dans un étui en cuir, pendu après une courroie qui se cache dans les poils de sa poitrine.

– C'est quoi, ces marques ?

Il a des cicatrices le long des côtes mais ça l'embête d'en parler, il les cache en baissant sa chemise, puis il se relève avec une grimace. Pour pas le gêner avec ça, je lui demande s'il a déjà tiré sur quelqu'un. Il répond que non, et que de toute façon son pistolet est un modèle unique au monde : il ne contient qu'une balle et, quand on sait l'utiliser, on n'entend même pas la détonation. Tout ça c'est une histoire inventée, je crois plutôt qu'il veut s'en servir pour se tuer, une fois où ça irait trop mal. Ça me fait penser que je ne lui ai

* Sait-elle seulement que nous sommes mère, nous aussi ?

pas encore donné son cadeau. Je l'ai mis dans ma poche arrière et ça fait rien, mais il est un peu écorné.

– C'est pour vous, dis-je. J'ai fait aussi des dessins pour vous aider à comprendre.

C'est un calepin avec de l'or sur trois côtés, où je raconte un rêve que j'ai fait la semaine dernière. Je m'attendais à ce qu'il tourne les pages en disant que c'est très bien, au lieu de ça il le lit pour de bon, en commençant par le début. Je sais plus quoi dire, surtout que l'histoire tient pas debout : ça se passe chez nous, à Montréal, il y a une armoire à balais au fond du vestibule, seulement quand j'ouvre la porte c'est devenu un escalier qui monte, et quand j'arrive en haut c'est plein de pièces où je suis encore jamais venu, avec des meubles partout et des tas d'objets intéressants. Mais surtout, je sais plus si je suis dedans ou dehors, parce qu'y a pas de plafond, on voit là-haut les arbres du cimetière qui bougent avec le vent. C'est aussi la nuit avec la lune et les étoiles, mais ça se peut pas, parce qu'en même temps il y a du soleil qui rentre par les fenêtres.

M. d'Aquino ferme le calepin sans rien dire, en me regardant comme si j'étais invisible. Je pourrais pas expliquer pourquoi, mais je suis sûr que mon cadeau lui fait plaisir.

– Si vous voulez, je viendrai en cachette pour les nouveaux rêves. Je peux en faire une provision, pour vous les donner tous en même temps. N'empêche que je rêve pas tout le temps, des nuits je fais rien que dormir.

Il me répond que les rêves doivent être racontés quand ils sont encore frais et qu'ils n'ont ni queue ni tête. Autrement, on peut pas s'empêcher de les mettre en ordre, et alors ils valent plus rien. Il dit encore que je ne suis pas né avec un alphabet dans la tête et que c'est la même chose : on doit apprendre à rêver comme on apprend à lire.

– Je comprends pas.

– Nous ne voulons pas que tu comprennes, garçon, mais que tu te souviennes ! *Rrrrâh !* Nous confions à ta garde un secret que nous taisons partout ailleurs... Le rêve est un jardin magique où on peut se promener à deux, main dans la main, pour sauver le monde. Alors, tu as compris ? Tu te rappelleras ?

Je lui promets, même si je trouve que son secret est pas terrible. Il me dit alors de le suivre au fond du laboratoire, où il sort une malle de dessous une table, toute noire avec des clous ronds. Il doit pas l'ouvrir souvent, parce qu'elle est pleine de poussière et que les serrures sont à moitié rouillées. Dedans, c'est plein de choses mélangées, des vêtements de dame, des paquets de lettres et des jouets cabossés.

– Ça sent quoi ?

Il répond avec une drôle de voix que, pour le commun des mortels, c'est une odeur de giroflée et d'eucalyptus, alors que pour lui, c'est le parfum du bonheur passé. Il met mon calepin dans une boîte de fer-blanc, où il y a des photos qu'il ose pas regarder trop longtemps, puis il fouille ailleurs et sort un gros coquillage.

– C'est à qui ?

– C'était à nous, dit-il en me le donnant dans la main.

Il se rend pas compte, mais les gens au Centre l'imitent derrière son dos, et le Pr McCloskey dit qu'il se prend pour le Roi-Soleil.

– Pourquoi vous parlez comme ça ?

– Nous ne sommes pas seul ici, dit-il en se tapant la poitrine. Nous sommes un temple nous aussi, garçon ! Un sanctuaire... un mausolée... un tabernacle !

Je vois bien qu'il aurait encore des tas de choses à dire, mais il ne peut pas à cause de sa respiration. C'est sûrement l'odeur du bonheur d'eucalyptus qui lui convient pas, il a dû perdre l'habitude.

Il accepte finalement de descendre en bas avec moi pour rejoindre les autres, mais ça l'empêche pas de dire que, si ma mère a aidé au buffet, le gâteau de fête est sûrement empoisonné. Je crois qu'il a deviné que moi et ma mère, ça marche pas fort entre nous.

Au moment de sortir par la porte fermée à clé, il voit que j'écoute les vagues dans le coquillage, et il regrette peut-être de me l'avoir donné, parce qu'il se retient pour pas pleurer. Il me prend sous les coudes et me soulève comme de rien pour me poser debout sur une chaise. Puis il me regarde comme si j'avais du noir sur la figure ou quelque chose comme ça.

– Incroyable ! L'*ihuma* est intacte, l'asymétrie commence à peine, tout est éveil... forces vives... actualisation ! C'est par là que nous aurions dû commencer. *¡ Tan tiempo perdido !** Et le rôle de l'épiphyse dans le déclenchement de la puberté... levée d'inhibition... atrophie fonctionnelle... Tout concorde, nous sommes sur la bonne voie ! Mon pauvre petit !

– J'ai quoi ?

Il arrête de m'examiner pour me regarder, et il dit de pas m'en faire, que je suis encore en état de grâce, mais que je vais devoir me

* Que de temps perdu !

défendre pour empêcher l'école et les grandes personnes de déformer mon cerveau.

– Souviens-toi du conseil de mon ami Juan Jiménez, dit-il. Si on te donne du papier ligné, écris dans l'autre sens !

J'ose pas lui faire remarquer que c'est une idée à dormir debout, vu que je suis gaucher et que j'ai déjà assez de mal comme ça avec mes cahiers.

– C'est vrai que vous étiez un docteur pour les enfants avant de venir ici ?

Il répond oui et lève la main, mais il s'arrête comme s'il avait peur de me toucher. Puis il me peigne les cheveux avec ses doigts en parlant de nouveau en espagnol. Je lui dis :

– On ferait mieux d'y aller ! Ils doivent s'inquiéter en bas.

– A tes ordres, garçon ! Nous entendons d'ici les caquetages des chronophages... gloussements et glapissements ! *Rrrrâh !* Tu as encore peur de nous ? Que non, tu n'as jamais eu peur ! Alors que caches-tu ?

– Mais rien !

Il n'a pas l'air de me croire et lève les épaules en grognant. Il a raison, je voudrais bien savoir si Élisabeth est sa bonne amie ou quoi. Parce que si c'est vrai, ça m'embêterait drôlement, même si je suis trois fois trop jeune. De toute façon, j'ai tout mon temps pour la rattraper et elle, elle est si belle qu'elle ne peut pas vieillir.

1

Le petit train rouge pagode s'ébranla sans heurts, fidèle à l'horaire, et quitta la gare de Landquart où il avait attendu en plein soleil la correspondance de Zurich. Son ombre ondula sur les cassis de la route qui longeait la voie ferrée, puis se redressa brusquement contre la paroi verticale de l'entrée d'une gorge. La lumière perdit son éclat doré, un souffle cru entra par les fenêtres baissées et Jacques émergea en frissonnant de son engourdissement nauséeux. S'il avait voyagé seul, il serait resté vingt-quatre heures à Zurich pour amortir le décalage horaire. Mais, avec Didier dans les jambes, les choses n'étaient pas aussi simples. En tout cas, cette aventure lui aurait appris à quel point un gamin de douze ans pouvait être accaparant ! « Quant à ces deux oiseaux, pensa-t-il, je me demande bien ce qu'ils me veulent. »

Il observa à la dérobée le couple mal assorti qui lui faisait face. La femme était sans âge, rondelette, les cheveux clairsemés. Elle tricotait d'un air si absent que l'activité de ses mains semblait échapper au contrôle de sa volonté. Son compagnon, à la mine sévère et au maintien de préfet de discipline à la retraite, portait une cravate et un veston de couleur sombre, en dépit de la saison. Le verre gauche de ses lunettes était d'une épaisseur insolite, et il collait son visage contre le journal pour le lire. Jacques aurait hésité à croire que tous deux voyageaient ensemble s'il ne les avait vus se parler à voix basse sur le quai de la gare de Landquart. Il avait d'ailleurs eu l'impression troublante que ce conciliabule le concernait, et son soupçon s'était confirmé lorsqu'ils avaient pris place en face de lui, alors que plusieurs sièges étaient inoccupés dans la voiture.

Il détourna la tête pour regarder distraitement le paysage, en proie à une vague sensation de menace, qui n'était pas dépourvue d'attrait. Il se trouvait dans un pays étranger, où personne ne le connaissait, où il était le dépositaire unique de son histoire et le seul juge de sa propre importance. Il aurait voulu se refermer sur lui-même, assurer son étanchéité aux influences extérieures, et cette seule pensée alourdissait ses paupières.

– *Der Zug wand sich geboden auf schmalem Pass*, dit l'inconnu en repliant son journal. *Stuckfinstere Tunnel kamen, und wenn es wieder Tag wurde, taten weitlaufige Abgründe mit Ortschaften in der Tiefe sich auf...*

– Désolé, je ne comprends pas l'allemand, dit Jacques.

– Je vous en prie, les excuses me reviennent, reprit l'autre dans un excellent français, avec l'assurance d'un homme peu enclin à s'amender. Vous regardiez au-dehors et je n'ai su résister au plaisir de la citation, d'autant que celle-ci décrit précisément le paysage qui défile sous nos yeux : *« Le train serpentait, sinueux, dans l'étroit défilé. Des tunnels noirs comme fours survenaient, et lorsque le jour reparaissait de vastes abîmes s'ouvraient, avec des bourgs dans leur profondeur, de nouveaux défilés suivaient, avec des restes de neige dans leurs crevasses et leurs fentes. »* Avez-vous lu *La Montagne magique ?*

– Non, mais cette description est très appropriée, en effet.

– M. Bierens de Haan n'est pas n'importe qui ! dit la femme au tricot. Il pourrait réciter le livre entier par cœur. Il garde tout dans sa tête comme dans une boîte de conserve ! Pas n'importe qui, vous pouvez me croire sur parole, monsieur.

Jacques sourit pour marquer son assentiment, pris au dépourvu par cette singulière profession de foi autant que par le timbre de voix extraordinairement niais avec lequel elle avait été proférée. Pour sa part, le principal intéressé n'appréciait visiblement pas l'admiration dont il était l'objet, et pourtant, sous les sourcils froncés, le coup d'œil qu'il coula vers sa voisine n'était pas dénué de bienveillance.

– Notre amie prend plaisir à mettre ma modestie à l'épreuve... Elle me fait tout de même remarquer que l'époque a déteint sur moi et que je manque à tous les usages : permettez-moi de vous présenter Mme Gertrude Glück. Et, bien qu'elle vous ait dit mon nom en entier, je vous saurais gré de m'appeler simplement M. Léopold, à l'imitation de tous mes amis.

– Si vous voulez ! Moi, c'est Jacques.

M. Léopold marqua un temps d'arrêt dans son hochement de

tête, comme s'il voulait offrir au porteur de ce prénom la chance d'en dire davantage. Puis il retrouva son ton professoral pour déclarer que *La Montagne magique* était un ouvrage remarquable à plus d'un point de vue. « Un livre dont l'encre circule dans mes veines », disait Jean Cocteau. Jolie formule !

– Thomas Mann en a situé l'action au sanatorium international le Berghof, où sa femme avait fait une cure en 1912. Le bâtiment central n'a pratiquement pas changé, et la fidélité des descriptions du livre est troublante, parfois même inconfortable. On pourrait croire que le temps là-haut s'est arrêté... Le sanatorium a néanmoins cessé ses activités peu après la fin de la Seconde Guerre mondiale – en fait depuis que la découverte des antibiotiques a mis un terme aux cures de climatothérapie. Depuis une dizaine d'années, cet établissement est le siège d'une fondation scientifique vouée à des recherches sur l'intelligence humaine.

– Vous m'en parlez comme si vous saviez déjà que je me rends là-bas, dit Jacques sur la défensive. Comment vous l'avez deviné ?

– Nous avons saisi sans le vouloir des bribes de votre conversation à Landquart avec le jeune garçon qui vous accompagne – votre frère sans doute ? Ne prenez pas ma curiosité en mauvaise part, je vous prie. Il se trouve que des gens viennent de fort loin dans l'intention de visiter le Berghof, sans savoir que la Fondation n'est malheureusement pas ouverte au public. Gertrude et moi-même étions là-haut au début du mois, et nous n'avons pas entendu parler de votre arrivée.

– A la gare, Léo avait une grosse envie de vous parler, déclara Gertrude Glück de sa voix monocorde. On ne dirait pas à le voir, mais il adore rendre service !

Jacques remarqua sur la physionomie de la femme un air de famille avec son compagnon. « Elle doit être sa sœur ou une proche parente, pensa-t-il, et il la raccompagne au Berghof où elle est en traitement. Pas besoin d'être un spécialiste pour se rendre compte qu'elle n'a pas toute sa tête à elle ! »

– Pour ne rien vous cacher, je me demandais effectivement si vous n'étiez pas un étudiant en littérature, reconnut M. Léopold. Nous recevons chaque année plusieurs demandes de personnes rédigeant des thèses ou des articles sur Thomas Mann.

– Vous tombez à la fois juste et à côté, dit Jacques. Je fais des études de lettres, mais mon voyage n'a rien à voir avec cette activité. Je vais rencontrer le Pr d'Aquino pour tenter de tirer au clair certaines de ses déclarations sur le Troisième Ordre de la psycho-synergie.

Il eut l'impression que le port de tête de M. Léopold gagnait en rigidité.

– Je ne veux pas vous décourager, jeune homme, mais j'espère que vous avez assuré vos dispositions avant d'entreprendre ce long voyage. En clair, avez-vous un rendez-vous avec le professeur ? Ah oui, vraiment ? Je m'en félicite pour vous, sans toutefois dissimuler mon étonnement. Règle générale, Jorge d'Aquino refuse toute entrevue en dehors de ses strictes occupations au sein de la Fondation. Qui plus est, ce supposé Troisième Ordre est une invention de journalistes malveillants – mais nous parlons ici d'une affaire qui remonte à plusieurs années – et je doute fort que le professeur soit disposé à rouvrir le débat.

Jacques se retint de répondre. Alors que le scepticisme manifeste de son compagnon de voyage aurait dû l'offusquer, une partie obscure de lui-même s'affairait à lui donner raison. « Il ne me prend pas au sérieux, pensa-t-il avec humeur. Mais aussi, pourquoi je lui ai menti au sujet de *La Montagne magique* ? C'était une réaction puérile. » Il était encore sous l'envoûtement de ce roman, dont il avait terminé la lecture dans l'avion, pendant que Didier dormait la bouche ouverte, la tête appuyée contre son épaule. Le destin de Hans Castorp lui était apparu étrangement proche du sien dans sa quête de certitudes, et tragiquement éloigné dans ses rapports avec son environnement. La révolte intérieure était féconde quand elle s'opposait à un système solidement établi, se disait-il, mais elle devenait stérile ou débilitante si le milieu n'offrait aucune résistance à la remise en question, en raison même de sa vacuité. Comment donner un sens à sa vie, quand le destin collectif était sans vision ? Comment lutter contre l'amorphe et le complaisant, quand il était accablé par le sentiment de sa propre inconsistance ? En laissant croire à M. Léopold qu'il ne connaissait pas le livre de Thomas Mann, peut-être voulait-il protéger une partie vulnérable de lui-même contre un nouvel assaut de cette curiosité pointilleuse que le personnage avait manifestée à son endroit, avant même de lui adresser la parole.

– L'âme appartient au Bon Dieu, dit Gertrude Glück en chantonnant sur les mots. On ne peut pas laisser entrer n'importe qui sans permission, c'est sûr ! Il faut protéger son jardin.

Jacques tressaillit. La concordance entre ce propos et sa réflexion aurait suffi à le saisir, mais il découvrait de surcroît sur le visage de cette singulière créature une expression qui lui semblait très familière, qui le frappait et l'inquiétait pour une raison qui lui échappait.

– Je n'avais certes pas l'intention de vous offenser, reprit M. Léopold en s'efforçant d'arrondir les angles de son élocution autoritaire. Ainsi que vous l'aurez déduit, je fais partie de l'équipe des collaborateurs de Jorge d'Aquino, à l'instar de notre amie Gertrude, d'ailleurs. Vous avez fait état tantôt de votre intention de « tirer au clair » certains de ses propos relatifs aux divers ordres de la psychosynergie. Mon scepticisme était causé par le fait que le professeur s'est farouchement refusé à toute déclaration publique depuis dix ans.

– Avant de quitter Montréal, j'ai parlé de mon voyage à plusieurs personnes, dit Jacques en sortant de sa réserve. La plupart croyaient que le Pr d'Aquino était mort depuis longtemps ! Pour des raisons... personnelles, je me suis renseigné à son sujet : son fameux *Traité de psychosynergie* a fait beaucoup de bruit à l'époque, et on dit qu'il a dominé les recherches sur l'intelligence pendant des années. Par contre, personne n'a pu m'expliquer pourquoi il a quitté les États-Unis alors qu'il était au sommet de sa gloire, pour se réfugier dans cette tour d'ivoire au fond de la Suisse, ni pourquoi il a publié des articles qui discréditaient ses propres découvertes...

Derrière la loupe des lunettes asymétriques, l'œil démesurément agrandi de M. Léopold observait Jacques avec l'intérêt patient d'un entomologiste.

– Ces articles ne sont pas de la plume de Jorge d'Aquino, affirma-t-il d'un ton sec. Vous parlez avec la légèreté caractéristique de la jeunesse, mais la réalité est plus complexe. Je concède volontiers que, vu du Canada, Davos peut sembler être au bout du monde. Vous m'accorderez toutefois que c'est une question de perspective, pour ne pas dire de point de fuite. Et le fait que le professeur ait décidé d'interrompre la publication de ses recherches n'autorise pas à conclure à leur abandon. Disons plutôt qu'il s'est réfugié loin de la mesquinerie et des intrigues. Souvenez-vous : « Appartenir à l'histoire, c'est appartenir à la haine. » Si un reproche devait lui être adressé, ce serait à la rigueur d'avoir refusé de fournir la moindre justification à sa retraite et à son silence. Ses détracteurs se sont empressés de faire l'amalgame entre cette attitude et le demi-échec du premier congrès de psychosynergie à San Francisco. Il n'en est rien ! Son exil volontaire a été dicté par sa décision de se consacrer exclusivement à ses travaux d'avant-garde sur la différenciation fonctionnelle des hémisphères cérébraux, et sur le concept de l'*ihuma.* Comme vous le savez peut-être, Jorge d'Aquino considère que le raisonnement, la mémoire, la conscience, l'affectivité, les émotions sont parties intégrantes de l'intelligence humaine – et que le développement d'une partie au détriment de l'ensemble est contraire à l'intérêt ultime de la personne. Pour lui, la capacité d'aimer est une fonction de l'intelligence au même titre que la capacité de résoudre des problèmes mathématiques complexes...

– Léo, vous devriez arrêter avant d'ennuyer monsieur ! dit Gertrude Glück d'une voix qui gagnait en niaiserie à chaque nouvelle remarque. Il n'écoute plus que d'une oreille.

Le train sortit du défilé rocheux où il avait serpenté dans l'ombre pendant le dernier quart d'heure, entre des strates d'ardoise grise et des épicéas hirsutes, aux branches infléchies en queue d'épagneul. Un panorama géant, qui achevait de se consumer dans le crépuscule flamboyant, s'offrit à la vue des voyageurs. Une chaîne de montagnes abruptes se dressait à l'arrière-plan, avec ses falaises aux fissures géantes et ses pics à la crête ourlée de neige rose. Jacques se disait que ce paysage était grandiose, mais sa constatation était purement intellectuelle. Il ne ressentait pas cette beauté dans son cœur, où se brassait trop de colère sourde et d'angoisse pour qu'une émotion esthétique y trouvât refuge. En vérité, cet étalage de merveilles naturelles le laissait presque indifférent, et il aurait probablement haussé les épaules avec condescendance si quelqu'un dans la voiture s'était exclamé : « Quelle splendeur ! » Mais les gens qui l'entouraient ne semblaient prêter aucune attention au paysage, et il se sentait comme obligé de se distinguer d'eux, pour échapper à un anonymat qui lui pesait de plus en plus, à mesure qu'il approchait du terme de son voyage. Il admirait le spectacle du soleil couchant par esprit de contradiction.

– Les articles que j'ai lus faisaient allusion à la dissidence de certains membres de l'équipe de Jorge d'Aquino, reprit-il, embarrassé par la dernière remarque de Gertrude Glück.

– N'en dites pas plus ! prévint M. Léopold en levant la main. Vous voulez parler de cet incident provoqué par l'un des proches collaborateurs du professeur, le Dr Alexander Carpentier, un neurochirurgien canadien de grande réputation, qui devait présenter à la session inaugurale de ce fameux congrès une communication savante sur le Troisième Ordre de la psychosynergie. Hélas, le malheureux a été frappé d'une thrombose cérébrale la veille même de l'événement, et la teneur de son exposé n'a pas été communiquée aux participants. Il est vrai qu'un désaccord opposait d'Aquino et Carpentier sur l'opportunité de ce texte, mais ce genre de problème est monnaie courante dans les milieux scientifiques. Quant à parler d'une « dissidence », comme vous le faites, ou même d'une « conspiration du silence », comme l'ont écrit certains journalistes, c'est là un bel exemple de *désinformation !*

– N'empêche que l'allocution du Dr Carpentier n'a jamais été publiée, ni même retrouvée, dit Jacques. C'est quand même troublant, non ? Et pourquoi le professeur s'est-il cru obligé de se dissocier publiquement d'un confrère qui n'était plus en mesure de se défendre ?

– On a dit n'importe quoi comme d'habitude ! rétorqua M. Léopold sans se démonter. C'est même là l'activité de prédilection d'un nombre croissant d'individus dans notre société. Vous connaissez sans doute cette phrase de Goethe, usée à la corde : *« Ich will lieber eine Ungerechtigkeit begehen als Unordnung ertragen »*, c'est-à-dire : « J'aime mieux une injustice qu'un désordre » ? Bel exemple de philosophie teutonique, dira-t-on ! Or, entendue de la sorte, la citation est détournée de son véritable sens, car elle se rapporte à un incident survenu lors de l'évacuation de Mayence par les Français en 1793. La foule voulait mettre à mal un cavalier qu'elle accusait d'avoir participé au pillage des églises. Goethe était intervenu en disant qu'il préférait voir cet homme s'en aller avec des objets mal acquis, plutôt que de retrouver la place souillée de sang. Vous l'avez saisi, « l'injustice » en question consistait à ne pas punir un coupable et non, comme on s'est plu à l'interpréter par la suite, à faire souffrir un innocent pour des motifs tirés de la raison d'État. Comprenez-vous à présent comment des déclarations de Jorge d'Aquino, sorties de leur contexte, ont pu être déformées de façon à leur faire dire le contraire de ce qu'il pensait ? Dans sa dernière interview à la presse, au lendemain du congrès de San Francisco, il a déclaré textuellement : *« L'hypothèse d'Alexander Carpentier sur l'existence d'un Troisième Ordre de la psychosynergie n'est pas dénuée d'intérêt, et a le mérite de l'imagination. Elle repose toutefois sur des postulats mystiques qui sont incompatibles avec la rigueur scientifique. Nous reprendrons ce débat lorsque notre confrère sera rétabli et pourra nous donner la réplique.* » Le journaliste a vu dans ce propos une périphrase laissant entendre que le point de vue du Dr Carpentier était celui d'un lunatique ou d'un illuminé, alors que tout lecteur initié à la pensée de Jorge d'Aquino connaît précisément l'importance qu'il accorde à l'imagination, à l'irrationnel, à l'intuition.

– Vous avez vraiment une mémoire exceptionnelle, dit Jacques, en se faisant mentalement la réserve que rien ne lui permettait d'établir l'exactitude de la citation. Mais vous ne m'avez toujours rien dit de cette fameuse hypothèse du Troisième Ordre. En quoi est-elle si absurde, ou si embarrassante ?

Gertrude Glück ne laissa pas le temps à son compagnon de répondre, et une ferveur naïve illumina son visage lunaire.

– Mais c'est la communication avec le Bon Dieu, tout simplement ! C'est le grand mystère, monsieur. Quand tout le monde fait la prière ensemble, les anges au ciel sont forcés d'écouter. Le Dr Carpentier était un *savant scientifique*, monsieur, et ce n'est pas de sa faute s'il a montré que le Bon Dieu existe pour de vrai.

– Ma chère amie, vraiment ! s'exclama M. Léopold sur un ton de reproche. Ces fables ont suffisamment nourri la presse à sensation, nul besoin de les colporter à notre tour !

Gertrude se pencha avec une exclamation de surprise – *Doux Jésus !* – et tendit au jeune homme une main potelée en lui disant qu'elle était enchantée de le revoir, et désolée de n'avoir pas le talent de Léo, car elle avait beau se « creuser les cervelles », elle n'arrivait pas à se souvenir en quelle circonstance ils s'étaient déjà rencontrés.

– Vous vous trompez, dit Jacques. C'est la première fois que je viens en Europe.

– Ça ne fait rien ! Vous étiez plus âgé à l'époque, de cela je suis sûre, insista-t-elle en le dévisageant de son regard embrumé. Je vous ai donc rencontré dans l'avenir, ce sont des choses qui arrivent !

Elle ponctua ses paroles d'un gloussement vaguement embarrassé, comme si elle s'apercevait que cette déclaration pouvait prêter à controverse. Jacques profita du silence qui suivit pour se caler contre le dossier de son siège et fermer les yeux. « Je vais faire semblant de dormir, se dit-il, comme ça ils me ficheront la paix ! Quand je pense que ce M. Léopold m'a présenté cette malheureuse folle comme une “ collaboratrice ” du Pr d'Aquino, c'est pathétique. Son intention était charitable, mais il ne s'est quand même pas imaginé que j'allais gober cette explication ! »

Le chant cadencé des essieux et les secousses latérales du train le prirent à son propre jeu. Il cessa de feindre le sommeil pour tomber profondément endormi.

Sa nuque était ankylosée à son réveil, et ses paupières lourdes. Il fit un effort pour s'arracher à sa torpeur et mettre de l'ordre dans ses pensées, toutes plus inconsistantes les unes que les autres. Ébloui par la lumière ocrée du crépuscule, il entrevit Gertrude Glück dans une sorte de halo : elle avait repris son tricot et comptait silencieusement ses mailles. Elle eut conscience d'être observée et leva la tête, en murmurant avec un sourire compatissant : « On a une grosse *fatigre* ! » Un fantasme fugitif se surimposa alors à l'image de cette femme sans âge, il vit briller dans les boucles grises de sa chevelure clairsemée des fils de cuivre d'une finesse extrême, qui se terminaient chacun par une minuscule tête de serpent. « La Gorgone ! pensa-t-il en refermant les yeux. Je vais être pétrifié ! » Il voulut réfléchir à la signification de cette vision saisissante, mais le sommeil l'avait déjà repris.

Son retour à la conscience fut brutal. Tous ses sens en alerte, le cœur battant, il fut assailli par une pensée qui le plongea dans un début de panique : « J'ai oublié Didier à la gare de Landquart ! » Il se dressa sur son siège avec une vivacité qui fit sursauter ses deux compagnons de route. Au même instant, un regard espiègle, des taches de rousseur et une double rangée de broches dentaires surgirent au-dessus du dossier d'une banquette voisine, pour disparaître aussitôt derrière un appareil photo à tirage instantané. Un déclic accompagné d'un éclair, puis un petit ronronnement se firent entendre, et une langue carrée, blanche et luisante, sortit au bas du boîtier. Cette merveille, offerte par Tante Mathilde à Didier le jour même de son départ, avait été étrennée à la gare de Zurich après que Jacques se fut laissé convaincre d'acheter un film. Pendant l'attente de leur correspondance à Landquart, il avait surpris son frère dissimulé derrière un chariot à bagages, occupé à photographier un voyageur assis à l'écart sur un banc, le nez plongé dans un livre. Selon Didier, il s'agissait d'un agent secret de la CIA, qui les surveillait depuis l'aéroport de Kloten. « Ne me dis pas que tu l'as pas remarqué ! avait-il ajouté. Il était dans l'autobus qui nous a conduits en ville, et ensuite il a pris le même train que nous. » Jacques, qui n'avait pas fermé l'œil de la nuit, avait répondu que la fatigue affectait sa capacité de repérer les espions, surtout ceux qui avaient une tête de chirurgien-dentiste. Mais celui-là devait être un véritable professionnel, avait-il reconnu, à en juger par son habileté à prendre les devants de sa filature.

– Ainsi, notre jeune explorateur est de retour, constata M. Léopold. Et quelles sont ses premières impressions de la Suisse ?

– Bonjour monsieur, je m'appelle Didier, dit le garçon en lui tendant la main, avant de se tourner vers Gertrude, qu'il salua d'une inclinaison de la tête. Bonjour madame ! Enchanté de faire votre connaissance.

Il s'assit sur la banquette, rangea le Polaroïd dans la vieille sacoche de cuir qu'il avait définitivement empruntée à Jacques avant de quitter Montréal, puis répondit à la question de M. Léopold en disant qu'il s'attendait à voir des soldats partout, et qu'il n'en revenait pas de se retrouver dans un pays aussi calme. (Mathilde n'avait pas caché ses craintes à ses neveux à la veille de leur départ pour l'Europe, en raison de l'aggravation de la crise au Farghestan, et d'une nouvelle vague d'attentats terroristes en France.) Jacques écoutait son frère avec une incrédulité amusée. Il ne connaissait que trop sa gouaille, sa spontanéité facilement impertinente et son sens du *slapstick* – il disait de lui que c'était un enfant naturel de la bande dessinée et du cinéma burlesque – pour ne pas être surpris par son comportement à l'égard de ces deux étrangers. Il pensa : « Quand j'étais enfant, ma mère rognait sur mon argent de poche pour me punir d'avoir prononcé des “ mots sales ”, et elle se demandait où j'avais bien pu apprendre un tel langage. Juste retournement des choses, j'ai du mal aujourd'hui à m'expliquer où Didier a pris ses bonnes manières ! » Il lança un coup d'œil anxieux à Gertrude Glück, ne sachant si la politesse incongrue de son frère se maintiendrait après qu'il l'aurait entendue parler. Il découvrit avec une stupéfaction indicible que sa face lunaire s'était métamorphosée : le sourire facétieux de Didier flottait sur ses lèvres, l'air dégourdi de Didier dégageait son front, et jusqu'à la vivacité du regard de Didier qui brillait dans ses yeux. « Elle reflète son visage comme si elle était un miroir ! se dit-il avec effroi. Je n'ai jamais vu une chose pareille, c'est une sorte de mimétisme, et elle ne paraît même pas en être consciente... Je comprends pourquoi son expression me semblait si familière tout à l'heure : c'était la mienne, reproduite sur ses traits ! » Le phénomène fut de courte durée et la femme retrouva la physionomie sans relief et sans grâce qui était la sienne propre, et dont elle semblait volontiers s'accommoder.

Le train s'arrêta à Klosters, le dernier arrêt avant Davos Dorf. Didier demanda à Jacques de changer de place avec lui, de façon à pouvoir observer les déplacements des voyageurs sur le quai, et détecter tout va-et-vient suspect. Puis il lui montra les instantanés qu'il avait tirés de l'« homme de la CIA ». Bien que Jacques se fût promis de ne pas jouer les gardes-chiourme, il ne put s'empêcher de lui faire remarquer que sa mission d'agent secret risquait de lui attirer des ennuis : les gens n'aimaient pas être photographiés à leur insu.

– T'as raison, Jacky ! fit Didier en tendant la main pour reprendre les photos. Je vais aller les lui rendre.

Jacques faillit tomber dans le panneau, mais il entrevit à temps l'éclair de malice qui fusait dans les yeux de son frère. Celui-ci se leva, fit discrètement le signe cabalistique des agents de Spectror et disparut dans le couloir pour une nouvelle aventure. « Mais où prend-il toute cette énergie ? pensa Jacques, en se disant aussitôt que c'était là une réflexion de vieillard. Et pourquoi il s'obstine à m'appeler Jacky, quand il sait que j'ai horreur de ça ? » Il ouvrit la sacoche de cuir pour y serrer les photographies, résistant à la tentation de détruire celle que Didier avait prise de lui dans l'instant qui avait suivi son brusque réveil, et où il se trouvait une mine particulièrement sinistre. Ce sac, qui se portait en bandoulière, avait pour lui le caractère particulier des objets sans âge, si familiers que le regard ne les voit plus. Son père le lui avait donné pour son premier jour d'école, et son aspect actuel témoignait des tribulations subies depuis lors. Didier l'avait exhumé du grenier familial et se l'était approprié au grand scandale de Mathilde, qui s'opposait à ce qu'il parte pour la Suisse, « un pays si propre », avec cette « besace de hippie ». (Elle l'avait finalement briquée au Nuggets Supreme, un produit miracle régénérateur du cuir.) Au contact de l'objet, les mains de Jacques s'éveillèrent, comme si elles se souvenaient de manipulations que sa mémoire avait oubliées depuis longtemps. Ses doigts soulevèrent une languette de cuir, qui dissimulait la fermeture éclair d'une poche secrète aménagée dans la double épaisseur du rabat, d'où il tira une demi-douzaine de feuilles de papier pliées en deux. Elles s'ouvrirent sur des dessins aux couleurs vives, qu'il contempla avec une émotion incrédule, car chaque page était signée de son nom, laborieusement calligraphié en caractères bâtons. Il les examina une seconde fois l'un après l'autre, la main en visière devant les yeux pour dissimuler son trouble. « Qu'est-ce qui m'est arrivé ? pensa-t-il avec une constriction douloureuse de la gorge. Qu'a-t-on fait de moi ? Je serais incapable aujourd'hui d'obtenir un résultat comparable avec une telle économie de moyens ! C'est vraiment moi qui ai dessiné ça ? » C'était un jaillissement à l'état pur, sans la moindre hésitation dans le trait, comme s'il n'y avait pas eu d'intermédiaire entre son imagination et la surface du papier. Plus tard, ce quelque chose s'était éteint en lui – la grâce, la spontanéité, l'intuition créatrice... Mais pourquoi ? Quand et comment cela s'était-il produit ? Il se souvenait du jour où il était entré par la fenêtre dans le laboratoire de Jorge d'Aquino, qui l'avait exhorté à défendre son cerveau contre les influences du monde des adultes. Manifestement, il avait échoué. Était-il aujourd'hui heureux ou malheureux ? Il n'aurait su le dire, et la question même lui semblait absurde. Il avait la sensation de se déplacer à la surface des choses avec des semelles de plomb – la tête vide et le cœur lourd.

Il se pencha pour poser sa joue contre la vitre. Le train s'était engagé dans une courbe prononcée, il pouvait apercevoir la locomotive et, devant elle, l'éclat gris des rails qui disparaissaient dans l'arche noire d'un tunnel. Il ressentit alors le plaisir anticipé et puéril de cette course inéluctable vers les ténèbres, de cette disparition imminente dans le giron de la montagne. En face de lui, M. Léopold avait saisi une canne d'ébène, accrochée au porte-bagage par une belle poignée en argent ouvragé, comme s'il voulait avoir en main une arme pour se défendre dans l'obscurité. Mais, dès que le tunnel fut passé et la clarté déclinante du jour revenue, il l'utilisa pour aller tirer de sous la banquette une photographie que Didier avait laissé tomber tout à l'heure, par mégarde. Il se pencha pour la ramasser et la remit à Jacques sans un mot.

– Léo n'ose pas vous demander à cause de sa discrétion, dit Gertrude sans lever les yeux de son tricot. Mais il voudrait bien voir l'image, si vous êtes assez gentil.

M. Léopold commença par protester, puis accepta de reprendre la photographie, qu'il scruta de près, comme s'il ne s'intéressait qu'au grain du papier.

– J'ai entendu la remarque que vous avez faite à votre jeune frère à ce sujet, dit-il à la fin de son examen. Le fait est que je n'avais pas noté la présence de cet homme parmi nous. Sa photo est très réussie, d'ailleurs.

– Didier joue à des aventures imaginaires, expliqua Jacques, et il a un peu trop tendance à prendre ses fantasmes pour la réalité !

– C'est un trait qu'il partage avec la majorité des êtres humains, répliqua M. Léopold assez sèchement. Il n'est toutefois pas sans intérêt de découvrir qu'il a intuitivement jeté son dévolu sur un personnage apte à stimuler l'imagination. L'avez-vous reconnu ? C'est le Dr Lars Frankenthal, qui s'est mérité le prix Nobel de médecine l'an dernier pour ses travaux sur l'infertilité psychogénique. Son nom ne vous dit peut-être rien, mais vous avez certainement entendu parler de sa découverte d'une nouvelle méthode de contraception dite « naturelle », qui est proprement révolutionnaire. Décidément, le Pr d'Aquino aura fort à faire avec toutes ces visites concurrentes... Pour en revenir à votre jeune frère, puis-je vous faire part d'une observation qui m'a intrigué ? En l'entendant parler à la gare de Landquart, j'ai deviné sans peine qu'il venait du Québec, alors qu'en ce qui vous concerne la chose n'est pas évidente.

Jacques se contenta de répondre que son frère et lui-même avaient grandi dans des milieux différents, et il pensa avec une grimace intérieure qu'il n'aurait pu résumer leur situation familiale de façon plus succincte. On lui faisait souvent des compliments sur son élocution et la richesse de son vocabulaire, mais de telles remarques le mettaient mal à l'aise plus qu'elles ne le flattaient. Il aurait échangé sans hésiter toutes ces belles connaissances contre l'aptitude de Didier à exprimer du bonheur avec des fautes de français.

Il reprit la photographie du Dr Frankenthal et l'examina avec plus d'attention que la première fois.

– Un prix Nobel, vraiment ? dit-il en levant les yeux vers M. Léopold. Qu'est-ce qui vous laisse supposer qu'il se rend à Davos pour voir le Pr d'Aquino ?

– Je vais vous le dire : l'observation, l'expérience et la probabilité – lesquelles n'équivalent pas à une certitude, je le concède. Apparemment, il a plutôt l'allure d'un homme en voyage d'affaires, non d'un touriste. D'autre part, ce que nous savons de sa notoriété nous porte à croire qu'il ne se serait pas déplacé de Stockholm, si ce n'était pour rencontrer une personnalité d'égale envergure. Voyez-vous, mon jeune ami, au cours de la décennie écoulée, le Berghof a été le lieu de rencontre d'hommes éminents, de grands philosophes et de savants prestigieux, sans que jamais la presse en ait eu vent ni brise. La Fondation Delphi – à l'administration de laquelle je prête mon modeste concours, soit dit en passant – n'est pas une institution avide de publicité. Une telle discrétion peut paraître exagérée, et elle a malheureusement donné prise à des rumeurs de toute nature. Il y a trois ans, la télévision française a fait un reportage sur la psychosynergie, où le Berghof était surnommé le *satanarium*, sans doute en mesure de rétorsion à notre refus d'y laisser entrer une seule caméra. Le mot a plu, et fait aujourd'hui encore office de plaisanterie récurrente. Cela dit, et comme c'est votre première visite au Berghof, j'estime vous devoir une mise en garde.

– Je vous écoute.

– Attendez quelques jours avant de vous faire une opinion sur l'établissement et sur le travail qui s'y accomplit. Vous rencontrerez là-haut des gens hors du commun, je vous en avertis – des hommes et des femmes aux personnalités des plus singulières. La cause du phénomène s'appelle Jorge d'Aquino. Sa réputation et son œuvre ont exercé une force d'attraction déterminante sur des ressources intellectuelles et psychiques venant du monde entier, que la science officielle et les bureaucraties médicales ont été incapables d'exploiter de façon positive, quand elles ne les ont pas tout simplement sanctionnées ou réduites.

Jacques écoutait M. Léopold dans un nouvel état d'esprit depuis qu'il avait compris la raison de sa réserve à son endroit. Ses propos ne manquaient pas de finesse ni de pertinence, mais ils étaient proférés d'un ton si autoritaire qu'il devait sans cesse se retenir pour ne pas le contredire. Mieux valait l'écouter attentivement et tirer profit de ses informations. « Je finirai bien par comprendre pourquoi il s'intéresse tant à moi ! se dit-il. Quant à cette bonne femme et à sa grosse *fatigre*, j'ai probablement conclu trop vite qu'elle n'était qu'une faible d'esprit. » Repensant à l'incroyable transformation qui s'était opérée dans sa physionomie, il se demanda s'il n'avait pas été le jouet d'une hallucination.

– Vous connaissez le Pr d'Aquino depuis longtemps ?

– Une quinzaine d'années, répondit M. Léopold. A l'époque, je venais de découvrir le *Traité de psychosynergie*, et j'ai fait le voyage de Bruxelles à Vienne pour assister à une de ses conférences, à l'issue de laquelle nous avons eu une discussion qui s'est poursuivie au restaurant jusqu'à l'heure de fermeture. Cette rencontre a changé le cours de ma vie, et je pèse mes mots. Notre amie Gertrude n'a pu s'empêcher tout à l'heure de faire mention de mes capacités de mémoire, qui sont effectivement exceptionnelles. J'en parle avec d'autant plus de modestie que j'ai longtemps ressenti comme une sorte d'infirmité ce qui apparaît à la plupart des gens comme une faculté enviable. Avez-vous déjà pensé que le corollaire de la mémoire absolue n'est rien d'autre que l'incapacité d'oublier ? Or l'oubli est un mécanisme mental extraordinairement complexe, qui joue un rôle de premier plan dans notre équilibre psychique. Rien n'est plus anormal pour un cerveau que de ne pas se rappeler ce qu'il sait ! Nous pourrons reprendre cette discussion ultérieurement si le sujet vous intéresse, mais pour l'instant je vous suggère de serrer vos effets, car nous arrivons à destination.

Le train avait ralenti et s'immobilisa devant une gare minuscule et proprette, d'un aspect si conventionnel qu'elle avait l'air d'avoir été plantée là comme un décor de théâtre. Didier réapparut précipitamment et insista pour porter lui-même sa valise, mais il dut s'arrêter tous les trois mètres dans le couloir de la voiture pour la poser à terre et reprendre ses forces. Jacques suivait en se retenant de le houspiller. Avant de quitter le compartiment, il s'était assuré de ne rien laisser derrière lui, ce qui ne l'empêcha pas quelques secondes plus tard d'être taraudé par la crainte d'avoir oublié quelque chose et, s'il en avait eu le temps, il serait retourné sur ses pas pour vérifier une seconde fois.

En prenant pied sur le quai, il vit que M. Léopold et sa compagne les avaient attendus, et cette petite attention le toucha.

– Notre jeune ami a surestimé ses forces, déclara M. Léopold en déchargeant Didier de son fardeau. Gertrude et moi avons fait enregistrer nos bagages à l'avance, de façon à voyager les mains vides. En fait, nos valises sont déjà arrivées et nous attendent dans nos chambres au Berghof. C'est trivial sans doute, mais cette perspective m'est très agréable. D'ailleurs, on s'encombre souvent de choses inutiles qui nous compliquent l'existence au lieu de nous la simplifier... Mais je vois que notre excellent gérant, M. Bubenblick, a pris l'initiative louable de se porter au-devant de nos visiteurs étrangers.

Un personnage jovial les attendait en effet au bout du quai, où il avait déjà intercepté le présumé agent de la CIA. Alors qu'ils approchaient, il secoua sa main avec le geste de s'égoutter les doigts, en disant : « Ayayayaïe ! », comme s'il voyait se pointer un coup de théâtre ou un événement désastreux. Il avait une carrure de montagnard, et ses cheveux blonds, taillés en brosse, présentaient une surface de gazon anglais. Son regard intensément bleu brillait d'une candeur désarmante et ses dents, qui ne se limitaient assurément pas au nombre réglementaire, se bousculaient en désordre dans son formidable sourire. Il claqua les talons et cassa la nuque à l'adresse de Frau Gertrud, puis il serra avec empressement la main de M. Léopold, en lui reprochant de ne pas l'avoir prévenu de l'heure de son arrivée. (Son accent suisse-allemand, guttural jusqu'à la caricature, étrillait sans pitié les mots les plus innocents de la langue française.) Il se tourna enfin vers Jacques, dont la vue porta sa bonne humeur à un haut degré d'effervescence.

– Herr Carpentier, *nézebas* ? Du Canada, *nézebas* ? Bravo, bravo ! *Welcome to Davos !* Et celui-là alors, c'est le petit frère ? (Il prononçait *biditte vrairrr.*) Mais voilà une fois que c'est la catastrophe ! Vous n'êtes pas des sardines, impossible de faire entrer tout le monde dans la voiture. Ayayayaïe ! Et, à cause du désordre, moi j'oublie de vous présenter notre illustre visiteur, Herr Doktor Frankenthal.

Il y eut un échange croisé de poignées de mains, auquel Didier ne se mêla pas. Il se tenait un peu en retrait et observait cette démonstration de civilités avec une surprise transparente. M. Léopold offrit son bras à Gertrude Glück avec une galanterie un peu guindée et, alors que le petit groupe sortait de la gare, devant laquelle une Land Rover était stationnée tous feux clignotant, il déclara d'un ton sans réplique qu'il n'avait aucune intention de se priver du plaisir d'une promenade pédestre entre chien et loup. Puis il fit signe à Jacques qu'il avait deux mots à lui dire en particulier.

– Pourquoi n'ai-je pas fait le rapprochement ? s'exclama-t-il avec sévérité, en tournant vers lui son œil cyclopéen. Jacques Carpentier, mais bien sûr ! Je devrais vous faire grief de m'avoir laissé parler du Dr Carpentier sans me prévenir de votre lien de parenté, mais vous avez sans doute vos raisons... Il n'est pas surprenant dans ces conditions que le Pr d'Aquino ait accepté de vous recevoir, même si j'infère de vos propos que vous avez l'intention d'en découdre avec lui, de lui demander des comptes au sujet du passé. Mais c'est une fine lame, je vous en avertis. Tenez votre garde serrée, si vous ne voulez pas être épinglé à la première escarmouche !

Pendant qu'il parlait, Mme Glück avait porté la main contre sa bouche pour étouffer un gémissement. Elle était restée ainsi pétrifiée, regardant le jeune homme d'un air égaré.

– Gertrude est une personne très impressionnable, reprit-il en baissant la voix, et l'évocation de votre père l'a bouleversée.

– Mais pourquoi ? dit Jacques. Vous voulez dire qu'elle le connaissait ?

– Comment ne l'aurait-elle pas connu ? Il lui a sauvé la vie ! A l'époque, elle s'est rendue en Californie pour subir une délicate intervention chirurgicale que votre père avait mise au point, et qu'il était alors le seul à pratiquer. Vous l'avez probablement rencontrée dans les couloirs du Bateson Institute, mais vous n'étiez qu'un enfant, et sans doute n'avez-vous pas encore accès à ce souvenir lointain. Il vous suffit toutefois de donner l'ordre à votre mémoire de le retrouver, et il fera surface, c'est une affaire de détermination et de temps ! Sur ce, nous vous abandonnons à la bonne conduite de notre ami Bubenblick. Je crois d'ailleurs qu'on s'impatiente là-bas...

Jacques regarda l'étrange couple s'éloigner. « Je me suis complètement trompé sur cette bonne femme ! », se dit-il, troublé par ce qu'il venait d'apprendre à son sujet. Comme pour répondre à ses pensées, Gertrude Glück tourna la tête et, sans ralentir sa marche, elle lui jeta par-dessus son épaule un long regard où il n'y avait plus trace d'hébétude ni de confusion. Il eut alors la révélation que son voyage à Davos n'avait pas été entrepris en vain et qu'il était à la veille de découvrir des réponses bouleversantes et cruelles aux questions qui le hantaient depuis des années – des questions dont il connaissait l'existence par le vide qu'elles creusaient dans sa poitrine, mais qu'il n'avait jamais su clairement formuler.

2

Jacques avait pris place sur le siège arrière de la Land Rover, à côté de Didier qui semblait trouver tout naturel d'avoir encore à changer de moyen de transport, pour la dernière étape de ce voyage à rallonge, commencé à Montréal vingt-quatre heures plus tôt. Avant de mettre la voiture en marche, Tadeus Bubenblick échangea quelques phrases en allemand avec son voisin, puis se tourna vers les deux frères pour annoncer que le Dr Frankenthal ne voyait pas d'objection à faire un crochet par la Villa Stella Maris, avant de mettre le cap sur le Berghof.

– Mais... c'est bien aimable ! dit Jacques, pris de court à l'idée de laisser si rapidement Didier dans ce pensionnat qu'il ne connaissait pas. Comme je vous l'ai expliqué au téléphone, la décision de venir avec mon frère a été prise à la dernière minute. Vous m'avez bien dit que cette maison avait une excellente réputation ?

– Unique en son genre, voui, garanti ! s'exclama Bubenblick avec une bonne humeur déconcertante. Ma sœur y travaille, c'est tout dire !

Jacques s'était fait une idée de Davos en lisant Thomas Mann, mais le grand village qu'il découvrait pendant que la voiture roulait dans la Promenade Strasse ne correspondait guère au décor rustique et vieillot que les mots de l'écrivain avaient peint dans son imagination. Des vitrines luxueuses défilaient de chaque côté de la rue, alternant avec des façades d'hôtels interchangeables et, presque insolites dans l'ensemble, quelques chalets pittoresques et des immeubles datant de l'entre-deux-guerres. Mais dès que le regard s'élevait au-dessus des toits, c'était l'émerveillement. Dans des teintes pastel, la Dent Noire et le glacier de la Scaletta émergeaient des pâturages et des forêts, déjà engloutis par la grisaille du soir qui, ici, ne tombait pas du ciel, mais montait de la vallée, lent débordement d'ombres et de brumes. Jacques pensa aux tragédies qui avaient marqué le destin de l'Europe depuis le début du siècle, aux conflits et aux révolutions qui avaient coûté tant de sang pour des résultats qui lui échappaient, et il se rappela avec une oppression singulière que Hans Castorp avait contemplé le même paysage, à la même heure, le jour de son arrivée à Davos. C'était autrefois et hier, à l'été 1911.

Tadeus Bubenblick conduisait la voiture découverte avec une prudence méritoire. Au centre du village, il prit sur la droite une petite route abrupte, en direction de la montagne, où il négocia avec parcimonie trois lacets serrés. Ils franchirent bientôt un portique de bois, portant au fronton une inscription gravée en lettres gothiques : *Villa Stella Maris*, et s'engagèrent dans une allée de gravier bordée de plates-bandes abondamment fleuries, qui menait à une grande maison de style ancien. Ils n'allèrent pas loin, car deux créatures menues et courbées les avaient devancés, portant une cape bleue qui descendait jusqu'à leurs bottines noires, et une petite coiffe amidonnée blanche, accrochée au chignon de leurs cheveux gris. Elles avançaient péniblement au beau milieu du chemin, en se tenant bras dessus bras dessous, de telle façon qu'on ne pouvait savoir laquelle des deux empêchait l'autre de tomber. « Nous n'allons quand même pas les suivre à ce train-là jusqu'à la maison ! », pensa Jacques, qui calcula que la voiture devait bien atteindre à l'instant les cent mètres à l'heure.

– Avec leur âge, c'est dangereux pour le cœur de les klaxonner, dit Bubenblick. (Son accent transformait le « klaxonner » en onomatopée.) Sans compter qu'elles sont peut-être sourdes. Ayayayaïe ! Vous ne saviez pas que le pensionnat accueillait des enfants aussi âgés, *nézebas* ?

Son regard bleu observait Jacques dans le rétroviseur avec un pétillement malicieux. Après avoir attendu d'être relancé par une question qui ne vint pas, il expliqua que la Villa Stella Maris avait été pendant longtemps la maison de repos des sœurs d'Einsiedeln, une des plus anciennes congrégations protestantes, fondée en 1525 par le réformateur Zwingli. Depuis quelques décennies, l'établissement n'était plus occupé à pleine capacité, en raison du déclin des vocations. Tout en continuant d'accueillir en priorité les religieuses dont les vœux perpétuels approchaient leur terme terrestre, la grande demeure avait été réaménagée. L'aile gauche était devenue une clinique de convalescence pour personnes âgées, et l'aile droite, un pensionnat pour une trentaine d'enfants de cinq à treize ans, dirigé par une institutrice polonaise, Anna Welikanowicz, que M. Bubenblick décrivit comme l'une des grandes figures héroïques de la Seconde Guerre mondiale.

– Vous parlez de la Petite Sœur de Treblinka ! dit le Dr Frankenthal en hochant la tête. Je savais que son œuvre pédagogique s'était poursuivie en Suisse et en Allemagne, mais j'ignorais qu'elle-même fût encore en vie. Ce voisinage des vieillards et des enfants doit créer une ambiance tout à fait particulière et intéressante.

Le médecin suédois s'était exprimé en français avec circonspection, comme s'il craignait de faire une faute au détour de chaque phrase, alors que ses hésitations débouchaient sur des formulations irréprochables. « Il ressemble à un pasteur frais émoulu d'un film de Bergman, pensa Jacques. C'est ridicule, je ne peux pas m'empêcher de penser à cette affaire d'espion en le regardant, comme si les folies de Didier avaient contaminé mon esprit malgré moi ! Et c'est quoi, cette histoire d'" héroïne polonaise " ? » Il connaissait la Seconde Guerre mondiale à travers le témoignage de photographies en noir et blanc, de séquences de films, de descriptions de romans, et la pensée que ces événements avaient *réellement* eu lieu le confondait. Quel âge Lars Frankenthal pouvait-il bien avoir en 1940 ? Avait-il été personnellement affecté par les hostilités ? Jacques ne se rappelait même plus si la Suède avait été occupée par les Allemands, ou si sa neutralité avait été respectée comme celle de la Suisse. D'ailleurs, l'avait-il jamais su ? Et quelle importance aujourd'hui ?

Didier s'était penché pour dire quelque chose à Tadeus Bubenblick, qui opina du bonnet avec une vigoureuse admiration et étendit le bras pour faire un appel de phares. Dans la clarté crépusculaire, une traînée de lumière diffuse s'étendit devant les deux petites vieilles, qui levèrent la tête en même temps pour interroger le ciel, puis dérivèrent en vacillant sur le côté du chemin.

– Et voilà, mon cher Watson, l'idée était là, dans le tibia ! murmura Didier à l'intention de son frère, en se frappant le front.

Quelques instants plus tard, la Land Rover s'arrêtait devant le perron de la maison. Le jeune garçon fut le premier à en descendre pour aller prendre sa valise dans le coffre. En se retournant, il se trouva nez à nez avec le Dr Frankenthal, qui avait quitté son siège lui aussi et l'attendait, la main tendue.

– Bonnes vacances, monsieur le détective ! dit-il avec un large sourire qui, pour le court temps qu'il dura, transforma l'expression de son visage. Si tu as encore de la pellicule, il te faudra aussi photographier les vieilles églises, les écureuils roux et les montagnes...

Didier le dévisagea avec des yeux ronds, fit entendre une sorte de ricanement étranglé et, sans demander son reste, rejoignit Jacques sur la galerie de bois qui faisait le tour de la maison, et qui frappait par sa largeur inusitée. Devant la porte d'entrée, une femme dans la quarantaine les attendait, que Tadeus présenta comme sa sœur Magdalena, sans probablement se douter que les apparences se refusaient à corroborer ce lien de parenté. Autant il était lui-même jovial et entreprenant, autant elle paraissait chagrine et renfermée. Ses traits étaient contractés en une expression de morosité permanente, que son sourire ne faisait qu'accentuer, à l'encontre de toute logique. Ses formes se confondaient discrètement dans les plis d'un survêtement de coton ouaté, et Jacques eut l'impression qu'elle devait se faire violence pour libérer une de ses mains de derrière son dos, qu'elle lui tendit d'ailleurs avec la crainte manifeste de ne pas la récupérer. Elle prononça quelques mots en allemand d'une voix précipitée, en s'efforçant de regarder son interlocuteur en face, mais ses yeux papillotants s'obstinaient à se tourner vers son frère pour l'appeler à la rescousse. Tadeus traduisit que la directrice s'excusait de n'avoir pu les accueillir en personne, mais c'était l'heure de la méditation, *nézebas*, et le mieux serait que Herr Carpentier revienne demain pour visiter la maison et remplir les formulaires d'inscription. La femme s'adressa ensuite à Didier, qui était resté en retrait, et une expression de joyeuses condoléances s'ajouta à la désolation naturelle de son visage.

– *Tritt ein mit deiner Freude auf dass sich dieses Haus erhelle !** dit-elle.

– Ce serait comme qui dirait une formule de bienvenue, expliqua Tadeus. Votre petit frère peut répondre en français ou en anglais, pas de problème ! A Stella Maris, on finit toujours par se comprendre ! *Es ist der neue Turm zu Babel !***

Didier, qui n'appréciait visiblement pas d'être traité de *biditte vrairrr*, déclara en levant le menton qu'il n'avait pas grand-chose à répondre, vu qu'il n'avait rien compris. Magdalena se tourna alors vers la porte entrouverte et murmura d'une voix feutrée :

* Entre avec ta joie pour éclairer cette maison !
** C'est la nouvelle Tour de Babel !

« Kamal ! » Il semblait improbable qu'un appel aussi discret pût être entendu de l'intérieur de la maison, et pourtant un jeune garçon apparut sur le seuil et s'approcha en levant la main, les doigts écartés en rayons. Son teint était basané, ses cheveux noirs bouclés, et son regard trop sérieux pour son âge. Magdalena se pencha, prit le bras de Didier avec douceur, en lui faisant signe de répondre à ce salut par un salut identique, et de poser l'extrémité de ses doigts contre ceux de Kamal. Ce dernier prononça quelques mots en arabe, puis saisit la valise du nouveau avec une mimique l'invitant à le suivre dans la maison. Didier fit un crochet pour embrasser Jacques, qui en profita pour lui dire à l'oreille que, s'il ne se plaisait pas dans ce pensionnat, on s'arrangerait pour lui en trouver un autre dès que possible.

– De toute façon, je reviens demain ! ajouta-t-il. Tu me diras ce que tu en penses...

– Te fais pas de souci, Jacky ! murmura Didier. Ils ont seulement l'air d'être un peu toqués. T'as vu l'autre avec son salut à la Mister Spock ? *Fascinating !*

Il disparut dans la maison avec un roulis d'épaules un peu crâneur, suivi de Magdalena, qui referma la porte sur eux, la face ravagée par un dernier sourire d'amitié et de réconfort.

En regagnant la voiture, Tadeus lança un coup d'œil oblique à Jacques.

– Vous vous demandez si c'était après tout une bonne idée ! dit-il. Ayayayaïe ! C'est ma faute, j'aurais dû vous avertir que le système de Stella Maris est spécial. Excessivement spécial, voui ! Mais l'important, c'est que le frère soit heureux, *nézebas ?*

– Évidemment ! Seulement c'est un garçon indépendant, il ne va peut-être pas s'adapter à un style de vie aussi... contrôlé. Sans compter qu'il ne parle pas un mot d'allemand ! Et, à part ça, vous ne m'aviez pas dit que la maison était tenue par des religieuses.

Jacques s'assit sur la banquette arrière de la Land Rover, à côté du Dr Frankenthal qui, pour quelque raison, avait changé de place en les attendant.

– Je n'ai rien dit à cause que ç'aurait été un mensonge ! s'exclama Tadeus. Les bonnes sœurs s'occupent seulement de la clinique, pas du pensionnat ! Vous avez confondu à cause du Dr Frankenthal, quand il a parlé de la Petite Sœur de Treblinka. La vraie vérité est que Mme Welikanowicz a toujours été excessivement laïque, et les gens sont sans arrêt étonnés de savoir qu'elle a eu deux mariages avec des enfants à chaque fois.

Les bras tendus sur le volant, Tadeus parlait en regardant ses passagers dans le rétroviseur, comme s'il craignait de perdre le contrôle de la voiture, alors qu'il ne l'avait pas encore mise en marche. Il s'y décida enfin et conduisit en silence pendant quelques minutes, en prenant sur la Obere Strasse la direction opposée à celle que Jacques avait prévue. Soudain, il partit d'un grand éclat de rire et expliqua qu'Anna Welikanowicz avait fait un « clafoutis pédagogique » des idées de Bruno Bettelheim, de Maria Montessori, de Rudolf Steiner et de Carl Rogers, et qu'elle avait lié la sauce avec sa propre expérience. « Si au moins j'étais sûr qu'il se paye ma tête, je pourrais réagir ! pensa Jacques avec colère. " Heure de méditation " ou pas, j'aurais dû exiger de rencontrer cette Polonaise et de visiter la maison. C'est quand même un peu fort, je ne sais même pas à quoi ressemble la chambre de Didier ! Ce Bubenblick peut bien raconter ce qu'il veut avec son *clafoutis pédagogique* et nier que l'institution est dirigée par des religieuses, toutes ces simagrées sentent la secte à plein nez. Enfin, il n'y a pas de quoi paniquer, Didier ne risque rien et demain je le retire dare-dare de cette boîte en disant... en ne disant rien du tout, d'ailleurs ! Je n'ai de comptes à rendre à personne ! »

Il fut traversé d'un fort frisson. L'air de la montagne avait à cette heure une fraîcheur à laquelle il ne s'était pas préparé. Fermant d'une main l'encolure de son blouson, il pensa qu'il n'avait dans ses bagages que des vêtements légers, et risquait de passer le reste de son séjour à grelotter. Le style de conduite automobile de Tadeus lui donnait d'autre part l'impression irritante qu'ils étaient sans cesse sur le point d'arriver à destination, qu'ils allaient s'arrêter là-bas devant ce grand chalet au balcon fleuri, où une femme se tenait penchée, les bras écartés, le regard disponible. Mais la Land Rover dépassait la propriété et continuait sans hâte sur une route qui n'en finissait pas. Les premières étoiles perçaient dans le ciel, qui s'était rétréci en une étroite bande aux bords déchiquetés : on montait dans les lacets d'une forêt de conifères, les phares révélaient dans un lent balayage des entrées de sentiers, avec des poteaux indicateurs et des flèches jaunes qui pointaient vers des buts de promenade au mystère rassurant. Des billes de bois fraîchement sciées étaient entassées entre des pieux au bord du chemin, en paquets compacts et soignés.

Jacques était vaguement indisposé par le silence du Dr Frankenthal et, bien qu'il s'efforçât de penser à autre chose en regardant les lumières du village en contrebas, entre les branches des sapins, il gardait une conscience aiguë de sa présence à son côté, et se promit de ne pas céder à son envie compulsive d'engager la conversation avec lui.

– Vous avez déjà rencontré le Pr d'Aquino ? demanda-t-il en anglais quelques instants plus tard.

Il posait la question pour se ménager une occasion de révéler qu'il connaissait lui-même de longue date celui qu'un journaliste avait appelé le Sage des Grisons. Sans se l'avouer, il était impressionné de se trouver en présence d'un prix Nobel, et l'évocation de ses propres liens avec Jorge d'Aquino lui semblait de nature à consolider son crédit personnel, à prouver qu'après tout il n'était pas *n'importe qui*.

– Nous correspondons depuis des années pour des questions professionnelles, répondit Lars Frankenthal dans la même langue, avec une affabilité un peu absente. Mais jusqu'à ce jour, je n'ai pas eu la chance d'avoir un entretien en tête à tête avec lui. Il n'a d'ailleurs pas quitté Davos depuis qu'il s'y est établi, dit-on, et il ne voit pratiquement plus personne.

– Tout de même, il s'occupe de ses patients, dit Jacques.

– Ses patients ? Je pense que vous faites erreur. Le professeur a abandonné sa pratique depuis plusieurs années pour se consacrer uniquement à ses recherches. Je me suis laissé dire qu'il était à la veille de publier une nouvelle version du *Traité de psychosynergie*.

– Je suis sûr de ne pas me tromper ! dit Jacques en s'animant, heureux de faire valoir ses connaissances. J'ai vu récemment une émission à la télévision américaine – je crois que c'était au réseau PBS – sur le fonctionnement du cerveau, et une séquence était consacrée au traitement de certaines maladies mentales selon la méthode d'Aquino. C'est d'ailleurs à cette occasion que j'ai vu pour la première fois des images de Davos et du Berghof.

– La « méthode d'Aquino » ? reprit Lars Frankenthal en un écho incrédule. Voilà qui est curieux, car le concept même de maladie mentale a été dénoncé par... Dites-moi, le professeur donnait-il lui-même des explications à ce sujet ?

– Je ne m'en souviens pas, dit Jacques sur la défensive. Mais ce documentaire était très sérieux, et je ne vois pas pourquoi on aurait prétendu que des gens venaient du monde entier pour se faire soigner au Berghof si ce n'est pas la vérité.

La voiture s'était engagée au pas dans le ruban d'une rampe en zigzag, que dominait la masse allongée d'un bâtiment de trois étages ; la façade, tournée vers le sud-ouest, était occupée à pleine longueur par des balcons de bois, divisés en autant de loges qu'il y avait de fenêtres. Le raidillon débouchait sur un terre-plein asphalté, où Tadeus Bubenblick immobilisa son véhicule avec douceur. Il tira le frein à main, mit les clignotants d'urgence, puis se tourna sur son siège pour faire face à ses passagers :

– *Hokus pokus,* terminus ! s'écria-t-il, le visage hilare. J'ai entendu votre dispute, et voilà que vous avez tous les deux raison, voui ! Savez-vous qu'il y a encore des gens au village pour dire que le Berghof est un asile de fous ? Voui, voui ! Les mauvaises langues ne sont jamais au chômage, pour ça non ! Je ne sais pas comment ça se passe au Canada ou en Suède, mais ici nous sommes les champions de la normalité !

Il ne paraissait pas davantage pressé de descendre de voiture qu'il ne l'avait été d'arriver à destination, et expliqua que même si la *normalité* était parfois malmenée à la Fondation Delphi, personne n'avait pour autant le droit de dire que c'était un « asile de fous ». Le professeur n'acceptait au Berghof que les cas exceptionnels, des cas qui « faisaient l'envie de la profession », mais il ne leur administrait pas de traitements à proprement parler, il les considérait plutôt comme des collaborateurs, et parfois même *il les empêchait de guérir.* Ayayayaïe !

– Maintenant que vous savez tout, allons-y ! poursuivit-il. Non, ne vous occupez pas des bagages, Sigmund va se faire un plaisir de les porter dans vos chambres. *Erstklassiger Service !**

Il continua en allemand, s'adressant à un interlocuteur que Jacques découvrait à l'instant : un adolescent dégingandé de seize ou dix-sept ans, converti à la mode punk, qui avait surgi de l'ombre et s'avançait avec nonchalance dans le clignotement des lumières orange. Il était clouté des pieds aux oreilles, et son visage ingrat, moucheté d'acné, était étiré en longueur par une coupe de cheveux à l'iroquoise. Son apparition dans ce décor alpestre, figé par l'obscurité, odorant et silencieux, était saisissante.

Sans plus s'occuper de lui, Tadeus pria ses visiteurs de l'accompagner. Avec une vélocité que son style de conduite n'avait pas laissé entrevoir, il les précéda dans le tambour vitré donnant accès à un grand hall bien éclairé. Une petite chienne beagle sauta en jappant au bas du fauteuil où elle dormait et trotta à sa rencontre en

* Service de première classe !

lui manifestant sa joie par des pirouettes et des cabrioles, d'autant plus cocasses qu'elle était à la veille de mettre bas, et que son ventre ballonnant comme une baudruche lui faisait perdre l'équilibre. Tadeus ne se laissa pas arrêter par ces démonstrations enthousiastes et, continuant sur sa lancée, courba l'échine pour passer sous le comptoir du minuscule bureau de réception. Sa brusque réapparition devant les chevilles d'ébonite d'un standard téléphonique d'une autre époque était si comique que Jacques et Lars Frankenthal éclatèrent de rire.

– Liquidons les formalités ! dit-il en roulant ses yeux étonnamment bleus. Il faut remplir ces fiches, à moi ça m'est égal mais la police est pointilleuse, et, avec les terroristes et ces rumeurs de guerre, on ne peut pas les blâmer, *nézebas* ? Ensuite, vous passez au salon de musique pour la petite collation. Le chef *soi-même* éteint les fourneaux à vingt zéro zéro, mais il a préparé un buffet froid, rien de gastronomique, mais ça vous aidera à tenir le coup jusqu'à demain matin. Vous verrez, l'air de la montagne creuse l'estomac, on n'a pas idée ! Attendez une fois que je vous donne un stylo, Herr Carpentier. *Ach so !* Vous êtes gaucher, voilà une fois quelque chose qui va intéresser le professeur ! Pas besoin d'indiquer la date de départ : on sait quand on arrive au Berghof, mais jamais quand on repart !

Jacques s'efforçait de compléter sa fiche, mais il se trompa deux fois, troublé par la remarque de Tadeus : « On ne sait jamais quand on repart... » N'était-ce pas en ces termes que Joachim Ziemssen avait accueilli l'intention de son cousin Hans de ne pas séjourner au Berghof plus de trois semaines ? Il regarda autour de lui et reconnut, non pour les avoir déjà vus mais pour se les être imaginés, le tambour d'entrée aux vitres biseautées, la cage grillagée de l'ascenseur électrique, le linoléum net et luisant des planchers et, dans le couloir qui conduisait aux salons, les portemanteaux aux longs crochets de laiton forgé. Des rires et des exclamations en plusieurs langues traversaient les portes vitrées de la salle à manger, qui étaient voilées jusqu'à mi-hauteur par des rideaux de tulle blanc, au liséré de dentelle et aux motifs floraux brodés main.

Précédé par la petite chienne qui avait réduit ses transports à un vif frétillement de la queue, Tadeus Bubenblick escorta les nouveaux venus, dont la présence était maintenant dûment légalisée dans les registres du Berghof. Il les fit entrer dans le salon de musique, qui devait son nom à la présence imposante d'un ancien phonographe Polyhymnia – une véritable pièce de musée en bois massif, dont le couvercle levé laissait apparaître le mécanisme rudimentaire, qui avait représenté autrefois la fine pointe de la technologie en matière de reproduction du son. On y voyait la lourde plaque tournante, le régulateur de vitesse, et le large coude articulé qui supportait le résonateur arrondi, dont la membrane luisante recueillait les vibrations de l'aiguille. Au bas du meuble, des cloisons verticales retenaient une vaste collection de disques en ébonite, rangés dans des chemises écornées de couleur sépia.

Un canapé d'osier tressé, deux fauteuils de même style aux coussins durs et une table basse en verre et bambou meublaient la pièce, en compagnie d'une armoire campagnarde aux panneaux décorés de peintures naïves. Devant la fenêtre aux rideaux tirés, une crédence mobile avait été dressée pour une collation qui se révélait moins modeste que Tadeus ne l'avait laissé entendre. Un assortiment de viandes froides, des asperges, des tranches de pâté en croûte, une large brique de gruyère et des fruits assortis étaient artistiquement présentés dans des plats de grès. Jacques, qui à l'ordinaire n'attachait pas grande importance à la nourriture, éprouva un plaisir enfantin à l'idée de composer son propre menu. Herr Bubenblick les consulta sur la couleur du vin, déboucha une bouteille de neuchâtel blanc en un tournemain et remplit leurs verres en se cassant en deux, comme si l'écoulement du liquide était facilité par l'inclinaison lente du buste. La surface plane de ses cheveux de paille atteignit la verticale, alors qu'il retenait la dernière goutte par une torsion professionnelle du poignet.

– Vous ne nous accompagnez pas ? demanda Lars Frankenthal en mirant le contenu de son verre.

– Sans façon, merci ! Vous m'excusez une fois, mais à présent j'avertis le professeur de votre arrivée sains et saufs. (Il prononçait *zinzézôve.*) Enfin j'essaie, parce que le soir il répond quand ça lui chante. Adieu, je vous laisse avec Betsy !

Il sortit en refermant la porte derrière lui, et on entendit son rire jovial éclater dans le corridor, comme une fusée à retardement.

Le Dr Frankenthal s'assit et considéra pensivement la serviette de toile amidonnée posée sur son assiette et pliée en forme de chapeau à quatre pointes, comme s'il hésitait à détruire cette merveille d'artisanat. Il finit par s'y résoudre et, en la soulevant, découvrit un petit pain et un écu d'or en chocolat. Il se servit parcimonieusement, sans toucher aux viandes, manifestant dans sa façon de rompre le pain et de peler une poire ce singulier mélange d'application et de détachement qui semblait caractériser tous ses gestes. Jacques l'observait à la dérobée, bien décidé cette fois à ne pas prendre l'initiative de la conversation. « S'il veut rester sur son quant-à-soi, c'est son problème ! pensait-il. Je n'ai rien à faire de ses grands airs ! »

– Puis-je vous poser une question indiscrète ? dit le médecin en levant les yeux de son fruit. Ne vous croyez pas obligé de me répondre.

– Mais... oui, pourquoi pas ? répondit le jeune homme, qui s'en voulut aussitôt de n'avoir pas mieux dissimulé son empressement.

– Tout à l'heure à la gare, j'ai cru remarquer que les deux personnes qui vous accompagnaient ont été troublées lorsque M. Bubenblick a prononcé votre nom.

– C'est vrai, mais je n'y suis pour rien. Dans le train, la conversation a porté sur les travaux de Jorge d'Aquino, et ce M. Léopold a fait des remarques plutôt déplacées sur un des anciens collaborateurs du professeur, le Dr Alexander Carpentier, sans se douter qu'il s'agissait de mon père. J'aurais dû l'interrompre dès le début, je le reconnais, mais la chose s'est présentée de telle manière que...

– Je comprends. Votre père est-il toujours en vie ?

– Oui, mais son attaque l'a laissé très diminué... Vous comptez rester un certain temps à Davos ?

– Un jour pour le travail et six autres pour le repos, dit-il en secouant la tête, comme étonné par sa propre réponse. Et l'ordonnance doit être renouvelée deux fois !

Il avait trop tiré sur la corde au cours des dernières années, ajouta-t-il, et son médecin lui avait prescrit un repos complet. Mais serait-il capable de supporter le choc d'un *farniente* si brutal ? Il se le demandait avec une réelle anxiété. Le travail était devenu à la longue une véritable drogue pour lui, et il craignait de se trouver en état de manque, d'éprouver des tourments semblables à ceux d'une cure de désintoxication.

Jacques approuva ces paroles d'un air entendu, pour ne pas laisser paraître sa surprise d'apprendre qu'un prix Nobel de médecine se faisait soigner comme le commun des mortels. Mais enfin, que s'était-il imaginé ? Que la célébrité immunisait contre le surmenage ? Et pourquoi éprouvait-il cette sorte de gratitude émue à recevoir ces confidences spontanées, qui somme toute étaient plutôt banales ? En fait, il réagissait surtout au ton d'ironie légère et à la simplicité un peu distante, mais dénuée d'affectation, avec laquelle son compagnon lui avait exprimé ses préoccupations, et il pressentait qu'il ne devait pas souvent se livrer de la sorte à un étranger. Il l'aurait relancé si son attention n'avait été détournée par une flambée de cris, de rires et d'applaudissements en provenance de la salle à manger voisine. « En tout cas, les gens n'ont pas l'air de s'ennuyer par ici, pensa-t-il avec un pincement d'envie et la désagréable impression d'être personnellement exclu de la fête. Je me demande ce qu'ils peuvent bien faire de si amusant... Des jeux ? Un spectacle ? Décidément, les coïncidences se multiplient ! » Il pensa au bal de la nuit du Mardi Gras, au décolleté rond et à la blancheur des épaules et des bras de Clawdia Chauchat.

– Avez-vous lu *La Montagne magique* ?

Lars Frankenthal sortit de sa rêverie et se fit répéter la question.

– Non, mais je vais avoir le loisir de le faire ici, sur les lieux de l'action ! répondit-il enfin. J'en ai lu récemment un court extrait, cité dans un magazine médical, où il était dit que la mentalité d'une époque peut exercer une influence paralysante sur la jeunesse, pas seulement sur le moral d'un individu, mais sur son organisme physique. C'était là une réflexion tout à fait novatrice pour son temps, une intuition de ce qui allait devenir l'écologie humaine et sociale...

– J'ai entendu parler de vos travaux sur la contraception naturelle, dit Jacques. En fait, c'est justement ce M. Léopold qui m'en a dit quelques mots dans le train. Il prétend posséder une mémoire *absolue* – je crois que c'est le terme qu'il a employé – et il s'en plaint comme si c'était une sorte d'infirmité. J'avoue qu'il a piqué ma curiosité et que je serais très intéressé, et même flatté de vous entendre à ce sujet... Je veux dire un de ces jours, si l'occasion se présente.

Lars Frankenthal pinça les lèvres en émiettant machinalement un morceau de pain entre ses longs doigts aux ongles soignés, puis releva la tête pour lancer au jeune homme un regard attentif, comme s'il se posait subitement une question d'un grand intérêt pour lui-même. Il entreprit alors de relater que, au début de sa carrière en gynécologie, il avait été intrigué par le problème de ces couples stériles désireux d'avoir un enfant et qui, après des années d'attentes déçues et de consultations infructueuses chez les meilleurs spécialistes, entreprenaient les procédures officielles en vue d'une adoption – pour découvrir deux ou trois mois plus tard que la future mère adoptive était enceinte, au défi de toute explication physiologique. Ses recherches lui avaient appris que ces cas de stérilité psychosomatique étaient beaucoup plus fréquents qu'on ne le supposait.

Après deux ans de recherches dans les laboratoires de l'Académie royale de médecine à Stockholm, il avait réussi à identifier une hormone naturelle, dont la fonction spécifique était d'empêcher la fécondation de l'ovule. Mais l'aspect le plus saisissant de sa découverte avait été de démontrer que cette hormone, produite par le métabolisme de la femme, était inopérante si elle n'était pas activée par un agent chimique qui, lui, était produit par l'homme. Il cita à ce sujet, avec un demi-sourire, un mot du biologiste français Henri Laborit, qui avait conclu un article dans le quotidien *Le Monde* en écrivant : « La morale de la contraception naturelle est qu'il faut être deux pour ne pas avoir d'enfant. »

– Maintenant que vous en parlez, dit Jacques, je me souviens d'avoir lu que ces travaux vous ont valu l'appui unanime des mouvements féministes, en particulier pour cette idée de « responsabilité partagée ».

– Unanime... je ne dirais pas, mais nous avons en effet reçu de nombreux encouragements, reconnut-il avec une certaine réticence. Vous qui êtes jeune, monsieur Carpentier – ou puis-je vous dire Jacques ? –, que pensez-vous de cette découverte ?

– Vous voulez connaître mon opinion personnelle ? demanda-t-il, décontenancé par la question et l'insistance avec laquelle elle avait été posée. Mais je ne... A quel point de vue ?

Le médecin hésita, comme s'il se le demandait lui-même, puis expliqua qu'il était d'abord et avant tout un spécialiste du traitement de l'infertilité, ce qui ne l'avait pourtant pas empêché de recevoir le prix Nobel pour sa découverte d'une nouvelle méthode de contraception. Le jeune homme ne voyait-il pas une ironie choquante dans cette contradiction, quelque chose de moralement ambigu ou répréhensible ? Le concept même de « contraception naturelle » n'était-il pas fallacieux, dès lors qu'on s'ingéniait par une intervention extérieure à déclencher systématiquement un processus biologique aléatoire, c'est-à-dire se produisant dans certains cas et non dans d'autres, pour des raisons encore inexpliquées ?

Jacques hésita avant de répondre. Il découvrait avec émotion chez Lars Frankenthal cette disposition de l'âme qui s'accommode si mal de la célébrité et si bien du vrai génie, la simplicité. Les éclats de voix et les rires qui fusaient de la salle à manger ne provoquaient plus son regret d'être exclu de cette coterie qui s'amusait si bruyamment, il en était au contraire excédé, comme d'une intrusion vulgaire dans une conversation sérieuse, dont le tour le surprenait et le flattait.

– Je crois comprendre vos scrupules, dit-il enfin. Mais ne faites-vous pas là une remise en cause globale de la question du contrôle des naissances ? Si j'ai bien compris, votre méthode ne présente aucun des inconvénients de la pilule, et en ce sens rendra un immense service à un nombre incalculable de femmes...

Du pouce et de l'index, Lars Frankenthal massa la racine de son nez, puis répondit que même si l'invention du Dr Guillotin avait été dictée par des considérations humanitaires, elle n'en justifiait pas la peine de mort pour autant. Il s'empressa d'ajouter que l'analogie n'était pas intellectuellement honnête et que, de toute façon, il avait déjà souscrit à l'argumentation de Jacques – sinon, comment aurait-il pu poursuivre ses travaux ? Changeant brusquement de sujet par une association de pensées qu'il n'élucida pas, il fit allusion à un événement anodin qui s'était produit plus tôt à sa descente de train, à Davos Dorf. Il s'était trouvé pour quelques instants face à face avec Gertrude Glück, à laquelle il n'avait d'ailleurs jamais parlé, et dont il ne connaissait pas encore le nom. Elle l'avait dévisagé avec une expression très singulière, avant de lui dire en anglais : *« There is no rest for a messenger till the message is delivered. »* Cette phrase l'avait vivement troublé, et pourtant il n'y voyait aucune signification particulière en rapport avec son voyage. Il n'était pas venu à Davos porteur d'un quelconque message, au contraire : il espérait trouver ici des éclaircissements sur un problème de nature scientifique, en relation avec ses travaux actuels.

– Je ne suis toutefois plus certain d'avoir pris une bonne décision en montant au Berghof, poursuivit le médecin en donnant des morceaux de nourriture à la petite chienne Betsy, qui était assise au pied de son fauteuil et suivait des yeux le moindre de ses gestes, les oreilles dressées. Peut-être est-ce la fatigue accumulée – oui certes, la fatigue avec l'effet combiné du vin –, mais je ne suis pas sans appréhension à la perspective de rencontrer le Pr d'Aquino.

Jacques ressentit comme un appel d'air au creux de la poitrine, une poussée d'affection et de gratitude pour son compagnon. Il se vit en pensée quittant son siège pour aller l'embrasser, et ce fantasme déclencha aussitôt en lui une crispation de tous ses muscles. Il avait pourtant l'habitude de ces pensées parasites et ne s'attardait plus à en chercher les significations profondes, mais elles réveillaient sa peur latente de perdre le contrôle de lui-même, d'accomplir des gestes compulsifs, des démarches imprévisibles et humiliantes.

– Je regrette de savoir que... J'aurais aimé discuter plus longuement avec vous... une question d'affinités, je crois, dit-il en cherchant ses mots. Votre remarque sur cette prochaine rencontre avec Jorge d'Aquino me trouble, je dirais même me choque en un certain sens. Ses théories sur l'intelligence ont eu certainement un retentissement considérable, mais enfin la psychosynergie n'est après tout qu'un discours parmi tant d'autres ! Et Jorge d'Aquino n'est pas Einstein, ni Freud, ni Mozart, ni...

Il s'interrompit, à court de noms et parce que son interlocuteur secouait la tête en signe de désaccord.

– Je ne puis partager votre point de vue, dit Lars Frankenthal. Dans leur domaine, les travaux du professeur soutiennent la comparaison avec la théorie de la relativité ou la théorie psychanalytique. Ils proposent une définition *autre* de l'intelligence humaine... C'est une révolution copernicienne, un édifice conceptuel tout à fait considérable ! Si les systèmes officiels d'éducation en tenaient compte, notre civilisation tout entière basculerait dans un état nouveau...

Il n'avait d'ailleurs jamais fait mystère que le point de départ de ses recherches sur la contraception naturelle lui avait été fourni par certaines hypothèses formulées dans le *Traité de psychosynergie.* Il expliqua à ce sujet que Jorge d'Aquino avait autrefois passé cinq mois dans le Grand Nord canadien, à étudier les formes de pensée des Netsiliks, une communauté esquimaude isolée, dont les contacts avec d'autres cultures avaient été presque inexistants. Il avait observé entre autres choses que les femmes de ce groupe n'avaient en moyenne que trois enfants, dont les naissances étaient espacées de quatre ou cinq ans, en l'absence de toute méthode contraceptive, n'étaient-ce des rites mystiques dont il avait fait une analyse magistrale.

– Dans ma note de remerciement à la cérémonie de présentation du prix Nobel, ajouta-t-il, j'ai rendu un hommage non équivoque au professeur, mais la presse n'en a pas soufflé mot. L'information n'était pas assez sensationnelle.

– Je me suis laissé emporter par mon sentiment, reconnut Jacques, décidé à aller au bout de ce qu'il voulait exprimer. Ce n'est pas de Jorge d'Aquino que je voulais parler, mais de vous. Depuis que nous sommes arrivés, vous m'avez écouté comme si... Par exemple, je n'aurais jamais pu exprimer un point de vue personnel devant ce M. Léopold sans être aussitôt enseveli sous un déluge de connaissances. Mais voyez, je recommence à parler de quelqu'un d'autre, c'est une manie ! Ce que j'essaie simplement de dire, c'est que je ne m'attendais pas à avoir une discussion aussi ouverte et détendue avec une personnalité qui... enfin, avec quelqu'un qui jouit d'une notoriété internationale.

Lars Frankenthal arrondit les épaules et sourit d'un air emprunté. La déclaration du jeune homme le mettait visiblement mal à l'aise, et il retrouva son regard à demi absent pour rappeler que « la gloire est le soleil des morts ». A cet instant, Betsy bondit sur ses pattes en jappant et courut se poster devant la porte, sa queue remuant comme la flèche d'un métronome détraqué. Quelques secondes plus tard, Tadeus Bubenblick faisait irruption dans le salon et, levant le bras dans un salut quasi militaire, annonça que « tout était réglé sur le front d'Aquino ».

– Voilà les clés pour vos chambres, enchaîna-t-il, vous êtes voisins, alors plus de disputes ! Sigmund a monté vos bagages, j'ai vérifié. Tout est propre-en-ordre, bravo ! Le balcon donne sur le sud-est, vous verrez la vue demain à l'aube, je ne vous dis que ça ! Le petit déjeuner est servi de zéro sept à zéro neuf trente, avis aux retardataires !

Sans reprendre son souffle, il se tourna vers Lars Frankenthal pour lui annoncer que le professeur était d'excellente humeur et disposé à le rencontrer tout de suite, *nézebas*, s'il voulait bien se donner la peine de le suivre.

– Aussi il a demandé de vos nouvelles, ajouta-t-il à l'intention de Jacques. Il a dit comme ça : « Et comment se porte notre *vieil ami ?* Dites-lui que nous le verrons demain matin. » Voilà, commission accomplie ! Maintenant, je conduis le docteur à son rendez-vous et je reviens vous chercher. En attendant, faites encore un petit effort, *bitte*, vous n'avez rien mangé ! Ayayayaïe, un appétit d'oiseau, à votre âge ! A tout de suite, voui ?

Jacques se retrouva seul dans le salon de musique, en tête à tête avec Betsy qui l'observait à distance avec un air comiquement penché, comme si elle se doutait intuitivement que la conquête de cet étranger n'était pas chose acquise. Il avait été durement attaqué par un doberman à l'âge de sept ans – les cicatrices de la morsure étaient encore visibles sur sa cuisse – et, s'il avait réussi à surmonter en grandissant sa peur des chiens, il restait toujours vaguement mal à l'aise en leur présence et ne pouvait s'empêcher de les surveiller du coin de l'œil.

La brusque convocation du Dr Frankenthal l'avait secrètement mortifié, et à cette vexation s'ajoutait le reproche qu'il s'adressait à lui-même de réagir de façon si mesquine et puérile. S'attendait-il vraiment à ce que Jorge d'Aquino lui accordât préséance sur un visiteur aussi prestigieux ? Sa raison répondait sans peine à cette question, mais quelque démon lui rappelait aussitôt ce qu'il s'était imaginé dans l'avion, cette scène sur le quai de la gare de Davos, où le Sage des Grisons était venu accueillir en personne son *vieil ami* Jacques Carpentier. Et pourquoi pas un orphéon et des feux d'artifice ? « Et puis non, je n'ai pas soif ! se dit-il en reposant le verre de vin qu'il venait de se verser. D'ailleurs, pourquoi moisir ici ? Après tout, j'ai la clé de ma chambre, et je n'ai pas besoin d'attendre que ce Bubenblick vienne me prendre par la main ! »

Dans le corridor, il se trouva face à une étrange créature qui sortait à l'instant de la salle à manger, et qui se figea en l'apercevant. « Je lui fais peur, c'est un comble ! pensa-t-il. Ainsi, ces gens ont organisé une soirée costumée, voilà qui explique le tapage ! » Il fit un sourire incertain à l'apparition, qui était saisissante. Vêtue d'une robe bleu pâle qui tombait à terre à la façon d'une tunique grecque, les épaules couvertes d'un grand châle de cachemire, elle portait un masque stylisé, d'un blanc laiteux, dénué de toute expression et épousant étroitement l'ovale du visage. Mais une abondante chevelure aux boucles blond cendré rompait l'envoûtement : cette forme vaporeuse était bel et bien de ce monde, et des yeux attentifs brillaient derrière les orifices du masque.

– *Jacques ! Enfin !*

La femme fit un pas en avant, puis se ravisa et rentra précipitamment dans la salle qu'elle venait de quitter, laissant échapper la porte vitrée, aux carreaux de couleur sertis dans du plomb, qui se ferma au nez de Jacques avec fracas. Qu'est-ce que tout cela voulait dire ? Comment avait-elle pu savoir son nom ? Et pourquoi ce ton de surprise ? Il finit par se convaincre d'avoir mal entendu et, secouant la tête, partit à la recherche de sa chambre.

Betsy l'accompagna jusqu'au grand hall, où elle alla tranquillement reprendre sa place sur le fauteuil de cuir, près du bureau de réception. Pour sa part, il décida d'ignorer l'ascenseur, dont l'aspect vétuste ne lui inspirait pas confiance, et gravit le large escalier aux marches de bois, qui se déroulait autour d'une cage circulaire où s'épanouissait un caoutchouc géant. Le tronc de la plante, aussi large à sa base qu'un poteau téléphonique, s'élevait jusqu'à la hauteur du deuxième étage, fixé à des tuteurs en bois aboutés par du fil de fer en torsade.

Le palier supérieur ouvrait sur les deux ailes opposées du bâtiment. Il s'engagea dans le couloir de droite, pour rebrousser chemin en s'apercevant que toutes les chambres affichaient un nombre impair, alors que la gravure de sa clé indiquait le 206. Soudain, une plainte déchirante se fit entendre derrière une des portes fermées, le clouant de saisissement. Le gémissement s'apaisa pour quelques instants, puis reprit avec une force décuplée, pour se transformer en un long cri de désespoir. Il n'avait jamais rien entendu de pareil, et hésitait à croire qu'un gosier humain pût émettre de tels sons. La voix était celle d'un homme, mais les sanglots qui y perçaient disaient la terreur aveugle d'un enfant abandonné au fin fond de la nuit.

Les oreilles bourdonnantes et le souffle court, Jacques s'éloigna en toute hâte à la recherche de sa chambre, pour s'y enfermer à double tour, baigner son visage d'eau froide, trouver le silence et oublier cette interminable journée. Le *satanarium*, un asile de fous, comme disaient les mauvaises langues de la région ? *Voui, voui !*

La chambre était accueillante et confortable, avec son mobilier en pin ciré, sa tapisserie à petits motifs floraux, sa moquette bouclée et ses rideaux épais qui masquaient entièrement la fenêtre, suspendus à de larges anneaux coulissant le long d'une tringle de bois. L'interrupteur d'entrée commandait deux lampes sur pied aux abat-jour de gros parchemin, qui diffusaient un éclairage tamisé. Un paravent de toile écrue dissimulait un lavabo sur pied, d'un modèle ancien mais d'une propreté toute suisse, surmonté d'un grand miroir où Jacques se regarda avec incrédulité, comme s'il s'étonnait de ne pas y voir le reflet de Hans Castorp. De fait, ses joues étaient brûlantes comme avaient été autrefois celles du jeune Allemand, et ses yeux, fatigués du voyage, avaient le même éclat fiévreux. Qu'était-il venu faire ici ? Il faisait froid, il avait l'impression d'avoir changé de saison en changeant de pays, de se retrouver sans transition au cœur de l'automne. Il ouvrit sa valise et rangea distraitement ses affaires dans la commode ; le fond de chaque tiroir était tapissé d'un papier lustré au motif de pied-de-poule, fixé par des punaises dont la tête était recouverte d'un petit capuchon de celluloïd rouge. Dieu qu'il se sentait loin de Montréal !

Il sortit le livre *La Montagne magique* de son sac et le feuilleta fébrilement, à la recherche de ce passage traitant de l'influence paralysante de l'époque sur l'âme et le corps. Au hasard des pages, les noms des personnages – Mme Stœhr, Settembrini, le Dr Blumenkohl, Hermine Kleefeld – et des bribes de phrases se détachaient du texte serré et l'emplissaient d'une nostalgie inexplicable. Il finit par trouver le paragraphe qu'il cherchait, mais fut contraint d'en recommencer la lecture à plusieurs reprises, car son esprit se refusait à le comprendre, trop occupé à se rappeler les propos que Lars Frankenthal avait tenus à ce sujet.

« L'individu peut envisager toute sorte de buts personnels, de fins, d'espérances, de perspectives où il puise une impulsion à de grands efforts et à son activité, mais lorsque l'impersonnel autour de lui, l'époque elle-même, en dépit de son agitation, manque de buts et d'espérances, lorsqu'elle se révèle en secret désespérée, désorientée et sans issue, lorsqu'à la question, posée consciemment ou inconsciemment, mais finalement posée en quelque manière, sur le sens suprême, plus que personnel et inconditionné, de tout effort et de toute activité, elle oppose le silence du vide, cet état de choses paralysera justement les efforts d'un caractère droit, et cette influence, par-delà l'âme et la morale, s'étendra jusqu'à la partie physique et organique de l'individu. Pour être disposé à fournir un effort considérable qui dépasse la mesure de ce qui est communément pratiqué, sans que l'époque puisse donner une réponse satisfaisante à la question " à quoi bon ? ", il faut une solitude et une pureté morales qui sont rares et d'une nature héroïque, ou une vitalité particulièrement robuste. »

Il interrompit sa lecture pour répéter à mi-voix, comme une incantation : « A quoi bon ? à quoi bon ? » Le cœur battant, il voyait une affinité singulière entre ces lignes et sa propre condition, et jouait avec l'idée folle qu'elles avaient été écrites pour lui, par-delà le temps, à la manière d'un message mystérieusement solidaire de son désarroi et de ses doutes. Pourquoi ne les avait-il pas soulignées à sa première lecture ? Où avait-il donc la tête ? Avait-il laissé échapper de la sorte d'autres pages importantes, ignoré même sans s'en douter quelque enseignement précieux ? Sa surprise était telle qu'il fut traversé par le soupçon absurde que le texte qu'il avait sous les yeux était différent de celui dont il avait commencé la lecture à Montréal, comme si quelque puissance occulte l'avait modifié en cours de voyage. Il se laissa tomber à la renverse sur le lit, les bras en croix, en poussant un râle caverneux comme s'il était à l'agonie. Il adoptait souvent de telles poses théâtrales quand il était seul, pour s'empêcher de se prendre trop au sérieux.

Des coups frappés à la porte le réveillèrent en sursaut et, avec une oppression proche de la panique, il se dressa sur ses coudes pour regarder autour de lui. Où se trouvait-il ? Comment était-il arrivé ici ? Les jambes molles, il alla ouvrir à une grande femme souriante, qui entra avec élan et le prit aux épaules, hésitant à l'embrasser.

– Jacques ! Jacques ! Alors tu es arrivé, tu es là, c'est bien vrai ! dit-elle avec cet accent qui faisait un triple sort à chaque *r*. Tu as l'air éberlué, des yeux de chouette, tu dormais ou quoi ? Mais comme tu es grand ! As-tu fait bon voyage ? Jorge ne m'a rien dit de ta venue avant la semaine dernière, tu sais comme il est ! Je ne pensais pas que tu deviendrais aussi grand, un vrai bûcheron canadien, non mais regardez ces épaules ! Toi qui étais plutôt chétif. Mon Dieu, ça fait au moins dix ans...

Elle continua de parler sur la même note aiguë, en le dévisageant intensément. Son sourire peu à peu se crispa et ses yeux s'emplirent de larmes. Elle se tut enfin, prise elle-même au dépourvu par l'intensité de son trouble, et le lâcha pour s'adosser contre le battant de la porte.

– Oh, Jacques, je te demande pardon ! dit-elle dans un sanglot qui montait du plus profond d'elle. Tu lui ressembles tant ! Je te regarde et je le vois devant moi. La petite fossette dans le menton, là... et les yeux, les mêmes yeux ! Le même air ! Tu ne peux pas savoir !

Il ouvrit la bouche pour parler, sa voix s'enroua pour ne sortir qu'un pitoyable canard et ils furent dans les bras l'un de l'autre. Jamais il n'aurait cru que le jour viendrait où, serré contre elle, il aurait son oreille à la hauteur de ses lèvres. Il sentait le tremblement de ses épaules, alors qu'elle murmurait comme une litanie : « Jacques, mon petit Jacques ! » Il sentait aussi la précipitation de son propre souffle, mais résistait à s'abandonner à l'émotion qui l'avait pris à la gorge. « Comment ai-je pu être aussi aveugle ? pensa-t-il. Je l'ai su dès le premier jour, peut-être avant qu'ils ne s'en doutent eux-mêmes, mais je ne pouvais l'admettre ouvertement. *Élisabeth et mon père !* Est-ce *cela* que je suis venu chercher ici ? Non, il y a autre chose, je le sens ! Le véritable secret n'a rien à voir avec leur liaison... »

Elle se détacha de lui avec brusquerie, comme si elle avait deviné ses pensées et, l'écartant de son chemin, alla s'asseoir à demi sur un coin de la commode, faisant un effort visible pour reprendre contrôle d'elle-même. Après un silence, elle le toisa d'un regard défiant et fier, mais sa voix avait gardé sa chaleur quand elle lui dit :

– Je ne savais pas que tu ne savais pas ! Ce fut un grand amour, Jacques, un grand amour partagé ! C'est un soleil dans ma vie qui me réchauffe, aujourd'hui encore. Alex m'a tout appris, je n'étais qu'une jeune fille à l'époque, malgré mes grands airs et mes petits cigares, tu te rappelles ? Il était un amant merveilleux, si tu veux savoir ! Non, ne me regarde pas avec *ses yeux à lui*, sinon je fais repartir les grandes fontaines ! Ah, je me sens vieillir rien qu'à te regarder, tu es si fort maintenant ! J'ai des photographies de toi, toute une collection, Katja les a vues et s'impatiente de te rencontrer, elle ne sait pas ce qui l'attend ! Et toi qui me dévisages comme si tu ne me reconnaissais pas... Tu as beau courir en hauteur, tu ne me rattraperas pas, je serai toujours une vieille bonne femme pour toi ! N'empêche que j'ai des admirateurs ici : M. Shapiro m'a dit l'autre jour que j'approchais la quarantaine à reculons, et que pour cette raison mon visage était resté exposé à l'éclat de la jeunesse. C'est un poète en son genre, tu verras, tu feras sa connaissance. Il y a tant de choses au Berghof qui attendent que tu les découvres...

Elle roucoula son rire de fond de gorge, avec une moue de coquetterie. Ses cheveux châtains, fermement tirés sur le front et les tempes, étaient noués à l'arrière de sa tête en un double chignon au tressage savant ; ses yeux avaient gardé le fond d'insolence de ses vingt ans et sa bouche, ce pli moqueur qui vous mettait sur la défensive. « Je la retrouve après toutes ces années, et j'ai l'impression que nous avons déjà rétabli le contact ! pensa Jacques. Comment est-ce possible ? Il est vrai qu'elle n'a jamais aimé les " conversations d'ascenseur ", comme elle disait. »

– Vous n'avez pas changé et vous le savez bien, dit-il en souriant à son tour. Je suis bien obligé de constater que l'écart d'âge entre nous a diminué avec le temps.

– *Mic smechere !** Alors c'est pour ça que tu ne me tutoies plus ?

– Laisse-moi le temps de retomber sur mes pattes, dit-il, troublé en effet par la résonance du tutoiement. Je ne savais pas ce que tu étais devenue... J'ai vu dernièrement un reportage à la télévision sur le Berghof, on parlait évidemment de Jorge d'Aquino, mais on ne disait rien à ton sujet. Cet après-midi, dans le train, je me demandais justement si on allait se revoir.

– Tu sais que tu as intrigué Jorge avec ta lettre ! dit-elle en changeant de ton. Tu disais que tu voulais le rencontrer au plus vite – il se réjouit de te revoir, ne hausse pas les épaules, c'est vrai ! –, mais pas un mot d'explication sur cette mystérieuse urgence. Alors, tu vas me le dire pourquoi tu es venu, Petit Prince ?

Il hésita, pris de court par ce surnom dont il s'étonnait qu'elle ne l'eût pas oublié, et ne sachant trop comment tourner sa réponse.

– Pour demander des comptes à d'Aquino au sujet de mon père, dit-il enfin. (Il la vit tressaillir.) C'est un peu compliqué, je t'en parlerai une autre fois, ce soir je me sens trop... comment dire ? Je me sens éparpillé, il me faut d'abord rassembler les morceaux, tu comprends ?

– Mais non, comment je peux comprendre, tu es si énigmatique ! C'est quoi, cette histoire de demander des comptes à Jorge ? Tu as trouvé quelque chose dans les papiers d'Alex, c'est ça ? Moi, j'ai toujours su que tu viendrais tôt ou tard... Tu n'as rien dit à personne, au moins ?

– Mais de quoi parlez-v... de quoi parles-tu ? dit-il, soudain sur ses gardes. Je n'ai rien trouvé dans ses affaires, justement ! Il y a une année, j'ai traversé une passe difficile, j'étais déprimé sans raison précise, une sorte d'angoisse qui ne provenait pas seulement de mes problèmes, mais aussi de l'époque dans laquelle nous vivons... (Il se troubla en se rendant compte qu'il s'appropriait l'idée de Thomas Mann.) Mais je ne veux pas t'ennuyer avec mes états d'âme ! Si j'en parle, c'est parce qu'à la même période je me suis mis à la recherche de mon père. J'ai pris conscience que, même si nous vivions sous le même toit, je ne savais presque rien de lui, de ses travaux, de l'homme qu'il a été avant sa maladie. Mes souvenirs de Californie sont plutôt vagues, et de toute façon je n'étais qu'un gamin à l'époque.

* Petit flatteur !

Elle fronça les sourcils et, sans lui dire ce qui l'étonnait dans ses paroles, l'interrogea sur Didier.

– C'est une longue histoire, dit-il.

Comme elle l'invitait du geste à prendre son temps, il lui expliqua qu'après la mort de sa mère son frère avait été recueilli par l'aînée des Demontigny, qui avait elle-même quatre enfants et habitait le quartier Côte-des-Neiges, à Montréal, à moins d'un quart d'heure de la maison familiale des Carpentier, où Didier allait déjeuner chaque dimanche. Au long des années, sa relation avec son père s'était développée de façon singulière et émouvante, et, bien qu'à tous égards il fût élevé comme le cinquième enfant des Brisebois, il appelait son oncle Robert par son nom, alors qu'il disait Maman à sa tante Lucie. Au début de l'été, les projets de vacances des Brisebois avaient été chamboulés par l'incendie du chalet que les grands-parents Demontigny possédaient à Sainte-Adèle, dans les Laurentides, et où ils se préparaient comme chaque année à accueillir la horde de leurs petits-enfants.

– Dans ces circonstances, je ne pouvais pas refuser de m'occuper de Didier, poursuivit-il. D'ailleurs, Mathilde a tout arrangé avant même de m'en parler, je me suis trouvé une fois de plus devant le fait accompli. Note bien que je ne m'en plains pas, c'est une occasion pour moi de me rapprocher de mon frère. On s'entend plutôt bien, mais on est très différents l'un de l'autre.

– Et cette Mathilde, c'est quoi ? demanda-t-elle abruptement.

– Excuse-moi, je te croyais au courant. C'est ma tante, du côté des Carpentier. Elle est venue vivre avec nous après le décès de ma mère. C'est une femme aux idées arrêtées et qui n'a pas un caractère facile, mais il faut reconnaître qu'elle prend soin de mon père avec un dévouement admirable.

Il se tut, car il avait l'impression qu'Élisabeth ne l'écoutait plus. Elle resta un moment silencieuse, les yeux dans le vague, puis porta les mains à ses épaules comme si elle avait froid.

– Tu ne m'as toujours pas dit pourquoi tu es venu, fit-elle enfin, en s'efforçant de sourire. Ça ne fait rien, je finirai bien par le savoir ! Mais tu peux au moins me rassurer en me disant que tu es heureux d'être parmi nous. Si tu te voyais, tu as un air de crépuscule !

– Bien sûr que je suis heureux d'être arrivé ! Ça ne m'empêche pas d'être exténué ! Je peux te poser une question ?

– Bien sûr. Et je réponds pour de vrai, moi !

Il se préparait à l'interroger sur la Villa Stella Maris et lui faire partager ses craintes au sujet de Didier, mais il changea d'idée au dernier instant et fit mention du gémissement lugubre qu'il avait entendu tout à l'heure dans le corridor.

– Serguei Tchakalov, dit-elle aussitôt. Mais qu'est-ce que tu faisais là-bas ? Tu étais seul ? Tadeus ne t'a pas accompagné ? Pauvre Petit Prince, tu as dû être terriblement impressionné ! Non, ne te défends pas, moi aussi j'ai la chair de poule chaque fois que je l'entends, pourtant je devrais avoir l'habitude.

Elle révéla qu'au début de l'année un groupe de médecins russes avaient mandé Jorge d'Aquino en consultation extraordinaire à Leningrad, pour examiner trois cosmonautes de retour d'une mission de longue durée dans l'espace, qui présentaient tous d'étranges troubles psychiques. D'Aquino avait sèchement décliné l'invitation, puis refusé l'une après l'autre les propositions de l'administration militaire soviétique, en les qualifiant de « combinaisons loufoques ». Finalement, le colonel Serguei Tchakalov, dont l'état inspirait le plus d'inquiétudes, avait été transporté à Davos en hélicoptère, dans un luxe de précautions rocambolesques. Il séjournait au Berghof depuis quatre mois en compagnie de son épouse, une matrone taciturne qui s'acquittait de ses fonctions d'interprète en s'efforçant de décourager quiconque de leur adresser la parole.

– Comme il fallait s'y attendre, les militaires ne nous ont pas dit le quart de la vérité ! poursuivit Élisabeth. Jorge a fait une colère et menacé de renvoyer le malade séance tenante si on ne lui donnait pas toutes les informations pertinentes à son cas. Quelle histoire !

De fait, Serguei Tchakalov et ses équipiers avaient été soumis dans l'espace à des expériences de modification du sommeil, visant à maintenir leur cerveau dans un état de semi-conscience permanente. La mission avait été écourtée en raison du comportement erratique des trois hommes, dont les troubles s'étaient encore accentués après leur retour sur terre.

– Il a perdu le sommeil, c'est ça ? dit Jacques.

– Que non, il dort profondément pendant une partie de la nuit. Au début, nous pensions que les crises étaient déclenchées par des cauchemars terrifiants, et puis nous avons découvert que la réalité était plus terrifiante encore. *Il ne peut plus rêver*, tu comprends ? Si c'était une histoire symbolique, elle serait belle, n'est-ce pas ? Elle dirait que la privation du rêve est le pire tourment de l'âme. Mais ce n'est pas une fable, c'est une horreur ! Serguei souffre le martyre, et Jorge n'a pas encore trouvé le moyen de le soulager. A présent je te laisse, tu tombes de sommeil. Et tu as plus de chance que les Russes, tes rêves n'attendent que toi pour commencer !

Elle se leva et gagna la porte en trois enjambées. Il était déçu de la voir partir si vite et chercha quelque chose à dire, n'importe quoi, pour la retenir :

– Tu sais, je n'avais pas compris l'importance de ta contribution aux travaux de d'Aquino. Et puis j'ai lu tes articles à la bibliothèque de l'université, et j'ai découvert des tas de choses sur toi... Pourquoi vous n'avez rien publié depuis dix ans, ni toi, ni d'Aquino ? Bien des gens prétendent que la psychosynergie est dans une impasse. Tu ne dis rien ?

– Nous en discuterons demain, promis ! dit-elle en ouvrant la porte. Ne fais pas cette tête, on m'attend, je dois partir. N'empêche que c'est vrai, oui, nous sommes dans une impasse, et de toute façon le vent a tourné. Pourquoi s'intéresserait-on aujourd'hui à une psychologie de la singularité et de l'universel, qui dénonce le concept de la normalité et qui conteste l'existence de l'*être moyen ?* Seulement, ce qu'on ne sait pas, c'est que nous faisons l'impossible au Berghof pour ne pas sortir de cette impasse ! Oh toi, cesse de me regarder avec ces yeux qui ne t'appartiennent pas, sinon je chavire, et tant pis pour nous !

Elle sourit et, d'un geste presque craintif, lui effleura la joue du bout des doigts.

– J'ai souvent pensé à cet instant, murmura-t-il avec émotion. Je savais qu'un jour nous devions nous revoir. Pour toi, là-bas, je n'étais qu'un môme, alors que tu étais une idole pour moi, une sorte de personnage mythique, l'incarnation de la Femme. Ne souris pas, Élisabeth, c'est sérieux ! Je me cachais pour te voir passer et, quand tu me touchais, ma gorge était tellement serrée que j'avais peur que l'air ne passe plus ! On ne fait pas assez attention aux passions amoureuses des enfants – elles sont pourtant les plus absolues, les plus exclusives... Attends, ne bouge pas !

L'ordre était inutile, car elle l'écoutait, pétrifiée – et le sourire qu'il lui avait reproché s'effaçait en tremblant de ses lèvres. Il alla fouiller dans sa trousse de toilette et revint avec un bracelet en argent, en forme de croissant, portant à chaque extrémité une petite tête de lionne. Elle le prit et l'examina avec curiosité, puis avec stupéfaction.

– C'était toi ! murmura-t-elle. *Mic hotz !** Et tout le temps que nous avons perdu à le chercher, tu y penses ?

– Et toi, tu es psychologue ou non ? Comprends-tu ce qu'il représentait pour moi ? C'est un talisman, il ne m'a pas quitté depuis douze ans !

Elle soupesait le bijou avec émoi, comme si son contact éveillait en elle des souvenirs qu'elle croyait perdus, et hésita au moment de le glisser à son poignet.

– Tu me le rends ou tu me le donnes ?

– Je te le prête, dit-il en souriant. Il n'a pas épuisé son charme et, si tu n'y vois pas d'objections, je te le reprendrai à mon départ.

– Je refuse de parler de départ alors que tu viens d'arriver ! Es-tu seulement certain de repartir un jour ?

La question le mit mal à l'aise.

– Que veux-tu dire ?

– Que ta venue n'est pas l'effet du hasard, qu'est-ce que tu crois ? Depuis quelques semaines, je sens des forces qui convergent vers le Berghof, et toi tu es l'une d'elles, avec ton impatience et ton magma qui bouge ! Attends de voir, il se passe ici des choses qui te mettront littéralement *hors de toi* ! (Elle changea de ton.) Alors comme ça, le Petit Prince ne pouvait plus respirer quand je l'approchais ? Tu exagères un peu !

– C'est la vérité. Je t'aimais avec passion, Élisabeth.

Elle pencha la tête sur le côté avec l'air de se demander ce qu'il fallait penser d'un aveu si tardif et si candide.

– A demain, dit-elle d'une voix rauque. Nous avons trop de choses à nous dire pour que je reste une seconde de plus !

Elle disparut dans le corridor et il referma lentement la porte sur elle. Son cœur battait à grands coups sourds. Pourquoi ne lui avait-il pas dit qu'elle était aujourd'hui plus belle encore, et plus désirable que dans son souvenir ? Le moment était propice et il n'avait pas su en profiter, c'était bien lui ! Une autre occasion ne se présenterait pas de sitôt. Et comment réagirait-elle, quand il lui dirait que ses sentiments pour elle n'avaient pas changé ?

En se brossant les dents, il rencontra avec surprise le regard critique et sévère avec lequel il détaillait son double dans le miroir, et se dit qu'il ferait bien de commencer par aimer ce jeune homme tourmenté, avant de s'intéresser au reflet d'une femme qui surgissait de son passé, intacte, sans une ride. Il s'apostropha à haute

* Petit voleur !

voix, citant une réplique qu'il avait soulignée la nuit dernière dans *La Montagne magique* : « Je te salue, fantôme d'oxygène et d'eau promis à l'alchimie de la tombe ! » Il reprit l'interpellation dans un murmure, avec une délectation morose qui, quelque part, le réconfortait.

3

Jacques passa une nuit agitée. Il se réveilla à plusieurs reprises en sursaut, avec la sensation d'être nulle part, sans identité et sans âge, en proie à des pensées obsédantes, qui prolongeaient des rêves dont la trame s'effaçait à mesure qu'il tentait de s'en souvenir. Le dernier de la nuit tourna au cauchemar. Il se trouvait dans la cave de la demeure familiale d'Outremont, cherchant un vieux livre datant de son enfance. Il en avait oublié le titre, mais se rappelait avec précision les illustrations à la pointe sèche, la couverture rouge et les arabesques des fers à dorer, dont il s'amusait à suivre les incrustations du bout des doigts. Alors qu'il fouillait dans des caisses poussiéreuses, il entendit un cliquetis derrière lui et vit en se retournant un landau d'enfant à l'armature rouillée qui traversait la cave, puis disparaissait dans la pénombre d'un couloir, mû par une force invisible. Il le suivit et déboucha dans une sorte d'entrepôt souterrain, dont l'existence lui était connue, mais où il ne s'était jamais aventuré. Il avança alors dans un capharnaüm d'objets familiers sans valeur et d'antiquités de prix, dont certaines étaient couvertes de housses grisâtres, d'autres suspendues à des crochets au plafond, qui l'obligeaient à courber la tête. Il parcourut une enfilade de salles plus encombrées les unes que les autres, en se laissant guider par le grincement aigu des roues de la petite voiture, qu'il finit par rattraper après une course effrénée. Elle contenait une créature difforme, au corps de petit enfant surmonté d'une tête de femme, qui lui sourit en battant des paupières, et lui reprocha d'une voix fluette de ne pas se souvenir d'elle, c'était du joli ! Avec une stupeur horrifiée, il reconnut sa mère et chercha à se justifier en disant que tout le monde la croyait morte depuis longtemps. Elle secoua ses boucles blondes et répliqua en minaudant qu'elle n'avait pas le droit de mourir tant que Didi aurait besoin d'elle. Il tenta alors de la sortir du landau, mais elle était collée au matelas et, tout en gémissant de douleur, elle le suppliait de ne pas l'abandonner et de continuer à tirer de toutes ses forces.

Il se réveilla au terme d'un grand plongeon, le cœur dans la gorge. Avant de se coucher, il avait ouvert les rideaux de sa chambre pour que la clarté du jour fasse office de réveille-matin, en se disant que la première chose qu'il verrait de son lit serait le panorama des montagnes, tant vanté par Herr Bubenblick. L'esprit encore en déroute de sa lutte avec l'effrayante naine du cauchemar, il découvrit que sa fenêtre donnait sur un mur blanc, et il lui fallut aller poser son front brûlant contre la vitre pour comprendre que, durant la nuit, le paysage avait fait silencieusement naufrage dans un brouillard solide, dont la luminosité lui blessait les yeux.

Il fit sa toilette avec une application délibérée, pour contrecarrer la hâte fébrile qu'il ressentait au creux de l'estomac. Il pensait à sa rencontre prochaine avec Jorge d'Aquino, à la visite nocturne d'Élisabeth, à la présence du Dr Frankenthal dans la chambre voisine, et il se rendit compte que, depuis son arrivée au Berghof, il avait été aux aguets de tous les bruits de la maison, des plus distincts aux plus sourds, comme s'il voulait amadouer au plus vite ce nouvel univers sonore. Une musique se faisait entendre quelque part à l'étage, un morceau classique qui lui était familier.

Un grattement singulier l'attira près de la porte.

– Qu'est-ce que c'est ? cria-t-il à travers le battant.

Comme personne ne répondait et que le bruit reprenait de plus belle, il acheva de s'habiller à la hâte et alla ouvrir. La petite chienne Betsy l'attendait sur le seuil, les flancs ballonnants, la patte encore dressée. « Mais qu'est-ce qu'elle fait là ? pensa-t-il en l'observant avec un fond de méfiance. Mais oui, elle est seule ! On l'a peut-être envoyée me chercher pour le petit déjeuner ? Non, c'est absurde, comment aurait-elle pu trouver ma chambre ? Et pourquoi ne pas la suivre, si c'est ce qu'on veut ? »

En marchant dans le corridor, il reconnut enfin la *Suite en ré* de Bach, mais ne put localiser les haut-parleurs qui la diffusaient – la mélodie venait de nulle part et se déplaçait avec lui. Il passa devant des fenêtres qui donnaient toutes uniformément sur la même blancheur lumineuse, et finit par presser le pas malgré lui, en proie à une oppression grandissante. Dans l'escalier circulaire du grand hall, que Betsy déboula devant lui avec une maladresse cocasse, il croisa un quinquagénaire couperosé qui lui adressa une salutation empressée en allemand, comme s'ils se connaissaient de longue date ; puis, sur le palier du premier étage, une femme qui s'immobilisa à son approche en l'observant d'un regard aveugle.

– Vous ne pouvez être que monsieur le Canadien, dit-elle. Je reconnais le pas de tout le monde ici, et le vôtre m'est inconnu. Simple comme bonjour ! Et en plus, M. Bubenblick avait raison, Betsy a réussi à vous ramener ! Elle est extraordinaire ! On dit qu'elle ne va pas tarder à mettre bas. Quel événement ! Dolorès Sistiega, enchantée.

Elle tendait une main dans le vide, qu'il serra en répondant des banalités. Elle avait des cheveux gris coupés à la garçonne, un teint mat et une physionomie sans cesse mouvante, comme si les muscles de son visage n'arrivaient pas à se décider sur l'expression à prendre.

– Il se passe des choses inhabituelles depuis que vous êtes parmi nous, poursuivit-elle.

– Que voulez-vous dire ? Je viens à peine d'arriver.

– Oh que non ! Votre ombre vous a précédé... On a beaucoup parlé de vous dans les couloirs ces derniers jours. Mais ne vous attardez pas pour moi, monsieur, je connais mon chemin ! On vous attend en bas, préparez-vous, les gens sont toujours curieux de voir une nouvelle tête. C'est humain !

Comme elle ne faisait pas mine de bouger, il rompit avec gaucherie et, arrivé au bas de l'escalier, jeta un coup d'œil par-dessus son épaule. La tête penchée, une main sur la rampe de bois, elle l'écoutait s'éloigner.

La salle à manger était vaste, moins toutefois qu'il ne se l'était imaginé. Il reconnut le plafond voûté, les lustres en métal blanc aux cloches en verre dépoli, les plinthes bariolées des piliers de bois et les dressoirs vernis adossés contre les murs, dans une sorte de mezzanine circulaire qui s'ouvrait par de larges arceaux sur l'intérieur de la salle. Les grandes tables rectangulaires de l'ancien sanatorium avaient été remplacées par des tables rondes pour cinq couverts, revêtues de nappes de lin et garnies chacune d'un bouquet de fleurs champêtres, cueillies le matin même à la fraîche.

– N'avez pas entendu le gong ? On sert plus après neuf heures ! dit une voix derrière lui, qui avait la particularité d'être à la fois grasseyante et revêche.

– Le quoi ? dit-il en se retournant.

– Le gong. Comprenez pas le français ?

– Je parle français, oui, mais je n'ai pas entendu le gong, répliqua-t-il avec humeur. Le gérant m'a dit hier soir que le petit déjeuner était servi jusqu'à neuf heures trente.

– Oh, çui-là, si vous l'écoutez !

La femme qui lui faisait face était monstrueusement obèse et, pour quelque raison difficile à imaginer, elle avait choisi de porter ce jour-là une robe ajustée, où chaque couture était mise à l'épreuve, et dont le lustre moiré donnait au moindre bourrelet de graisse son plein relief.

– Mais qui êtes-vous ? dit Jacques.

– Moi j'suis moins que rien, tout juste bonne à faire les commissions ! jeta-t-elle avec hargne. Le Maître veut vous voir à onze heures, tâchez d'être pas en retard, il a d'autres choses à faire.

– Je suppose que vous parlez du Pr d'Aquino, dit-il en s'efforçant de garder son calme. Et où je dois me rendre ?

– Dans son labo, où ça d'autre ? dit-elle avant de faire un demi-tour considérable sur elle-même, en poussant un soupir excédé.

Il la regarda s'éloigner en serrant les poings, hérissé d'une colère qui se tournait déjà contre lui. Pourquoi ne l'avait-il pas mouchée comme elle le méritait ? Et comment s'y était-elle prise pour le mettre hors de lui en trois répliques ? Elle s'exprimait comme si elle faisait partie du personnel. Était-ce la règle ici de donner du « Maître » à Jorge d'Aquino ? En tout cas, si on comptait sur lui pour participer à ce genre de comédie, on pouvait attendre longtemps !

En entrant dans la salle à manger, il avait aperçu Lars Frankenthal assis seul à une table près de la mezzanine, le nez plongé dans un livre. Il se dirigea vers lui pour lui demander s'il pouvait prendre le petit déjeuner en sa compagnie, mais il n'avait pas fait trois pas qu'il entendit à sa droite : « Jacques Carpentier, please ! » M. Léopold, dans une mise aussi formelle que celle qu'il portait la veille pour voyager, s'était levé et lui faisait signe de le rejoindre à la table qu'il partageait avec deux autres pensionnaires, devant la baie vitrée. Il lui serra cordialement la main, comme s'il avait choisi d'oublier qu'ils s'étaient séparés de façon plutôt tendue sur le quai de la gare. Il fit les présentations en anglais, avec une rigueur protocolaire un peu désuète.

– Je faisais justement une démonstration à ces messieurs, poursuivit-il en déposant trois cartes blanches sur la nappe, devant

Jacques. L'expérience a trait à la mémoire involontaire, et vise à démontrer que notre cerveau capte de la réalité beaucoup plus d'informations que nos sens n'en perçoivent... Elle a été mise au point par la principale collaboratrice du professeur, Élisabeth Bogdan-Popesco, que vous connaissez de longue date, si je ne m'abuse. En acceptant de participer à ce petit test, vous m'aiderez peut-être à avoir raison du scepticisme de Mr Fowler, et de la suspicion de M. Shapiro...

– Je veux bien, dit Jacques, intrigué. Qu'est-ce que je dois faire ?

M. Léopold prit une des cartes et l'introduisit dans l'ouverture latérale d'une boîte métallique noire, de la grandeur d'un paquet de cigarettes.

– Une inscription figure au verso de cette carte, dit-il en retournant la boîte. Cet écran, qui vous empêche de la voir, est en réalité un obturateur d'appareil photographique. Regardez ici, au centre... Vous êtes prêt ?

Le rideau à lamelles coulissa avec un claquement sec, mais sa vitesse était telle que Jacques ne distingua que quelques zébrures noires dans un éclair blanc.

– Je n'ai pas eu le temps de lire, dit-il avec un peu d'irritation.

Sans répondre, M. Léopold retourna les deux cartes restées sur la table. La première portait le mot COR, imprimé en caractères gras ; la seconde, le mot ROC.

– Veuillez désigner le mot qui vous semble le plus proche de celui que vous avez entrevu, dit-il.

Jacques hésita. Les deux compagnons de M. Léopold ne le quittaient pas des yeux, et il eut l'impression qu'ils tentaient silencieusement d'influencer sa décision.

– *Roc*, dit-il enfin. Les deux mots sont des anagrammes, et, franchement, j'ai choisi au hasard.

– Au hasard, vraiment ! s'exclama M. Léopold sans dissimuler sa satisfaction. C'est aussi ce que nos amis ont dit tout à l'heure ! Alors comment expliquez-vous que quatre-vingt-sept personnes sur cent donnent la même réponse ?

– C'est troublant, dit Jacques. J'ai déjà entendu parler de publicité subliminale, mais c'est la première fois que j'en vois une application. Le mot *Roc* s'est donc imprimé dans mon cerveau à mon insu... Cette constatation m'est assez désagréable, je l'avoue.

– Attendez la suite ! dit Mr Fowler d'un ton rogue. Ce n'est pas le mot *Roc* que vous avez dans la tête !

– Un tour de prestidigitation, rien de plus ! s'exclama M. Shapiro avec un haussement d'épaules.

M. Léopold tira un levier sur le côté de la boîte noire et déclencha à nouveau l'obturateur qui, cette fois, resta ouvert, révélant le mot imprimé sur la carte : GIBRALTAR.

– Impressionnant ! avoua Jacques après un silence. Tout de même, ce chiffre de quatre-vingt-sept pour cent me laisse perplexe ! Car enfin, il faut connaître l'existence du rocher de Gibraltar pour faire le rapprochement...

– Je dirais plutôt qu'il faut avoir été une seule fois dans sa vie en contact avec cette information, qui se sera alors gravée dans la mémoire de façon indélébile, affirma M. Léopold. Comme je vous l'ai mentionné hier dans le train, l'oubli n'est pas une destruction, mais une soustraction momentanée du champ de la conscience...

Jacques aurait voulu poursuivre la conversation, mais une jeune fille aux pommettes roses et aux boucles blondes, portant un petit tablier blanc sur un corsage de velours brodé, vint s'enquérir de ses préférences pour la composition du petit déjeuner. Elle fut remplacée quelques instants plus tard par une seconde jeune fille tout aussi rose et blonde, revêtue du même costume, qui disposa le couvert sur la table. Une troisième serveuse, celle-là brunette, apporta le café au lait et les brioches, avant de se dépêcher de rejoindre les précédentes à l'entrée de l'office. Jacques observa leur manège du coin de l'œil, devinant à leur conciliabule ponctué de petits rires gloussants qu'il venait de passer une triple inspection.

Les compagnons de table de M. Léopold avaient engagé une discussion sur le Canada, son économie, sa politique étrangère et sa réputation au plan international. Ils s'exprimaient avec assurance, s'adressant à Jacques comme s'ils avaient à cœur de le renseigner sur ce qui se passait dans son propre pays. L'honorable Fowler était le plus bavard. Ancien secrétaire d'État au Commonwealth dans le gouvernement d'Edward Heath, il en imposait par sa prestance colorée et ses déclarations pontifiantes, et le son de sa voix semblait être pour lui une source inépuisable de réconfort. M. Théodore Shapiro, qui était le plus catégorique, avait été présenté comme l'un des plus anciens pensionnaires du Berghof. Originaire de Salonique, il avait exercé le droit à Paris, où ses activités l'avaient conduit à fréquenter des personnalités de premier plan, et il cita une discussion qu'il avait eue quelques années auparavant avec Pierre Elliot Trudeau, alors Premier ministre du Canada. Jacques les écoutait en tartinant ses brioches, limitant sa participation au débat à quelques monosyllabes et à de vagues mouvements de tête. Ces deux personnages si sûrs de leurs opinions savaient-ils seulement qu'il se trouvait à Montréal quarante-huit heures auparavant ? Pourquoi ne profitaient-ils pas de sa présence pour vérifier le bien-fondé de leurs informations ? Se doutaient-ils seulement que certaines de leurs allégations étaient pure sottise ? Ils finirent par sortir de table, non sans lui exprimer le vif intérêt qu'ils avaient pris à sa conversation.

M. Léopold resta un moment silencieux en observant le jeune homme au travers de ses lunettes asymétriques, puis il s'enquit de ses premières impressions sur le Berghof.

– Je suis assez désemparé, avoua Jacques sans détour. Hier soir, après vous avoir quitté, j'ai eu une discussion avec le Dr Frankenthal sur la clientèle de cet établissement, et M. Bubenblick a essayé de nous mettre d'accord en disant que les patients du Pr d'Aquino étaient en réalité ses collaborateurs. C'est exact, ou bien juste une façon de parler ?

– Comme je vous l'ai dit hier, le professeur a proposé dans son *Traité* une définition radicalement nouvelle de l'intelligence humaine. Or son approche thérapeutique de la maladie mentale n'est pas moins révolutionnaire ! On pourrait la résumer en renversant l'aphorisme du Dr Knock, pour dire que « les malades sont des gens bien portants qui s'ignorent ». Dois-je vous rappeler à cet égard que la plupart des médecins soignent la maladie, au lieu de soigner le malade ? Les grandes catégories des troubles mentaux ont été établies en comparant une multitude de cas, afin d'en découvrir les symptômes communs. Une telle classification a eu son utilité, personne ne songe à le nier, mais le professeur a engagé sa pratique médicale dans une tout autre voie. Pour lui, chaque patient est un cas particulier. Au lieu de chercher à établir une parenté avec d'autres cas similaires, il n'a de cesse de découvrir ce qui le différencie de tous les autres, ce qui le rend absolument unique. Bien entendu, cette quête de la singularité ultime du diagnostic exige en contrepartie de l'ingéniosité et de l'audace dans les méthodes de traitement. D'ailleurs, le terme même de « maladie mentale » doit être employé avec circonspection dans ce contexte, car il implique l'idée de la guérison en tant que finalité. Or on ne manque pas d'exemples de personnes dont les troubles mentaux constituent en dernière analyse la réponse la moins inadéquate aux aléas du destin. Mais je ferais peut-être mieux d'illustrer mon propos en vous parlant de ce gentleman qui nous a quittés voilà quelques minutes...

Trois ans auparavant, l'existence réglée de William Fowler avait été bouleversée par un événement sans précédent. Il s'était rendu ce soir-là à Covent Garden en compagnie de son épouse et, au cours du spectacle, il avait découvert avec une stupeur indicible que la loge adjacente, vide au lever du rideau, était occupée par un personnage qui ne prêtait aucune attention à ce qui se passait sur la scène, mais le dévisageait avec une expression de profond découragement. C'était son double, la réplique exacte de lui-même. Le premier choc passé, Mr Fowler était sorti dans le couloir sous un prétexte quelconque et avait entrouvert la porte de la loge voisine, convaincu d'avoir été victime d'une hallucination. L'autre était toujours là et, tournant la tête, lui avait jeté un regard attristé par-dessus son épaule.

William Fowler était un homme pragmatique, sans imagination ni préoccupations métaphysiques. Il avait consulté son médecin dès le lendemain, pour recevoir le conseil de prendre du repos, et l'assurance que l'épisode du théâtre ne se reproduirait pas. Deux semaines plus tard, dans le train pour Southampton, il avait voyagé face à face avec lui-même, pendant plus d'une heure.

– Ce doit être une expérience absolument terrifiante, dit Jacques.

– Certes ! Encore que notre honorable ami prétende que ces apparitions l'importunent plus qu'elles ne l'effraient. Il récrimine notamment contre le manque de savoir-vivre de son *Doppelgänger*, qui surgit souvent dans des circonstances inopportunes, et toujours sans s'être fait annoncer. L'humour anglais à son meilleur ! Notez bien que son cas n'est pas unique, et que plusieurs manifestations du même trouble sont amplement documentées dans la littérature psychiatrique. On retrouve aussi chez des peuplades primitives cette croyance que chaque homme possède un double, une incarnation de l'âme, dont la rencontre est présage de mort. Notre ami Fowler entretient d'ailleurs une relation très singulière avec son *alter ego*. Il le considère comme un étranger et critique volontiers ses choix vestimentaires ! Car cet autre lui-même n'est pas un simple reflet de miroir, il a sa propre allure et sa propre personnalité...

Jacques ne perdait pas un mot de ces révélations, subjugué autant par leur contenu que par l'extraordinaire facilité avec laquelle M. Léopold les formulait, comme un texte mémorisé de la première à la dernière ligne. L'impression était si forte qu'il eut le sentiment de lui donner la réplique en demandant si Mr Fowler avait constaté une amélioration de son état depuis son admission au Berghof.

– Vous touchez ici au nœud du problème, jeune homme ! William a toujours su que son double était pure hallucination, mais, en dépit de cette certitude, il lui arrive, aujourd'hui encore, d'approcher machinalement une seconde chaise en s'asseyant quelque part, alors que l'autre l'accompagne, invisible à tous, sauf à lui. Jamais il ne l'a vu rire, au contraire : le chagrin, l'angoisse, le désarroi imprègnent son visage en permanence. Jamais il ne l'a entendu parler, et, jusqu'à récemment, il évitait de lui adresser la parole ou de chercher à le toucher. Les traitements auxquels il a été soumis en Grande-Bretagne et en Allemagne n'ont pas donné le résultat recherché, qui était l'élimination de cette doublure envahissante. Pour sa part, le Pr d'Aquino a abordé le problème sous un angle tout à fait différent. Il a fait valoir à William Fowler que ses hallucinations, quoique pénibles et angoissantes, représentaient un phénomène du plus haut intérêt. Il l'a encouragé à accueillir les apparitions de son double avec bienveillance et à établir un contact avec lui, pour tenter de savoir d'où il venait et comprendre ses intentions...

– C'est très astucieux ! dit Jacques avec admiration. D'Aquino donne à ses patients l'impression d'être utiles à quelque chose, de contribuer au progrès de la science ! M. Bubenblick ne plaisantait donc pas en disant que le professeur « empêchait parfois ses malades de guérir ».

– Je me vois contraint de vous reprendre, dit M. Léopold de son ton doctoral. A vous écouter, on pourrait croire que le professeur manœuvre les gens par des astuces dialectiques. Or rien ne serait plus contraire à sa nature, vous devriez le savoir. La Fondation Delphi a d'ailleurs reconnu la contribution de notre ami William en lui accordant une bourse de résidence au Berghof.

– La Fondation Delphi ? dit Jacques.

M. Léopold toussota, démolit d'une chiquenaude la pyramide de morceaux de sucre qu'il venait d'échafauder avec un soin méticuleux, et expliqua que les recherches poursuivies à Davos par Jorge d'Aquino et son équipe étaient subventionnées par un organisme privé. A l'instar de Mr Fowler, la plupart des pensionnaires de l'établissement étaient considérés comme des « collaborateurs occasionnels », et leurs frais de séjour pris en charge par la Fondation.

– Je suppose que vous bénéficiez des mêmes privilèges, dit Jacques.

– C'est-à-dire que... les modalités varient selon les cas. Certaines personnes sont ici pour une durée prolongée, d'autres ne font que passer. On ne peut pas faire de généralités. Moi-même, je monte chaque année à Davos pour une période de douze semaines, ce sont mes vacances en quelque sorte.

Jacques crut déceler un léger embarras dans la réponse de M. Léopold. « Il ne me dit pas toute la vérité, pensa-t-il avec étonnement. Ou alors, il veut me faire comprendre qu'il n'est pas en traitement au Berghof et vient ici pour son plaisir. »

– J'ai remarqué quelque chose, dit-il après avoir vidé sa tasse de café au lait, qui était froid. Ce n'est pas une critique, au contraire ! Hier soir, Élisabeth Bogdan-Popesco m'a parlé du cas de ce cosmonaute russe, et ce matin vous m'expliquez le problème de Mr Fowler. Ces informations me sont très utiles pour comprendre ce qui se passe ici, en somme pour saisir l'esprit de la maison. Mais je suis surpris de la liberté avec laquelle on parle de ces choses, qui sont tout de même assez confidentielles...

– Votre surprise ne m'étonne pas ! déclara M. Léopold. Considérez toutefois que, dans un milieu comme le Berghof, qui est une sorte de microcosme, une information personnelle communiquée ouvertement à tous est une information qui fera peu parler d'elle, et seulement quand la chose sera opportune – alors qu'une information supposée confidentielle fera tourner le moulin des langues et empoisonnera l'atmosphère. Neuf fois sur dix, le secret est un instrument au service du pouvoir, et non une mesure de protection des intérêts de la personne. Le Pr d'Aquino dit à ce sujet que, si les gens n'avaient rien à se cacher les uns aux autres, la plupart d'entre eux mourraient d'ennui dans la transparence du vide ! Mais ce sont là des considérations accessoires, et *l'esprit de la maison*, comme vous dites si bien, est inspiré surtout du Deuxième Ordre de la psychosynergie.

– Si je comprends bien, les gens du Berghof parlent ouvertement de leurs problèmes personnels, en se disant que ce partage est de nature à...

Jacques s'interrompit, car son compagnon s'était levé pour accueillir à leur table la femme qu'il avait aperçue la veille dans le couloir, en sortant du salon de musique. Elle s'approcha d'eux de sa démarche singulière, fluide et brusque – un déplacement rapide qui tenait du pas de charge et du glissé de danse. Elle portait la même tunique de tissu léger qui frôlait le sol, et son visage était encore masqué. « Je me suis complètement trompé hier soir, pensa-t-il, elle ne sortait pas d'un bal costumé. Elle porte peut-être cet accoutrement en permanence ; en tout cas, personne ici n'a l'air de s'en étonner. »

– Monsieur Léopold, vous avez suffisamment accaparé notre ami Jacques, dit-elle en s'asseyant, le buste droit, ses mains gantées de blanc posées sagement l'une sur l'autre. Il faut me le prêter à présent, pour un tête-à-tête.

L'autre s'inclina avec cérémonie, sans paraître offusqué de la façon cavalière avec laquelle on lui signifiait son congé, et s'éloigna après avoir adressé un signe de connivence à Jacques.

– Je suis Katja Van Katwijk, dit l'inconnue en évitant de le regarder. Toute la nuit, je me suis tourmentée en pensant à notre rencontre d'hier soir, vous avez dû me prendre pour une folle ! Je vous ai reconnu tout de suite, c'est cela sans doute qui m'a fait fuir !

Elle releva brusquement la tête et le toisa avec défi. Les seuls orifices de son masque étaient les amandes des yeux ; le nez était à peine esquissé et la bouche absente. Le matériau devait être une sorte de polystyrène léger et poreux, que la respiration et les paroles traversaient avec un chuintement doux. Sa voix avait un timbre singulier, qui n'était pas déplaisant, bien que manquant de naturel. Jacques eut l'impression qu'elle se contraignait à parler sur le souffle, du fond de la gorge, et il pensa aussitôt à la voix « légèrement voilée et agréablement rauque » de Clawdia Chauchat.

– Vous m'avez reconnu ? demanda-t-il, sans trop savoir quelle contenance prendre en présence de cette créature dont il ne voyait pas les traits.

Pour toute réponse, elle tira de sa tunique une petite enveloppe, puis de celle-ci une photographie qu'elle posa sur la table. A peine l'eut-il prise qu'il se sentit envahi par une émotion puissante. Il se voyait à califourchon sur les épaules de son père, avec la mine d'un conquistador espiègle. (Il retrouvait sur ses traits une expression typique de Didier.) Il reconnut à l'arrière-plan les arbres du parc du Bateson Institute et, bien que sa mémoire n'eût pas gardé trace de cet instant de son enfance, capturé par cette photo qu'il voyait pour la première fois, il éprouva en la regardant une sensation intime et familière, comme si ses cuisses et son bassin se souvenaient de leur prise autour de la nuque puissante d'Alexander, comme si la paume de ses mains lui restituait le contact contre son grand front dégagé. Mais ce qui le bouleversa le plus fut de découvrir l'expression détendue et enjouée de son père, cet éclairage du bonheur sur un visage qui n'avait plus souri depuis douze ans, cet éclat complice dans les yeux tournés vers l'objectif.

– Cette photo a été prise par Élisabeth, affirma-t-il sans expliquer la raison de sa certitude. Nous étions en Californie, où mon père a travaillé pendant dix-huit mois aux côtés de Jorge d'Aquino. Je devais avoir huit ou neuf ans...

– Je sais, Élisabeth m'a tout raconté, dit Katja en posant sur la table une autre photographie. Et là, c'est moi à Amsterdam, j'avais à peu près le même âge. Je suis d'origine hollandaise, vous l'avez sans doute deviné à mon accent.

Il vit une fillette qui tournait en riant la roue d'un grand orgue ambulant, aux couleurs vives, près de l'arche d'un pont. Ses cheveux blonds étaient courts et ébouriffés, son visage gracieux avait un regard intense et vif.

– Non, je n'aurais pas su le dire... D'ailleurs, vous parlez couramment le français. Depuis mon arrivée, je suis surpris du nombre de gens qui maîtrisent plusieurs langues. Le Dr Frankenthal, par exemple, et M. Bubenblick ou M. Léopold, qui s'expriment aussi bien en français qu'en anglais ou en allemand. Je suppose que vous-même...

– C'est sans importance, dit-elle d'une voix enrouée. Tous les langages de la terre ne suffiraient pas à exprimer ce que j'ai à vous dire.

Elle tendit la main pour reprendre son bien. Ses doigts tremblaient et sa respiration était précipitée. Pourquoi lui avait-elle montré cette photographie ? se demandait-il en détournant les yeux du masque stylisé, à la blancheur mate, qui l'impressionnait de plus en plus. Voulait-elle lui prouver que ce qu'elle dissimulait n'était pas une difformité, ou quelque tare de naissance ? Que lui était-il arrivé ? Une maladie l'avait sans doute défigurée, ou un accident... Et qu'avait-elle de si important à lui dire ? « Tout de même, Élisabeth aurait pu me prévenir ! pensa-t-il. Je dois avoir l'air fin à discuter avec elle comme si de rien n'était, en faisant semblant d'être à l'aise ! Heureusement que la plupart des autres pensionnaires sont partis... »

– Je sais ce que vous pensez, vos yeux ne mentent pas ! reprit-elle, encore essoufflée. Vous me regardez et vous vous demandez *pourquoi*. Cela, je ne peux pas vous le dire, il est encore trop tôt ! Mais, à défaut de la réalité, je puis vous révéler la vérité. Je me cache pour mieux me trouver ! *Les gens m'empêcheraient d'être moi-même s'ils me voyaient telle que je suis.* En cela, je ne suis pas différente d'eux, si ce n'est que mon masque est plus visible. Vous n'avez jamais eu l'impression d'être en prison derrière les apparences ?

– Moi ? Oh, que si ! dit-il, sans pouvoir s'empêcher d'être sur la défensive, alors que le tour abrupt de la discussion le stimulait au plus haut point. Mais je suppose que vous en savez déjà long sur mon compte, grâce à Élisabeth...

– C'est si court en comparaison de ce que je voudrais savoir... J'avais si hâte de vous voir ! Le Berghof est un ancien sanatorium, vous le saviez ? M. Shapiro dit que les fantômes sont nombreux dans une maison où de grandes souffrances ont été endurées. Je ne sais pas pour les fantômes, mais, une chose est sûre, les beaux garçons sont rares par ici...

– Vous êtes une collaboratrice du Pr d'Aquino ? demanda-t-il sans relever le compliment.

– Oh ! Je vois que M. Léopold vous a prêché la doctrine maison ! répondit-elle. (Il devina qu'elle souriait derrière son masque.) Oui, je reçois une bourse de la Fondation Delphi pour collaborer à ma guérison. Ne me jugez toutefois pas trop vite, Jacques, vous découvrirez bientôt qu'il n'y a pas besoin d'être malade pour être en traitement au Berghof ! La lecture du *Traité de psychosynergie* m'a convaincue de renoncer aux définitions traditionnelles de la maladie mentale. Comme l'a écrit Jorge d'Aquino : « Se déclarer soi-même sain d'esprit est au mieux un paradoxe, au pire une contradiction. »

– Vous l'admirez beaucoup, vous aussi, constata Jacques avec une irritation sourde.

Elle approuva gravement de la tête, puis raconta qu'elle était en train de sombrer dans la folie lorsqu'elle avait rencontré le Pr d'Aquino pour la première fois. Elle était montée à Davos à contrecœur, sans attendre grand résultat de cette démarche qui s'inscrivait en queue d'une série de consultations toutes plus infructueuses les unes que les autres.

– Il ne m'a pas fait passer de tests, poursuivit-elle, il ne m'a pas demandé de m'allonger sur un divan pour lui raconter mes rêves, ni prescrit de médicaments, ni rien fait de ce que j'attendais de lui.

Nous avons parlé de danse moderne, de mathématiques, de sémiologie, enfin d'une quantité de choses sans aucun rapport avec le problème pour lequel j'étais venue le consulter. A la fin, il m'a dit qu'il m'entendait mieux lorsqu'il fermait les yeux, et que je serais plus heureuse dans un monde peuplé par des aveugles. Mais, comme je ne pouvais interdire aux gens de me regarder, il fallait les empêcher de me voir ! Je suis revenue à Davos un mois plus tard, la veille de Noël. Élisabeth m'attendait à la gare et m'a conduite à ma chambre en passant par la cave et l'escalier de service, de façon que personne ne soit témoin de mon arrivée. Elle est la seule avec Jorge d'Aquino à m'avoir jamais vue telle que je suis. Et, en six mois, j'ai changé à un point tel que je ne me reconnais plus moi-même ! Je rencontre le professeur en tête à tête deux fois par semaine, c'est la formule habituelle pour la plupart des pensionnaires du Berghof. Bien entendu, à la première entrevue, je l'ai interrogé sur la durée de mon traitement, et il m'a répondu que je quitterais Davos *lorsque je serai devenue ce que je suis.* Or c'est ce qui est en train de se produire, Jacques, et c'est un événement exaltant pour moi ! Votre arrivée va me permettre de devenir entièrement moi-même, de m'appartenir enfin dans la plénitude de mon *ihuma*... Vous ne vous moquez pas ?

– Non, je vous sens sincère, seulement je ne comprends pas le rôle que vous m'attribuez dans votre... guérison, dit-il, peu enclin à poursuivre la discussion dans cette voie. Vous avez parlé de votre *ihuma.* Ça veut dire quoi, exactement ?

Elle répondit que le Premier Ordre de la psychosynergie était fondé sur la découverte que le côté gauche du cerveau remplissait des fonctions spécifiques, différentes de celles du côté droit. Le degré d'harmonie et de complémentarité entre les deux hémisphères avait été désigné par le concept de l'*ihuma* – un terme emprunté à la langue esquimaude, et désignant l'ensemble des activités psychiques de l'être humain. Dans le cadre de ses recherches, le Pr d'Aquino avait élaboré des instruments pour évaluer cet *ihuma*, c'est-à-dire pour mesurer l'intelligence d'une personne par rapport à son potentiel de développement personnel – et non par rapport à une moyenne de population. Il avait toutefois refusé de divulguer ses méthodes d'investigation, dans la certitude qu'on s'en servirait tôt ou tard pour des fins contraires à la dignité de l'homme. Ce refus avait donné prise à toutes sortes d'interprétations malveillantes. Si Jorge d'Aquino cachait quelque chose, avait-on dit, c'était parce qu'il n'avait rien à montrer...

– J'ai rendez-vous tout à l'heure avec le professeur, dit Jacques, et j'espère que cette première rencontre sera aussi révélatrice que la vôtre ! Pour être tout à fait franc, je n'aime pas beaucoup la dévotion que tout le monde ici semble lui témoigner. Par exemple, ce M. Léopold m'en parlait hier avec un manque de sens critique qui m'a inquiété. Je me suis demandé si chacun au Berghof était tenu de se soumettre à l'enseignement du grand gourou... Non, j'exagère, bien sûr, mais je me suis disputé tout à l'heure avec une femme extrêmement désagréable, à propos de mon entrevue avec celui qu'elle a appelé le Maître. Cet incident m'a exaspéré !

– Le monstre s'appelle Bertha Moll, dit Katja avec une note de contrariété dans sa voix blanche. Tout le monde ici la déteste cordialement, même Mlle Vincenti, qui pourtant est une sainte. On l'a surnommée la Mollosse ! Elle prétend être la secrétaire de Jorge d'Aquino, mais ses fonctions se limitent à épousseter sa chambre, repriser ses chaussettes et porter ses lettres à la poste !

Katja ajouta que Bertha Moll s'était attribué de son propre chef la mission de protéger « le Maître » contre les intrus. Plusieurs pensionnaires s'en laissaient imposer, et se croyaient même obligés de passer par elle pour approcher le professeur, sans se douter que sa porte leur était toujours ouverte et qu'il se moquait royalement de ce genre de formalités. Cela dit, personne ne comprenait pourquoi il acceptait la proximité d'une créature aussi malfaisante... Les plaintes ne manquaient pas, mais, chaque fois qu'on soulevait le problème devant lui, il répondait que Bertha était une auxiliaire précieuse, et que seule une personnalité hors du commun pouvait faire ainsi l'unanimité contre elle.

Jacques regarda ostensiblement sa montre et repoussa sa chaise, en disant que ses réserves à l'égard de Jorge d'Aquino ne l'empêchaient pas d'accorder une grande importance à l'entretien qu'il s'apprêtait à avoir avec lui, et pour lequel il était venu de si loin.

– Vous avez tout le temps, la demie vient à peine de sonner, dit-elle vivement, en posant sa main gantée sur la sienne. J'aimerais vous poser une dernière question. Le professeur est troublé chaque fois qu'il parle de vous. Pourquoi ?

– Mais... je n'en sais rien ! dit-il avec un haut-le-corps. Il parle de moi, vraiment ? Tant mieux, ma démarche auprès de lui n'en sera que plus expéditive.

Elle le dévisagea intensément, comme s'il lui posait une énigme particulièrement difficile à résoudre. La blancheur de son masque faisait ressortir l'éclat de ses yeux, au bleu sombre.

– Vous savez donc avec certitude ce que vous êtes venu chercher au Berghof ? demanda-t-elle enfin.

– Mais bien sûr ! affirma-t-il avec force.

Elle retira lentement sa main et baissa la tête, comme accablée par la réponse qui lui était faite. Il l'entendit murmurer dans son masque :

– Je ne vous crois pas, Jacques ! Ce serait trop injuste !

***

Il rencontra Élisabeth en sortant de la salle à manger et se demanda, à la façon dont elle le dévisageait, si elle était là depuis un moment et avait observé de loin sa rencontre avec Katja. Contre son habitude, elle n'était pas maquillée, et portait ce matin des jeans ajustés et un chandail à col roulé. Il la dévisagea avec émotion, en se disant qu'il avait toujours été attiré par des femmes plus âgées que lui. Son désir d'elle le retint de la prendre aux épaules et de l'embrasser, aussi lui serra-t-il la main, pour regretter aussitôt ce geste qui lui paraissait maladroit et déplacé. « Ce que je peux être godiche quand je m'y mets ! », pensa-t-il avec irritation.

– Viens faire un tour dehors, Petit Prince, j'ai à te parler ! dit-elle avec vivacité. Le brouillard est sur le point de tomber, et l'air frais nous éclaircira les idées. Alors, tu as fait connaissance avec notre phénomène ?

– Tu veux parler de Katja ? dit-il en devinant à son intonation qu'elle était curieuse de connaître son impression. Elle est plutôt déconcertante. J'ai dû couper court, elle avait l'air de vouloir passer la matinée à discuter. Pourquoi tu dis qu'elle est un phénomène ? A cause de son masque ?

– Mais non, qu'est-ce que tu crois, le masque n'est qu'un trompe-l'œil ! répondit-elle avec un sourire énigmatique. Tu n'as rien remarqué d'autre ? C'est bien elle, elle a caché son jeu pour ne pas t'effaroucher, mais tu ne perds rien à attendre ! Je parle de son intelligence.

– Qu'est-ce qu'elle a, son intelligence ? demanda-t-il, contrarié à l'idée que l'inconnue s'était jouée de lui.

– Selon les définitions de la psychométrie, elle est proprement *incommensurable*. Mais la plupart des gens semblent la trouver excessive et réagissent comme s'ils y voyaient une sorte de provocation ! D'ici deux ou trois jours, tu auras compris ce que je veux dire...

Ils sortirent dans la brume, sur la large terrasse qui surplombait la petite route sinueuse empruntée la veille par la Land Rover, et avancèrent en silence parmi les squelettes des chaises longues tubulaires, les tables rondes en métal et les fauteuils de rotin peints en blanc, qu'une couche de rosée luisante rendait inutilisables. Jacques pensa en frissonnant que ce mobilier surréaliste, à demi estompé par le brouillard, fournissait un décor singulièrement approprié aux esprits évoqués tout à l'heure par Katja – ces fantômes des malades du Dr Behrens qui s'étaient éteints en ces lieux après de longues souffrances. Levant les yeux, il découvrit avec surprise une faille dans la nuée lumineuse, où il distingua une bande de ciel d'un bleu délavé, puis, au nord, la crête d'une montagne qui paraissait suspendue dans le néant. Il avait cru qu'Élisabeth s'était mal exprimée en disant que le brouillard était sur le point de *tomber*, mais il se rendit compte que les nappes blanches s'écoulaient en effet lentement vers le fond de la vallée, et que les plus hauts chalets de l'alpage émergeaient les premiers dans la pâle lumière du soleil. L'air vif et franc le revigorait, il l'inhalait avec une satisfaction appliquée.

– Tu vois cette horloge là-haut ? dit Élisabeth en désignant le fronton de la petite tourelle décorative qui surmontait le bâtiment central du Berghof. C'est Jorge qui a fait ôter les aiguilles du cadran, à cause de sa phobie de la mesure du temps, mais le mécanisme continue de marcher et tu entendras bientôt sonner onze heures. Je te le dis parce que je sais que tu as rendez-vous avec lui, mais il faut que tu m'écoutes avant d'y aller. As-tu jamais cru que j'étais sa maîtresse ?

– Mais... bien sûr ! répondit-il, surpris par la candeur de la question. Au Bateson, tout le monde était convaincu qu'il y avait quelque chose entre vous, et ma mère ne se gênait pas pour faire des allusions devant moi. J'en souffrais, car j'étais terriblement jaloux de d'Aquino.

– Alex aussi était jaloux au début, dit-elle avec une coquetterie attristée. Il avait tort, mais tu sais quoi ? Je ne comprenais pas moi non plus pourquoi Jorge ne m'avait jamais fait entrer dans son lit. Je te choque ? Tant mieux, parce que c'est la suite qui est choquante ! J'avais vingt-deux ans quand je l'ai rencontré, je venais de terminer mes études de doctorat et je préparais une thèse sur la mesure de l'*ihuma*. Jorge n'était aux États-Unis que depuis deux ans, et il n'avait pas encore publié la version intégrale du *Traité*, mais ses articles avaient déjà fait parler de lui. On le disait inabordable, pourtant il a accepté tout de suite d'être mon directeur de thèse, et depuis je ne l'ai plus quitté ! Bien sûr, j'étais folle de lui et, comme je ne savais pas la vérité, j'ai été assez stupide pour souffrir dans ma vanité de femme, en voyant qu'il ne s'intéressait pas à moi.

– Quelle vérité ?

Tout en parlant, ils avaient atteint l'extrémité de la terrasse. Elle lui tourna ostensiblement le dos et, les bras écartés, s'appuya à deux mains sur la balustrade, le regard perdu dans le lointain.

– Tu vas l'apprendre, dit-elle d'une voix sourde. Seulement c'est plus fort que moi, je ne peux pas te dire ces choses en te regardant en face. C'est un secret, Jacques, personne ou presque ne le connaît – moi-même je l'ai recueilli tardivement de la bouche de Miguel d'Aquino, son frère aîné... Avant de s'installer en Californie, Jorge exerçait la neuropsychiatrie à Buenos Aires, où sa réputation débordait déjà les milieux scientifiques. Très tôt, il s'est mis à dos les militaires en signant des articles et un manifeste pour dénoncer la répression des intellectuels et des étudiants, et il est devenu la figure de proue des mouvements de défense des libertés civiles. Il a été enlevé un matin à la porte de son domicile par un « escadron de la mort », ceux qu'on appelait les Grupos de Tareas, qui l'ont conduit dans une aile spéciale de l'École de mécanique de la marine, transformée en centre de détention et de renseignement. Il y a été maintenu au secret pendant cinq mois, et il n'en serait pas sorti vivant sans une campagne d'Amnesty International et les pressions exercées par la communauté scientifique américaine, avec l'appui du sénateur Edward Kennedy.

Élisabeth baissa la tête et se recueillit pendant quelques instants. Debout derrière elle, Jacques hésitait à lui poser la main sur l'épaule, mais il renonça avec l'intuition qu'elle préférait oublier sa présence. Elle reprit d'une voix oppressée et expliqua que d'Aquino s'était toujours farouchement refusé à ce qu'on évoquât devant lui les événements relatifs à cette période de sa vie. Elle avait tenté une seule fois de forcer sa réserve, et sa réaction l'avait dissuadée de jamais récidiver. Quelques mois avant leur départ des États-Unis pour la Suisse, il lui avait toutefois demandé de se rendre à sa place à Buenos Aires, en lui donnant procuration pour régler diverses affaires familiales. Elle avait rencontré à cette occasion Miguel d'Aquino, qui lui avait révélé sur son lit d'hôpital (il se mourait d'un cancer des poumons) les atrocités dont Jorge et les siens avaient été victimes au cours de leur détention. Ses bourreaux s'étaient d'abord acharné sur lui et l'avaient torturé pendant des semaines, en lui faisant notamment passer des décharges électriques dans les organes génitaux. Ce traitement, inlassablement répété, l'avait rendu impuissant pour le reste de ses jours. Alors qu'il s'obstinait dans son refus de parler – et Miguel soutenait que son frère ignorait les renseignements qu'on voulait lui arracher –, on avait arrêté sa femme, Doña Isabel, pour la violer et la torturer en sa présence. Comme elle était enceinte de cinq mois, on lui avait introduit des électrodes dans le vagin – cette méthode, couramment employée pour faire avorter les détenues, s'appelait « faire danser le polichinelle ». Les tortionnaires avaient ensuite laissé à d'Aquino la nuit pour réfléchir, en le menaçant de livrer le lendemain sa femme au « Dr Alberto » s'il ne leur donnait pas satisfaction.

Le colonel Alberto Astiz était un monstre, que les militaires eux-mêmes avaient surnommé Mengele. Il devait sa réputation à la mise en scène sadique de ses interrogatoires, et à l'effroyable perversité de ce qu'il appelait ses « interventions chirurgicales ». D'Aquino avait fait mine de céder et obtenu qu'on le laisse quelques instants en tête à tête avec Isabel, sous prétexte d'implorer son pardon de n'avoir pas parlé plus tôt. Il l'avait prise dans ses bras et, avec son consentement, l'avait tuée net en lui brisant la nuque.

– Tais-toi, c'est insoutenable ! dit Jacques, la gorge contractée.

Il regardait autour de lui avec un sentiment d'irréalité. Pendant qu'Élisabeth parlait, le paysage s'était insensiblement dégagé de la brume. Les bosquets de sapins, les prés inclinés, les chemins en lacets et les chalets baignaient à présent dans les rayons d'un soleil blanc, plus proche du zénith qu'il ne s'y attendait. Jacques ressentait sur son visage et sa nuque une chaleur douce à laquelle il n'était pas préparé. Que venaient donc faire ces histoires sanguinaires, ces abominations en cette douceur matinale, dans ce décor de montagne empreint d'ordre et de paix ? Il avait déjà lu et entendu des récits de semblables atrocités, mais elles étaient restées comme abstraites en dépit de la répulsion qu'elles soulevaient en lui, et l'excès même de leur ignominie finissait par les désamorcer et les rendre vaguement suspectes. Or voici que pour la première fois il connaissait personnellement une victime de ces actes innommables, il allait la retrouver dans quelques instants et lui parler. Alors pourquoi sa sensibilité était-elle anesthésiée ? Pourquoi les révélations d'Élisabeth lui semblaient-elles déplacées et inconvenantes ? Et, s'il ressentait vraiment cette indifférence, pour quelle raison retenait-il ses larmes ?

– Veux-tu savoir ce qu'ils ont fait ensuite à Eduardo, le fils unique de Jorge, qui avait alors sept ans ? reprit la voix d'Élisabeth, qui était à bout de souffle. En vérité, je l'ignore moi-même, car Miguel n'a pas eu la force de poursuivre son récit jusqu'au bout, les mots refusaient de passer. Tout ce qu'il m'a dit, c'est que le « Dr Alberto » n'avait pas laissé la moindre chance à Jorge de tuer son garçon avant que lui-même ne s'en occupe...

– Mais pourquoi tu insistes pour me raconter ces horreurs ? s'écria Jacques avec indignation. On dirait que tu cherches à m'influencer avant que je rencontre d'Aquino. Tu dis toi-même que personne ne connaît ce secret, alors pourquoi tu me l'as révélé, à moi qui viens d'arriver ?

Elle fit volte-face et lui présenta un visage pâle et défait, aux lèvres tremblantes.

– « Qui cherche la vérité de l'homme doit s'emparer de sa douleur », récita-t-elle. Jorge ne t'a pas oublié, Petit Prince ! Ce qui s'est passé avec ton père à San Francisco a été une terrible blessure pour lui, et je ne te laisserai pas la rouvrir ! Personne n'a le droit de lui faire du mal, plus personne ! Et, maintenant que tu sais la vérité, comprends-tu combien ces ragots à notre sujet étaient futiles et cruels ? Moi, sa maîtresse ? Quelle ironie affreuse. Je vais te révéler une autre chose, à propos de la façon dont Jorge s'exprime, quand il dit *nous* au lieu de *je*. On s'est assez moqué de lui dans son dos, et moi la première, en chuchotant qu'il se prenait pour le Roi Soleil ! *Cîtă orbire !** Non, ne regarde pas ta montre, *tu auras tout le temps d'être pressé après l'avoir rencontré !*

Elle le prit par le bras et se dirigea vers l'entrée du Berghof, s'arrêtant tous les trois pas comme si elle ne pouvait s'empêcher de ponctuer ses paroles par des haltes propices à leur entendement.

Elle expliqua qu'après sa libération des prisons argentines d'Aquino avait émigré aux États-Unis et s'était réfugié incognito dans un ranch texan, appartenant à un confrère médecin, ami de longue date. D'après le témoignage de Miguel, qui l'avait accompagné, il s'était muré dans un silence impénétrable pendant trois mois. On craignait pour sa raison quand, le jour anniversaire de la naissance d'Isabel, il avait pris la parole pour déclarer que, tout

* Quel aveuglement !

bien pesé, il décidait de continuer à vivre. Toutefois, ce choix était assujetti au renoncement définitif à son individualité propre, et à sa métamorphose en une personnalité multiple, qui, pour se manifester, disposerait de ses membres, de ses sens, de son esprit, de sa sensibilité. Dorénavant, il ne s'exprimerait plus en son nom, mais en celui de cette trinité psychique, dont sa femme et son fils étaient à présent partie intégrante au même titre que celui qui avait été autrefois le Dr Jorge d'Aquino.

– Tu crois peut-être que ce n'est qu'un exercice intellectuel de sa part, poursuivit-elle en le retenant à l'entrée du tambour qui donnait accès au grand hall. Eh bien, détrompe-toi ! Depuis des années que je vis à ses côtés, j'ai eu tout le loisir de l'observer, et Dieu sait que je ne suis pas tombée de la dernière pluie ! Il n'est jamais *seul*, comprends-tu ? Souvent, je les ai vus délibérer tous les trois, en particulier quand une décision importante devait être prise. C'est un phénomène indescriptible ! Mais c'est la réalité, même si elle nous dépasse ! Encore l'autre jour, j'avais mis une nouvelle robe, et, tout de suite en me voyant, il m'a fait une suggestion pour reprendre deux pinces à la taille, j'étais abasourdie ! Seule une femme aurait remarqué ce détail, et lui qui est incapable de coudre un bouton ! C'était Isabel qui parlait par sa bouche ! Et toi, tu ne t'es pas demandé pourquoi Jorge avait accepté de te recevoir, alors qu'il ne voit pratiquement personne en dehors de ses collaborateurs du Berghof ? C'est vrai qu'il t'aime beaucoup, mais je crois aussi que le petit Eduardo est intervenu, et se réjouit de retrouver l'ami qu'il a connu au Bateson... Je t'en prie, passe le premier !

Jacques s'engagea dans la porte-tambour et, à l'instant d'entrer dans le hall, il eut l'envie enfantine de continuer à marcher en rond dans la cage vitrée. Il lui était tout à coup indifférent d'arriver en retard à son rendez-vous, il aurait voulu se retrouver seul, mettre de l'ordre dans ses idées, assimiler les confidences dont on l'abreuvait depuis son arrivée. S'il avait cédé à son impulsion de l'instant, il serait ressorti sur la terrasse pour s'enfuir en courant, le plus loin possible de cette maison de fous !

***

Dans le hall, Élisabeth présenta Jacques à Schwester Ursula, l'infirmière diététicienne du Berghof. C'était une créature haute comme trois pommes, qui portait l'habit des religieuses de Stella

Maris – la cape bleue, les bottines vernies et la petite coiffe amidonnée, lesquelles semblaient sur elle réduites à une taille de poupée. Jacques serra la main potelée qu'on levait vers lui et répondit de son mieux au sourire humide qu'on grimaçait à son intention. Il finit par comprendre que, contre toute vraisemblance, le croassement avec lequel on s'exprimait était de l'anglais. Les images du cauchemar qui l'avait réveillé à l'aube lui revinrent en force à l'esprit, et il eut devant les yeux le faciès minaudant et douloureux de la naine immobilisée au fond de son landau, qui le suppliait de tirer de toutes ses forces pour la délivrer de ses attaches.

– Notre ami du Canada n'a pas bonne mine, dit Schwester Ursula à Élisabeth. Adaptation à l'altitude et fatigue du voyage. D'ouest en est, le décalage est plus difficile à rattraper, c'est connu. Le mieux est de faire une sieste de deux heures chaque après-midi pendant les trois premiers jours. Remède éprouvé ! De toute façon, l'infirmerie est située à cet étage, couloir du couchant, cinquième porte à gauche. Si on a besoin de moi, on sait où me trouver.

Elle adressa à Jacques un nouveau rictus d'amitié et, après un demi-tour à l'allure de pirouette, trottina sur ses jambes courtes et disparut dans l'escalier qui menait au rez-de-chaussée. « Pourquoi se donne-t-elle la peine de parler anglais, pensa-t-il, si c'est pour s'adresser à Élisabeth comme si je ne comprenais pas un mot de ses propos à mon sujet ? » Il n'eut pas le temps de résoudre cette énigme, car il sentit à cet instant la pression d'un objet pointu dans le creux de ses reins, alors qu'une voix au timbre contrefait lui intimait l'ordre de lever les bras et de se tenir à carreau. Il resta figé une seconde, puis fit volte-face.

– Didi, mais qu'est-ce que tu fais là ? s'écria-t-il joyeusement. Je voulais justement descendre à Stella Maris après le déjeuner. Comment ça va ? Je te présente Élisabeth, qui m'a connu en Californie, quand j'avais un peu moins que ton âge.

– Didier Carpentier, pour vous servir ! dit le jeune garçon, avec une pointe d'indécision dans sa révérence. (Il se demandait s'il n'en faisait pas trop.) Si vous étiez là-bas, ça veut dire que vous avez rencontré mon père.

Élisabeth approuva d'un hochement de tête, ouvrit la bouche pour parler, et se tut en fin de compte avec une moue ironique, en se disant visiblement que la question de Didier, posée en toute innocence, n'en était pas fortuite pour autant. Elle échangea avec lui quelques propos de circonstance, mais elle n'écoutait pas ses réponses, trop occupée à observer sa physionomie, avec une curiosité non dissimulée. « Elle lui trouve l'air de famille des Demontigny, pensa Jacques. Je me demande si ma mère était au courant de sa liaison avec mon père... C'est probable, et c'est sans doute ce qui l'a poussée à rentrer à Montréal pour la naissance de Didier. On pourrait presque croire qu'elle a choisi de laisser la place libre à l'*autre*... Ça doit être une drôle d'expérience pour Élisabeth de rencontrer, douze ans plus tard, ce garçon que mon père et moi ne connaissions alors que par les photographies que nous envoyait ma tante Lucie. »

– Je vous laisse, vous avez sûrement une foule d'impressions à partager ! dit-elle avec une hâte subite. Mais n'oublie pas ton rendez-vous, Jacques... Le bureau de Jorge est en bas, au rez-de-chaussée, avec la salle de conférence et les laboratoires. Ici, contrairement aux apparences, nous sommes au premier étage.

D'un geste rapide de la main, elle ébouriffa les cheveux déjà rebelles de Didier, puis s'éloigna.

– Elle a l'air un peu brusque comme ça, dit Jacques à mi-voix, mais c'est une femme exceptionnelle.

– C'est marrant, on dirait qu'elle se retient de pleurer...

– C'est possible, elle m'a fait un récit qui l'a beaucoup remuée. Alors, comment ça se présente pour toi ?

– Fu-nam-bu-lesque ! On fait des trucs pas possibles, je te raconte pas ! Mais c'est OK, l'ambiance serait plutôt sympa, tu vois ? C'est spécial, quoi ! Je t'expliquerai une autre fois, là je peux pas te parler longtemps, parce qu'on part en excursion cet après-midi et que tu dois signer un papier. Mais ils m'ont surtout dit de te rassurer.

– Qui t'a dit de me rassurer ?

– La guide Magdalena et le guide Jean-Michel. C'est rien que des moniteurs en somme, mais là-bas on les appelle autrement pour faire haute montagne, ça fait partie du *trip*, quoi ! Magdalena était sûre que tu te faisais du souci pour moi. C'est vrai ?

– Évidemment ! Ce n'est pas du tout le genre de pensionnat que j'avais imaginé, mais si tu me dis que tu te plais, c'est le principal. C'est quoi, cette affaire de signature ?

– Oh, juste une formalité, dit-il en sortant de sa poche une feuille pliée en quatre. C'est au cas que je me tue en faisant de l'alpinisme, pour qu'on donne gratuitement mon cœur, mes reins et mes yeux, tu comprends, pour faire des transplantations. T'as pas d'objections ?

– Mais qu'est-ce que c'est que cette histoire ? s'exclama Jacques, suffoquant d'indignation. Ces gens-là sont des malades ! Enfin, c'est pas possible de demander à un enfant de... Ah, bravo, c'est malin !

Il découvrait que le papier était une banale fiche d'inscription, comportant une formule autorisant la direction de Stella Maris à prendre des dispositions d'urgence en cas de maladie ou d'accident. Didier ne put tenir son sérieux plus longtemps et éclata d'un rire frais. Jacques eut envie de le prendre dans ses bras, de l'étreindre avec force, de lui exprimer combien sa visite surprise le rendait heureux.

– Mais quand tu dis qu'il se passe là-bas « des choses pas possibles », reprit-il, tu penses à quoi ? Donne-moi un exemple.

– Si t'insistes ! dit Didier. Mais je t'aurai averti ! Tu sais que, quand les gens se détestent, on dit qu'ils peuvent pas se sentir. Eh bien, c'est pas seulement une façon de parler, parce que lorsqu'ils peuvent se sentir pour de vrai, je veux dire se sentir avec le nez, en général ça les aide à se comprendre. Alors je sais pas si tu vois... non, hihi, attends !... mais hier soir... hihihi... ils sont venus... hihihi... ils sont venus me sentir... hihihihi... à tour de rôle... et...

Il s'étranglait dans son fou rire, à tel point qu'il fut incapable de poursuivre son récit. Sa gaieté était d'une contagion irrésistible et Jacques se tordait les côtes, les yeux brouillés de larmes. Alors c'était ça, le « clafoutis pédagogique » de la Petite Sœur de Treblinka ! Pour éviter de se mordre, les enfants se humaient les uns les autres comme des petits chiens ! Wouf, wouf ! Dieu que c'était drôle ! Il y avait longtemps qu'il ne s'était pas abandonné à une telle joie !

Il accompagna Didier jusqu'à la sortie, sous l'œil interloqué de la demi-douzaine de pensionnaires qui croisaient à l'instant dans les parages. Après quelques secondes d'accalmie, leur hilarité reprit de plus belle et ils avancèrent en titubant, comme pris de boisson. Spontanément, ils s'embrassèrent avant de se séparer.

Et Jacques, s'essuyant les joues, regardait son frère s'éloigner sur la terrasse éclatante de blancheur, en se remémorant dans une dernière quinte de rire cette bonne blague du formulaire à signer pour le legs des organes en cas d'accident fatal – le cœur et les reins de Didier, et ses yeux si pleins de vie. Il pensa alors au petit Eduardo, et le soleil de midi devint soudain hostile et froid.

*
* *

Le Berghof avait été construit à flanc de coteau, dans la pointe d'une forêt de conifères aux troncs espacés, qui l'entourait par le nord-est d'un bras protecteur. Sans être abrupte, la pente avait une inclinaison suffisante pour que, du côté de la vallée, l'étage inférieur du bâtiment ouvrît de plain-pied sur une clairière parsemée de buissons et d'arbres nains. Les fenêtres des bureaux et des laboratoires ne pouvaient être vues ni de la grande terrasse qui les surplombait, et par laquelle on accédait au hall d'entrée, ni de la route en contrebas, dont les lacets débouchaient au niveau de l'entresol devant l'aile ouest de la maison.

Jacques descendit au rez-de-chaussée et se trouva au bas de l'escalier à la croisée de trois larges corridors. Celui qui lui faisait face s'élargissait en un petit hall carré, aménagé en salle d'attente. A gauche, une porte fermée affichait un nom gravé en lettres grises dans une plaque de bakélite : *É. Bogdan-Popesco, Ph.D.* La porte de droite, dépourvue d'indication, était entrouverte sur une antichambre équipée de hauts classeurs métalliques, d'une solide table de travail en bois verni, couverte de paperasses, et d'une chaise tubulaire à roulettes, dont la largeur inusitée ne laissait pas de doute sur l'identité de la personne qui travaillait à cette place. « La Mollosse ! pensa Jacques. Le surnom lui va comme un gant, et je suis plutôt soulagé de ne pas la trouver en travers de mon chemin. Compte tenu des confidences de Katja, je ne sais pas comment j'aurais réagi aux remarques acerbes qu'elle n'aurait pas manqué de faire sur mon retard. » Il s'apprêtait à frapper à la porte suivante, mais celle-ci était recouverte d'un épais capitonnage de cuir craquelé, et il fut obligé de cogner du poing contre le chambranle, puis, n'obtenant pas de réponse, contre le mur, qui rendit le son plein et mat des anciennes constructions. Renonçant à s'annoncer par ce moyen, il posa la main sur la poignée, mais la retira en sentant qu'on l'abaissait au même instant de l'autre côté. Il redressa la taille et le menton, fermement décidé à ne pas se laisser impressionner par la personne qui venait lui ouvrir – que ce fût Bertha Moll ou Jorge d'Aquino. Le battant s'écarta et il se trouva face à un gorille adulte, qui se figea en l'apercevant, comme s'il partageait sa réaction d'incrédulité et de stupeur.

Dans l'émission de télévision sur la psychosynergie, dont il avait parlé la veille à M. Léopold, une longue séquence avait été consacrée aux recherches du Dr Francine Patterson sur l'intelligence des primates, qu'illustraient de stupéfiantes images d'un gorille de sept ans, Koko, qui s'exprimait par le langage des sourds-muets, avec un vocabulaire de près de quatre cents signes. Ce documentaire n'avait certes pas préparé Jacques à se trouver sans défense en présence d'un animal aussi terrifiant d'aspect et de taille, mais il l'aida sans doute à maîtriser son premier réflexe, qui aurait été de prendre la fuite. Il n'en menait toutefois pas large et luttait pour retrouver l'usage de sa pensée, abasourdie par les événements insolites qui s'étaient accumulés au cours des dernières vingt-quatre heures. Il n'eut pas à se questionner longtemps sur la conduite à suivre, car le grand singe prit l'initiative et, après lui avoir montré les dents dans un rictus qui pouvait être interprété comme un sourire amical, l'invita à le suivre d'un geste des doigts qui l'impressionna autant que s'il l'avait entendu parler. Comme il ne se décidait pas à bouger, l'animal s'avança et le prit par la main pour l'entraîner dans la salle avec insistance, mais sans brusquerie.

Le laboratoire de Jorge d'Aquino était surprenant et tenait du musée scientifique, du marché aux puces et du décor de cinéma. L'espace était vaste et, bien que les cloisons des pièces qui le divisaient à l'origine eussent été supprimées, l'emplacement du cabinet du Dr Behrens et celui de la salle de radiographie se reconnaissaient grâce au mobilier et à l'équipement médical de l'époque, qui avaient été religieusement conservés. Le reste de la salle était envahi par des liasses de documents ficelés entre des couvertures cartonnées, des piles de livres et de revues, qui semblaient tous avoir trouvé leur place définitive dans les entassements les plus anarchiques et les équilibres les plus instables, sur les rayons des étagères, le rebord des fenêtres, le dessus des armoires vitrées, ou simplement à même le plancher de bois verni. Des stores intérieurs modernes adoucissaient la clarté vive du dehors, sans obstruer la vue sur la clairière.

Jorge d'Aquino se tenait debout devant un superbe appareil de radioscopie en bois de rose laqué, aux cadrans de cuivre et aux manettes en porcelaine, qui datait du début du siècle, et se limitait à servir aujourd'hui de support à un magnétophone perfectionné. Deux haut-parleurs massifs diffusaient un concert de sons étranges, dont certains ressemblaient aux parasites d'une transmission hertzienne de longue portée – des sifflements modulés et une infinie variété de craquements –, alors que d'autres, plus impressionnants, évoquaient le bruit de ressac d'un océan dont les vagues immenses auraient déferlé au ralenti, sur un littoral sans fin. Cette musique un peu inquiétante jouait déjà au moment où Jacques était entré dans le laboratoire, mais il n'en avait pas eu conscience et à l'instant même ne l'entendait que confusément, car son attention était accaparée par l'expérience extraordinaire de suivre ce gorille qui lui arrivait aux épaules, de sentir entre ses doigts l'ossature puissante de sa main, à la peau si douce et sèche.

D'Aquino pressa une touche pour interrompre le défilement de la bande, puis murmura dans le silence qui faisait curieusement ressortir le désordre de la pièce :

– *La musique des sphères !* Un proverbe gnostique dit : « Il pense dans l'univers comme il pleut. » Tu arrives à temps, Carpentier ! Les cartes sont sur la table, les dés sont jetés !

Les poings sur les hanches, il toisait le jeune homme d'un regard attentif et froid, visiblement peu enclin à en dire davantage dans l'immédiat. Il lui fit signe de le suivre au fond du laboratoire, dans un coin délimité par un grand tapis d'Orient, qui possédait apparemment le pouvoir d'opposer une barrière infranchissable aux livres, aux magazines et aux objets hétéroclites qui encombraient les lieux. Deux fauteuils de cuir à haut dossier meublaient cet îlot, séparés par une table basse. D'Aquino prit place dans l'un d'eux et le gorille vint s'accroupir à ses pieds, sans cesser d'observer Jacques, l'air de se demander ce que ce visiteur inconnu allait décider. Et, de fait, Jacques hésitait à s'asseoir à son tour, car il avait besoin de chaque centimètre de sa taille pour affronter son hôte. Il l'avait vu naguère avec des yeux d'enfant et, en se rendant à Davos, il s'était dit que son souvenir de lui était sans doute déformé, plus gargantuesque que nature. Il dut se rendre à l'évidence : le personnage était colossal, qui se tenait droit sur son siège, dans une pose hiératique, ses mains immenses solidement refermées sur les extrémités arrondies des accoudoirs de bois. Son abondante crinière blanche et les rides profondes qui sillonnaient son visage le faisaient paraître plus vieux qu'il n'était. On devinait en lui des forces antagonistes, repliées sur elles-mêmes, prêtes à bondir – et, dans son caractère, des lenteurs calculées, des impatiences retenues, une attention sans relâche qui évoquaient le comportement d'un dompteur. « Pourquoi ne m'a-t-il pas tendu la main ? se demanda Jacques. Il me traite comme si j'étais un parfait étranger ! Et que veut-il dire par " les dés sont jetés " ? Peut-être une phrase sibylline lancée au hasard, comme un coup de dés précisément, et le disciple y trouvera matière à illumination ! Un ésotérisme de pacotille ! En tout cas, sa voix est toujours aussi caverneuse et impressionnante que par le passé. Comment ne pas prendre au sérieux une révélation faite par un tel oracle ! »

– Vous me reconnaissez ? dit Jacques en se décidant à s'asseoir.

Sans le quitter des yeux, d'Aquino tendit le bras vers le guéridon posé à sa droite ; sa main chercha quelque chose à tâtons, négligeant le bloc-notes et le gobelet d'étain avec sa gerbe de crayons fraîchement taillés, pour finalement décrocher le téléphone et poser le combiné à côté de l'appareil. Il ne voulait pas être dérangé.

– Nous reconnaissons les deux dans le même, le père et le fils, répondit-il enfin. L'un plus jeune, l'autre mûri. Surprise... émotion... expectative ! Bogdan-Popesco ne nous a pas averti de votre ressemblance ; et, à toi, elle n'a rien dit de la présence de Chouri. Mais tu as dominé ta peur en entrant, et tu as eu raison, car c'est l'être le plus doux qui se puisse rencontrer sur terre.

Il fit quelques signes rapides à l'intention du gorille, qui l'observa en fronçant le museau, avant de répondre en remuant ses doigts de cuir noir et ses bras démesurés, dans une gestuelle élastique qui se révélait étrangement gracieuse, et d'une précision stupéfiante. Puis, poussant un grognement de plaisir, il se leva et traversa le laboratoire avec un dandinement comique, pour disparaître dans un réduit où on l'entendit ouvrir un réfrigérateur et remuer des verres.

– Qu'es-tu venu chercher au Berghof, Carpentier ?

– La vérité au sujet de mon père, dit Jacques en se raidissant, car il n'attendait pas la question si tôt. J'ai entrepris cette quête l'an dernier, à la suite d'un incident anodin. Un de mes professeurs a parlé en classe de l'évolution du mouvement de la psychosynergie, et s'est tourné vers moi pour me demander mon opinion sur la controverse qui avait opposé Alexander Carpentier et Jorge d'Aquino, pendant les derniers mois de leur collaboration au Bateson Institute. A ma grande honte, je n'avais rien à répondre, et ça m'a fait prendre conscience que mon père était un inconnu pour moi. Je suis donc parti à sa recherche, si on peut dire, et j'ai eu une série d'entretiens avec un psychologue, qui m'a aidé à explorer mon enfance, et surtout à identifier une sorte de *trou noir* dans mes souvenirs. La chose m'a d'autant plus intrigué que je me rappelle avec précision notre vie au Bateson, et ce qui s'est passé après notre retour à Montréal – mais, entre les deux, ma mémoire tourne à vide. Tout ce qui touche à l'accident cérébral de mon père a été effacé !

Jacques se tut pour reprendre son souffle, inquiet de sentir que ses yeux le piquaient. « Je n'ai pas pleuré depuis des années, pensa-t-il en serrant les poings. Ce n'est toujours pas aujourd'hui que ça va m'arriver, et surtout pas devant lui ! » Il releva la tête et rencontra le regard inquisiteur de son hôte.

– Je veux savoir ce qui est arrivé à ce fameux congrès de San Francisco, dit-il. A tort ou à raison, je suis convaincu que vous pouvez m'aider.

– A tort *et* à raison, dit d'Aquino. Nous le pouvons... mais ne le ferons pas. Notre aide t'est acquise pour éclairer le présent, non pour dévoiler le passé. Ce savoir-là t'appartient. Ce serait t'en déposséder que de te le livrer pieds et poings liés... plus mort que vif ! La vérité réside dans sa découverte, non dans sa possession... le vivant de la vérité dans son appropriation, le pourrissant dans sa propriété. *Rrrrâh !*

Jacques se souvenait de ce râle profond qui ponctuait les paroles de d'Aquino, de ce puissant appel d'air dans les bronches asthmatiques, mais il en avait oublié toute l'ampleur dramatique, et l'impression pénible de suffocation qui s'en dégageait.

– Je ne demande pas mieux que d'essayer, dit-il. Mais comment me souvenir de choses que je n'ai jamais sues ? Comment retrouver des événements qu'on m'a cachés quand j'avais dix ans ?

Chouri était réapparu, poussant devant lui une petite table aux roulettes grinçantes, chargée d'un assortiment de boissons et de friandises salées. Ses yeux brun clair, profondément en retrait dans son faciès d'ébène, observaient les deux hommes à tour de rôle avec une attention soutenue. Jacques répondit au professeur qu'il prendrait volontiers une bière, et tressaillit de surprise en voyant que le gorille débouchait la bonne bouteille, avant même que d'Aquino ne lui eût fait un signe.

– Il a compris tes paroles, expliqua celui-ci. Il n'est pas sourd... seule la morphologie de son appareil vocal l'empêche de reproduire le langage humain. Nous nous adressons à lui en *ameslan**, pour éviter qu'il ne se sente en position d'infériorité... ou peut-être pour l'empêcher de porter sur l'espèce humaine le jugement qu'elle mérite ! Soit dit en passant, il est déçu de ton choix... Il adore mettre des cubes de glace dans les verres.

* American Sign Language.

Après avoir fini son service, Chouri reprit sa place aux pieds de d'Aquino, qui se mit à lui gratter le sommet du crâne d'un geste distrait. Jacques se rendit compte à une crampe dans les muscles de ses joues qu'il avait observé toute la scène avec un large sourire, qui s'était figé lorsqu'il avait pris conscience d'avoir, devant lui, non pas un animal dressé répétant inlassablement le même numéro, mais un être doué d'intelligence et de sensibilité, dont la déambulation et les grimaces ne lui inspiraient plus aucune envie de rire.

– Les choses que tu n'as jamais vues, répéta d'Aquino d'un ton pensif, les événements qu'on t'a dissimulés. *¡ Que extraño mecanismo es el corazón de un niño !** Te souviens-tu au moins de notre contrat ? Un dollar pour chaque rêve que tu venais nous raconter au petit déjeuner, quand il était encore frais de la nuit !

– Je n'ai pas oublié, dit Jacques.

Bien qu'il se tînt sur la défensive, il ne pouvait s'empêcher d'être remué en découvrant que son hôte se souvenait avec une telle précision de ces détails de leur relation passée. « Ai-je vraiment compté pour lui ? se demanda-t-il. Élisabeth m'a assuré qu'il éprouve encore de l'affection pour moi, alors que je le trouve plutôt froid et distant. Et s'il est réellement devenu cette espèce de trinité psychique, comme elle le prétend, quel âge Eduardo aurait-il aujourd'hui ? A-t-il vieilli en même temps que moi au cours des années ? Je n'arrive pas à croire que je me pose cette question sérieusement, et pourtant... ! »

– A notre connaissance, ce contrat n'a pas été résilié, poursuivit d'Aquino avec un sérieux imperturbable. Aurais-tu ce matin quelque songe à monnayer en argent suisse ? Carl Jung a dit que les rêves de la première nuit passée dans un nouvel endroit sont particulièrement riches de significations...

Jacques fut traversé d'un frisson de peur. Par quel sortilège ce géant à tête blanche avait-il eu connaissance du cauchemar qui l'avait si brutalement réveillé à l'aube ? Il se raisonna en se disant que l'autre ne pouvait rien savoir à ce sujet, qu'il avait lancé cette question à tout hasard et était tombé juste, voilà tout. Nul besoin d'invoquer la magie pour une chose aussi insignifiante !

– C'est vrai, j'ai fait cette nuit un drôle de rêve, reconnut-il, et, à ma grande surprise, je ne l'ai pas oublié. Vous voulez vraiment que je vous le raconte ?

Interprétant l'immobilité de d'Aquino comme un signe d'appro-

* Quelle étrange mécanique que le cœur d'un enfant !

bation, il se remémora à haute voix les séquences de son cauchemar, et se sentit envahi par un trouble croissant. Il avait déjà fait un lien entre Schwester Ursula et la naine minaudante qui s'était agrippée à lui et refusait de le lâcher, mais d'autres analogies lui apparaissaient au fur et à mesure qu'il progressait dans sa narration. La cave encombrée d'objets hétéroclites n'était-elle pas la préfiguration du laboratoire où il se trouvait à présent ? Et pourquoi le grincement des roulettes de la petite table poussée par Chouri l'avait-il à ce point indisposé, si ce n'était parce qu'il évoquait la course folle du landau, mû par une force mystérieuse ?

– Avant toute autre raison, tu es venu au Berghof pour obéir à ta destinée, affirma d'Aquino. Tu atteindras ton but en te rendant accessible à ce que tu cherches... disponible pour ce que tu veux conquérir... en étant à la fois celui qui trouve et celui qui se découvre ! *Rrrâh !* Pour comprendre ton rêve, demande-toi ce que tu oublies... tu sauras ce que tu caches !

– Ce que j'oublie ?

– N'as-tu pas dit être descendu dans la cave de ta maison familiale pour y chercher un livre d'enfant ?

– Ah, le livre... C'est vrai, oui, mais son titre m'échappe...

– Eh bien, cours à sa poursuite et rattrape-le ! Nous t'attendrons, Carpentier, nous ne sommes pas pressé.

En effet, d'Aquino semblait n'éprouver qu'indifférence pour l'écoulement du temps, et Jacques se souvint de son singulier caprice d'avoir fait ôter les aiguilles du cadran de l'horloge, au fronton du Berghof. Mais cette absence de toute contrainte à l'égard de l'heure qui passait, loin de le mettre à l'aise, le menaçait comme une exigence qu'il n'était pas certain de pouvoir satisfaire. Il pensa : « S'il se figure que je vais me rappeler le titre de ce bouquin simplement parce qu'il me l'ordonne de sa voix de stentor, il se trompe lourdement ! » Or, à l'instant même, il découvrit avec confusion que c'était exactement ce qui venait de se produire.

– Voilà, je le sais ! C'est un livre sur la Première Guerre mondiale, qui s'intitule : *A l'attaque !* Ses illustrations m'impressionnaient beaucoup, on y voyait des soldats agonisant dans les tranchées... Vous croyez que j'ai pu en être traumatisé ?

Il posait la question sans y croire, pour prouver peut-être qu'il n'était pas tout à fait ignorant de la chose psychanalytique.

– Tu es venu en Suisse pour faire le point... confronter les témoins de ton passé... nous demander des comptes !

– « A l'attaque ! », ce serait donc cela ? murmura-t-il, un peu déçu.

– Le rêve est une poupée russe, une *matriochka*. Ouvre-la, tu en trouveras une autre, et une autre, puis une autre encore... L'inconscient est passé maître en charades gigognes.

Jacques se tut, luttant vainement contre l'émotion qui le prenait à la gorge. Comment la conversation avait-elle pu en arriver si rapidement à l'évocation de ses préoccupations les plus intimes ? N'y avait-il pas moyen de rester dans les généralités, avec ce diable d'homme ?

– Il s'agit bien sûr de *l'attaque* qui a terrassé mon père ! s'écria-t-il. Mais c'est un cercle vicieux ! Comment je pourrais me souvenir de ce qui s'est passé à ce moment-là, alors qu'on m'a tenu à l'écart ? Tout ce que j'ai réussi à tirer de ma tante Mathilde a été qu'une violente altercation vous a opposé à mon père, le soir précédant l'ouverture du congrès, et que, dans la nuit, il a eu cette thrombose qui l'a rendu invalide. Évidemment, elle a toujours vu une relation entre les deux événements...

– Évidemment... répéta d'Aquino en se penchant, et la grisaille qui voilait son regard depuis le début de l'entretien se dissipa, pour faire place à une compassion profonde, alors qu'il ajoutait : Et toi qui avais été « mis à l'écart », où donc étais-tu ?

– Mais je l'ignore, justement ! C'est ça, le trou noir dont je parlais tantôt. Je sais que Mathilde est venue me chercher à San Francisco pour me ramener à Montréal, mais je ne me souviens pas de ce voyage non plus. D'ailleurs, pourquoi...

Il détourna la tête pour cacher son trouble. Comment une réalité aussi simple et évidente avait-elle pu lui échapper si longtemps ?

– J'étais là, n'est-ce pas ? murmura-t-il, le souffle court. C'est *après* seulement qu'on m'a emmené – on ne m'aurait pas mis à l'écart avant que la chose ne se produise... Nous avions une suite dans l'hôtel où se tenait le congrès, et il est probable que j'étais couché dans la chambre voisine quand vous êtes venu trouver mon père. Vous ne dites rien ? Vous voulez vraiment que je le découvre de moi-même, n'est-ce pas ? J'ai peut-être entendu votre dispute ce soir-là... Pourtant je ne me souviens de rien ! Pourquoi ?

Il éclata en sanglots. Contrairement à ce qu'il affirmait, des fragments de souvenirs, épars et diffus, venaient crever comme des bulles à la surface de sa conscience. Quelle vérité terrifiante découvrirait-il, le jour où tous les morceaux du puzzle lui seraient restitués, chacun à sa place ?

D'Aquino l'observait en hochant imperceptiblement la tête, comme si le chagrin dont il était témoin confirmait des suppositions qu'il persistait à tenir secrètes. Sans oser se l'avouer, Jacques attendait de sa part une consolation plus explicite, mais il dut se contenter de la sympathie de Chouri, que ses pleurs avaient rendu anxieux et agité. Les bras ballants, l'animal vint se planter devant lui pour le dévisager fixement, la tête inclinée sur le côté, en poussant de petits gémissements plaintifs.

– A présent que tu sais ce que tu es venu chercher au Berghof, dit d'Aquino, dis-nous ce que tu apportes des pays plats. Tu es le témoin d'un monde que nous avons quitté... d'une société où nous n'avons pas notre place. Les hommes ont-ils fait des progrès dans la destruction de leur planète ?... Les peuples ont-ils avancé dans leur décadence, les civilisations dans leur déclin ?... Le pluriel est-il retourné au chaos des origines ?

Jacques s'essuya furtivement les joues et, avec une impression d'irréalité, se surprit à adresser un signe de connivence à Chouri, pour le rassurer. Il prenait son temps avant de répondre aux questions de son hôte, cherchant à comprendre pour quelle raison celui-ci avait changé si abruptement de sujet de conversation. Craignait-il qu'il ne découvre autre chose dans ses souvenirs d'enfance, comme Élisabeth qui s'inquiétait la veille qu'il n'eût trouvé des papiers compromettants dans les affaires de son père ?

– Je ne sais pas où commencer, dit-il. Faites-vous allusion aux événements du Farghestan ?

– Nous ignorons ce qui se passe au Farghestan, répondit d'Aquino et, devant l'incrédulité manifeste de Jacques, il expliqua : Nous ne lisons pas les journaux... n'écoutons pas la radio... ne regardons pas la télévision ! Avons-nous l'air en faute ? en défaut ? en manque ? Que fait la presse, sinon du neuf avec du vieux, des nouvelles avec de l'ancien ? Répétitions inlassables de l'horreur... redites de l'injustice... reprises des erreurs... recommencement de la fin ! *Rrrrâh !* Le paléontologue Courvoisier se targuait de pouvoir reconstituer l'apparence d'un animal préhistorique à partir d'un seul os. Nous ne lirions qu'un seul journal, n'importe lequel... une fois par année, n'importe quand... et, de la même façon, nous serions capable d'en déduire l'état de la civilisation... d'y trouver plus de preuves que nécessaire pour citer le genre humain à son procès... et le faire condamner ! *Rrrrâh !* Nous attendions sans joie ce feu d'artifice qui marquerait d'une dernière croix la fin sans issue de l'histoire ! Et, hier soir, un homme s'est présenté ici, un témoin des pays plats qui t'a précédé, et dont les propos nous ont donné à réfléchir...

– Le Dr Frankenthal ? demanda Jacques. C'est un homme très impressionnant ! On a dîné ensemble hier soir et il m'a parlé de cette méthode de contraception dont il est l'inventeur. Si j'ai bien compris, il est venu vous soumettre un problème lié à ses recherches, mais je ne vois pas en quoi ses préoccupations ont pu modifier votre... enfin, ce que vous pensez de l'avenir de l'humanité.

– Nous-même ne l'avons pas déduit sur-le-champ ! Nous étions en présence du Messager de Patmos, et nous ne l'avons pas reconnu ! Distraction ? lassitude ? scrupule ? Nous nous sommes laissé emprisonner dans la question posée, alors que la réponse était de réfuter l'énoncé... d'en dénoncer les prémisses... de refuser les évidences !

– C'est étrange... Une pensionnaire du Berghof se trouvait dans le train avec nous, une certaine Mme Glück, et, en arrivant à Davos, elle a dit au Dr Frankenthal : « Il n'y a pas de repos pour le messager, tant que le message n'est pas délivré. » Je m'en souviens, car c'est une citation de Joseph Conrad que je connaissais déjà. Vous comprenez pourquoi je suis surpris en vous entendant parler du « Messager de Patmos »...

Il reprenait cette périphrase dont le sens lui échappait, dans l'espoir que d'Aquino, en enchaînant, en dirait davantage et lui éviterait de confesser son ignorance. Mais l'autre restait silencieux, comme si la remarque de Gertrude Glück l'obligeait à faire un nouvel examen de ses propres conclusions. Le réseau de rides profondes qui convergeaient vers sa bouche se resserra, accentuant l'illusion d'une blessure mal cicatrisée.

– Nous avons conseillé au Suédois de t'exposer son problème, à toi ainsi qu'à Bogdan-Popesco, à Van Katwijk et Léopold... Vous l'écouterez avec plus de discernement que nous n'en avons montré... plus d'intuition que nous n'en avons eu... Vous le prendrez au sérieux !

– Le Dr Frankenthal ? M'exposer son problème, à moi ? dit Jacques au comble de la surprise. C'est absurde ! Je ne sais pas pour Élisabeth et les autres, mais moi, qu'est-ce que je pourrais lui apprendre ?

– Qui parle de lui apprendre quelque chose ? Nous ne connaissons jamais qu'une partie de ce que nous savons. Vous ne devez pas lui révéler ce qu'il ignore, mais lui ouvrir les yeux sur ce qu'il sait et ne voit pas ! Dis-nous, Carpentier, crois-tu aux maladies imaginaires ?

– Mais... oui, bien sûr. Enfin, je veux dire qu'elles sont réelles dans l'esprit de ceux qui s'en croient atteints...

– Et que dirais-tu si Frankenthal t'annonçait qu'il a découvert *une maladie imaginaire contagieuse ?*

Jacques eut l'impression de voir briller un éclair d'ironie dans le regard sombre du professeur, et il se demanda s'il lui tendait un piège ou se moquait de lui. Il n'eut pas le temps d'approfondir la question, car Chouri s'était levé avec agitation et courut ouvrir une fenêtre pour montrer le ciel du doigt, avant de faire à leur intention une suite de signes rapides et déliés. Dehors, le petit clocher égrenait les douze coups de midi, sur une cadence étrangement lente.

– Son heure de déjeuner n'est pas négociable ! dit d'Aquino en se levant avec une grimace, alors que les articulations de sa charpente massive se dépliaient avec des craquements sinistres. Accompagne-nous à ses quartiers... Nous te présenterons Hobayashi, son professeur privé !

Ils sortirent du laboratoire par la porte la plus proche, qui ouvrait non pas sur un couloir, comme Jacques l'avait supposé, mais sur le perron d'un jardin aux plates-bandes abondamment fleuries, enclos par un haut mur de pierre du côté de la forêt et, au fond, par une construction basse, au toit d'ardoises couvertes de fines mousses et de lichen. D'Aquino expliqua que la bâtisse abritait autrefois la buanderie du sanatorium, puis avait servi de remise avant d'être aménagée spécialement pour les besoins de Chouri. Les barreaux aux fenêtres et le renforcement de la porte étaient une concession aux autorités locales, qui n'avaient pas vu d'un bon œil l'installation de ce nouveau résident sur le territoire d'une station de villégiature aussi huppée que Davos. Par bonheur, Tadeus Bubenblick et le *Polizei Kommissar*, qui s'entendaient comme larrons en foire et étaient toujours l'un envers l'autre en dette de quelque service, s'étaient mis d'accord pour que la présence de Chouri au *satanarium* ne fût pas ébruitée au village – et des consignes en ce sens avaient été données aux pensionnaires de la maison.

En approchant de la bâtisse, ils aperçurent un petit homme planté immobile au milieu des buissons, le bras droit levé raide sur le côté. Ses origines étaient visiblement orientales et sa pose le faisait ressembler à un épouvantail, mais cet amalgame, s'il apparaissait infiniment cocasse aux yeux de Jacques, n'avait pour autant pas empêché deux oiseaux de le prendre pour perchoir. L'arrivée précipitée de Chouri les mit en fuite, et l'homme s'extirpa prestement des broussailles pour saluer le visiteur d'une brusque cassure du torse.

– Ado Hobayashi, boursier de la National Geographic Society, heureux de vous rencontrer ! dit-il en anglais, d'une voix haut perchée qui débitait les syllabes comme de la mitraille. Il se tourna vers d'Aquino et ajouta sur le même ton : Suivez-moi, professeur, j'ai quelque chose à vous montrer !

Il les précéda dans l'ancienne buanderie, où les cuves de ciment et une partie des installations étaient encore en place, mais dont les murs avaient été peints en couleurs gaies, et le sol recouvert d'une épaisse moquette gris perle. Près d'une des fenêtres, un tableau noir et des étagères chargées de poupées, de jeux de construction, d'un ballon et de livres illustrés donnaient à l'endroit un air de *Kindergarten*. Une cuisinette avait été aménagée dans un coin et, sur la table de bois massif, des tartines de beurre d'arachide, des céréales, une banane et un verre de lait attendaient Chouri – mais celui-ci se dirigea d'abord vers un grand panier d'osier, qui devait servir autrefois au transport du linge, et il tâta avec curiosité la vieille couverture qui en tapissait le fond. Puis, visiblement désappointé, il prit place à table et commença à manger, tandis que M. Hobayashi expliquait que son protégé attendait avec impatience l'apparition des chiots de Betsy, ajoutant que l'événement se produirait demain à l'aube. Puis, traversant la pièce, il se baissa pour soulever un coin du lourd matelas posé à même le sol, qui servait de litière au gorille. Il ramassa un morceau de papier froissé et le tendit à d'Aquino, d'un geste aussi brusque qu'une passe de kung-fu.

– En voilà assez ! Qui est en charge ici ? s'écria-t-il dans son anglais haché menu. Cette Bertha n'en fait qu'à sa tête ! Elle continue à donner des friandises à Chouri en cachette, pourtant je lui ai assez répété que le sucre est un poison pour lui ! Irresponsable, voilà ce qu'elle est ! Et vous, professeur, qu'attendez-vous pour intervenir ? C'est la troisième fois que je me plains, vous écoutez en remuant la tête, mais vous ne faites rien ! Vous avez peur d'elle, ou quoi ? Je vous avertis que, si ça continue, je lui interdirai de jouer avec Chouri, tant pis pour elle !

D'Aquino essuyait sans broncher les récriminations de M.

Hobayashi, et Jacques, qui contemplait la scène avec incrédulité, regrettait que Didier ne fût pas avec lui pour en apprécier tout le comique. Le visage du Japonais était agité de tics nerveux, et son trépignement survolté ne réussissait qu'à accentuer le contraste entre sa petite taille et celle du géant, qu'il devait être le seul au Berghof à oser apostropher de la sorte. Quant à Chouri, son comportement ne le cédait en rien à la drôlerie des gesticulations de son tuteur : dès que l'emballage de la friandise défendue avait été découvert sous son matelas, il avait plongé le museau dans son bol de céréales avec un air d'enfant coupable, d'autant plus irrésistible que ce petit garçon désobéissant devait approcher les cent trente kilos.

Jorge d'Aquino assura qu'il ne se contenterait pas cette fois de « remuer la tête » et prit l'engagement de mettre Bertha Moll au pas à la première occasion. Il fit ensuite demi-tour et s'éloigna sans hâte. Jacques hésita, puis sortit à sa suite après avoir adressé un vague sourire d'excuse à M. Hobayashi, qui ne semblait pas s'offusquer de la brusquerie de leur départ. Décidément, les gens du Berghof avaient entre eux des rapports bien singuliers, d'une nature qu'il aurait eu de la peine à définir, mais qui au fond ne lui déplaisaient pas.

D'Aquino l'attendait dans le jardin, immobile devant un parterre de centaurées, examinant l'emballage froissé que lui avait remis le Japonais. Il leva les yeux, et son regard révéla une détresse horrifiée, comme si l'examen de cette insignifiante enveloppe de papier grenat lui avait dévoilé le fond de l'abjection humaine. Jacques resta pantois devant cette brusque métamorphose, et les propos d'Élisabeth sur la triple personnalité du Sage des Grisons lui semblèrent tout à coup moins fantaisistes. Était-ce un effet de son imagination ? Le regard qu'il venait de surprendre était celui d'une femme, le regard d'une mère qui assiste, impuissante, à la souffrance de son enfant. « Je suis trop impressionnable », pensa-t-il.

– Nous savons que tu as vu Moll ce matin, dit d'Aquino. Que penses-tu d'elle ?

– Je ne l'aime pas.

– Tu aurais pu refuser de te prononcer... parler prudemment de « première impression »... user de périphrases ! *¡ Que agradable es oir la verdad sin pelos en la lengua !** Nous t'avons connu enfant, et déjà tu avais le mensonge en horreur... la tromperie en

* Qu'elle est bonne à entendre, la vérité sans fards ni compromis !

aversion ! N'oublie jamais que tu n'aimes pas cette femme, Carpentier ! Garde-toi d'elle ! Garde-toi de ta compassion pour elle ! Hobayashi a raison... nous la blâmerons pour son obstination à donner des sucreries à Chouri... mais elle ne doit pas être empêchée de le voir ! Avant de le rencontrer, elle était seule dans son désert... nul être ne comptait et personne pour qui compter ! Enfant sevrée d'amour, femme privée de cœur ! *Rrrrâh !* Et soudain, l'étincelle... la non-présence de l'autre qui devient absence... l'impulsion de donner sans attente de retour... Comprends-tu ? *Chouri est sa dernière chance !*

Tout en devisant, ils avaient traversé le jardin, mais, au lieu de se diriger vers l'entrée du laboratoire, ils s'étaient rendus au pied de l'escalier en colimaçon qui donnait accès à la grande terrasse.

– Nous avons été interrompus tout à l'heure, rappela Jacques. Vous me disiez que le Dr Frankenthal vous a parlé d'une « maladie imaginaire contagieuse »...

– Jamais de la vie ! Pure invention de notre part ! Nous avons déformé ses paroles... réduit à une formule impertinente un problème scientifique dont la gravité nous masquait le sérieux ! Mais ne rapporte pas cette flèche au Suédois, il s'en formaliserait avec raison... même s'il ne se doute pas encore de la taille du lièvre qu'il a levé. Il s'inquiète d'une lézarde dans ses résultats statistiques... cependant que nous voyons se profiler une faille assez large pour engloutir la civilisation... ou ce qu'il en reste ! *Rrrrâh !*

Il s'interrompit pour reprendre ce souffle qui lui faisait tragiquement défaut. Puis, apparemment incapable d'en garder la moindre réserve, il continua en disant que Kierkegaard avait écrit quelque part que la fin du monde ressemblerait à cette histoire : un jour, au théâtre, l'acteur qui tenait le rôle de bouffon dans la pièce vint prier les spectateurs d'évacuer la salle calmement, un incendie s'étant déclaré dans les coulisses. Ils rirent plus fort, croyant à une plaisanterie, et périrent carbonisés, la rate encore dilatée.

– C'est une fable qui donne à réfléchir, concéda Jacques. Mais vous ne pensez tout de même pas que le Dr Frankenthal est venu nous prédire la fin du monde !

– La fin du monde ? Certainement pas ! Mais nous avons jonglé avec l'idée que, sans le savoir, il nous annonçait peut-être l'extinction de l'espèce humaine. C'est là l'excuse de notre insouciance... la cause de notre jovialité !

Jacques sourit sans répondre, comme s'il partageait sa bonne humeur. La disparition de l'*Homo sapiens*, quoi de plus réjouissant, en effet ! « J'ai quand même l'impression qu'il essaie de me faire comprendre quelque chose, pensa-t-il avec perplexité. Mais pourquoi ne le dit-il pas clairement, au lieu de tourner autour du pot en me racontant cette histoire de bouffon et d'apocalypse ? » Il baissa les yeux pour soustraire ses pensées au regard scrutateur de son compagnon, et remarqua son ample chemise de gaucho, fermée aux poignets par de fins lacets de cuir (il ne se rappelait pas l'avoir jamais vu dans une autre tenue). Portait-il toujours contre sa poitrine ce revolver à barillet qu'il lui avait montré autrefois dans son laboratoire du Bateson, le jour de ses soixante ans, en lui disant qu'il n'était chargé que d'une seule balle, et que celui qui savait le manier pouvait tirer sans entendre la détonation ?

Mais déjà d'Aquino avait tourné les talons et s'éloignait sans rien ajouter, la taille redressée et le front haut, la tête auréolée d'un nuage de cheveux blancs, imposant et massif, gardien du temps et de sa fuite. Une force de la nature, pleine de grondements inquiétants, annonciateurs des grands séismes.

Jacques avait besoin de se retrouver seul avec lui-même. Au lieu de rentrer au Berghof, il prit au hasard un des sentiers qui montaient dans les bois, à l'arrière de l'ancien sanatorium. Le chemin était bien dégagé, comme si les branches des sapins et le feuillage des taillis s'étaient donné le mot pour ne pas envahir cette trouée réservée aux promeneurs. Par places, le sol de terre battue était consolidé par des traverses de bois posées obliquement et assujetties par de petits pieux. Alentour, les arbres morts avaient été débités en rondins d'égale longueur, et empilés en tas compacts, dans une disposition savante qui en assurait la stabilité. « Une forêt passée au peigne fin ! pensa-t-il après quelques minutes de marche. Quelle différence entre cette nature apprivoisée et celle du Canada, qui m'apparaît à présent si sauvage ! » Il avisa à sa droite, au milieu d'une clairière, une pyramide d'aiguilles de sapins et de brindilles, haute de plus d'un mètre, adossée contre un gros rocher à demi mangé par les mousses. En s'approchant, il vit qu'il s'agissait bien d'une fourmilière géante, dont il observa l'activité avec une curiosité qui le surprit lui-même, car il n'avait jamais montré de prédilection pour les sciences naturelles. Il porta son attention sur un groupe de cinq ou six fourmis qui, longeant l'arête du rocher, transportaient une petite baie sauvage en direction de leur habitation, et il fut frappé par l'incohérence consternante dont ces insectes faisaient preuve dans le maniement de leur fardeau. Au lieu de conjuguer leurs efforts, ils se nuisaient réciproquement par une agitation vaine et stupide, multipliant les tentatives inutiles et prenant individuellement les initiatives les plus contradictoires.

Jacques alla ramasser un morceau de bois mort et s'en servit pour décapiter la fourmilière de son dôme, mettant au jour un labyrinthe aux innombrables méandres et ramifications. A travers les aiguilles roussies et l'argile effritée, il distinguait des loges et des chambres d'incubation, avec leur multitude de larves, autour desquelles se bousculaient des ouvrières affolées. L'alarme s'était répandue avec une rapidité fulgurante et des flots de fourmis surgissaient des entrailles de l'obscure cité pour s'agiter en tous sens, marchant les unes sur les autres et communiquant frénétiquement par leurs minuscules antennes. Au lieu de fuir le danger, elles s'étaient mises instantanément au travail pour réparer cette brèche sauvagement ouverte dans leur nid. Jacques regardait ce branle-bas en se demandant si chaque insecte poursuivait une tâche spécifique, ou bien s'agitait aveuglément sous l'effet de la panique. Sentant un picotement sur sa main, il découvrit que son bâton avait été pris d'assaut par les fourmis et le lança au loin, d'un geste de frayeur instinctive. A cet instant, il entendit un bruit de pas et aperçut M. Léopold qui débouchait au haut du sentier, en faisant des moulinets avec sa canne noire à poignée d'argent.

– Mais n'est-ce pas notre ami canadien ? dit-il en avançant dans la clairière. Vous vous livrez à des observations myrmécologiques, à ce que je vois.

– Si on veut, reconnut Jacques à contrecœur, avec l'impression d'avoir été surpris à mal faire. Je ne me suis pas contenté d'être un observateur passif... J'ai agi sans réfléchir, comme un vandale qui saccage tout ce qui lui tombe sous la main !

Le regard inquisiteur de M. Léopold se chargea d'une expression de surprise, puis se porta sur la fourmilière pour inspecter les dégâts qui motivaient une semblable confession.

– Dans quelques jours, les étages supérieurs auront été restaurés, affirma-t-il, et cette colonie de « petits pique-assiettes, d'ogres lilliputiens, chapardeurs et resquilleurs » reprendra sa routine comme si rien ne s'était passé ! Savez-vous qu'il y a autant de fourmilières que d'espèces de fourmis, et que chaque espèce a des mœurs différentes ? Ces insectes sont presque aveugles, mais ils possèdent une sorte de « panorama odorant » qui les laisse percevoir les odeurs en trois, et peut-être en quatre dimensions !

– Je vois que vous avez étudié la... Comment avez-vous dit ? La myrmécologie, oui ! Le sujet doit être passionnant !

– Certes, mais les fourmis ne m'intéressent pas. J'ai lu çà et là quelques articles de vulgarisation, comme tout le monde, ainsi que des extraits d'ouvrages d'Auguste Forel et de Maeterlinck... Je sais par exemple que ces petites créatures sont d'une propreté maniaque et s'entraident pour se peigner, se frictionner et s'astiquer vingt fois par jour. En revanche, quand l'une d'elles est blessée ou invalide, elle est portée hors du nid par ses consœurs et abandonnée à son sort. Ce genre de morale ne m'inspire pas une vive sympathie.

– J'avais entendu dire qu'elles étaient très organisées, mais j'en ai observé quelques-unes dans l'accomplissement d'une tâche très simple, et il m'a semblé que leur comportement était dépourvu de tout bon sens.

– Il n'empêche que la reconstruction de leur habitat se fera suivant un plan d'ensemble, grâce à une répartition judicieuse des responsabilités et à une communication quasi instantanée des directives et des informations. Mais alors, me direz-vous, comment concilier cette ergonomie exemplaire avec vos observations ? Le plus simplement du monde, mon jeune ami ! L'insecte isolé n'est qu'un comprimé de muscles et de nerfs, avec quelques nanogrammes seulement de matière grise, alors que la fourmilière a son génie propre, une sorte d'intelligence collective ! Les fourmis isolées peuvent accumuler les maladresses et les erreurs, en fin de compte la brindille qu'elles transportent sera mise à sa place au sommet du cratère. Puis-je faire à ce sujet une courte digression philosophique ? Si quelque entité observait notre hommilière, elle verrait, n'est-ce pas ? des ouvriers construire une maison en se partageant les diverses tâches de façon logique et économique – mais ne verrait-elle pas aussi d'autres ouvriers occupés à fabriquer des engins pour détruire la construction des premiers ? A l'opposé des fourmis, nos efforts pour atteindre nos buts personnels sont cohérents, mais nous sommes dans la confusion et le désordre quand il faut agir en fonction des finalités communes à notre espèce.

Il resta songeur quelques instants, comme si une faille venait de lui apparaître dans son propre raisonnement, puis il invita Jacques à rentrer avec lui au Berghof, afin d'arriver à temps pour le déjeuner.

– Merci, mais je n'ai pas faim.... Je préfère continuer ma promenade.

– A votre guise ! Néanmoins, ne sous-estimez pas la taxe que le climat d'ici impose à votre organisme. La montagne n'est pas l'endroit où entreprendre une diète ! D'ailleurs, soit dit en passant, je vous trouve plutôt pâle.

– Vraiment ? Eh bien, il ne faut pas se fier aux apparences : je me sens en pleine forme !

Ils se séparèrent sur le sentier, que Jacques prit en direction de la montagne. Mais après quelques minutes de marche, il fut contraint de s'arrêter, à bout de souffle, les oreilles bourdonnantes. Renonçant à poursuivre son ascension, il attendit que son vertige se fût dissipé, puis décida de couper à travers bois pour arriver au plus vite au Berghof, à sa chambre, à son lit. « Pourquoi ai-je dit que j'étais en pleine forme, alors que je ne me sens pas bien depuis un moment ? se demanda-t-il avec irritation. Le Pr d'Aquino prétend que, lorsque j'étais enfant, j'avais horreur du mensonge. Il ne sait pas qu'il m'arrive aujourd'hui de mentir à propos de détails tout à fait insignifiants ! Mais... qu'est-ce qui se passe ? Holà, c'est du sang ! Et j'en ai partout ! Oui, je saigne du nez, il ne manquait plus que ça ! » Il tira un mouchoir de sa poche et tenta tant bien que mal d'éponger l'hémorragie. Il ne s'en inquiétait pas outre mesure, car il était sujet à ce genre de malaise, encore qu'il n'eût jamais fait l'expérience d'un épanchement aussi violent. La tête renversée en arrière, devinant son chemin plus qu'il ne le voyait, il gagna le ruisseau dont il n'avait cessé d'entendre le murmure à sa droite, et qui devait alimenter plus bas le torrent qui grondait au fond du ravin. Il s'agenouilla et rinça son mouchoir dans l'eau vive et limpide, qui était beaucoup plus froide qu'il ne s'y attendait, puis s'étendit sur le dos dans un lit de fougères piqué de minuscules fleurs d'un bleu presque blanc, et posa le mouchoir glacé sur son front. Ses joues et son menton étaient striés de traînées sanglantes, et le devant de sa chemise maculé d'une large tache poisseuse. Comme l'effusion persistait, il dut se tourner plusieurs fois sur le flanc pour baigner son visage dans le ruisseau, observant avec une curiosité morbide la coloration rosée du courant.

Enfin l'hémorragie cessa et, la face toujours à demi voilée par son mouchoir humide, il resta allongé dans le lourd parfum des résines et des mousses, conscient des battements de son cœur, qui l'ébranlaient tout entier sur un rythme qui lui parut singulièrement lent. Cette saignée abondante le laissait dans un état second, une manière de détachement qui n'était pas déplaisante et libérait des pensées vagabondes, plus proches du rêve que de la réflexion. Il joua avec l'idée que sa réalité présente n'était qu'une fiction littéraire, et que tout à l'heure, en ouvrant les yeux, il se retrouverait dans son époque réelle, à l'aube troublée de la Grande Guerre, dans la peau de Hans Castorp. Il pensa : « Ce serait quand même extraordinaire de me réveiller au début du siècle, avec la connaissance des événements à venir, la montée du fascisme, les grandes révolutions, le déroulement de la Seconde Guerre mondiale, la bombe atomique... Oui, mais pour faire quoi ? Comment intervenir ? Ce savoir prémonitoire me permettrait de devenir riche, j'achèterais des toiles de peintres inconnus qui s'appelleraient un jour Picasso ou Modigliani, mais ça ne me donnerait pas les moyens de changer le cours de l'histoire. On me traiterait comme un illuminé ! D'ailleurs, qu'est-ce que je voudrais changer dans le monde ? Le temps des certitudes est fini... De plus en plus, j'ai l'impression de vivre dans une attente sans fin, ou plutôt une attente sans but, et qui finira mal, de toute façon. Mon seul choix est de vivre le moins mal possible, de tirer mon épingle du jeu, de trouver ma place au soleil ! Eh bien, ce ne sont pas les grands idéaux qui m'étouffent ! C'est quand même terrible de tenir ce langage à vingt-deux ans ! Je donnerais cher pour savoir ce que d'Aquino a pensé de moi tout à l'heure... Il me cache des choses, c'est clair. Mais aussi, comment j'ai pu oublier que j'étais avec mon père au moment de son accident ? A la réflexion, je ferais mieux de plier bagage et de filer d'ici au plus vite ! Je n'ai presque rien vu de Davos, on dit que c'est une station très huppée. Je pourrais demander à Élisabeth de me la faire visiter... C'est curieux tout de même qu'elle ait éprouvé le besoin de me dire qu'elle n'avait jamais été la maîtresse de d'Aquino. Et maintenant, a-t-elle quelqu'un dans sa vie ? C'est probable, ce n'est pas le genre de femme à se morfondre dans la continence. Elle doit avoir un tempérament fougueux et elle est restée très belle, vraiment ! N'empêche que je n'arrive pas à imaginer mon père faisant l'amour avec elle, ça me paraît impossible. Évidemment, c'était un bel homme à l'époque, et j'ai été troublé par cette photographie que m'a montrée la folle au masque, inutile de le nier. Le pauvre vieux, il n'est plus aujourd'hui que l'ombre de lui-même, et personne ne peut dire s'il se rend compte de son état, et s'il en souffre... »

Étendu de tout son long dans les fougères, baigné par les rayons du soleil que tamisaient les arbres, ensanglanté et blême comme un cadavre, Jacques Carpentier écoutait les bruissements, les grésillements et les chants murmurés du sous-bois, et songeait avec une sérénité nonchalante au sens de son existence, à la fragilité de ses attaches, aux intentions du destin, à l'obscure et lointaine échéance de la mort. Montant de la terre comme par osmose, une torpeur l'envahissait sans hâte, doucement pernicieuse. Il ne sentait plus ses membres et souhaita mourir, non par désespoir ni même par refus de vivre, mais parce que l'expérience promettait d'être nouvelle, unique en son genre – une émotion forte, une aventure audacieuse, un défi, une extase, une libération totale et définitive, l'ultime abandon. Il ressentit une curiosité dévorante et perdit connaissance.

4

Dans l'après-midi, Jacques trouva un mot de Tadeus Bubenblick, glissé sous la porte de sa chambre, qui l'invitait à « passer au bureau de l'administration, à sa prochaine convenance ». Il gardait le souvenir d'avoir entendu frapper à la porte pendant son sommeil et s'être débattu pour répondre, avant de retomber dans une torpeur lourde et oppressante, sans avoir pu émettre un son. Même s'il s'était longuement douché à son retour de la forêt, il se bassina à nouveau le visage et la nuque dans le lavabo, en espérant que le contact de l'eau fraîche l'aiderait à reprendre ses esprits. Il adressa une grimace désabusée au miroir et murmura : « Que de temps perdu, mon pauvre vieux ! Que de temps perdu à tout jamais ! » Le sentiment qu'il éprouvait à l'instant n'était pas nouveau, il ne passait pas de semaine sans qu'il en subît l'attaque et se morfondît dans la certitude qu'il avait gâché son existence, qu'il n'avait pas su tirer profit du loisir que lui laissaient ses études pour se prendre en main et « devenir quelqu'un ». Il aurait été en peine de préciser ce qu'il entendait exactement par cette expression, hormis qu'elle proposait l'opposé de sa hantise de n'être personne.

Il mit de l'ordre dans ses affaires avec d'autant plus de soin qu'il ne pensait pas à ce qu'il faisait. Il passait en revue son entretien avec Jorge d'Aquino et cherchait à comprendre les raisons pour lesquelles ce personnage si impressionnant continuait de s'intéresser à lui. Il se remémora à nouveau son étrange mise en garde dans son laboratoire du Bateson Institute, au sujet des attaques que l'école et le monde des adultes allaient mener contre son cerveau. « Que voulait-il dire en parlant de mon *état de grâce* ? se demandait-il avec une sourde anxiété. En me voyant aujourd'hui, il a peut-être trouvé que j'étais la confirmation vivante de sa théorie sur la dégénérescence précoce de l'intelligence humaine ! »

Il sortit de sa chambre, descendit dans le grand hall pour prendre le corridor de l'aile droite, et frappa à la vitre dépolie d'une porte qui annonçait en lettres gothiques : EMPFANGSBÜRO.

– *Treten Sie ein ! Es ist offen !**

Tadeus Bubenblick, assis derrière un imposant bureau, était penché sur une machine à calculer d'une autre époque. Il enfonçait de l'index une série de touches résistantes, puis, d'un geste énergique, tirait à lui un levier récalcitrant, et un jeu de petits blocs métalliques surgissaient dans un cliquetis laborieux, comme des diablotins d'une boîte à surprise, pour venir imprimer une ligne de chiffres anémiques sur un long ruban de papier, déroulé jusqu'au sol.

– Herr Carpentier ! s'écria-t-il en levant les yeux, sans cesser de pointer du doigt une colonne de chiffres sur une facture. Alors comme ça, vous avez trouvé mon petit billet doux ! Ayayayaïe ! Et ces dames qui vous ont cherché partout à midi, on vous voyait déjà kidnappé !

Cette éventualité ne paraissait pas avoir affecté outre mesure la bonne humeur du gérant du Berghof, qui réussissait à exposer en un seul sourire la totalité de sa formidable dentition.

– Je n'étais pas bien et je suis allé me reposer, dit Jacques. M. Léopold devait vous avertir que je ne viendrais pas déjeuner.

– Voui, il l'a fait, et Frau Popesco lui a reproché de vous avoir laissé seul dans la forêt. Voyez-vous ça ! Vous arrivez à peine et vous êtes déjà populaire comme une coqueluche ici, il faudra me dire votre secret ! Maintenant, si vous me demandez de défalquer votre déjeuner de la facture, je suis une fois obligé de vous dire non, malgré votre charme ! Mais si vous avertissez avant dix-huit zéro zéro la veille, on soustrait onze francs cinquante du prix de la pension. Vous pouvez aussi, *nézebas*, demander un pique-nique à la place.

Lorsqu'il avait pris la décision de venir rencontrer Jorge d'Aquino en Suisse, Jacques ne s'était pas longtemps arrêté à l'organisation matérielle de son projet, et il avait plus ou moins pris pour acquis que l'ex-associé de son père lui offrirait l'hospitalité du Berghof. Les paroles de Tadeus laissant entendre le contraire, il s'informa des conditions de son séjour dans l'établissement, fit un

* Entrez, c'est ouvert !

rapide calcul et découvrit avec stupéfaction que le prix de la pension se montait à plus de cent soixante-dix dollars canadiens par jour.

– M. d'Aquino a-t-il donné des instructions pour... Je veux dire, en ce qui me concerne ?

– Non, non, pourquoi des instructions ? Le professeur ne s'occupe pas de la gestion, absolument pas ! Imaginez, ce serait une plaisanterie catastrophique. La gérance, c'est mon affaire et je ne m'en plains pas, j'ai toujours aimé boucler le budget, je tiens ça du papa, voui ! Vous pouvez alors acquitter votre facture une fois par semaine, de préférence le lundi, mais, si vous désirez un arrangement spécial, vous êtes justement devant la face de la personne à qui parler.

Les yeux si remarquablement bleus de Tadeus offraient leur eau transparente à l'inspection de Jacques, qui soupçonna pour la première fois l'existence d'un homme d'affaires avisé et tenace derrière la façade d'amabilité, les claquements de talons et les « Ayayayaïe » que le gérant du Berghof répétait en égouttant ses doigts.

– Je réglerai ma note avant la fin de la semaine, dit-il. Je vais probablement être obligé de continuer mon séjour ailleurs, dans un hôtel ou une pension de famille, car je ne m'attendais pas à un prix aussi élevé. Ce n'est pas une critique, simplement je...

– Je vous en prie, pas d'excuses ! interrompit Tadeus. Les tarifs du Berghof sont exorbitants, cent pour cent d'accord ! Et encore, vous ne savez pas la gymnastique qu'il faut faire pour nouer les deux bouts ! Mais, au lieu d'aller à l'hôtel, pourquoi vous ne demandez pas une bourse à la Fondation Delphi ? Bonne idée, non ?

– Une bourse ? A quel titre ? Je ne suis pas en traitement ici ! Vous allez me dire que les autres pensionnaires ne sont pas les patients de Jorge d'Aquino, mais ses collaborateurs ! Moi je veux bien, mais ça ne change pas grand-chose à la réalité. J'en ai d'ailleurs discuté au petit déjeuner avec cette femme qui porte un masque...

– Katja, *nézebas ?* Bonne description, je l'ai reconnue du premier coup !

Herr Bubenblick éclata de rire en se tapant les cuisses, puis retrouva un semblant de sérieux pour ajouter que tout le monde au Berghof portait un masque, et que celui de Katja était sans doute le moins hypocrite de tous, en raison de sa visibilité. Cette remarque prit Jacques au dépourvu, et ne fit qu'ajouter au malaise où le plongeait cette conversation.

– Il n'y a pas de téléphone dans ma chambre, dit-il avec une certaine sécheresse. Comment faire pour appeler au Canada ?

– Facile ! Composition directe ! Zéro, zéro, un, tonalité, indicatif régional, numéro de sept chiffres et clic-clac, vous parlez à la mère patrie ! Attendez une fois, je vous écris tout ça sur un bout de papier. La cabine est dans le hall, mais elle n'est pas libre à la minute, Frau Tchakalov est au rapport ! Allez-y quand même, dès qu'elle a fini, je vous remets le compteur à zéro, voui ! Après Moscou, Montréal ! Et ce matin le Dr Frankenthal qui a parlé vingt-trois minutes avec Stockholm. Ayayayaïe ! Pas étonnant que les PTT sont si riches chez nous, *nézebas* ? Et dire que je me fais du scrupule d'appeler mon frère à Montreux !

Jacques ne se souvenait pas d'avoir remarqué l'installation d'un téléphone dans le grand hall, et il comprit pourquoi en voyant une femme courtaude, aux cheveux gris tirés en chignon plat à l'arrière de la tête, qui gesticulait à l'intérieur de la cage grillagée de l'ascenseur. « Et moi qui n'osais pas l'utiliser parce que je le trouvais trop vétuste ! pensa-t-il. N'empêche que c'est original comme idée ! »

Un ancien banc d'église était adossé contre le mur, où il prit place à côté d'un homme dans la quarantaine, qu'il supposa être Serguei Tchakalov, bien que celui-ci ne correspondît en rien au portrait qu'il s'en était fait. Allons donc ! Était-ce bien cet athlète trapu, aux cheveux frisés et à la mâchoire énergique, qui hier soir se lamentait sans retenue et poussait ces horribles cris derrière la porte close de sa chambre ? Il aurait continué d'en douter s'il n'avait rencontré son regard cerné, à l'expression fiévreuse et hantée – une trouée sur le néant.

– Monsieur Tchakalov ? demanda-t-il sans savoir s'il devait ou non lui tendre la main. Je suis Jacques Carpentier. Parlez-vous français ?

L'ex-cosmonaute parut surpris qu'on lui adressât la parole et un pâle sourire éclaira le bas de son visage. Il répondit quelques mots en russe, avec une mimique des mains et des épaules pour signifier qu'il ne demandait pas mieux que d'établir le contact avec le jeune homme, mais était comme lui à court de moyens de communication. Néanmoins, tout en surveillant obliquement son épouse, dont la volubilité l'exaspérait visiblement, il continua de murmurer des petites phrases lapidaires, sur un ton pressant. « Il cherche à me

dire quelque chose, pensa Jacques. Mais quoi ? C'est curieux, je n'avais jamais remarqué que le russe était une langue si musicale ! »
Il finit par saisir au vol un nom qui lui était familier.

– Bogdan-Popesco ! s'exclama-t-il. Oui, bien sûr, je la connais ! Elle m'a d'ailleurs parlé de vous...

– Bogdan-Popesco ! approuva M. Tchakalov.

Ils répétèrent encore le nom d'Élisabeth à tour de rôle, en se souriant gauchement, avec la satisfaction d'avoir enfin trouvé un terrain d'entente où exercer leur mutuelle incompréhension.

Mme Tchakalov sortit de l'ascenseur dans un grand bruit de grille et de grillage, prit Serguei par le bras et adressa à Jacques un salut guindé. Comme elle avait parlé au téléphone en leur tournant le dos, il n'avait encore vu d'elle que sa lourde silhouette de paysanne, et fut surpris de lui découvrir un visage aux traits fins, animés d'une expression de vive intelligence.

Il entra à son tour dans la cabine, où la chaleur était étouffante, et composa le numéro de la demeure familiale d'Outremont, en commençant par la suite de chiffres que Tadeus Bubenblick lui avait indiqués. Si Mathilde était à la maison, elle répondrait rapidement, pour éviter à Alexander un tourment inutile. Peu de choses réussissaient en effet à secouer l'apathie de son père, mais la sonnerie du téléphone était une de celles-là : elle le plongeait dans un état d'angoisse et de fébrilité. Il se levait de son fauteuil et tournait autour de l'appareil en se tordant les mains, incapable de répondre comme de s'éloigner.

Jacques sut dès la troisième tonalité que sa tante s'était absentée, probablement pour faire des courses, et qu'il lui fallait raccrocher sans tarder. Mais une force contraire l'en empêcha et, fermant les yeux, le cœur serré, il se retrouva dans cette maison qu'il avait quittée deux jours plus tôt et qui lui semblait à présent à l'autre bout du monde. Il vit le living-room spacieux aux boiseries sombres, la cheminée de brique brune, les tapis persans, l'ameublement cossu et désuet, la collection de photographies familiales, exposées dans une variété d'encadrements sur le piano demi-queue qui n'avait pas rendu une seule note depuis la mort de sa mère. Les fenêtres ouvertes laissaient entrer un flot de soleil, avec une brise légère mêlée du chant des oiseaux. On voyait en bordure de la pelouse la garde séculaire des grands arbres du cimetière du Mont-Royal. Il y avait aussi, dans la pénombre du vestibule, non loin de la console d'acajou où un téléphone noir d'un autre âge n'en finissait pas de grelotter, la silhouette pétrifiée de l'homme qui avait été un jour le Dr Alexander Carpentier.

Jacques finit par raccrocher. Sur une petite étagère, à côté des annuaires téléphoniques, il trouva l'exemplaire en langue anglaise du *Traité de psychosynergie* qu'il avait vu le matin même entre les mains du Dr Frankenthal, dans la salle à manger. « Il l'aura oublié ici après son appel interurbain de vingt-trois minutes ! pensa-t-il en souriant de la candeur de Tadeus Bubenblick. Je le lui rendrai à la prochaine occasion. » Il sortit sur la terrasse et s'assit dans un des fauteuils d'osier, à l'ombre d'un parasol. Il laissa son regard musarder sur le panorama des montagnes, la mosaïque des pâturages et des forêts, le réseau entrecroisé des routes, des chemins vicinaux et des sentiers. Deux ailes Delta tournoyaient lentement dans le ciel, une troisième était sur le point d'atterrir en frôlant la cime d'un bosquet d'arbres, à l'extrémité du terrain de golf.

Il feuilleta le livre qu'il venait de trouver, d'abord distraitement, puis avec un intérêt croissant en découvrant les annotations de Lars Frankenthal. La plupart étaient en suédois, mais le soulignement de certaines phrases et les points d'interrogation ourlés dans les marges suffirent à piquer sa curiosité. Pourquoi ne l'avait-il pas lu avant de venir à Davos ? Il s'était fait une opinion de la psychosynergie à partir de ce qu'il en avait entendu dire dans ses cours, et de quelques citations sorties de leur contexte. Ce n'était pas sérieux, et M. Léopold avait eu raison de sourire en l'entendant déclarer qu'il était venu demander des comptes au Pr d'Aquino.

L'ouvrage débutait par une explication du Premier Ordre de la psychosynergie, fondée sur la découverte que chaque moitié du cerveau humain était hautement spécialisée. L'activité à la fois concurrente et concurrentielle des deux hémisphères produisait une synergie psychique, comparable à une opération arithmétique dont le résultat serait systématiquement supérieur à la somme de ses parties. D'Aquino rappelait que la localisation de plusieurs fonctions cérébrales était connue depuis plus d'un siècle, et qu'on avait déterminé par exemple l'emplacement du centre de la parole en établissant que les diverses formes d'aphasie correspondaient à une lésion dans une zone précise de l'encéphale. Toutefois, l'ampleur de la spécialisation de chaque hémisphère était restée ignorée jusqu'au jour où on avait tenté une intervention chirurgicale destinée à limiter la fréquence des crises d'épilepsie chez certains grands malades. L'opération consistait à sectionner le réseau de fibres nerveuses réunissant les deux parties du cerveau et assurant le transfert des informations d'un hémisphère à l'autre. Cette *commissurotomie* avait été réalisée pour la première fois au Canada par un neurochirurgien montréalais, le Dr Alexander Carpentier.

Jacques posa le livre ouvert sur la table et observa intensément le paysage harmonieux et paisible qui l'entourait, comme si son esprit cherchait dans cette réalité solide un haut fond où jeter l'ancre. « La vie est pleine de signes et de coïncidences, pensa-t-il. Il faut être constamment sur ses gardes pour ne pas les laisser échapper. Par exemple, comment expliquer que le nom de mon père me tombe sous les yeux tout de suite après mon appel à Montréal ? D'accord, j'aurais dû m'attendre à le trouver dans ce *Traité*, c'est même le contraire qui aurait été surprenant, et pourtant je suis troublé. De toute façon, ça ne m'explique pas pourquoi ce livre a été oublié dans la cabine téléphonique, ni ce qui m'a poussé à le prendre. Je tombe sur la description de cette incroyable chirurgie du cerveau, et hier j'étais dans le train en face de cette femme étrange, qui a été opérée autrefois par mon père... J'ignore si les deux hémisphères de mon cerveau font bon ménage, mais j'aimerais bien comprendre pourquoi je suis si désemparé depuis mon arrivée en Suisse. »

Jacques haussa les épaules et poursuivit sa lecture. Il apprit que les malades qui avaient subi l'intervention mise au point par le Dr Carpentier ne s'en étaient trouvés ni plus ni moins intelligents, mais leurs opérations mentales avaient présenté par la suite des particularités tout à fait surprenantes. A ce sujet, d'Aquino comparait le Premier Ordre de la psychosynergie au commerce de deux associés, l'un sourd et l'autre aveugle, qui devaient leur adaptation réussie à leur milieu à une mise en commun permanente de leurs connaissances, tous deux étant par ailleurs capables de raisonner sainement, mais chacun possédant sur la réalité des données inaccessibles à son partenaire. La rupture de leur association n'affectait pas la qualité de leur jugement respectif, mais celui-ci s'exercerait dorénavant à partir d'une perception incomplète du réel. De façon analogue, l'hémisphère gauche du cerveau, qui était le siège de la raison, de la pensée logique, de l'écriture, de la parole et des fonctions mathématiques, apportait sa quote-part à l'activité intellectuelle globale, tout comme l'hémisphère droit, siège de la passion et des rêves, avec sa vue d'ensemble de la relation entre les choses, sa compréhension émotive, sa créativité artistique et son appréciation de la musique. D'un côté, *l'être dans le monde* ; de l'autre, *le monde dans l'être.*

Jorge d'Aquino avançait que les tests d'intelligence en usage depuis des décennies mesuraient principalement les aptitudes de l'hémisphère gauche, et il dénonçait avec virulence l'évaluation du « quotient intellectuel », où il voyait une entreprise vouée au maintien de l'hégémonie de la race blanche. Selon lui, ce « colonialisme psychométrique » érigeait en valeur absolue une norme essentiellement relative. « Que penser d'une civilisation qui, par divers stratagèmes politiques et économiques, favorise une conception univoque de la réalité ? écrivait-il. Que dire d'une société qui éduque, encourage, mesure et récompense les activités propres à un hémisphère cérébral, au détriment de la contribution de l'autre, de son mysticisme, de son intuition, de sa compréhension non verbale de l'univers ? L'Occident est fondé sur une discrimination systématique de la moitié du cerveau pensant de l'homme. Notre supériorité industrielle et technologique est le symptôme d'un cancer psychique qui nous affaiblit inexorablement du dedans, en nous laissant provisoirement prospérer du dehors. » « Pour étudier, évaluer et comprendre l'activité cérébrale, poursuivait-il dans un paragraphe qui avait été entièrement souligné par Lars Frankenthal, il faut d'abord considérer la personne humaine comme un système clos. Comparer l'intelligence individuelle à la performance pondérée de la masse est une absurdité scientifique et une faute morale. » Il proposait alors comme finalité à l'éducation familiale et scolaire « le développement optimal et non exclusif de toutes et chacune des fonctions cérébrales », et mettait en garde contre le fait que, même si ce postulat théorique semblait de nature à rallier les suffrages du grand nombre, en pratique la presque totalité des systèmes d'enseignement continuaient à favoriser l'hypertrophie de certains aspects de l'activité intellectuelle, au détriment des autres. L'environnement social et les traditions culturelles encourageaient à leur tour cette « lente perversion de l'esprit ».

« L'intelligence n'est pas d'essence métaphysique, déclarait-il plus loin. Elle est faite, pour son substrat, de combinaisons chimiques et de courants électriques ; pour sa fonction, d'une synergie du côté gauche et du côté droit du cerveau. Son développement optimal est lié au degré de complémentarité et d'harmonie de l'activité spécifique de chaque hémisphère. Nous avons donné au produit de cette complémentarité le nom d'*ihuma.* »

A nouveau, Jacques reposa l'ouvrage sur la table blanche, au centre de laquelle poussait le parasol rouge qui le protégeait des ardeurs du soleil. Même si sa rencontre de la matinée avec Jorge d'Aquino n'était pas venue à bout de toutes ses réserves à son égard, il était impressionné par les pages qu'il venait de lire, par la clarté et la simplicité de leur vocabulaire, et il se demanda si le neuropsychiatre argentin, au moment où il les avait rédigées, prévoyait les interminables polémiques que sa théorie du Premier Ordre allait susciter dans le monde.

En collaboration avec Élisabeth Bogdan-Popesco, il avait signé, peu de temps après la parution du *Traité*, un article retentissant dans le prestigieux *American Journal of Psychiatry.* Jacques avait étudié ce texte à sa dernière année de collège, dans un cours d'introduction à la psychologie, mais un souvenir pénible était resté attaché à cette première lecture. Il avait en effet évoqué en classe son amitié passée avec Jorge d'Aquino, mais de telle façon que plusieurs de ses condisciples avaient cru à une affabulation et s'étaient moqués de lui. Il s'étonna que, cinq ans plus tard, l'humiliation qu'il en avait ressentie fût demeurée à ce point vivace.

Sous forme d'une double étude de cas, l'article en question présentait deux citoyens américains d'âge identique et issus du même milieu socio-économique, Michael D. et Richard T. Le premier vivait dans une institution pour déficients mentaux, le second était professeur agrégé d'une université du Sud des États-Unis. Le développement mental de Michael, en dépit d'un retard sévère, s'était opéré de façon harmonieuse, et les examens conduits par l'équipe de recherche avaient démontré que son intelligence synergétique était optimale, c'est-à-dire que les fonctions spécifiques des deux hémisphères de son cerveau, toutes limitées qu'elles étaient en regard des normes psychométriques conventionnelles, avaient atteint pour lui leur degré maximal d'intégration et de complémentarité. Il jouissait d'autre part d'une excellente santé physique et vivait en amitié avec son entourage. Son « quotient intellectuel » de 50 le classait dans la catégorie des imbéciles, mais, considéré sous l'angle de la psychosynergie, Michael avait atteint une plénitude intellectuelle exemplaire.

Pour sa part, avec un quotient dépassant 145, Richard T. était un infirme ou un génie, selon qu'on le comparait à lui-même ou à la moyenne de ses semblables. Il avait toujours occupé haut la main les premiers bancs d'école et, après des études supérieures remarquées, avait entrepris une brillante carrière professionnelle. Sans être un précurseur dans sa discipline, il avait publié plusieurs ouvrages spécialisés et on s'accordait pour voir en lui le prochain recteur de son université. Sa vie personnelle toutefois était un naufrage, selon ses propres termes. Après deux mariages manqués et une tentative de suicide presque réussie, il s'était soumis à une psychanalyse, sans grand succès, pour finalement se réfugier dans une misanthropie hautaine, propice à une variété de malaises psychosomatiques, et à leur résolution dans la compulsion au travail et dans l'alcool. Il avait accepté de se prêter à l'investigation psychosynergique, qui avait révélé une atrophie patente de l'activité fonctionnelle de son cerveau droit, et une hypertrophie de ses autres facultés. Jacques se souvenait d'avoir été frappé à l'époque par une des conclusions de l'article, qui affirmait que, si Richard T. avait utilisé les ressources des deux hémisphères de son cerveau à leur pleine capacité, « son intelligence ne se serait pas développée en hauteur, mais en largeur », et qu'une prédisposition au bonheur aurait été la conséquence probable de cette synergie. Jorge d'Aquino considérait en effet que la capacité d'être heureux était une des fonctions de l'intelligence humaine, et un de ses aphorismes était que « la plénitude de l'intelligence est au bonheur de l'homme ce que la plénitude de l'homme est au bien-être de l'humanité ».

Jacques consulta sa montre, se leva brusquement et retourna à la cabine téléphonique en s'efforçant de marcher lentement, pour amadouer la chance. Sa tante lui répondit presque immédiatement et, bien que ce fût précisément ce qu'il espérait, il resta quelques secondes sans voix.

– *Hello ! Hello !* répétait-elle, déjà impatiente.

– Tante Mathilde ! dit-il enfin. *I'm so glad to hear your voice. I tried an hour ago, but no one answered. How's everything there ?*

Il était effectivement heureux de l'entendre, et assez lucide pour noter que ce n'était pas la première fois qu'il était contraint de prendre ses distances pour se rapprocher d'elle. Les nouvelles de la maison le rassurèrent par leur insignifiance. Sa tante s'était absentée pour faire des emplettes, ainsi qu'il l'avait supposé, et elle lui expliqua que le Duc de Lorraine était fermé pour la durée du mois d'août, sous prétexte de vacances annuelles, ces gens-là n'avaient aucune considération pour les besoins de leur clientèle. Par contre, Italissimo était ouvert, où elle avait acheté une livre de tortellinis frais. Il ferma les yeux et écarta le combiné de sa bouche pour qu'elle ne l'entendît pas soupirer, sachant qu'elle allait ajouter : « Je vais les apprêter *a la panna*, c'est la façon préférée de ton père. » Ce fut effectivement la phrase qu'elle prononça mot pour mot, avec cette assurance souveraine qui le révoltait, mais contre laquelle il était à jamais désarmé. Que pouvait-elle savoir des préférences de cet infirme qu'on nourrissait à la cuillère et qui avalait tous les aliments avec la même expression d'hébétude et de désolation ?

Répondant de son mieux aux questions qu'elle posait en cascade sur son voyage avec Didier et leur installation à Davos, Jacques attendait l'occasion propice pour formuler une requête qui l'embarrassait, car il voulait éviter qu'elle n'y vît la principale raison de son appel. Elle lui facilita la tâche en demandant s'il n'avait besoin de rien, et elle dissimula mal le plaisir qu'il lui causait en la priant de faire virer cinq mille dollars à son nom dans une banque de Davos. L'argent jouait en effet un rôle singulier dans leur relation. Mathilde craignait en permanence qu'il ne manquât de liquidités et, étant elle-même fortunée, trouvait mille détours pour lui proposer une aide que, par principe, il n'acceptait jamais. Quelques années auparavant, les avoirs de son père avaient été placés en fidéicommis, et il touchait une rente mensuelle lui permettant, sans grande marge, de payer ses études et ses dépenses courantes. Son voyage en Europe avait presque entièrement asséché son compte en banque et, alors qu'il n'eût tenu qu'à lui de se faire renflouer par le holding familial, il avait choisi de partir en calculant au plus juste, sans se douter que la pesanteur du franc suisse aurait raison de ses scrupules. Il se rendait parfaitement compte que nombre de jeunes gens auraient profité d'une situation analogue à la sienne pour se la couler douce, mais il ne tirait aucune vanité de son désintéressement, où il voyait même une sorte d'insouciance suspecte, ou une manière de puritanisme. N'ayant jamais été dans le besoin, il pressentait qu'il n'avait aucun mérite à choisir un train de vie modeste.

Avant d'interrompre la communication, il demanda à Mathilde si elle se rappelait ce qui s'était passé à San Francisco, lorsqu'elle était venue le chercher au lendemain de l'accident cérébral de son père.

– Bien sûr que je m'en souviens, en voilà une question ! dit-elle, sur la défensive.

– Donnez-moi des détails, c'est important ! J'étais dans quel état quand vous êtes arrivée ? Qu'est-ce que je vous ai dit ?

Elle prit son temps pour répondre, et son silence donna à l'écho lointain et au grésillement de la ligne une ampleur de souffle cosmique. Jacques songea au satellite qui relayait leurs paroles, immobile au-dessus de l'Équateur, tous panneaux solaires déployés dans le vide glacé de l'espace. Il mettait ses propres pensées en orbite par crainte d'entendre Mathilde refuser une fois de plus d'évoquer cette période à laquelle Jorge d'Aquino avait été si étroitement associé, car elle lui vouait une inimitié tenace – par crainte aussi qu'elle accepte de répondre et mette en lumière des événements laborieusement oubliés.

– Je me demande bien pourquoi tu t'obstines à remuer ces vieilles affaires, dit-elle enfin, comme en contrepoint à ses pensées. Toute cette affreuse histoire a été un choc pour toi, évidemment ! Je me souviens que tu n'as pas arrêté de parler pendant notre voyage de retour, j'avais la tête comme une citrouille en arrivant à Montréal. Tu ne voulais pas revoir ta mère, ce fut un vrai cirque, nous sommes même allées consulter un psychologue à ton sujet. J'étais contre, mais cette pauvre Cécile n'en démordait pas, d'ailleurs elle-même était en traitement pour ses nerfs, je ne t'apprends rien. Maintenant que j'en parle, je me rappelle aussi que tu voulais absolument connaître l'histoire de la tour de Babel, c'était une véritable idée fixe ! Tu m'écoutes ? Tu es toujours là ?

– Mais oui, je suis là !

Il amorça la fin de leur conversation en la remerciant, mais elle trouva le moyen de lui arracher la promesse de la rappeler dès que le virement de fonds lui serait parvenu. Elle ne doutait pas que les banques suisses fussent à la hauteur de leur réputation, mais on trouvait des gens malhonnêtes partout, n'est-il pas vrai ? Il prit congé et raccrocha sans lui donner la chance de poursuivre sur sa lancée. Trempé de sueur, il sortit en toute hâte de la cage grillagée, immobilisée en permanence à l'entresol du Berghof.

Jacques passa la fin de l'après-midi dans sa chambre. Il ne se sentait pas bien et, entendant l'appel lointain du gong pour le dîner, décida de se rendre à la salle à manger en dépit de la vague nausée qui le tenaillait depuis son évanouissement dans la forêt. « Je n'ai rien mangé depuis ce matin, se dit-il, et, même si je n'ai pas faim, je ferais peut-être mieux de suivre les conseils de M. Léopold. » Dans le couloir, les haut-parleurs invisibles diffusaient une sonate pour flûte et harpe, qui l'accompagna jusqu'au bas du grand escalier. Ce devait être la coutume au Berghof de faire précéder l'heure des repas d'un morceau de musique, et comme celui-ci lui plaisait autant que la *Suite en ré* entendue au début de la journée, il se promit de chercher à connaître la personne qui en avait fait la sélection.

Par la porte vitrée de la salle à manger, il vit que deux des cinq tables rondes étaient déjà occupées, l'une entièrement, alors que trois sièges étaient encore vacants autour de l'autre. S'il entrait tout de suite, il n'aurait d'autre choix que de prendre l'un d'eux, aussi préféra-t-il s'éloigner en attendant que d'autres pensionnaires le précèdent dans la salle, car il avait noté la présence du masque blanc de Katja Van Katwijk et préférait éviter de se retrouver en sa compagnie. (Leur conversation de la matinée l'avait laissé perplexe et mal à l'aise.) Il passa devant le salon de musique, qui était désert, et gagna l'extrémité du couloir. Une porte ouvrait à droite sur l'office attenant aux cuisines, une autre à gauche sur une salle de lecture de bonnes dimensions, où les livres alignés dans la bibliothèque murale et l'épaisse moquette du sol se combinaient pour feutrer les sons. Des jeux de société, des journaux et des magazines en diverses langues étaient éparpillés sur une demi-douzaine de tables basses, entourées de sièges disparates. A l'exception du laboratoire de Jorge d'Aquino, c'était la seule pièce que Jacques eût visitée au Berghof qui dérogeât à l'ordre méticuleux qui régnait en maître sur les lieux, et pour cette raison il lui trouva d'emblée un caractère accueillant et complice.

L'honorable Fowler, que M. Léopold lui avait présenté au petit déjeuner, était assis près de la fenêtre, sur l'extrême bord d'un fauteuil, le buste penché en avant et les bras repliés sur les accoudoirs, comme s'il attendait un signal pour se lever et partir en toute hâte. Sa posture était si singulière que Jacques renonça à aller le saluer et s'assit sans bruit à une table en retrait, où il fit mine de s'intéresser à un jeu d'échecs abandonné en milieu de partie. Mais, du coin de l'œil, il surveillait l'ancien ministre travailliste, qui parlait d'une voix contenue au sofa qui lui faisait face. « J'ai eu tort de ne pas prendre au sérieux les confidences de M. Léopold à son sujet, pensa-t-il en retenant son souffle. Cet homme ne joue pas la comédie, c'est évident ! Il n'y a qu'à l'observer pour savoir que son interlocuteur n'est pas imaginaire pour lui, *il le voit vraiment !* Avant d'affirmer qu'il parle dans le vide, je ferais mieux de me demander si certaines personnes n'auraient pas le pouvoir d'entrer en contact avec une réalité qui m'échappe... »

Médusé, il observait le manège de l'honorable Fowler, qui imprimait de petites secousses à son siège pour l'approcher subrepticement de la fenêtre et qui, au prix d'un violent effort sur lui-même, étendait maintenant le bras dans l'intention manifeste de toucher ce *Doppelgänger* qui le tourmentait depuis des mois. Mais sa répugnance et sa peur l'emportèrent et il retira brusquement sa main, comme sous l'effet d'une brûlure. Il retomba alors au fond de son fauteuil, se cachant le visage dans les mains, à l'imitation d'un petit garçon honteux de sa couardise. Jacques ressentit alors toute l'inconvenance de sa condition d'observateur et se leva pour sortir de la salle sur la pointe des pieds.

– Alors tu étais là, Petit Prince ? dit Élisabeth en venant à sa rencontre dans le corridor. On te cherche partout ! Déjà ce midi tu étais introuvable, tu apparais et disparais, c'est une vraie manie ! A présent, viens, nous t'avons réservé ta place !

Il la suivit dans la salle à manger, où deux autres tables attendaient d'être complétées, mais se retrouva à celle qu'il avait voulu éviter en premier lieu, et s'assit en face de Katja qui ne lui accorda pas un regard, comme si elle avait lu dans son jeu. Elle était entourée de Lars Frankenthal et de Gertrude Glück, laquelle n'avait pas attendu l'arrivée des derniers convives pour commencer son potage, en tenant sa cuillère comme une poignée de bicyclette. Jacques reconnut à sa gauche la femme aveugle croisée plus tôt dans la journée au milieu de l'escalier, et, alors qu'il se demandait comment lui annoncer sa présence, elle se tourna vers lui pour lui tendre en souriant un objet enveloppé dans du papier gaufré.

– Les petits cadeaux font les petits amis ! dit-elle en battant des paupières sur ses yeux éteints. J'ai suivi mon inspiration, et c'est la ressemblance avec l'intérieur qui me guide, rien d'autre ! L'art est révélation, monsieur le Canadien, jamais flatterie.

Le paquet contenait une tête grosse comme le poing, modelée dans une sorte de plasticine lourde, de couleur brique. Les diverses parties du visage étaient disproportionnées les unes par rapport aux autres, pourtant la déformation qui en résultait n'était ni maladroite, ni grotesque. Dès le premier coup d'œil, Jacques avait reconnu son portrait, sans pour autant s'expliquer la nature de la ressemblance. La cécité de Dolorès Sistiega n'était-elle que partielle, en dépit des apparences ? Sinon, par quel prodige aurait-elle pu représenter un modèle sans le voir ni le toucher ? L'œuvre faisait maintenant le tour de la table, et l'artiste recueillait les commentaires de chacun avec des gloussements compassés. Seule Katja s'abstint d'ajouter sa note à ce concert de louanges, mais ce ne fut pas faute d'avoir examiné l'objet sous toutes ses faces.

L'honorable Fowler survint sur ces entrefaites et, après avoir salué la tablée avec rondeur et componction (on l'aurait cru en tournée électorale), il occupa le dernier siège vacant comme si celui-ci était réservé au président de l'assemblée, et que ce poste ne pût que lui échoir de droit divin. Son comportement offrait un tel contraste avec l'état de désarroi dans lequel il était plongé quelques minutes auparavant dans la salle de lecture que Jacques fut assailli par le soupçon que ce n'était pas William Fowler qui les avait finalement rejoints à table, mais son double. « Quelle idée absurde ! pensa-t-il avec irritation. Mais, absurde ou pas, c'est quand même moi qui l'ai eue ! Si ça continue, je vais finir par croire dur comme fer à ces phénomènes paranormaux dont j'ai toujours nié l'existence. C'est un comble ! »

De la pointe de son couteau, l'honorable Fowler frappa la panse de son verre pour réclamer le silence, puis salua en anglais la présence à table de l'« illustre Dr Lars Frankenthal, prix Nobel de médecine », auquel il entreprit de poser une série de questions sur la contraception naturelle. Il en connaissait probablement les réponses, mais semblait déterminé à assumer jusqu'au bout son rôle d'animateur, que personne pourtant ne lui avait demandé de jouer. Le médecin suédois se prêta au jeu de bonne grâce, et Jacques, qui avait déjà entendu ses explications la veille à leur souper en tête à tête, ne l'écouta que d'une oreille. Il observait à la dérobée le comportement de Katja qui, tenant son couteau et sa fourchette de ses mains gantées, tranchait en petits cubes le contenu de son assiette. (Un rôti de porc accompagné de pommes sautées avait succédé au potage, auquel elle n'avait pas touché.) Elle prit ensuite son masque au menton et le souleva juste assez pour glisser sa fourchette verticalement et porter la nourriture à sa bouche. Le mouvement de ses mâchoires se traduisit par une sorte d'ondulation lente du masque, qui donnait l'impression que les aliments n'étaient pas mastiqués, mais absorbés selon un procédé entièrement étranger à la physiologie humaine.

Jacques remarqua que Gertrude Glück, assise à sa droite dans une robe fleurie défiant toute mode, s'appliquait elle aussi à couper sa tranche de rôti en menues portions, et il en conclut qu'elle reproduisait machinalement les gestes de Katja, en vertu du mimétisme qu'il avait déjà noté chez elle dans le train. Il comprit son erreur en la voyant échanger l'assiette qu'elle venait d'apprêter contre celle de Dolorès Sistiega.

– Puis-je poser une question à notre éminent conférencier ? demanda William Fowler, lorsque le Dr Frankenthal eut fini de parler. Votre découverte de la contraception naturelle et la mise au point de ce « contraceptif à responsabilité partagée », comme vous l'avez si astucieusement nommé, ne vont pas sans engager votre responsabilité morale. Ne voyez-vous pas des dangers à intervenir de la sorte sur les mécanismes mêmes de la fécondité ? N'êtes-vous pas hésitant à fournir des moyens toujours plus efficaces pour empêcher la reproduction de l'espèce ?

Élisabeth ne laissa pas le temps au Dr Frankenthal de répondre, et intervint avec une vivacité proche de la colère. (Son accent roumain ressortait encore davantage quand elle s'exprimait en anglais.)

– Je ne vous comprends pas, William, franchement ! Comment pouvez-vous tenir des propos semblables, alors que nous courons à un désastre planétaire à cause de la surpopulation ? Il est déjà trop tard, vous le savez comme moi, la crise est inévitable. Le mieux que nous puissions faire est d'empêcher le pire... et pourtant nous ne faisons rien !

– Elle ne joue pas, elle est vraiment fâchée, observa Gertrude Glück de sa voix nasillarde, alors que son visage plat reflétait une expression qui ne lui appartenait pas, où entrait autant d'angoisse que d'emportement.

– Tout ça finira par une guerre, c'est sûr ! dit Dolorès Sistiega avec la satisfaction chagrine du catastrophisme exaucé. Ils vont encore se taper dessus, on ne perd rien pour attendre. C'est terrible à dire, mais c'est peut-être la seule façon de faire de la place...

– Le croyez-vous ? dit Élisabeth en retenant son ironie. Savez-vous que si une guerre mondiale tuait aujourd'hui la moitié des gens de la planète, l'humanité ne ferait que revenir à sa population de 1945 ? Mais je refuse de m'engager dans ce genre de débat ! La perspective d'une guerre m'effraie comme tout le monde, mais elle n'est pas au centre de mes préoccupations... enfin, pas encore ! Le conflit armé n'est que le symptôme, la conséquence...

Elle se tourna vers Jacques et, l'apostrophant comme si elle le tenait personnellement responsable de la situation, affirma qu'entre l'instant présent et le jour de son quarantième anniversaire la population de la planète connaîtrait un accroissement équivalent à la totalité des êtres humains qui avaient vécu sur terre depuis le paléolithique jusqu'au début du xxe siècle.

– Cela dit, notre génération consommera pendant son existence davantage de ressources naturelles que ne l'ont fait ensemble toutes les générations qui nous ont précédés, poursuivit-elle d'une voix assourdie par l'émotion, sans cesser de regarder Jacques dans les yeux. La famine n'est pas une menace hypothétique, c'est une réalité présente qui ne fait que s'aggraver d'année en année. Un être humain sur quatre vit aujourd'hui au-dessous du seuil de la pauvreté, et si rien n'est fait pour modifier la tendance actuelle, quand tu quitteras ce monde, Petit Prince, on y comptera davantage d'enfants affamés que d'enfants convenablement nourris. Excuse-moi, je me suis laissé emporter, c'est plus fort que moi ! Bien sûr, nous savons tous que la planification des naissances n'est qu'une mesure parmi toutes celles que nous devrions prendre, mais, si on ne commence pas par mettre un frein à la croissance démographique, nos autres efforts seront impuissants à empêcher la tragédie finale.

Un silence pesant succéda à son réquisitoire. Lars Frankenthal hochait lentement la tête en signe d'approbation, mais son regard restait perplexe et distant. « Pourquoi ne dit-il pas ce qu'il pense ? se demanda Jacques. Il doit en avoir assez d'entendre les mêmes arguments, de répondre à des objections aussi prévisibles que celles de ce William Fowler, qui n'a pas l'air de se douter qu'il parle à un spécialiste de réputation mondiale. Quant à Élisabeth, je ne savais pas qu'elle s'intéressait à ce genre de problèmes. Elle a manifestement beaucoup lu sur le sujet. Mais pourquoi s'est-elle adressée à moi en particulier ? Veut-elle me faire comprendre quelque chose ? D'ailleurs, j'aurais préféré qu'elle ne m'appelle pas Petit Prince devant les autres... N'empêche qu'elle m'attire de plus en plus ! »

– Si vous m'aviez laissé terminer, chère amie, dit l'honorable Fowler d'une voix onctueuse, vous sauriez déjà que je partage vos alarmes et que je suis un fervent partisan du contrôle des naissances. Encore faut-il prendre garde de ne pas « jeter le bébé avec l'eau du bain », si vous me passez une expression aussi triviale dans ces circonstances. La méthode mise de l'avant par le Dr Frankenthal est remarquable à tous points de vue, mais elle ne sera pas adoptée dans le tiers monde. En fait, elle sera surtout populaire dans les pays qui en ont le moins besoin ! Je veux parler, vous l'avez compris, de l'Europe et de l'Amérique du Nord, où la baisse de la natalité a atteint des proportions fort inquiétantes...

– Je vous vois venir, William ! s'écria Élisabeth. Vous allez encore nous parler du déclin de la race blanche !

– Et quand même ce serait mon propos ! dit-il sans se démonter. Laissez-moi vous poser une question : protège-t-on les baleines à bosse parce qu'on les croit supérieures aux autres baleines ? Non, n'est-ce pas, on signe des traités internationaux et on recueille des fonds pour empêcher que ces mammifères ne disparaissent à jamais. Ne pourrait-on pas accorder autant de sympathie à un groupe particulier de l'espèce humaine ? A son taux actuel de natalité, la race blanche est condamnée à l'extinction – et non, ce n'est pas une théorie raciste, ma chère, tout au plus une banale extrapolation statistique...

– Pourquoi dites-vous que la méthode du Dr Frankenthal ne sera pas adoptée dans les pays du tiers monde ? demanda Jacques.

– Pour l'excellente raison qu'elle s'appelle « contraception à responsabilité partagée », répondit-il avec une inclinaison de tête à l'adresse du jeune Canadien, pour le féliciter d'avoir posé une question si pertinente. Ces termes impliquent une participation active de la part de l'homme, si je ne m'abuse. Or, dans les pays où la croissance démographique est la plus débridée, la majorité des mâles refuseront de poser un geste qui, dans leur esprit, constituerait une atteinte à leur virilité. J'ajoute que cette méthode sera surtout combattue dans les cultures où les femmes sont traditionnellement assujetties à l'homme. N'était ma crainte de subir les foudres de Mme Bogdan-Popesco, je me hasarderais à présenter une suggestion personnelle au Dr Frankenthal...

– Ne vous inquiétez pas, dit Gertrude à Jacques, nous allons savoir. Malgré ce qu'il prétend, Élisabeth ne lui fait pas peur.

– Continuez, je vous prie ! renchérit Dolorès Sistiega. Cet échange est des plus instructifs, je ne céderais pas ma place pour tout l'or du monde ! Que vous ne soyez pas entièrement d'accord ne fait qu'ajouter du sel à la discussion !

Le double menton de William Fowler se gonfla d'une nouvelle poche, alors qu'il faisait mine de soupeser sa décision.

– Avez-vous déjà étudié la possibilité d'inventer une méthode de planification familiale « sélective » ? demanda-t-il enfin au médecin suédois – et il poursuivit son idée sans se laisser arrêter par la froideur de son regard : Si nous sommes réellement sérieux dans notre détermination de contenir l'explosion démographique à l'échelle mondiale, nous devons commencer par agir dans les régions où la prolifération de l'espèce est devenue quasi cancéreuse. En plus des moyens conventionnels, la science ne pourrait-elle pas envisager des solutions qui tiendraient compte des mentalités et des coutumes des populations concernées ? Je pense par exemple à une hormone ou un produit biochimique quelconque, qui empêcherait la conception des enfants *de sexe féminin seulement.* Avant de crier au scandale, veuillez je vous prie considérer que, dans la plupart des pays sous-développés, la naissance d'un garçon est accueillie comme un événement heureux, alors que celle d'une fille est souvent considérée comme une malchance, voire une calamité. Pour cette raison, un couple continuera de procréer aussi longtemps que la nature ne l'aura pas gratifié d'un fils. Il n'est donc pas rare qu'un garçon ait quatre ou cinq sœurs aînées, qui sont en quelque sorte des brouillons de lui-même ! Or de telles pratiques contribuent non seulement à accroître la population dans son ensemble, mais aussi à augmenter la proportion des femmes, ce qui explique sans doute l'ultime nécessité de la polygamie. Comprenez-vous à présent qu'une méthode de contraception sélective ne servirait pas une sombre machination sexiste, mais tiendrait compte de la réalité sociale et culturelle de vastes populations...

Katja prit tout le monde par surprise en intervenant abruptement dans la conversation. Son masque blanc, aux lignes stylisées, donnait l'impression qu'elle était indifférente à ce qui se passait autour d'elle, mais l'intensité essoufflée de sa voix prouva qu'il n'en était rien.

– Je comprends surtout que votre raisonnement ne tient pas debout, dit-elle. Les pratiques familiales que vous décrivez ne sauraient modifier la répartition des sexes ! Si la procréation d'un petit mâle est à ce point importante pour les raisons que vous dites, vous pouvez conseiller aux parents d'attendre la naissance de leur premier garçon avant de recourir à des mesures contraceptives, car le résultat final sera le même : un nombre égal de garçons et de filles.

– Certainement pas ! s'exclama Fowler avec aplomb. Si nous appliquons votre argument, les couples dont le premier enfant est un garçon cesseraient de procréer, mais les autres couples auraient une, deux, trois filles ou davantage avant la naissance de leur premier fils. Comment pouvez-vous soutenir que la proportion des sexes resterait la même ? C'est absurde !

Katja ne répondit pas, et Jacques interpréta son silence et son immobilité comme la preuve que M. Fowler lui avait cloué le bec. Il se ravisa en voyant passer l'ombre d'un sourire sur les lèvres d'Élisabeth.

– Elle *sait*, un point c'est tout ! dit Gertrude Glück en nettoyant avec application le fond de son assiette à l'aide d'un croûton de pain. Maintenant elle réfléchit comment faire pour nous expliquer, c'est ça qui est le plus dur pour elle, elle ne peut pas penser aussi lentement que nous.

Katja tressaillit et, pour la première fois depuis le début du repas, tourna la tête en direction de Jacques. Dans les orifices du masque, son regard étincela, chargé à la fois de défiance et de crainte. Se ressaisissant, elle accepta le stylo qu'Élisabeth lui tendait sans mot dire, puis dégagea le menu du dîner hors de son présentoir de plexiglas. Elle traça au verso un graphique rudimentaire et, de son ton feutré et contenu, entreprit de faire la démonstration mathématique de ses affirmations. Jacques suivait son exposé avec autant d'attention que de scepticisme, car le raisonnement de William Fowler lui paraissait d'une logique à toute épreuve. Pourtant, en moins de deux minutes, l'explication de Katja s'imposa dans sa clarté et sa rigueur.

– *By George !* grommela l'ancien ministre. *I'll be damned ! You are right indeed !*

Lars Frankenthal prit le schéma et l'examina en affilant son nez, sans chercher à dissimuler sa surprise.

– Vous nous invitez opportunément à nous méfier des évidences, dit-il en levant vers Katja un regard qui trahissait malgré lui la perplexité que lui causait son accoutrement. Je comprends mieux pourquoi Jorge d'Aquino m'a encouragé hier soir à profiter de mon séjour ici pour discuter avec vous tous des questions pour lesquelles je suis venu le consulter. En toute franchise, je ne pensais pas donner suite à cette suggestion, car il s'agit d'un problème scientifique qui ne présente véritablement d'intérêt que pour des spécialistes...

– Que non, docteur, vous hésitez à tort ! dit Dolorès Sistiega. Même si nous ne les comprenons qu'à moitié, vos propos vont nous familiariser avec vos travaux, qui sont absolument fascinants, et je ne le dis pas pour vous faire plaisir. Et puis, nous allons certainement vous poser des questions naïves ou même stupides, qui à ce titre pourraient vous être utiles.

– Il sait davantage de choses qu'il n'en connaît, dit Gertrude à la ronde. C'est pour ça qu'il est inquiet.

Lars Frankenthal lui lança un coup d'œil incertain et retira ses demi-lunettes pour les nettoyer avec un coin de sa serviette de table, comme s'il avait besoin de toute l'acuité de sa vision pour se décider à parler. Alors qu'il s'était adressé à Katja en français, il revint à l'anglais pour expliquer qu'un consortium pharmaceutique international avait acquis les droits d'exploitation commerciale du contraceptif hormonal qu'il avait découvert, le SRC, et qu'une expérimentation du produit sur grande échelle était présentement en cours, de façon à satisfaire aux exigences draconiennes des organismes gouvernementaux chargés d'autoriser la mise en marché des nouveaux médicaments. Six cents jeunes couples participaient à cette recherche, en Suède, en Allemagne et aux Pays-Bas. Ce nombre était considérable, et pourtant l'équipe du Dr Frankenthal n'avait eu que l'embarras du choix pour recruter des volontaires, en raison de l'intérêt soulevé par cette nouvelle méthode de contraception. Tous les couples choisis étaient désireux de mettre un enfant au monde, mais avaient accepté de retarder ce projet pour une éventuelle période de deux ans. Selon la procédure de la double contrainte, la moitié d'entre eux constituaient le groupe expérimental, l'autre moitié le groupe témoin, mais tous ignoraient si le sérum qu'ils prenaient par voie percutanée était le SRC, ou une substance neutre. Les huit premiers mois de l'expérimentation avaient confirmé les résultats d'une recherche antérieure, menée sur une échelle restreinte à l'hôpital de l'Académie royale de médecine. Alors que le groupe témoin présentait un taux de fécondité conforme à la normale, le groupe expérimental n'avait enregistré aucune grossesse, ce qui tendait à prouver l'absolue efficacité de la méthode du Dr Frankenthal.

– C'est alors que nous avons observé un phénomène que rien ne laissait présager, poursuivit le médecin sur un ton différent, comme si son intérêt pour le sujet avait eu finalement raison de sa réticence à l'aborder devant des profanes. L'anomalie s'est produite là où nous l'attendions le moins, c'est-à-dire dans le groupe témoin, où le taux de fécondité a soudain accusé une baisse inexplicable.

– L'effet placebo ? suggéra Élisabeth. Je ne serais pas surprise que ces couples qui croient prendre le SRC retardent par le fait même le processus normal de la fécondation. Vos premières recherches n'ont-elles pas justement démontré l'existence de la « contraception autogène » ?

– Ce fut notre hypothèse initiale, acquiesça Lars Frankenthal, mais nous l'avons écartée car, si l'effet placebo était en cause, il se serait déjà manifesté lors de la première expérimentation, et dès le début de la seconde. Or l'anomalie dont je vous parle s'est produite subitement, et s'accentue d'une semaine à l'autre.

Il expliqua que les couples participant au projet avaient été sélectionnés pour leur fiabilité, et qu'ils complétaient tous les quinze jours un questionnaire détaillé, dont les données étaient traitées par ordinateur. Il s'agissait d'informations sur l'état de santé, le régime alimentaire, les courbes thermiques, le cycle menstruel, la date et la fréquence des rapports sexuels, ainsi qu'une variété d'autres aspects de la vie quotidienne. Lars Frankenthal avait étudié toutes ces variables à la loupe pour vérifier si elles ne fourniraient pas l'explication du phénomène observé. Il n'avait rien trouvé, pas même l'amorce d'une piste.

– A présent, je comprends mieux ! dit Élisabeth. Ce n'est pas l'efficacité de votre méthode qui est mise en cause, mais la validité de l'expérimentation. Et qu'est-ce que Jorge a répondu quand vous lui avez parlé de cette anomalie, si ce n'est pas indiscret ?

Le Dr Frankenthal se rembrunit et, joignant les mains, posa sur sa bouche ses deux index dressés l'un contre l'autre, comme s'il se recommandait à lui-même de surveiller ses paroles. Katja profita de son silence pour intervenir :

– Un échantillon de six cents couples répartis dans trois pays, c'est bien ça ? dit-elle sourdement. Et vous vous trouvez à recueillir des informations qui échappent aux autres chercheurs, à voir des choses avant qu'elles ne deviennent visibles aux yeux de tous...

– Tu veux dire quoi, Katja ? demanda Élisabeth, sans cacher son impatience.

– Une femme sait qu'elle va avoir un enfant sept ou huit mois avant son accouchement, répondit-elle, alors que les statisticiens ne l'apprendront qu'au lendemain de la naissance.

Lars Frankenthal la dévisagea en plissant le front, cherchant à comprendre pourquoi elle avait exprimé cette constatation plutôt banale avec une telle émotion. Puis il revint à Élisabeth et répondit à sa question en choisissant ses mots :

– Je ne surprendrai personne en disant que le Pr d'Aquino m'est apparu comme une personnalité complexe, un être véritablement hors du commun... Je lui ai parlé hier soir de l'expérimentation du SRC et des résultats inexplicables du groupe témoin. Je lui ai dit aussi ma conviction que la psychosynergie nous fournit le cadre conceptuel le plus adéquat à la résolution de ce problème. Je le pense toujours, bien que sa réaction à mes paroles m'ait passablement déconcerté.

– Vous ne saviez plus où donner de la tête, mon pauvre monsieur ! dit Gertrude Glück, et une compassion vibrante et chaleureuse perçait dans l'incroyable niaiserie de sa voix.

– Je... J'ai été pris au dépourvu, reconnut-il avec simplicité, mais sans sortir de sa réserve. Et je cherche encore ce qui a pu le faire rire dans mes propos.

– *Rire* ? s'exclama Élisabeth avec une incrédulité qui semblait largement partagée autour de la table. Vous prétendez que Jorge a *ri* ?

– Je vois à votre air que cette manifestation ne lui est pas coutumière, dit-il posément. Il n'en demeure pas moins qu'il a apparemment trouvé dans le problème que je lui ai exposé un élément de grand comique, car il a éclaté d'un rire tonitruant, en disant que *l'humanité était désormais condamnée à l'amour*. Je n'ai pas encore saisi le sens de cette conclusion, ni pourquoi elle m'a laissé dans cette disposition d'expectative et de malaise.

– Ce matin, d'Aquino m'a parlé de votre discussion, dit Jacques. (Il omettait de désigner le neuropsychiatre par son titre de « professeur », comme une façon plus ou moins consciente de protester contre la vénération dont on l'entourait au Berghof.) Il prenait très au sérieux le problème que vous lui avez soumis, et il y voyait même une...

Un bruit de gorge l'interrompit, où il crut reconnaître un sanglot. Il remarqua alors une raideur suspecte dans le maintien de Katja, qui tenait le rebord de la table à deux mains, comme pour s'empêcher de partir. Deux traits humides sortaient de la courbe du masque, sous le menton, et descendaient le long du cou. « Hier, c'était d'Aquino qui éclatait de rire, pensa-t-il, et maintenant c'est cette femme qui pleure de façon tout aussi inexplicable ! Elle a beau être supérieurement intelligente, elle n'est pas capable de contrôler ses émotions. Et alors ? On dirait presque que ça me fait plaisir... »

– Quelqu'un aurait-il la gentillesse de m'expliquer ce qui se passe ? demanda Dolorès Sistiega en levant la main droite, les doigts écartés, comme si elle voulait capter les vibrations de ce silence qu'elle ne comprenait pas. Ce chagrin qui vole entre nous comme un papillon noir, est-ce le vôtre, Katja ?

– C'est le mien, répondit-elle, mais ce pourrait être aussi bien le nôtre à nous tous. Je connais la réponse à votre problème, docteur

Frankenthal, mais si vous saviez combien j'aimerais avoir tort ! Car cette solution ouvre sur un autre mystère, infiniment plus angoissant que le premier !

– Je vous écoute, dit le médecin.

Son expression reflétait son espoir de connaître le fin mot de cette énigme qui l'obnubilait depuis des semaines, et son doute de voir cette inconnue la résoudre après seulement quelques instants de réflexion.

– Voici deux ans environ, j'ai vécu une expérience qui, sur le moment, m'a fait une forte impression, reprit Katja. J'étais à Amsterdam, dans la salle d'attente d'un psychiatre que je venais consulter pour la première fois – et la dernière, soit dit en passant ! L'ameublement des lieux était ancien, et, dans un coin, une horloge à poids égrenait les minutes et sonnait aux quarts d'heure. Je me suis prise à observer avec une sorte de fascination le va-et-vient du balancier derrière la lucarne ronde du boîtier, et j'ai eu l'impression après un moment que mon regard exerçait une influence sur sa course, et que la cadence du tic-tac ralentissait peu à peu. Finalement, l'horloge s'est arrêtée, purement et simplement, me plongeant dans un état de stupeur et d'angoisse.

– Brrr ! Cette histoire me donne la chair de poule, dit Dolorès Sistiega. Si elle avait été racontée par une autre que vous, Katja, je ne lui aurais pas accordé foi une seconde !

– Vous auriez eu tort, répondit-elle, car elle n'est surprenante qu'au premier abord, en raison d'une erreur d'interprétation des faits. Ma frayeur du moment s'est dissipée dès que j'ai cessé de voir une relation de cause à effet entre le regard que je posais sur le balancier et le ralentissement de son mouvement. Cette causalité n'existait pas, elle n'était que l'explication superstitieuse d'une coïncidence. Aurais-je été effrayée si, en entrant dans la même pièce, je m'étais trouvée face à une horloge arrêtée ? J'aurais simplement pensé qu'elle était détraquée, ou qu'on avait négligé d'en remonter les poids. Mais le hasard a voulu que je sois présente à l'instant où le câble actionnant les engrenages arrivait à bout de course. Comprenez-vous où je veux en venir, docteur Frankenthal ? Vous dites avoir constaté une baisse du taux de fertilité chez les couples qui composent votre groupe témoin, et vous avez vainement cherché à saisir la nature de la relation entre ce phénomène et votre expérimentation. *Et si cette relation n'existait pas ?*

– Poursuivez, je vous prie ! dit le médecin d'une voix altérée.

– L'horloge qui gouverne la reproduction de l'espèce humaine accuse tout à coup un certain retard, dit-elle. Par hasard, vous êtes témoin de ce ralentissement, et votre recherche l'enregistre avec une grande précision, bien que ce ne soit pas là son objectif initial.

– Vous mesurez bien entendu la portée de votre supposition, répliqua-t-il gravement. A l'heure actuelle, le groupe témoin présente ce que je pourrais appeler un « manque à naître » de neuf pour cent par rapport à la courbe normale. Or vous suggérez que cette diminution s'étend en réalité à l'ensemble de la population des trois pays concernés. Je ne puis vous suivre dans ce raisonnement. La fécondité humaine dépend d'une quantité de variables au plan personnel, mais on peut la prévoir avec la plus grande exactitude à la dimension de la société. Aucun facteur ne saurait expliquer dans les circonstances actuelles un fléchissement aussi sensible de la natalité en Suède, en Allemagne et aux Pays-Bas. Tant qu'à spéculer, il serait encore moins absurde d'envisager l'hypothèse d'un déclin à l'échelle planétaire !

– C'est effectivement ma conclusion, dit Katja.

Il tressaillit et la toisa avec une réprobation incrédule. Qui était-elle pour tenir des propos aussi extravagants, avec ce singulier mélange d'assurance et de détachement ? On aurait dit qu'elle se résignait d'avance à ce que les faits lui donnent raison en dernière instance, et attendait patiemment que les gens qui l'accompagnaient eussent parcouru à pied le chemin où elle les avait précédés en quelques bonds de cette prodigieuse intelligence, dont Élisabeth avait dit le matin même qu'elle était « proprement incommensurable ».

– Un déclin de cette envergure est impensable, poursuivit Lars Frankenthal avec force. La plus légère variation serait immédiatement notée et la communauté scientifique réagirait en...

Il ne poursuivit pas, car une objection à ses propres paroles lui était apparue, que Katja formula aussitôt à sa place :

– Le grand déclin sera visible à tous dans quelque six mois, dit-elle. Comme je l'ai expliqué tout à l'heure, les statistiques n'enregistrent que les naissances, et ne disent pas un mot des grossesses. Votre groupe de recherche est probablement le seul organisme au monde à disposer d'un ensemble d'informations à ce sujet.

Le médecin se taisait, figé dans une pose qui faisait ressortir l'intensité et la profondeur de son regard. On le devinait qui poursuivait, presque à son corps défendant, une réflexion dont chaque nouvelle étape creusait un peu plus ses traits.

– Le « grand déclin », avez-vous dit ? reprit-il avec une émotion contenue. Oui, j'admets qu'en lui-même votre raisonnement se tient, et cette comparaison avec une horloge qui s'arrête sous vos yeux est particulièrement éloquente. Mais savez-vous ce qui m'empêche de croire à cette diminution subite de la fertilité collective ? C'est que l'hypothèse est scientifiquement impossible !

– Notre Katja ne verserait pas des larmes pour quelque chose d'imaginaire, affirma Gertrude. Ça, je vous le garantis !

– Si tel est le cas, elle pourrait alors utilement compléter ses explications en nous indiquant la cause de son chagrin ! dit l'honorable Fowler, non sans acidité.

– Que savons-nous de cette baisse de la fertilité ? reprit Katja sans relever ces dernières interventions. Nous savons qu'elle existe, bien qu'elle ait été déclarée « impossibilité scientifique ». Nous connaissons le moment de son apparition et son amplitude. Nous savons qu'elle s'est manifestée au sein d'une population de trois cents couples, et nous nous demandons si en réalité elle ne se produit pas à plus grande échelle. Enfin, nous ignorons si elle va régresser dans les semaines à venir, se stabiliser ou s'aggraver.

– Tu ne le *sais* peut-être pas, dit Élisabeth, qui depuis quelques instants maîtrisait mal son agitation. Mais tu as bien une petite idée derrière la tête, c'est évident ! Sinon, comment expliquer cette tension dans l'air, et cette formule de « grand déclin » que tu es allée dénicher Dieu sait où ! Pourquoi veux-tu absolument que le ciel nous tombe sur la tête ?

– Tu oublies la réaction de Jorge d'Aquino, répondit Katja. Crois-tu vraiment qu'il se serait déridé pour une anomalie statistique sans conséquences, une crise éphémère ? Non, n'est-ce pas ? Par contre, j'imagine sans peine ce qui a pu le faire rire, lui qui ne rit jamais : la perspective de la disparition de l'espèce humaine !

– Allons donc ! Vous l'admirez trop pour le croire capable d'une attitude aussi cynique ! s'écria Dolorès Sistiega, les joues rosies par l'excitation. Toute cette hisoire est une parabole fascinante, et le rire du professeur est comme le coup de tonnerre annonciateur du Jugement dernier !

Élisabeth porta la main à son cou dans un geste de protection instinctif. Son visage, contrairement à celui de l'aveugle, avait perdu toute couleur. Elle se tourna vers Lars Frankenthal, guettant sa réaction aux paroles qui venaient d'être prononcées, mais il se contenta de branler la tête, de l'air de s'opposer à la poursuite de spéculations aussi gratuites. Son regard distant ne voyait plus personne, mais passait en revue des dossiers, des tableaux statistiques, des chiffres et des courbes, cherchant intensément une explication pour contrecarrer l'hypothèse inacceptable de Katja.

« Le Messager de Patmos, pensa Jacques. Ça y est, je me souviens : l'Apocalypse selon saint Jean ! » Il sentit alors que, dans le tréfonds de sa poitrine, la peur avait gagné du terrain.

En entrant dans sa chambre, Jacques trouva par terre une lettre qu'on avait glissée sous sa porte pendant son absence. Il la ramassa et la posa sur un guéridon en marqueterie, à portée de main du fauteuil articulé où il se laissa choir, le souffle court. Ce siège était remarquablement confortable, on pouvait en modifier l'inclinaison à volonté, et tirer hors de sa base un repose-pieds rembourré, recouvert du même velours côtelé. Il avait hâte de prendre connaissance du contenu de cette enveloppe qui portait son nom tracé en lettres majuscules, d'une écriture visiblement contrefaite, mais le simple geste d'étendre le bras pour la saisir lui semblait au-dessus de ses forces.

Il s'était excusé tout à l'heure auprès de ses compagnons de table, à l'instant où Greta, la jeune fille blonde qui assurait le service, leur présentait le dessert – une coupe de framboises fraîches, glace à la vanille et manteau de crème Chantilly, dont la vue n'avait fait qu'accentuer la nausée qui l'oppressait depuis son évanouissement dans la forêt. Pour comble de malchance, on avait déposé devant lui une portion nettement plus généreuse que celles de ses voisins, et on avait eu un regard papillotant pour lui confirmer que ce privilège n'était pas le fruit du hasard. Il était sorti à la hâte de la salle à manger, et avait compris en se rendant à sa chambre que son soulagement n'était pas dû au seul éloignement de la nourriture, mais aussi à son retrait d'une discussion qui lui était devenue de plus en plus pesante. A l'instar de Gertrude Glück, il vibrait avec une sensibilité presque maladive à la gamme complexe des émotions des gens qui l'entouraient, mais la signification de leurs propos lui avait progressivement échappé. La vision apocalyptique décrite par Katja avait provoqué une sorte d'anesthésie de son entendement et il s'était réfugié dans l'état second qu'il avait connu la veille, aux dernières heures de son interminable voyage. « Je ne m'attendais vraiment pas à ce que le décalage horaire m'affecte autant ! pensa-t-il. Pourtant, les personnages de film et de roman voyagent d'un continent à l'autre, et leur horloge biologique n'est jamais déréglée par un trou de six ou sept heures ! »

Il se décida à décacheter la lettre, qui contenait trois feuillets bleu pâle couverts d'une écriture semblable à celle de l'enveloppe. Comme il s'en doutait, elle venait de Katja. Mais comment s'y était-elle prise pour la glisser là, alors qu'elle l'avait précédé dans la salle à manger ? Peut-être avait-elle demandé à quelqu'un de la porter pour elle ? Il doutait toutefois que ce fût la bonne explication. Décidément, tout ce que cette créature approchait de près ou de loin se transformait en énigme.

Jacques, mon peut-être Ami,

Je veux tout vous dire sans faire de brouillon, vous écrire à l'état brut comme quand je pense à l'intérieur de moi, comme quand je crois en moi. Comme si j'allais me plaire malgré moi...

Vous êtes parti en coup de vent ce matin, me laissant avec des courants d'air dans le cœur. Je m'en suis voulu d'avoir agi à votre endroit comme je l'ai fait, d'être revenue à la conduite que j'avais avant mon admission au Berghof, et qui a manqué me détruire. Oui, je me suis mise en marge de ma vérité, j'ai étudié mon comportement par peur de vous déplaire, calculé mes paroles pour ne pas vous effaroucher. J'ai régressé à un état d'invalide, dans l'espoir d'être validée *par vous. Quelle dérision ! Et quelle tentation de se mettre en marge de soi-même, pour ne plus être marginale dans le monde de la normalité !*

Je ne vous demande rien, Jacques, je ne fais que vous adresser une supplique : oubliez mon masque ! *Ou alors, croyez-moi quand je vous affirme que ce masque-là vous permet de me connaître telle que je suis dans ma réalité, alors que, sans lui, celle qu'il dissimule vous deviendrait pour longtemps inaccessible.*

Je sais qu'Élisabeth vous a parlé de la nature de ma contribution à ses recherches et à celles de Jorge d'Aquino. A ce sujet, un seul commentaire : le paradoxe d'une intelligence supérieure est que celui ou celle qui la possède détient par le fait même la compréhension de sa relativité. L'intelligence la plus brillante, qui est une fatalité somme toute assez commune, est peu de chose quand elle n'est pas secondée par l'honnêteté intellectuelle, qui est une grâce accordée au petit nombre. Il n'en reste pas moins que de tels propos passent vite pour de la fausse modestie !

Assez bavardé de moi – laissez-moi vous parler de nous, en empruntant à Montaigne ce qu'il écrivait à propos d'Étienne de La Boétie : « Nous nous cherchions avant de nous être vus, je crois, par quelque ordonnance du ciel. » Oh, Jacques, j'ai attendu si longtemps de vous rencontrer, me pardonnerez-vous mon impatience à vous connaître, *c'est-à-dire à naître avec vous, pour n'être que nous deux ? Oui, j'aimerais vous apprendre par cœur, pressentant que nous sommes semblables en nos différences...*

Jacques interrompit sa lecture en entendant claquer la porte de la chambre de Lars Frankenthal, voisine de la sienne. En bas, le dîner avait donc pris fin et, en sortant de table, certains convives étaient probablement passés à l'un des salons, cependant que d'autres se réfugiaient dans leur chambre ou descendaient au village. « Ai-je une place parmi ces gens ? se demanda-t-il avec anxiété. Pourquoi Élisabeth semble-t-elle croire que mon séjour ici sera plus long que prévu ? Va-t-on me découvrir d'étranges pouvoirs mentaux, à moi aussi, ou une maladie qui justifierait un long traitement, comme ce fut le cas pour Hans Castorp, avec sa tache humide aux poumons ? »

Il frissonna et revint à la lettre de Katja. Il était troublé par la pensée qu'elle l'avait écrite *avant* le dîner, où elle s'était montrée si distante à son endroit. Comment expliquer cette contradiction entre le feu qui la brûlait et la froideur de son attitude ? D'ailleurs, avait-elle vraiment écrit cette lettre d'un premier jet, comme elle l'affirmait ? Le texte ne comportait pas une seule rature, comme si la plume n'avait fait que suivre docilement une pensée infiniment agile et structurée, qui jouait sur les mots avec un brio déconcertant. Mais pourquoi s'était-elle appliquée à la calligraphier en majuscules ? Elle semblait prendre un malin plaisir à user de tous les artifices possibles pour se dissimuler... Au début, Jacques avait supposé que son masque cachait une difformité, puis le fait qu'elle portât des gants l'avait conduit à soupçonner quelque affection de la peau. Et voici qu'elle déguisait jusqu'à son écriture ! Avait-elle une raison valable pour le faire, ou agissait-elle ainsi par jeu, ou pour satisfaire un goût compulsif du mystère ? « Non, non, ce n'est pas ça ! se dit-il avec humeur. Il n'y a rien de gratuit dans sa conduite, et toutes ces singularités s'expliqueront tôt ou tard. Mais qu'est-ce qui se passe à côté ? Ce n'est quand même pas Frankenthal qui fait un tel vacarme ! »

Il écouta avec une attention accrue et vaguement inquiète le bruit des meubles qu'on déplaçait, des portes d'armoire et des tiroirs de commode qu'on ouvrait et fermait sans ménagement, les heurts sourds contre la paroi mitoyenne et, soudain, les éclats d'une voix exaspérée. Il en conclut que le médecin avait de la compagnie, ce qui rendait ce remue-ménage plus plausible. Comment admettre en effet qu'un homme aussi courtois et pondéré eût manqué à ce point d'égards pour le repos des autres pensionnaires ?

Jacques se leva de son fauteuil en entendant marcher sur le balcon. Il éteignit la lumière et passa sans bruit dans la petite loggia ouverte sur le grand cirque des montagnes, où le crépuscule achevait une glorieuse représentation. Il entendit à nouveau la voix qui s'exprimait en suédois et aperçut Lars Frankenthal par un interstice entre le mur et la cloison de verre translucide. Contrairement à ce qu'il avait cru, le médecin était seul et se confiait à un enregistreur miniaturisé, à peine visible dans son poing fermé. Son débit saccadé et mordant trahissait un reste de colère, et ses propos étaient formulés sur un mode interrogatif pressant, comme s'il sommait la nuit tombante de lui fournir la clé de tous ces mystères qui le dépassaient. Il finit par se taire et, tournant vers le ciel son visage sévère, porta son regard loin au-dessus des pics les plus élevés, dans le gouffre insondable de l'espace. Puis il leva le bras, posant le dos de sa main contre son front dégagé, dans un geste mélodramatique qui aurait prêté à rire en toute autre circonstance, et ouvrit la bouche comme s'il manquait d'air au point d'étouffer. Ce cri silencieux de détresse fit à Jacques l'impression la plus poignante et, se rappelant l'allusion faite la veille à un « soleil des morts », il se demanda si Lars Frankenthal ne venait pas de découvrir parmi les étoiles naissantes un objet céleste qui n'avait pas sa place dans la quincaillerie étincelante du firmament, un bolide qui fonçait dans le cosmos en direction de la Terre et qui en anéantirait demain toutes les formes de vie, de la plus élémentaire à la plus évoluée, dans une ultime et naturelle contraception.

5

La douleur réveilla Jacques aux petites heures du matin. Sa gorge était en feu et sa tête broyée dans un étau. Comme il se levait pour aller boire, le plancher se déroba sous lui et il se retrouva à quatre pattes entre le lit et le paravent de toile masquant le lavabo. Il finit par atteindre celui-ci en chancelant, mais à peine avait-il ouvert le robinet d'eau froide qu'il fut pris de vomissements violents, dont les spasmes lui arrachèrent des râles de souffrance. Le corps secoué de frissons et les yeux meurtris par les premières lueurs de l'aube, il chercha refuge dans le fauteuil qui lui semblait si confortable quelques heures plus tôt. « Mais c'est que je ne me sens vraiment pas bien ! », pensa-t-il, et ce mal irradiant, qui partait du plus creux de sa poitrine, le stupéfiait et, de façon plus obscure et inavouable, le rassurait par sa virulence et sa soudaineté. Nul besoin d'être un spécialiste pour se rendre compte qu'il était sérieusement malade, et qu'il ne céderait pas à une crainte puérile s'il allait chercher de l'aide à une heure aussi matinale. Il enfila ses vêtements avec la curieuse sensation d'habiller le corps d'un étranger, puis descendit dans le grand hall en s'arrêtant tous les vingt pas pour reprendre son souffle et contenir sa nausée. En longeant les fenêtres, il regardait les vastes espaces du dehors, en quête d'une échappée qui soulagerait son oppression, mais le voile scintillant qui passait par intermittence devant ses yeux reproduisait l'action du brouillard de la veille, en dissolvant forêts, montagnes et pâturages dans un néant lumineux.

Bien qu'il eût fourni l'effort de se rendre à l'infirmerie, il était si certain de n'y trouver personne qu'il entra sans frapper. Schwester Ursula fit une volte-face électrisée, en levant son bras ridiculement court pour intimer à l'intrus de sortir au plus vite, mais son expression courroucée se modifia aussitôt qu'elle l'eut regardé. Sans perdre une seconde, elle trottina dans un coin pour prendre une chaise montée sur roulettes et la pousser en direction du jeune homme.

– Merci, ça va aller ! s'entendit-il murmurer en se laissant tomber sur le siège.

La naine lui posa sa main potelée sur le front, secoua vigoureusement la petite coiffe amidonnée qui ajoutait quelques maigres centimètres à sa taille, puis produisit une rafale de claquements de langue, *tttût, tttût, tttût*, avant de l'assurer dans un anglais croassant qu'elle s'occuperait de lui dès qu'elle en aurait fini avec la signorina Vincenti. Elle retourna alors auprès d'une femme dans la cinquantaine, à la peau diaphane et aux cheveux gris clairsemés, qui était assise sur un haut tabouret, le buste droit, les deux bras étendus devant elle sur la table d'opération. Son poignet gauche était déjà bandé, mais le droit à découvert présentait une affreuse blessure. « Elle s'est ouvert les veines ! pensa Jacques, sans ressentir pour la malheureuse autre chose qu'une curiosité distante et morbide. Si j'en juge par l'aspect de la plaie, elle n'a pas utilisé un rasoir, mais plutôt un canif ou des ciseaux. Comment peut-on s'infliger de telles souffrances ? Il y a quand même des moyens plus expéditifs pour s'ôter la vie. » Il nota que Schwester Ursula s'était contentée de désinfecter la plaie avec une solution orange, avant de la couvrir d'une gaze et d'un bandage. Alors qu'il se demandait avec détachement si des points de suture n'auraient pas été plus appropriés, la blessée lui adressa un signe de tête compatissant, avec un sourire d'une infinie douceur.

Jacques traversa alors un long passage à vide, et il devait être incapable quelques jours plus tard de se souvenir des événements de la matinée autrement que sous la forme d'une série de tableaux figés, sans rapport les uns avec les autres. Il était alité dans une chambre qui ne pouvait être la sienne, car un téléphone sonnait, que Tadeus Bubenblick décrochait en lui faisant un clin d'œil. Puis il était assis dans une chaise roulante, et quelqu'un le poussait dans les couloirs du Berghof, où l'air ambiant mêlé de musique semblait avoir gagné en densité et opposer une grande résistance à son avance immobile. Il sentait le contact froid d'une pièce de métal sur sa poitrine, et découvrait un inconnu grisonnant penché sur lui, les oreilles prises dans la pince d'un stéthoscope. Il reconnaissait à présent le décor de sa chambre, son lit tanguait comme un radeau sur de hautes vagues, et cette sensation, au contraire de l'effrayer, l'amusait et l'intriguait. Et voici qu'on lui faisait des piqûres, il pouvait suivre la progression des aiguilles qui s'enfonçaient lentement dans ses veines comme des traits de feu, mais il se sentait réellement trop fatigué pour ouvrir les yeux et voir s'il était entre les mains du médecin ou celles de Schwester Ursula. Il n'avait pas peur, on s'occupait de lui, seule sa gorge continuait à le faire souffrir, pour le reste il ne se sentait ni bien ni mal, il subissait les dérèglements de son corps avec une mentalité de locataire. Parfois, une main légère caressait son front et ses cheveux, et il espérait que c'était celle d'Élisabeth.

La fièvre était tombée lorsqu'il se réveilla au milieu de la nuit suivante, le laissant dans un état de complète désorientation. Il souffrait d'une soif intense et ressentait des douleurs musculaires dans les jambes et les bras. A la lueur d'une veilleuse, il vit qu'une tasse avait été posée sur la table de chevet ; le liquide ambré était encore chaud, et il en déduisit avec une inexplicable envie de pleurer que quelqu'un était venu dans sa chambre pendant son sommeil pour prendre soin de lui. Presque aussitôt, il découvrit dans le fauteuil près de la fenêtre la forme recroquevillée de Schwester Ursula. Il but avec une lenteur avide le breuvage au goût indéfinissable, dont chaque gorgée lui causait une douleur aussi aiguë que s'il avait avalé une pelote d'épingles. Il ferma les yeux et se demanda pourquoi Jorge d'Aquino avait eu un air si horrifié, en recevant des mains d'Ado Hobayashi cet emballage de friandise découvert dans la litière de Chouri.

Le bruit d'évacuation d'une baignoire au siphon engorgé le réveilla. Le dédoublement des ombres projetées au plafond le renseigna sur l'imminence de l'aurore. Quand était-il descendu à l'infirmerie ? Tout à l'heure, ou hier matin ? Non, ce ne pouvait être que la veille, ou peut-être le jour d'avant, d'ailleurs quelle importance ? Quant à cette femme aux poignets mutilés, n'avait-elle jamais existé que dans son imagination ? Pourquoi lui avait-elle souri avec tant de douceur, alors qu'elle le voyait pour la première fois ? Et comment expliquer qu'elle paraissait si sereine, elle qui venait de tenter de se suicider ?

Il comprit soudain que le bruit qui l'avait réveillé était en réalité le ronflement de Schwester Ursula. Comment une personne si menue pouvait-elle produire des vibrations si puissantes ? Le contraste était assurément comique, mais au lieu d'en rire il pensa à Didier et se demanda si quelqu'un l'avait averti de sa maladie.

Dans le miroir ovale au-dessus de la commode, il vit s'entrebâiller la porte de sa chambre, puis apparaître dans l'encadrement le masque et la tunique de Katja, surgissant de l'obscurité du corridor à la manière d'un spectre. Il aurait aisément pu croire à une vision onirique, n'eussent été les gargouillements prosaïques de la naine, qui dotaient le moment présent d'une trame sonore peu propice aux manifestations de l'au-delà. Comme par un fait exprès, ils se changèrent subitement en quinte de toux, laquelle entraîna à son tour un remue-ménage de manches et de bottines – et la disparition du fantôme de la surface du miroir. « Pourquoi Katja n'est-elle pas entrée ? se demanda-t-il. Je l'aurais remerciée de m'avoir écrit. J'aurais aimé lui expliquer que je ne suis pas insensible, mais simplement déconcerté par sa façon d'établir le contact. Mais qu'ai-je fait de sa lettre ? J'espère que je ne l'ai pas laissée traîner dans la chambre... »

Schwester Ursula était descendue de son fauteuil et arrangeait l'ordonnance de sa robe bleue et de sa coiffe avec la vivacité d'une gerboise.

– On a l'air d'avoir retrouvé ses esprits ! dit-elle en anglais, avec cette prononciation dont elle assumait l'entière responsabilité. On a bu, c'est bien ! Je vais lui verser une nouvelle tasse de tisane. Il faut beaucoup boire, beaucoup !

Elle s'était approchée du lit et secouait vigoureusement un thermomètre mystérieusement apparu entre ses doigts boudinés.

– Un docteur est venu, n'est-ce pas ? dit Jacques. Qu'est-ce qu'il m'a trouvé ?

Elle lui planta le thermomètre sous la langue, alluma la lampe de chevet et lui fit signe de patienter. Ses mains disparurent dans les deux plis latéraux du corsage de sa robe, puis s'activèrent dans ce qui devait être une poche semblable à celle d'un kangourou, d'où elle sortit un miroir à poignée, de dimensions respectables. Il le prit et poussa une exclamation.

– *Scarlet fever !* dit-elle dans un croassement sinistre. Herr Doktor von Haller a dit qu'il n'a jamais vu une éruption aussi spectaculaire. Il viendra en fin de matinée pour prendre des photographies, avec l'autorisation du malade bien entendu !

– La scarlatine ? Mais c'est une maladie d'enfant ! dit-il du coin de la bouche, sans s'expliquer pourquoi la naine continuait à s'adresser à lui à la troisième personne.

Elle lui fit signe de ne plus parler avant que le thermomètre eût rempli son office, et profita de son mutisme forcé pour lui suggérer de remercier le Seigneur de n'être pas né cinquante ans plus tôt, vu qu'on l'aurait mis en quarantaine, parfaitement oui, isolé pendant quarante jours, et elle-même qui n'était plus de toute première jeunesse se souvenait fort bien que dans son enfance – lui avait-elle dit qu'elle était originaire de Trogen, en Argovie ? il ne devait en aucun cas quitter la Suisse sans visiter la région, de toute beauté, ma foi –, lorsqu'un cas de scarlatine était déclaré au village, on « placardait » la famille entière du malade, l'expression venait du panneau de bois peint en jaune qu'on clouait sur la porte de la maison infectée, on avait de la peine aujourd'hui à se rendre compte des mœurs de l'époque, ce qui ne voulait pas dire que les gens étaient malheureux, ma foi non, mais évidemment la pénicilline administrée à Jacques à haute dose lui permettrait de recevoir des visites d'ici les prochaines soixante-douze heures, et la belle Katja devrait patienter comme tout le monde avant d'approcher son ami canadien.

– Elle a beau être futée, ajouta-t-elle avec un gloussement mal étouffé, je l'ai vue tantôt qui essayait de se faufiler malgré les consignes ! Heureusement que j'ai le sommeil léger... Quant au malade, il sera sûrement intéressé d'apprendre que sa fièvre est tombée à trente-huit deux, après avoir frisé le quarante et un !

– Pourquoi dites-vous « la belle Katja » ? demanda Jacques. Vous l'avez vue sans son masque ?

– On est intéressé tout à coup, on a une curiosité à satisfaire ! répondit-elle. Non, je n'ai pas vu son visage – personne ne l'a vu à part le professeur, bien sûr, et Élisabeth –, mais on n'a pas besoin de ses yeux pour reconnaître cette beauté-là ! C'est la même chose pour moi, quand on me regarde, on ne se doute pas de toute la place qu'il y a à l'intérieur !

Elle se haussa sur la pointe des pieds pour arranger les oreillers de son malade, puis sortit de la chambre avec un petit rire haut perché, *hû-hû-hû,* sa coiffe un peu de travers, visiblement satisfaite de sa plaisanterie.

Pendant les jours qui suivirent, Schwester Ursula se révéla être un cerbère redoutable et attachant. Personne n'entra dans la chambre n° 206, à l'exception du Dr von Haller, qui expédiait ses visites en un tournemain et semblait s'intéresser davantage au destin des streptocoques hémolytiques qu'à la santé du malade qui leur avait offert l'hospitalité.

Jacques ne souffrit guère de cette quarantaine de trente-six heures, d'abord parce que sa conscience du temps était altérée par l'état de fatigue où le plongeaient les antibiotiques et ses dernières poussées de fièvre, ensuite parce que les messages qui lui parvinrent dès la seconde journée rendirent son isolement plutôt relatif. Il reçut ainsi plusieurs cartes lui souhaitant un *baldige Genesung*, dont quelques-unes accompagnées de bouquets de fleurs alpestres ou de friandises. Ces marques d'amitié l'intriguaient : il venait d'arriver au Berghof, la plupart des pensionnaires le connaissaient à peine de vue, alors pourquoi tant de prévenance ?

Par une contradiction qui lui était coutumière, il décacheta après toutes les autres l'enveloppe sur laquelle il avait reconnu l'écriture de Didier, et dont il était particulièrement impatient de connaître le contenu. Il y trouva une lettre qu'il déplia sans méfiance, et une pluie de confettis multicolores se répandit dans son lit. « Drôle ! Très drôle ! », murmura-t-il avec un sourire grimaçant, du ton qu'il aurait pris si son frère avait été dans la chambre. En quelques lignes hâtivement écrites, Didier promettait de lui rendre visite dès qu'il ne serait plus « ni con, ni tagieux », et le priait de ne pas se faire de bile à son sujet. D'accord, Stella Maris était une maison de dingues-j'te-raconte-pas, mais il s'y sentait bien et, *anyway*, quand ça n'allait pas il pouvait toujours se faire sentir par les autres. (Une flèche dans la marge pointait ce dernier paragraphe, avec une note disant que « c'était rien qu'une *joke*, vu que ça allait bien tout le temps », et qu'il se faisait des amis « pas possibles ».)

A midi sonnant, Schwester Ursula lui apporta, en même temps que son repas, une petite boîte ficelée contenant la figurine que Dolorès Sistiega lui avait offerte la veille, accompagnée d'un mot de Théodore Shapiro, cet avocat de Salonique qu'il avait rencontré l'autre matin à la salle à manger en compagnie de l'honorable Fowler. Dans un style ampoulé et allusif, M. Shapiro s'excusait de se mêler d'une affaire qui ne le concernait pas, mais il s'y obligeait par souci d'éviter une blessure d'amour-propre à Mme Sistiega. Cette dernière avait en effet découvert que Jacques était sorti de table sans emporter le modelage qu'elle lui avait remis au début du repas, et elle en avait été « excessivement mortifiée ». L'homme de loi était alors intervenu de son propre chef auprès de cette personne « que l'infirmité rendait particulièrement sensible à tout ce qui s'apparentait de près ou de loin à du rejet », pour l'assurer que l'oubli du jeune Canadien n'avait rien d'intentionnel, mais reflétait simplement sa distraction, en plus d'une grande fatigue due à son récent voyage. « De quoi se mêle-t-il ? pensa Jacques avec humeur. D'accord, j'ai oublié d'emporter ce cadeau, mais aussi cette femme est trop susceptible ! Pourquoi les gens d'ici se compliquent-ils la vie pour des choses aussi insignifiantes ? »

– Quelque chose le tracasse, dit Schwester Ursula. Est-il troublé par le portrait que notre Dolorès a fait de lui ? Cela ne devrait toutefois pas l'empêcher de prendre son potage avant qu'il ne refroidisse.

– M. Shapiro prétend que j'ai offensé cette Mme Sistiega, répliqua-t-il. Si vous la voyez, dites-lui que je n'avais pas l'intention de...

La religieuse lui coupa la parole en agitant ses petits bras dans une manœuvre de sémaphore et, de sa voix de bonne fée changée en grenouille, lui conseilla de ne pas s'embarrasser la conscience de scrupules sans fondement. Dolorès n'avait que faire de ses excuses ; quant à leur ami Théodore, il fallait le prendre au sérieux, sans pourtant accorder le moindre crédit à ses déclarations.

– Je ne comprends pas, dit Jacques.

Elle l'approuva de la tête avec une moue satisfaite, comme si son incompréhension était un signe encourageant de son rétablissement, puis expliqua que M. Shapiro était incapable de faire la différence entre les fruits de son imagination et les produits de la réalité. Une telle affection était très répandue sous ses formes bénignes, précisa-t-elle sans sourire autrement que par un plissement du coin de l'œil, mais le cas dont ils parlaient était unique en son genre – une forme suraiguë de mythomanie, ne présentant aucun des autres symptômes généralement associés aux états schizoïdes.

– A propos, j'ai croisé le Dr Frankenthal dans le corridor, enchaîna-t-elle sans expliquer plus avant le lien qu'elle établissait entre les deux sujets. Il m'a demandé des nouvelles de la santé du malade, et m'a chargée de lui transmettre ses pensées amicales. Chose due, chose faite !

Jacques la remercia, flatté de l'attention que cet homme illustre lui témoignait, et secrètement humilié de n'avoir pu trouver mieux pour la justifier que d'attraper une scarlatine tardive, avec une spectaculaire éruption de pointes écarlates sur le visage et la poitrine. « Je me demande s'il occupe toujours la chambre voisine, pensa-t-il. Il me semble que je l'aurais entendu entrer et sortir... Il faut d'ailleurs que je lui rende son *Traité de psychosynergie* à la première occasion . Tout de même, j'aimerais bien savoir s'il regrette d'être venu à Davos... D'abord d'Aquino qui lui rit au nez au lieu de l'aider à résoudre son problème, ensuite cette Katja qui lui sort ces histoires d'horloge et de “ grand déclin ”... Je suis sûr qu'il va trouver une explication toute bête à cette anomalie qui fausse les résultats de son expérimentation. » Cette certitude n'était toutefois pas aussi forte que Jacques s'efforçait de le croire, car le rappel de la discussion de l'autre soir réveilla en lui une anxiété sourde et insidieuse.

Il dormit une partie de l'après-midi et, à son réveil, trouva un livre d'art posé en évidence sur sa table de chevet, *Die flämische Malerei im 16. Jahrhundert**. Il l'ouvrit à la page marquée par un signet et étouffa une exclamation de stupeur devant la reproduction de *La tour de Babel*, de Bruegel l'Ancien. Médusé par l'imagination visionnaire du peintre, il détailla l'extraordinaire architecture du monument, la superposition colossale des étages et les inquiétants méandres du labyrinthe intérieur, avec ses cours refermées sur elles-mêmes, ses escaliers tortueux, ses pièces en enfilade et ses voûtes romanes. Il ne se rappelait pas avoir jamais vu ce tableau, et se disait que les questions qu'il avait posées à sa tante Mathilde après l'attaque de son père ne pouvaient se rapporter qu'au récit de l'Ancien Testament. Mais comment expliquer alors la fascination qu'exerçait sur lui cette peinture exécutée quatre siècles auparavant, et pourquoi avait-il l'impression que, s'il la contemplait assez longtemps, il retrouverait ce souvenir d'enfance qu'il avait si soigneusement effacé de sa mémoire ? Quand Schwester Ursula entra dans la chambre, une demi-heure plus tard, il lui demanda à brûle-pourpoint :

– Qui vous a chargé de mettre ce livre ici ?

– C'est une attention du professeur, dit-elle sans s'émouvoir. Il a commandé le livre à Zurich, et Sigmund est allé ce matin le prendre à la gare. Le malade connaît-il Sigmund ?

– Oui, je l'ai vu le soir de mon arrivée, dit-il en se remémorant non sans incrédulité l'adolescent punk aux décorations chromées et aux cheveux électrifiés. Il s'appelle vraiment Sigmund ?

– C'est le nom qui lui a été donné le jour de son baptême, car il a été baptisé, répondit-elle avec un effet de glotte qui semblait involontaire. (Jacques commençait à décrypter son humour, singulier mélange de causticité et d'angélisme, où n'entrait cependant jamais

* La Peinture flamande au XVIe siècle.

une once de méchanceté.) Je me trompe peut-être, mais on ne semble pas autrement content du cadeau reçu. C'est pourtant un magnifique album...

– On n'a rien contre l'album, dit-il sèchement, en utilisant cette formulation indirecte qui faisait son affaire. Seulement on a découvert que les téléphones sont surveillés au Berghof ! J'ai parlé l'autre jour de la tour de Babel avec ma tante au Canada, et je n'ai rapporté cette conversation à personne. Pourtant, un signet a été glissé dans ce livre pour attirer mon attention sur ce tableau-là, parmi tous les autres... Jorge d'Aquino est peut-être un grand esprit, mais il n'a pas le pouvoir de divination. Quelqu'un l'a renseigné, c'est sûr !

– On nous a renseignés, exact ! admit la naine. Au plus fort de la fièvre, on a déliré et on a parlé de cette Tour avec une grande agitation.

– C'est vrai, j'ai déliré ? Et qu'est-ce que j'ai dit, à part ça ? Je n'avais pas pensé à cette explication... C'est plutôt gênant, mais, franchement, j'aurais préféré que vous me consultiez avant de répéter mes paroles à d'Aquino.

– Avant de répéter ses paroles... dit-elle avec une dignité tranquille, qu'elle réussissait à placer plus haut que le sommet de sa coiffe. Je n'avais rien à répéter, parce que le professeur était là, lui aussi. Il est resté au chevet du malade pendant une partie de la journée.

– D'Aquino est venu ici ? Mais tout le monde dit qu'il n'a pas une minute à perdre ! Je devais être sérieusement dans les vapes : je ne me souviens absolument de rien.

– Je suis étonnée moi aussi que le professeur ait écouté les divagations de notre ami, reconnut-elle. Il s'est assis dans le fauteuil pour travailler et n'a pas répondu quand je lui ai offert une tasse de thé, j'étais sûre qu'il ne prêtait aucune attention à ce qui se passait autour de lui. « Tout le monde » peut se tromper, ma foi ! Si malgré tout quelqu'un me demandait mon avis, je dirais qu'il prépare un nouveau livre.

– Vous croyez, oui ? Je l'espère pour lui. Bien des gens le considèrent aujourd'hui comme un *has-been*, parce qu'il n'a rien publié depuis dix ans.

Schwester Ursula opina du bonnet d'un air entendu et n'ajouta rien. Que pensait-elle au fond d'elle-même ? Comment réagissait-elle à la présence physique de Jorge d'Aquino ? « J'ai été moi-même impressionné par sa stature, pensa Jacques, pourtant ma taille est au-dessus de la moyenne. A travers ses yeux à elle, il doit apparaître comme un colosse quasi mythologique ! C'est étrange, au début le Berghof me semblait être une maison de fous, et maintenant j'ai plutôt l'impression de me trouver dans un cirque, avec des phénomènes de foire. Il ne manque plus que la femme à barbe ! » Il tressaillit, en se disant que le masque de Katja dissimulait peut-être une semblable aberration, et ne parvint à chasser cette vision déplaisante qu'en se figurant le franc éclat de rire avec lequel Élisabeth accueillerait une telle supposition. Ne lui avait-elle pas dit que le masque n'était qu'un trompe-l'œil ? Et si sa seule utilité était tout simplement de créer une apparence de mystère, pour obliger les gens à se poser des questions ? Comme pour se prouver qu'il avait raison, il se demanda pourquoi Katja ne s'était pas manifestée par une carte ou un petit cadeau, comme les autres pensionnaires. Attendait-elle au préalable une réponse à sa lettre ?

Le lendemain, le ciel avait viré du gris terne au bleu profond, et Jacques passa une partie de la matinée et le début de l'après-midi sur la chaise longue de son balcon. A sa demande, Schwester Ursula avait dépêché Sigmund au kiosque de la gare de Davos Platz pour acheter des journaux et des magazines en langue française. Il les feuilleta distraitement et s'en désintéressa aussi vite, alors qu'il avait attendu leur livraison avec une impatience presque puérile. Par désœuvrement, il se rabattit sur un manuel d'allemand pour débutants, que la religieuse lui avait apporté en lui conseillant de profiter de son séjour à Davos pour acquérir les rudiments de ce qu'elle appelait avec fierté « la langue qui fait chanter les dieux », sans paraître se douter que les sons produits par son gosier ne témoignaient pas précisément en faveur de cette définition poétique. L'intérêt qu'il prit à la première leçon, puis à la seconde et à la troisième le surprit lui-même, et davantage encore sa facilité à mémoriser le vocabulaire et les règles grammaticales élémentaires, comme si soudain son esprit fonctionnait indépendamment de son organisme, et que sa mémoire n'eût jamais été aussi fidèle qu'en cette passe de grande lassitude.

De temps à autre, il posait son livre et observait les allées et venues des pensionnaires sur la terrasse et dans les jardins du Berghof, évitant de se pencher pour ne pas révéler sa présence, car il se voyait mal répondant par un signe ou un sourire à ces gens qui, la veille encore, le croyaient malade au point de lui écrire un mot d'encouragement. La perspective plongeante rendait parfois difficile l'identification des silhouettes, et, même quand il les avait reconnues, il gardait une sorte de doute inexprimable sur la réalité de leur existence.

Peu avant le déjeuner, il vit passer Gertrude Glück, qui s'arrêta au sommet de l'escalier menant à la rocaille fleurie de la terrasse inférieure. Elle regarda autour d'elle comme si elle avait perdu quelque chose et, brusquement, fit demi-tour pour lever les yeux dans sa direction et lui adresser un grand signe de la tête. Il se rejeta en arrière, irrité et confus. Comment avait-elle deviné sa surveillance ?

Au long de ces trois jours de réclusion, Jacques ne se priva pas d'interroger Schwester Ursula sur la plupart des « collaborateurs » de Jorge d'Aquino, car il avait découvert que la naine était une mine de renseignements qui ne demandait qu'à être exploitée. Pour quelques rares cas, toutefois – notamment celui de Mlle Vincenti et celui de Katja –, elle restait évasive ou muette. « La façon dont les gens parlent les uns des autres m'a choqué au début, se dit-il en retrouvant cette impression qu'il était au Berghof depuis plusieurs semaines. Voilà qu'à présent je me demande si mes scrupules ne viennent pas de la crainte de ce qu'on pourrait dire de moi dans mon dos, et des questions qu'on se pose forcément sur ma présence ici. Je devrais me réjouir de ne pas être un " cas intéressant " pour la recherche en psychosynergie, mais, à force de me frotter aux phénomènes qui vivent sous ce toit, je vais finir par croire que la performance des deux moitiés de mon cerveau est vraiment très insignifiante ! » Cette constatation ne l'empêchait toutefois pas de goûter à l'ironie de sa situation, alors qu'il se voyait sur son balcon comme à une loge de théâtre, en train d'assister à un défilé de personnages extravagants, avec le commentaire nasillard d'une naine habillée en bonne sœur.

– M. Weldenheim et Mlle Brochet, disait-elle en lui désignant deux figurants minuscules qui gravissaient l'un derrière l'autre un raidillon argenté coupant de biais un pâturage vert.

Elle expliqua qu'en dépit de son nom Klaus Weldenheim ne parlait pas un mot d'allemand. Il était né au Paraguay, où il avait travaillé comme ingénieur dans une industrie de machines agricoles, jusqu'au jour où il avait montré les premiers symptômes d'une maladie mentale extrêmement rare, la prosopagnosie, qui se manifestait par une incapacité croissante à identifier les visages des personnes qu'il rencontrait, à commencer par les membres de sa famille. Il ne pouvait même pas faire la distinction entre sa propre photographie et celle d'un parfait inconnu, ou d'un acteur célèbre. Pourtant, sa vision était normale, il lisait sans difficulté et pouvait décrire les traits des personnes qui lui étaient présentées, aussi bien que les différences qui les caractérisaient, mais la comparaison entre ce qu'il voyait et les images emmagasinées dans sa mémoire ne déclenchait aucune impression de familiarité. Il avait appris à reconnaître ses proches à partir d'autres indices, la taille, les bijoux, le timbre de la voix.

– Notre ami Klaus doit avoir un faible pour moi, poursuivit la naine en retrouvant son rire de crécelle, car il ne m'a jamais prise pour une autre, ma foi !

Avec l'aide de la Fondation Delphi, M. Weldenheim était venu passer trois mois au Berghof (son séjour tirait d'ailleurs à sa fin) pour collaborer aux recherches de Mme Bogdan-Popesco sur « la conscience du subconscient ». Il avait notamment participé à des expériences de laboratoire où les plus infimes réactions de son métabolisme avaient été mesurées, pendant qu'une série de photographies lui étaient présentées. Alors qu'il se déclarait incapable d'en identifier aucune, les électrodes fixées à la paume de ses mains avaient enregistré une modification du degré de conduction de sa peau devant le portrait de son père et celui d'une de ses sœurs.

– Au plan subconscient, le cerveau de notre ami a accompli sa tâche sans bavures, conclut Schwester Ursula, qui avait exposé le cas comme s'il s'agissait d'une énigme policière. Mais le niveau conscient a été privé de cette information, et tout le travail de Mme Bogdan-Popesco consiste à essayer de découvrir le coupable de cette censure.

– Personnellement, je crois que le bonhomme est un habile simulateur, dit Jacques. Pas besoin d'un détecteur de mensonges pour en être sûr !

– On serait porté à se tromper, répliqua-t-elle. Il existe actuellement dans le monde cinq cas connus de prosopagnosie, et la Fondation a demandé aux spécialistes qui s'en occupent de leur faire passer l'examen que nous avons mis au point au Berghof. Les résultats ont été identiques pour les uns et les autres. Ils simulent tous de la même manière, ma foi.

– J'ai parlé trop vite, concéda-t-il. Élisabeth n'est pas le genre de femme à tirer des conclusions hâtives... Et la personne qui accompagne ce M. Weldenheim ?

– Mlle Brochet, oui. C'est une institutrice de Bretagne, ce qui ne l'empêche pas d'avoir une grande culture ! Depuis trois ans, elle passe le début de ses vacances d'été avec nous, ensuite le professeur l'envoie un peu partout en Europe, dans des laboratoires dotés d'équipements plus perfectionnés que ceux du Berghof. Notre ami Klaus n'a pas de peine à la reconnaître : elle porte trois ou quatre montres à chaque poignet, en plus de celles qu'elle garde autour du cou ou dans ses poches. Évidemment, elle passe pour une originale à Davos, mais ça lui est égal !

– J'imagine que cette manie porte un nom long comme le bras, dit Jacques.

– Oh, que non ! Elle ne se promène pas comme ça pour son plaisir, mais parce que le professeur le lui a demandé.

– Je ne comprends pas ! Que fait-elle de toutes ces montres ?

– Mais elle les détraque, pardi !

La naine n'eut pas le temps d'en dire davantage, car un coup sourd avait ébranlé la porte. Elle alla ouvrir et Chouri entra d'une démarche hésitante, en regardant autour de lui avec curiosité et inquiétude. Le saisissement de Jacques fut aussi brutal qu'à sa première rencontre avec le gorille, à la différence qu'il n'éprouvait cette fois aucune crainte, comme si la présence de Schwester Ursula le rassurait. Devant l'énormité du paradoxe, il éprouva la même impression que la veille d'être au milieu d'un univers de cirque et de fête foraine. Chouri traversa la chambre de son dandinement souple et puissant, les bras repliés contre son poitrail comme s'il mimait une attitude de prière, et passa dans la loggia pour considérer Jacques en penchant la tête de côté et en poussant de petits grognements interrogateurs. « On dirait qu'il me demande des nouvelles de ma santé, pensa-t-il. Et, après tout, d'Aquino lui a peut-être dit que j'étais malade... Mais qu'est-ce qu'il m'apporte là ? » Dans un geste d'offrande, le grand singe avait déplié les bras et déposa doucement sur la chaise longue un chiot minuscule, qui tenait à peine sur ses pattes. Jacques le saisit et le posa sur sa poitrine, surpris et ému par la palpitation tiède de cette petite boule de fourrure.

– Betsy en a eu trois avant-hier matin, dit Schwester Ursula, malheureusement c'est le seul qui a survécu. On l'a appelé Kugli. Chouri a été très excité par l'événement et voulait absolument présenter son filleul au malade. Ma foi oui, le professeur a décidé que notre ami ici présent serait le parrain, et moi la marraine. A-t-on jamais vu une chose pareille ! Mais en voilà assez, cette petite créature du Bon Dieu est trop jeune pour être séparée de sa mère plus longtemps !

Elle prit le chiot entre ses doigts de poupée et le caressa en l'embrassant goulûment sur le museau et en lui disant des mots doux en allemand, d'une voix haut perchée. Puis elle sortit de la chambre en emportant son protégé pelotonné contre la petite croix de buis qu'elle portait à la poitrine, en répétant avec un petit rire que la suggestion du professeur était vraiment trop saugrenue... Hû-hû-hû ! *Kuglis Patentante,* je vous demande un peu, ma foi !

Chouri lui emboîta le pas, mais s'arrêta sur le seuil de la porte et se tourna vers Jacques, qui s'était levé pour regagner son lit. Le fond de l'air lui paraissait vif tout à coup et il se sentait étourdi. Le faciès de cuir noir du gorille se plissa, ses lèvres mobiles se projetèrent en avant, alors que tout le reste de son corps trapu se figeait dans une attente troublante.

– Je... Merci d'être venu ! dit le jeune homme d'une voix rauque.

Chouri leva ses bras démesurément longs, et ses doigts aux ongles cernés de cal signalèrent avec agilité une réponse qui ne fut pas comprise. Puis il se détourna en arrondissant encore davantage ses formidables épaules, et disparut dans le corridor en refermant doucement la porte derrière lui.

En se couchant, Jacques céda à un mouvement enfantin, avec une spontanéité qui le surprit. Il tira son drap et sa couverture sur sa tête, pour tenter d'échapper au moment présent et ne plus entendre le son de sa voix qui résonnait encore dans la chambre, et s'obstinait à lui répéter dans le creux de l'oreille : *« Merci d'être venu ! »* Il prit alors conscience d'une pensée qui le stupéfia. Était-ce possible ? Il se demandait sans rire si Chouri avait une opinion favorable de lui.

***

La quarantaine de Jacques se termina dès le lendemain grâce aux antibiotiques, ces médicaments dont la découverte avait autrefois causé la fermeture du sanatorium le Berghof. Après le petit déjeuner qu'il prit dans sa chambre, suivi de la visite du Dr von Haller qui ne lui cacha pas son désintérêt pour une guérison si banale, il alla s'asseoir sous un des parasols de la grande terrasse, répondant aux salutations des uns et aux questions des autres, vaguement mal à l'aise de paraître déjà si bien portant. M. Léopold lui demanda s'il avait rencontré son frère Didier, qui était arrivé plus tôt dans la matinée et lui avait demandé son chemin pour la chambre 206.

– Mais je ne l'ai pas vu ! s'exclama Jacques, intrigué. Il n'a quand même pas pu se perdre dans les corridors ! Je vais aller me renseigner auprès de...

– Ne vous donnez pas cette peine, mon jeune ami, le voilà qui arrive. « Qui de loup parole près en a la coue. » Je vous laisse ! Heureux de vous avoir trouvé en si bonne forme. Mais prenez garde de ne pas bousculer votre convalescence !

Didier arriva en courant et embrassa Jacques avec fougue, ce qui n'était pas entre eux un geste habituel. Ses cheveux étaient hirsutes, ses joues rouges et ses yeux brillants d'excitation.

– *What's up, doc ?* dit-il essoufflé. T'es guéri, ou quoi ? En tout cas, t'as encore la gueule toute picotée.

– Merci bien ! Oui, ça va mieux, mais qu'est-ce que j'ai dégusté ! On m'a dit que tu me cherchais... Ah, avant d'oublier : tes confettis m'ont été d'un grand réconfort !

– Super ! Bien combiné, hein ? Moi, j'étais avec l'Ectoplasme, on est allés voir le gorille. Alors là, excusez m'sieurs dames, mais ça m'a scié à la base ! Un vrai gorille, pour de vrai ! Il m'a serré la main, tu vois le genre : *« Dr Livingstone, I presume. »* Non mais, tu te rends compte ? Aussi, pourquoi tu m'en as pas parlé ?

– Parce que la dernière fois qu'on s'est vus, je ne connaissais même pas son existence. Et j'imagine que celle que tu appelles l'Ectoplasme, c'est Katja ?

– Ben oui, voyons ! Mais qu'est-ce qu'elle a, cette bonne femme ? demanda Didier en déplaçant une chaise pliante, de façon à s'asseoir tout contre le fauteuil de son frère. Pourquoi elle porte un masque comme ça, c'est dingue ! Remarque qu'elle est super gentille et, quand on l'écoute, elle est vraiment pas conne, je t'assure ! Elle s'est fait amocher le visage, ou quoi ?

– Franchement, je n'en sais rien. Écoute, Didi, il faut que je te parle des gens qui séjournent au Berghof, c'est assez spécial...

– T'es venu ici à cause de Papa ?

Jacques dévisagea son frère comme s'il ne l'avait pas vu depuis des mois : il avait fêté ses douze ans au printemps, ses traits s'étaient affirmés, mais leur expression restait caractérisée par un insolent plaisir à être au monde, et une curiosité confiante envers les surprises que lui réservait le destin. Avec ses oreilles décollées, sa bouche trop grande, ses broches dentaires et son nez en trompette, il n'était certes pas un modèle de séduction, ce qui ne l'empêchait pas de déployer avec succès ce qu'il appelait son « charme irrésistible et dévastateur », chaque fois qu'il voulait obtenir une faveur, c'est-à-dire plus souvent qu'à son tour. Par contraste, Jacques était remarquablement beau garçon. Il se l'était fait dire si souvent, en taquinerie ou sérieusement, qu'il ne pouvait honnêtement en douter, mais il n'en tirait aucune vanité, car il voyait son apparence physique de l'intérieur, comme l'envers d'un décor de théâtre. Il avait fréquemment l'impression d'endosser son corps pour jouer un rôle de composition et enviait l'aisance avec laquelle son jeune frère habitait le sien.

– Oui, c'est à cause de Papa, dit-il en pensant qu'il n'usait jamais de ce diminutif quand il s'adressait à son père, et que, même pour répondre à Didier, il le prononçait avec un manque de naturel qui le rendait un peu honteux.

– Ça m'a fait drôle l'autre jour quand cette bonne femme m'a parlé de lui. Elle l'a vu comme il était avant, je savais pas quoi répondre. C'est cornélien, tu comprends !

– Oh oui ! Ce n'est pas facile pour moi non plus : j'avais dix ans quand il a eu son attaque.

– Il était sévère ?

– Pas du tout ! Mais il était très impressionnant, très sérieux, un peu distant peut-être... Il m'aimait beaucoup, mais il ne savait pas comment établir le contact, tu vois ? C'est pas facile à expliquer...

– C'était un peu comme toi avec moi maintenant, dit Didier avec un regard clair.

Alerté par le picotement de ses yeux, Jacques ne répondit pas tout de suite. Il lutta contre sa première impulsion, qui était de barricader son émotion, de tourner le dialogue à la plaisanterie.

– Comme ça, tu me trouves distant ?

– Je pourrais pas dire... En tout cas, t'es vachement sérieux pour ton âge. Remarque que ce qui te sauve, c'est que t'as un bon sens de l'humour, la preuve c'est que mes blagues te font toujours rigoler ! N'empêche que t'es ce que j'appelle un *intellectuel alambiqué*.

– *Too much !* Où as-tu été la chercher, celle-là ? Mais tu as peut-être raison, j'ai effectivement tendance à couper les cheveux en quatre. Tu sais, j'aimerais bien être spontané comme toi, seulement ça se commande pas !

– T'inquiète pas pour moi, Jacquot, tu peux tout me dire,

déclara Didier avec une gravité que Jacques ne lui connaissait pas. D'ailleurs, je suis venu ce matin pour avoir une discussion *responsable* avec toi. Mais c'est peut-être pas le moment....

– Pourquoi pas ? On a tout le temps.

– On peut être dérangés, dit le jeune garçon en rapprochant davantage sa chaise du fauteuil d'osier. Si quelqu'un vient, on parle d'autre chose, OK ? C'est une conversation privée entre nous.

Jacques se demanda si ces précautions auguraient une nouvelle intrigue mettant en scène l'agent secret Frankenthal, mais Didier détournait trop les yeux pour n'être pas sincère.

– Il s'est passé quelque chose là-bas, à la Villa Stella Maris ? dit-il pour lui tendre une perche.

– Oui et non. Je sais pas comment te dire, mais je crois que je fais une puberté précoce.

Jacques comprit à cet instant que, quelle que soit la suite des confidences de son frère, il ne pouvait plus se permettre l'ombre d'un sourire.

– Écoute, Didier, on peut dire qu'une scarlatine à l'âge de vingt-deux ans est tardive, mais, sans vouloir te contredire, on ne peut pas vraiment parler d'une puberté précoce à douze ans. Qu'est-ce qui te tracasse au juste ?

– C'est pas ce que tu crois ! Tout le bazar de comment on fait les enfants, les spermatozoïdes et les ovulaires, ça c'est dans la poche ! D'abord toi, quand est-ce que t'as remarqué que t'avais des caractères sexuels secondaires ?

– Mais je... Attends un peu, je ne m'en souviens pas comme ça ! Probablement à l'époque de mon entrée au lycée Ronsard, je devais donc avoir dans les treize ans.

– Moi je sens que ça se prépare, dit Didier d'un ton pénétré. De temps en temps, j'ai des crampes dans les testicules, tu vois, et je commence à avoir un peu de poils, mais sans exagération, seulement tout ça c'est normal : j'assume !

– Tu as conscience que c'est un tournant important de ta croissance, dit Jacques, en jugeant qu'il avait tout intérêt à se cantonner dans les lieux communs.

– Ouais, bien sûr ! Mon problème pour le moment, ce serait plutôt Granola.

– Granola ?

– Une fille dans mon groupe à Stella Maris. Elle s'appelle pas comme ça, c'est un nom que je lui ai inventé : quand tu la verras, tu comprendras.

– Elle est gentille ?

– Ben oui, qu'est-ce que tu crois ? C'est pas vraiment une question d'être *gentille*, c'est plutôt le coup de foudre, quoi ! Et on n'a rien fait pour, ni moi ni de son côté à elle, c'est arrivé comme ça, bading-badingue ! On a exactement le même âge, et elle est Bélier comme moi, tout concorde, on était faits l'un pour l'autre. Seulement moi, je suis pas prêt, tu vois ? J'ai peur de lui faire mal.

– Je comprends, mais pourquoi... Enfin, vous êtes à égalité dans cette relation, elle aussi pourrait te faire mal. Si vos sentiments sont partagés, ils vous protégeront contre...

– Mais non, tu comprends rien ! Je parle de lui faire mal quand on fera l'amour, elle et moi. Elle a jamais essayé, mais sa sœur lui a dit que si le garçon sait pas le faire, il peut la frigorifier pour le reste de ses jours.

– Oh, un instant ! Tu ne vas pas te laisser embarquer par des histoires de croquemitaine ! Écoute ton intuition, et ne faites jamais quelque chose si vous n'êtes pas sûrs tous les deux d'en avoir vraiment envie. Le reste est de la littérature.

– Comme ça, tu crois que je peux entrer dans son vagin sans que ça lui fasse mal ?

Jacques sentit un grand souffle lever dans sa poitrine, alors qu'il regardait son frère avec autant d'incrédulité que de tendresse. L'idée que ce gamin en culottes courtes, avec sa tignasse rebelle et sa fossette au menton, envisageait le plus sérieusement du monde de faire l'amour avec une fillette de son âge le laissait interloqué. Il se retint pourtant de lui exprimer les objections qui lui montaient spontanément aux lèvres et, se rappelant un cours de psychologie sur *l'écoute active*, il s'efforça de « contenir les éléments de sa réponse dans le cadre de la question posée ». Didier, mis en confiance par cette attitude, l'interrogea alors sur des points de plus en plus précis, avec une curiosité que des analogies puisées dans les processus de reproduction des espèces végétales et animales n'auraient certes pas été de nature à satisfaire. Ils parlèrent ainsi de défloration, d'érection, d'orgasme, d'avortement, de prostitution, et Jacques resta abasourdi par la variété et la crudité des informations que possédait déjà son frère, intégrées dans un magma qu'il appelait, non sans à-propos, « le bazar ». Il connaissait le cunnilinctus par son nom et la fellation de réputation, et parlait de l'un et de l'autre avec un détachement quasi médical. Puis, du même souffle et avec une candeur désarmante, il annonça que Granola avait eu ses premières « mensturbations » au début de l'été.

– Et toi, Jack, t'avais quel âge quand t'as fait ça pour la première fois ?

– Eh bien... un peu moins de dix-sept ans.

– C'était le Grand Amour ?

– Non. C'était une passade.

– C'était la première fois pour elle aussi ?

– Non, elle n'était pas vierge, si tu veux savoir.

Didier jeta à son frère un regard scrutateur et compatissant :

– Si je comprends bien, Jack, t'as encore jamais été frappé par le coup de foudre ?

– Pas encore, non. Et ne m'appelle pas Jack, j'ai horreur de ça !

– *Whatever you say, boss !* Alors comme ça, t'as jamais connu le Grand Amour ? C'est pas normal à ton âge, tu peux pas continuer comme ça.

– Rien ne presse ! répondit-il en pensant à Christine, puis à Élisabeth. Je ne suis pas malheureux, tu sais.

Didier haussa les épaules :

– N'empêche que l'amour, si c'est rien qu'un truc de bazar, ça pisse pas loin ! Tu sais pas quoi ? J'étais pas sûr avant de te parler, j'avais peur que tu me fasses la morale, en me disant que je suis trop jeune et toute la salade...

– J'ai bien failli, avoua Jacques.

Cette discussion devait le poursuivre, non pas tant pour ce que son frère lui avait révélé que pour l'écho que ces confidences éveillaient en lui, par rapport à sa propre sexualité. Dès son adolescence, son intérêt pour la littérature l'avait entraîné à lire davantage de romans que ne l'exigeaient ses programmes d'études, mais il avait toujours éprouvé une certaine difficulté à s'identifier aux héros des grandes œuvres romantiques, lorsque ceux-ci étaient la proie de tourments causés par des amours contrariées ou insatisfaites. Ses propres relations avec les femmes n'avaient jamais été tumultueuses, ni même complexes – et, en un sens, il le regrettait et s'interrogeait sur son incapacité à s'engager corps et âme dans de grandes passions, à l'instar de Julien Sorel, du jeune Werther ou de Solal. Depuis cette première expérience dont il s'était ouvert à Didier, il avait mené une vie sexuelle active, au travers d'une longue série de courtes liaisons, qui se conciliaient mal avec sa nature foncièrement sérieuse. Sa relation avec Christine durait pourtant depuis plus d'une année et il en était venu à se demander si cette constance correspondait à un approfondissement de ses sentiments. Pourtant, à chaque fois qu'il voulait le faire rimer avec amour, son cœur répondait *gourd* ou *sourd.*

Jacques était suffisamment averti et lucide pour reconnaître ses problèmes personnels, mais il ne lui serait pas venu à l'idée d'inclure dans le lot un aspect ou l'autre de son comportement sexuel. Et, cependant, ses propres réponses aux questions si précises de Didier avaient éveillé en lui un écho déroutant. L'accouplement humain lui était apparu, en ses manifestations physiques, comme un acte absolument incongru, une pratique bizarre relevant davantage de la gymnastique que de la biologie. Il appela à la rescousse des souvenirs de conquêtes et d'étreintes, où l'exaltation des corps entremêlés avait atteint une qualité et une intensité particulières, mais les images qui défilaient devant ses yeux avaient perdu toute charge érotique, et il ne comprenait pas comment il avait pu trouver du plaisir à se livrer à des ébats aussi grotesques.

Son éducation avait été prise en charge, après la mort de sa mère, par sa tante Mathilde. L'idée qu'il eût pu discuter sexe avec l'austère demoiselle lui paraissait tout simplement inconcevable – bien que la petite histoire familiale laissât entendre qu'elle avait eu une jeunesse turbulente, suivie d'une mystérieuse liaison de quinze ans avec un homme vaguement marié. Quoi qu'il en soit, Jacques n'avait jamais éprouvé le besoin de se confier à elle, peut-être parce que sa curiosité quant aux mystères de la vie avait été déjà amplement satisfaite du vivant de sa mère. Cécile Demontigny Carpentier s'était en effet montrée fermement convaincue de la nécessité de dire en toute occasion la vérité aux enfants, quand bien même l'application de ce principe ne lui avait pas été facilitée par la précarité de son propre commerce avec le réel. Une banale question de Jacques, qui se demandait par exemple s'il existait quelque chose de plus grand que le ciel, entraînait une leçon de cosmologie générale, l'emprunt d'ouvrages spécialisés à la bibliothèque publique et une visite précipitée au planétarium Dow. Le même éclairage aveuglant avait été porté sur le processus de reproduction des primates, *Homo erectus* compris. A sept ans, Jacques n'ignorait plus grand-chose de la façon dont les enfants étaient conçus et mis au monde, de la transmission de l'hépatite virale par les baisers « à la française » et de l'intérêt de certains messieurs pour le derrière des petits garçons. Ainsi, les choses du sexe, qui semblaient si intrigantes, si excitantes et entachées d'opprobre à la plupart de ses camarades, lui apparaissaient à lui comme autant de réalités parfaitement évidentes, et plutôt ennuyeuses. Par contre, l'idée que son père se fût entendu avec sa mère pour négocier dans un lit une implantation de petites graines par voies naturelles lui semblait non pas répugnante, mais tout à fait saugrenue.

Après le départ de Didier, Jacques se plongea à nouveau dans la lecture du *Traité de psychosynergie*, en se promettant de rendre l'ouvrage à Lars Frankenthal dès qu'il le verrait. Il avait toutefois du mal à se concentrer, car il ne pouvait s'empêcher de guetter discrètement les allées et venues des pensionnaires. « Mais enfin, qu'est-ce qu'elle fait ? C'est un peu fort, elle sait sûrement que ma quarantaine est levée depuis ce matin. Alors ? » Il avait exprimé sa pensée à mi-voix, comme pour s'avouer à lui-même que s'il restait sur la terrasse, ce n'était pas pour jouir du beau temps, mais dans l'espoir de voir passer Élisabeth.

Il descendit au rez-de-chaussée pour gagner le hall carré qu'il connaissait de sa première visite à Jorge d'Aquino. Bertha Moll occupait massivement la petite antichambre, débordant de toutes parts entre le bureau et les classeurs métalliques. Elle tirait à l'instant une langue épaisse, pour lécher des timbres-poste qu'elle posait ensuite sur des enveloppes, où elle les fixait d'un formidable coup de poing.

– Hors de question, totalement exclu ! cria-t-elle avec hargne par la porte entrouverte. Le Maître n'est pas visible avant jeudi. Et d'abord, qui me dit que vous n'êtes plus contagieux ?

– Je ne suis pas venu pour voir d'Aquino, dit-il en se gardant d'entrer dans la pièce. Et je suis immunisé contre la grossièreté, qui est pourtant beaucoup plus contagieuse que la scarlatine.

– Ça veut dire quoi, ça ? Et d'abord, qu'est-ce que vous cherchez ? Ici, c'est l'étage des traitements et des labos, c'est un endroit pour travailler, pas pour flâner. Et, à part de ça, le Bubenblick vous l'a dit, pour votre facture ? Faudrait pas croire que le Berghof, c'est une institution philanthropique, y a des limites !

– J'ai fait un arrangement avec lui. Il ne m'a pas dit que vous étiez responsable de la comptabilité...

– Y manquerait plus que ça ! Moi je veux rien savoir des histoires de gros sous, c'est trop louche... D'abord, comme vous êtes si malin, vous avez rien qu'à vous demander où la Fondation trouve l'argent pour tenir tout ce machin ensemble, la maison et payer les employés, et aussi les bourses qu'on donne n'importe comment aux pensionnaires, même qu'y en a qui sont pas plus fous que le reste du monde... Ça m'étonne que vous ayez pas encore fait de demande !

– Vous m'intéressez, déclara-t-il avec un sourire.

Il disait vrai, car, depuis que Katja avait affirmé que la Mollosse faisait l'unanimité contre elle au Berghof, il s'était promis de ne pas faire chorus, et de découvrir au contraire la qualité de la cuirasse, pour comprendre pourquoi Jorge d'Aquino protégeait cette créature envers et contre tous. Au fond de lui-même, toutefois, il était assez lucide pour s'avouer qu'il n'avait aucun mérite à répondre par le calme et l'ironie à ses provocations hargneuses : il avait cessé de la craindre dès qu'il avait saisi que personne dans la maison ne lui reprocherait de la remettre à sa place ! Tout de même, qu'avait-elle voulu insinuer au sujet des finances du Berghof et du rôle de la Fondation Delphi ?

Il frappa à la porte du bureau d'Élisabeth Bogdan-Popesco, puis poussa lentement le battant, sans être certain d'avoir obtenu une réponse, et entra dans une pièce qui, par sa disposition et ses vastes dimensions, était une réplique en miroir du laboratoire de Jorge d'Aquino. Cette opposition symétrique jouait aussi au sens figuré : au désordre anarchique de l'antre du Sage des Grisons correspondait ici l'ordre le plus rigoureux. Élisabeth avait installé sa table de travail – un plateau de bois massif supporté par des tréteaux tubulaires – à l'entrée de la salle, dans un espace délimité par un carré d'étagères aux rayons chargés d'ouvrages scientifiques. Elle était occupée à parler au téléphone mais, d'un geste impératif de la main, fit signe à Jacques d'avancer et de prendre place dans un des fauteuils qui lui faisaient face. La signorina Vincenti partageait déjà l'autre siège avec un bébé gazouillant de sept ou huit mois, qu'elle faisait tanguer sur ses genoux en chantonnant à voix basse une comptine en italien. Elle répondit à la salutation distraite du jeune homme par un sourire radieux.

Jacques s'assit à contrecœur, en se disant qu'il aurait mieux fait de se retirer en voyant que la psychologue avait une visite. Il était surpris et vaguement irrité de la trouver en blouse blanche, le visage mangé par des lunettes d'écaille passées de mode. Elle s'exprimait au téléphone en anglais et il aurait facilement pu suivre sa conversation, mais il se contenta d'écouter les intonations de sa voix, et l'assurance toute professionnelle avec laquelle elle répondait à son interlocuteur. « Je suis vraiment trop naïf ! pensa-t-il. J'aurais dû comprendre depuis longtemps qu'elle n'est pas femme à se morfondre dans l'ombre d'un grand patron ! Elle poursuit sa propre carrière, et elle est probablement à l'origine de plusieurs découvertes importantes de la psychosynergie. »

– Alors, comment se porte notre Petit Prince ? lui dit-elle en reposant le combiné du téléphone. Tantôt, je suis montée te voir, mais tu étais en grande discussion de bouche et de bras avec ton frère et je n'ai pas voulu vous interrompre. Vrai, tu ressembles à un Peau-Rouge, mais, rassure-toi, la couleur ne soustrait rien à ton charme ! N'est-ce pas que tu connais déjà Teresa Vincenti ? Et le petit bout-de-zan ici s'appelle Rose-Marie, comme dans la chanson. Eh bien quoi, tu en fais une tête !

– Je suis encore un peu étourdi, dit-il, ça va passer. Schwester Ursula ne m'a pas dit que vous aviez des collaborateurs si jeunes au Berghof !

– Tu plaisantes, mais c'est vrai quand même ! répondit-elle en détournant les yeux, comme si cette remarque l'embarrassait. C'est la première visite de Rose-Marie, elle remplace un autre enfant du même âge qui a participé au début du mois à une expérience de Deuxième Ordre. Pour vérifier nos résultats, nous allons répéter la même procédure avec un sujet différent. Si tu te sens assez bien, je t'invite à assister à la démonstration, tu ne le regretteras pas. Allons-y, tout est prêt !

Jacques n'avait pas menti en parlant d'étourdissement, mais il s'était abstenu d'en dévoiler la véritable cause. En suivant Élisabeth à l'arrière du laboratoire, il jeta des regards furtifs sur les bras de la signorina Vincenti, qui portait un chemisier fleuri à manches courtes, et son esprit en déroute cherchait à comprendre pourquoi les poignets de la demoiselle aux cheveux gris étaient nets et lisses, sans l'ombre d'une égratignure, alors que trois ou quatre jours plus tôt, la malheureuse les avait sauvagement entaillés, dans une tentative de suicide qui se conciliait difficilement avec son regard limpide et son sourire extasié. « M. Léopold m'a averti qu'il se passait des phénomènes extraordinaires au Berghof, pensa-t-il, mais il n'a jamais parlé de miracles ! Et, avant de chercher du côté du surnaturel, je ferais mieux de penser à une explication logique. Les poignets de cette femme n'ont pas de cicatrices parce qu'elle ne les a jamais mutilés, et ce que j'ai cru voir dans l'infirmerie n'est arrivé que dans mon imagination. C'est la seule conclusion possible, et pourtant je suis sûr que ce n'est pas la bonne ! A moins que je ne sois resté inconscient plus longtemps qu'on me l'a dit... Non, ça ne tient pas debout, je m'en serais aperçu par les journaux que Sigmund a ramenés hier de la gare. Il faut que je tire ça au clair ! »

Ils avaient traversé le laboratoire dans sa longueur, passant devant une rangée d'appareils scientifiques impressionnants, et entrèrent dans une petite pièce insonorisée. Un miroir sans tain était incorporé à la paroi du fond et, dans un coin, un moniteur vidéo posé sur une table mobile. Un assortiment de jouets étaient éparpillés sur un épais tapis bouclé, qui couvrait l'entière superficie du sol.

Ils laissèrent l'enfant seule pour passer dans une pièce contiguë, à l'éclairage tamisé, aménagée en studio d'enregistrement. Une caméra portative était montée sur un trépied mobile et, à travers le miroir d'observation, pouvait filmer la petite Rose-Marie qui, à quatre pattes, avait déjà entrepris de dresser l'inventaire des merveilles qui peuplaient sa nouvelle aire de jeu.

Élisabeth s'assit à la console et pressa sur une série de boutons. Le moniteur vidéo s'illumina dans la pièce voisine et l'image d'une jeune femme aux cheveux courts et frisés apparut sur l'écran ; elle attendait le signal d'un opérateur invisible pour commencer à parler. Elle tourna enfin les yeux vers l'objectif et s'adressa à la petite fille d'une voix douce, comme si elle pouvait effectivement la voir.

– As-tu bien dit que c'était sa mère ? demanda Jacques à voix basse. Elle paraît si jeune !

– Gisella a dix-huit ans, répondit Élisabeth sur le même ton, sans tourner la tête. C'est une âme vaillante ! Le père de la fillette est un bijoutier de Lucerne, le double de son âge et marié jusqu'au cou ! Il lui a offert une petite fortune pour se faire avorter, et un *disappearing act* quand elle a décidé de garder l'enfant ! Excuse la banalité de l'histoire...

– Quelle langue parle-t-elle ? dit-il en observant la jeune femme avec une attention accrue. On dirait un mélange d'allemand et d'italien.

– C'est du romanche, une sorte de dialecte en voie d'extinction... Mais observe plutôt le comportement de la petite. Tu vois, elle regarde l'écran avec un certain intérêt, mais elle est relativement passive. Oh ! Vous avez entendu ? Elle a dit « Mutti » !

La signorina Vincenti, qui se tenait un peu en retrait, le menton posé sur ses mains jointes, approuva avec une candeur émerveillée :

– *Si, si, l'ho sentito anch'io, l'angioletto ha detto* « Mutti » ! *

– Elle a donc fait le lien entre sa mère et l'image sur l'écran, c'est indubitable ! reprit Élisabeth avec satisfaction. Voilà qui répond aux objections de Petersen et consorts.

Jacques observait la scène sans enthousiasme. Allait-il assister à une de ces expériences fastidieuses, comme il en avait déjà vu dans des documentaires présentés à son cours d'introduction à la psychologie, où des enfants tentaient de faire passer des triangles de bois dans des orifices circulaires, cependant qu'une voix compassée dissertait d'épistémologie et de M. Piaget ? Et qu'y avait-il de si extraordinaire à ce que la petite Rose-Marie eût reconnu sa mère à la télévision ?

L'image de la jeune femme s'évanouit de l'écran et Élisabeth annonça un intervalle de trois minutes entre les séquences de l'expérience. Jacques voulut l'interroger, mais elle lui fit signe de ne pas la déranger et décrocha le téléphone pour donner des instructions en allemand, sans quitter des yeux le chronomètre digital de la console. Teresa Vincenti se pencha vers le jeune homme pour lui chuchoter que *la mamma de l'angioletto* était partie tôt ce matin pour Zurich. Elle se trouvait là-bas en ce moment, dans un studio prêté par la télévision suisse, *che meraviglia !*

Gisella réapparut sur l'écran et s'adressa de nouveau à l'enfant, en ayant soin de prononcer les mêmes paroles que tout à l'heure. Pourtant, le comportement de la petite fut nettement différent : elle se traîna à quatre pattes vers le moniteur vidéo et répondit aux sollicitations maternelles par un sourire épanoui, des roucoulements de plaisir et une agitation gestuelle qui ne laissaient pas de doute sur la nature de ses sentiments.

La transmission prit fin au bout de trois minutes et la signorina Vincenti, qui se déplaçait comme si elle voulait arrondir les angles de tout ce qui se trouvait sur son chemin, se faufila dans la pièce voisine pour rejoindre sa protégée, qui contemplait avec perplexité l'écran sans vie.

– Pourquoi a-t-elle réagi différemment la deuxième fois ? demanda Jacques, soudain intéressé.

– Je vais te le dire, Petit Prince, mais tu gardes ça pour toi ! Vois-tu, Gisella n'est pas au courant du véritable objet de notre recherche, elle croit qu'elle s'adresse chaque fois à sa fille de la même façon. Et c'est ce que nous voulons, pour éviter qu'elle ne

* Oui, oui, je l'ai entendu moi aussi, le petit ange a dit « Mutti » !

modifie inconsciemment son comportement, ce qui risquerait de fausser les résultats de l'expérience.

– Mais quels résultats ? Personnellement, je n'ai pas remarqué de différence entre la première communication et la seconde. Mais il doit bien y en avoir une ?

Élisabeth approuva avec un sourire ironique :

– Quand Gisella est arrivée au studio vers neuf heures ce matin, à Zurich, on lui a demandé de prendre la parole devant la caméra, en lui disant que le contact était établi avec Davos et que sa fille pouvait la voir et l'entendre. En réalité, j'étais seule ici dans le laboratoire et je me suis contentée d'enregistrer son message sur une cassette vidéo. C'est cet enregistrement que je vous ai fait jouer tout à l'heure, avant l'entracte ! Puis j'ai appelé Zurich et j'ai fait dire à Gisella que la petite était prête à recevoir son second message. Et comme je...

Jacques lui coupa la parole en s'écriant avec stupéfaction :

– Seulement cette fois la transmission était en direct ! Ça va, j'ai compris ! Et comment Rose-Marie a-t-elle pu voir la différence entre la communication en différé et celle en temps réel ? C'est impossible !

– Elle ne l'a pas vue, elle l'a sentie ! Quand sa mère lui a parlé en direct, elle a su que la chose était *pour de vrai* et se passait à l'instant même – un contact a été établi, une sorte de liaison parallèle à celle de la télévision. Tu comprends, à présent ?

– La psychosynergie de Deuxième Ordre ! murmura-t-il avec émotion. C'est étrange : l'existence d'un lien mystérieux entre un enfant et sa mère m'a toujours semblé être une chose évidente, et il suffit que tu m'en donnes la preuve scientifique pour que je la trouve extraordinaire ! Je suppose que vos premiers essais ont été faits au Berghof en circuit fermé, et que vous avez envoyé Gisella aujourd'hui à Zurich pour vérifier si la distance modifiait les résultats de l'expérience...

– Bravo, tu comprends vite ! dit-elle, les yeux brillants. Et, comme tu l'as constaté, l'éloignement physique n'a pas empêché le contact entre Rose-Marie et sa mère ! A la fin du mois, nous envoyons Gisella passer une semaine de vacances chez les Simpsons, au Bateson Institute. Tu ne te souviens pas d'eux ? Ils étaient pourtant des membres actifs de ton fan club ! Et nous recommencerons l'expérience avec une liaison vidéo par satellite. Ça va coûter la peau des fesses à la Fondation, mais c'est la seule façon de vérifier une hypothèse qui me trotte par la tête depuis quelque temps. Non, inutile de me faire tes yeux d'épagneul, Petit Prince, je ne te dirai rien avant de connaître les résultats. Mais, si ça marche, prépare-toi à la grande surprise !

Jacques resta pensif un moment, pendant qu'Élisabeth mettait hors circuit les appareils du studio, puis écrivait des indications sur la cassette qui avait servi à l'enregistrement de l'expérience.

– Pourquoi as-tu parlé de fan club ? demanda-t-il.

– Parce que tu étais la mascotte du Bateson, tout le monde t'adorait ! Tu n'as pas l'air de me croire, mais c'est la pure vérité !

– Je te crois. C'est de ma mémoire que je doute...

Teresa Vincenti les avait rejoints, tenant Rose-Marie dans ses bras. Elle sourit à Jacques et lui tendit l'enfant en hochant sa tête émaciée, comme si elle lui accordait la faveur de la porter, qu'il n'avait pourtant pas sollicitée. La petite leva vers lui deux yeux gris immenses et limpides, qui le dévisagèrent avec une gravité perplexe.

– Eh bien, *Little One*, qu'est-ce que tu me racontes ? dit-il d'une voix feutrée, ne sachant trop sur quel ton s'adresser à elle. Tu te demandes qui je suis, et de toute façon tu ne comprends pas un traître mot de ce que je te dis !

– Détrompe-toi ! dit Élisabeth avec une moue amusée. Elle n'a peut-être jamais entendu un mot de français, mais ça ne l'empêche pas de comprendre l'essentiel de tes paroles. En fait, elle les saisit en même temps que tu les prononces ! Oui, c'est encore un phénomène de Deuxième Ordre et, si tu es intéressé, je te montrerai un jour les films que nous avons réalisés ici même avec notre ami Hobayashi, qui parle *en japonais* à des nourrissons de trois mois !

– J'aimerais voir ça, en effet ! Ne serait-ce que pour saisir comment vous vous y êtes pris pour mesurer la compréhension chez des enfants de cet âge-là !

Elle eut un petit rire satisfait et expliqua qu'une firme britannique avait mis au point, sur ses directives, un instrument d'évaluation ingénieux et cocasse. Il s'agissait d'une tétine électronique qui, placée dans la bouche d'un bébé, mesurait le nombre et l'intensité de ses succions.

– Nous avons répété l'expérience avec des sujets différents, en observant toujours la même procédure : Hobayashi se penche sur le berceau et parle dans sa langue de la pluie et du beau temps. Puis, sur le même ton, il annonce à l'enfant que sa mère va venir le prendre pour le nourrir – et, aussitôt, le compteur de la tétine enregistre un accroissement d'activité irréfutable.

– Fascinant ! dit Jacques. Comment se fait-il que je n'en aie jamais entendu parler dans mes cours ? As-tu publié quelque chose sur tes travaux ? On dirait presque que vous cherchez à cacher les résultats de vos... Oh, doucement, Pitou ! C'est à moi et j'y tiens !

Alors qu'il parlait, une petite main potelée s'était élevée pour saisir son nez et tenter de le déloger de la place qu'il occupait au milieu de sa figure.

– Ces expériences ont été tentées avec des enfants plus âgés, reprit Élisabeth en évitant de répondre à la question posée. Et les résultats sont troublants, car ils montrent que cette capacité d'une communication permanente de Deuxième Ordre disparaît progressivement entre le douzième et le dix-huitième mois. Ou, si tu préfères, la communication se poursuit, mais au niveau de l'inconscient – avec des éruptions sporadiques et imprévisibles dans le champ de la conscience.

– *Quando impariamo a parlare il linguaggio degli uomini,* dit la signorina Vincenti, *cessiamo di capire quello degli dei !**

– Mais comment expliques-tu ce phénomène ? demanda Jacques. Pourquoi perdons-nous si tôt un don qui pourrait nous être si utile ?

– Je l'ignore ! Quand même, donne-moi ta main...

Elle guida ses doigts avec douceur sur la tête de l'enfant pour les amener à palper la membrane souple de la grande fontanelle, et expliqua que la fermeture de celle-ci coïnciderait dans les mois à venir avec le déclin des pouvoirs de Deuxième Ordre. Les deux phénomènes n'avaient peut-être aucun rapport, mais il était intéressant de se rappeler que les mystiques indous plaçaient à ce point précis de la calotte crânienne le septième chakra, le Sahasrar, par lequel s'établissait la communication avec le Grand Tout.

La signorina Vincenti annonça avec une timidité de jeune fille qu'elle devait se retirer, et vint reprendre Rose-Marie des bras de Jacques. La petite, dont le regard ne s'était pas un instant départi de sa curiosité intense et presque sévère, poussa un gazouillis strident, en gratifiant le jeune homme d'un sourire de chérubin qui la métamorphosa.

– Tu vois, Roméo, tu as déjà fait sa conquête ! dit Élisabeth.

* Quand nous apprenons à parler le langage des hommes, nous cessons de comprendre la langue des dieux !

Attends-moi, veux-tu ? Je reconduis Teresa et je te reviens... Nous avons des choses à nous dire, n'est-ce pas ?

Jacques sortit avec soulagement du petit studio, dont l'atmosphère confinée l'oppressait. Il fit le tour du laboratoire, qu'il trouva remarquablement bien équipé, et s'arrêta avec perplexité devant une chaise longue aux larges accoudoirs, matelassée de caoutchouc-mousse et recouverte de cuir noir. Une impression menaçante s'en dégageait, causée sans doute par l'appareillage électrique perfectionné qui convergeait vers l'appuie-tête rond et plat. « Pourquoi suis-je si impressionné ? se demandait-il avec humeur. M'étais-je vraiment imaginé que le Dr Élisabeth Bogdan-Popesco poursuivait ses recherches sur l'intelligence humaine à l'aide d'un chronomètre et de trois ou quatre tests de logique ? »

– Petit Prince, tu as l'air bien songeur ! dit Élisabeth en lui prenant le bras.

– J'essaie de comprendre. Un lien télépathique relie la petite Rose-Marie à sa mère, d'accord. Mais quelle est la nature de ce lien ?

– Tu me le demandes, à moi ? Mais je n'en sais rien ! Nous nous acharnons sur cette énigme depuis treize ans, et pas l'ombre d'une piste ! Non, ne m'écoute pas, j'exagère ! Les travaux de ton père nous ont ouvert le chemin, et en réalité nous avons fait certains progrès dans la *détection* de cette transmission. Par contre, nous ignorons toujours par quelle voie la communication de Deuxième Ordre est acheminée d'une personne à l'autre.

– Pourquoi pas une sorte d'onde émise par le cerveau ? dit Jacques.

– Sur quelle fréquence ? La physique a ses lois, tu sais, on ne peut pas les écarter quand elles ne font pas notre affaire, et s'appuyer dessus quand elles nous donnent raison ! A ce sujet, l'approche de Jorge est différente de la mienne, il a abandonné la méthode expérimentale depuis belle lurette ! D'ailleurs, tu as dû voir la poussière sur les appareils de son laboratoire ! Il dit que Chouri possède peut-être la clé du mystère... Tu parles d'onde cérébrale, mais as-tu pensé à l'odorat, tout simplement ?

– Non, et pourtant Didier m'a décrit les pratiques pédagogiques plutôt bizarres qui ont cours à Stella Maris à cet égard... Tout de même, tu ne vas pas me dire que la petite Rose-Marie a pu sentir l'odeur de sa mère qui se trouvait à Zurich !

– Et pourquoi pas ? Le *gypsy moth* mâle détecte à plusieurs kilomètres à la ronde quelques microgrammes de phéromone sécrétés par le papillon femelle... Ne fais pas cette moue, je te fais marcher ! Je ne crois pas moi non plus que l'odorat, ni aucun des autres sens, nous fournira la clé du mystère.

– Je peux ? dit Jacques en s'asseyant de biais sur la chaise longue. Je ne me sens pas encore bien vaillant... Comme ça, les découvertes de mon père ont guidé vos travaux ? Je suis heureux de te l'entendre dire ! N'empêche que sa contribution à l'avancement de la psychosynergie n'a jamais été reconnue, même si M. Léopold soutient que la presse a mal rapporté les déclarations de d'Aquino à ce sujet, après l'échec du congrès de San Francisco.

Le visage d'Élisabeth s'empourpra. Elle prit une brusque inspiration pour répliquer mais réussit à maîtriser son indignation et, déchaussant ses lunettes d'un geste brusque, s'assit en tailleur aux pieds de Jacques, en posant cavalièrement le menton sur son genou droit.

– L'avancement de la psychosynergie ! dit-elle avec une ironie triste. Comme si tu ne savais pas que la plupart des milieux scientifiques nous tiennent pour morts et enterrés ! Nous avons passé sous silence une découverte capitale d'Alexander, je te l'accorde, mais ne vois-tu pas que cette consigne de *low profile* s'est appliquée aussi bien à nos propres travaux ? Nous n'avons rien publié depuis dix ans, c'est vrai, mais tu sauras que ce fameux congrès a été un fiasco pour la bonne raison que Jorge en a décidé ainsi !

Troublé par la posture équivoque d'Élisabeth, Jacques lança un coup d'œil vers l'entrée du laboratoire, craignant que quelqu'un n'entre à l'improviste.

– Une « découverte capitale » ? Première nouvelle ! J'ai toujours cru que la controverse portait sur des divergences scientifiques ou philosophiques...

– Je parle trop, Petit Prince, alors *basta !* Et toi, tu ne poses plus de questions ! Jorge m'a demandé d'attendre quelques jours avant de te mettre au parfum. J'ai promis, car je crois deviner son calcul : il a besoin de ton aide, et il pense que tu la lui apporteras plus efficacement si tu découvres cette vérité par toi-même.

– Je n'en crois pas un mot ! Mais ça n'a pas d'importance, car je suis décidé à aller au bout de mon enquête ! Dis-moi au moins en quoi ses travaux ont aidé tes recherches...

– D'accord, mais je dois simplifier, sans quoi nous serons encore ici demain matin !

Elle se recueillit, et les rides qui cochaient la racine de son nez témoignèrent que la simplification annoncée était une opération plutôt complexe. Enfin, redressant la tête et prenant la main de Jacques, elle expliqua qu'on connaissait depuis longtemps l'activité électrique de la surface de l'encéphale, mais qu'on ne savait pas grand-chose du rôle des régions sous-corticales dans l'organisation de la pensée – et qu'on ignorait pratiquement tout des liens qui existaient entre les affects inconscients et l'intelligence dite supérieure.

Jorge d'Aquino n'avait pas attendu d'émigrer aux Etats-Unis pour s'intéresser à ce qui se passait dans les profondeurs du cerveau, et chercher à saisir la nature de la contribution des zones centrales à l'activité intellectuelle globale. Son installation en Californie lui avait fourni les moyens de progresser dans ses recherches, et il avait réussi à convaincre le père de Jacques de venir poursuivre ses propres travaux au Bateson Institute, pour y pratiquer notamment cette intervention neurochirurgicale qui l'avait rendu célèbre.

– La rencontre de deux personnalités aussi fortes ne pouvait que produire des étincelles ! dit Élisabeth, les yeux humides. Et moi, j'étais entre les deux, entre le père spirituel et l'amant ! Note qu'ils avaient l'un pour l'autre une grande estime professionnelle, et même une certaine amitié, mais ton père supportait mal les silences de Jorge, il le soupçonnait de garder des cartes dans sa manche, de poursuivre des buts connus de lui seul. Quoi qu'il en soit, ils avaient besoin l'un de l'autre, ton père pour améliorer l'efficacité de sa technique, Jorge pour explorer ce qui était encore une *terra incognita* dans le cerveau de l'homme !

Elle ajouta que l'intervention mise au point par Alexander avait entraîné chez certains patients d'inexplicables séquelles neurologiques. Pour en comprendre l'étiologie, il avait été décidé de profiter d'une prochaine opération pour implanter des microsondes dans ces zones cérébrales qui, jusque-là, avaient été inaccessibles à l'investigation des chercheurs.

– Gertrude Glück ? dit Jacques.

Élisabeth tressaillit et dit en se rembrunissant :

– Pourquoi me laisses-tu parler, si tu es déjà si bien renseigné ? C'est vrai, Gertrude a été la seconde patiente que ton père a opérée selon cette nouvelle procédure. A présent, il faut que tu saches que, depuis cette époque, la technologie a fait des progrès extraordinaires et que, de notre côté, nous savons de mieux en mieux ce que nous cherchons ! On n'a plus besoin d'un scalpel pour aller voir ce qui se passe dans le cerveau humain. Tu regardais notre équipement tout à l'heure...

Elle se leva et fit le tour des appareils, en les présentant l'un après l'autre avec une sorte de fierté amusée. L'électro-encéphalographe servait à l'enregistrement de l'activité électrique du cortex, la caméra à positron mesurait le métabolisme glucidique, le scanner à rémanence visualisait la myelino, le Doppler détectait les champs vibratoires et le canon à résonance magnétique de haute intensité recueillait l'écho des ions cellulaires, pour dresser une coupe anatomique en relief du cerveau.

– Ces instruments se retrouvent dans la plupart des hôpitaux spécialisés en neurologie, dit-elle en haussant les épaules, comme pour l'inviter à ne pas se laisser impressionner par ce jargon scientifique. L'originalité de notre approche est de les utiliser simultanément, de provoquer une sorte de cacophonie et de fournir l'ensemble des données recueillies à un ordinateur, qui les interprète à l'aide d'un logiciel que nous avons conçu au Berghof, et que nous perfectionnons sans cesse depuis cinq ans. Le résultat est assez spectaculaire, Petit Prince, soit dit en toute modestie ! Aimerais-tu voir ce qui se passe dans ta tête quand tu réfléchis ?

– Évidemment ! Je ne suis peut-être pas démonstratif, mais tout ça m'intéresse au plus haut point !

– Pas démonstratif, et quoi encore ? ! On ne t'a jamais dit que tes yeux parlaient pour toi, Petit Prince ?

Elle se releva avec souplesse et s'affaira à des réglages sur les panneaux de contrôle. Secrètement soulagé par la rupture de leur tête-à-tête, il se demandait avec confusion comment interpréter sa dernière remarque. Se doutait-elle qu'il avait été davantage troublé par le mouvement de ses lèvres que par les paroles qu'elles articulaient ? Il avait résisté à l'impulsion d'avancer la main pour lui caresser les cheveux, moins par crainte de sa réaction que parce qu'il appréhendait de sentir sous le coussin soyeux des boucles brunes la matière osseuse de son crâne. Était-ce l'ambiance du laboratoire, ou leur conversation ? En la regardant, il imaginait la masse grisâtre du cerveau contenu dans cette tête si proche, les circonvolutions du cortex et, dans les profondeurs, les couches primitives enveloppant le noyau mystérieux des origines.

– Étends-toi et détends-toi ! dit-elle en remettant ses lunettes, qui étaient restées suspendues à son cou par un cordonnet noir. Nous n'allons pas interférer sur l'activité de ton cerveau, mais simplement la détecter et l'enregistrer. Tu ne sentiras rien.

Avec des gestes précis, ni brusques ni doux, elle lui enserra la tête dans un casque fait de lanières élastiques entrecroisées, et il perçut la pression des électrodes sur son front et à divers points de son cuir chevelu. Tout en complétant les préparatifs, elle lui expliqua que le résultat de l'examen serait une interprétation arbitraire de la réalité, et non la réalité elle-même.

– Imagine le tableau d'un peintre impressionniste, dit-elle, d'un ton qui lui laissa deviner qu'elle n'utilisait pas cette analogie pour la première fois. L'œuvre est composée d'une série de points ou de taches de différentes couleurs, qui n'ont de signification que considérés les uns par rapport aux autres, dans l'arrangement décidé par l'artiste. Et le résultat n'est pas la reproduction photographique de *La Grenouillère* ou du *Pont de Courbevoie*, mais une vision toute personnelle. Il n'empêche que l'analyse de l'œuvre nous apportera une quantité d'informations objectivement valables sur une époque donnée, un mode de vie, une sensibilité... Comprends-tu où je veux en venir ? Grâce à la programmation dont nous l'avons doté, et à sa banque de données qui s'enrichit à chaque nouvelle utilisation, notre ordinateur travaille comme le pinceau du peintre par rapport à la réalité objective : il combine des informations ponctuelles pour donner de l'activité cérébrale une image artificielle, certes, mais pleine d'enseignement pour le spécialiste.

– Quand j'étais enfant, j'avais toujours l'impression d'embarrasser les gens en posant les questions les plus simples, dit Jacques. Au Bateson, tu étais la seule personne capable de m'expliquer clairement la nature du travail de mon père et des autres collaborateurs de d'Aquino. Tu n'as pas perdu la main !

– Merci ! Es-tu prêt ? Alors regarde cette photographie et essaie de découvrir les oiseaux sur les arbres ou dans les taillis. Mais, en même temps, reste conscient de ta respiration, de façon à la maintenir bien régulière...

Sur le plafond blanc, Jacques vit apparaître la projection en couleurs d'un sous-bois ensoleillé, et s'efforça de suivre les consignes d'Élisabeth. Puis la diapositive s'effaça et fut remplacée par un texte en gros caractères :

VOUS POUVEZ DÉCOUVRIR LES LIENS DE PARENTÉ
QUI UNISSENT PAUL AU JUGE, SACHANT QUE :
LA FILLE DE LA CANTATRICE EST LA MÈRE DE PAUL ;
LE PÈRE DU JUGE CÉLIBATAIRE EST MARIÉ ;
JEANNE EST LA FILLE DE GEORGES ;

LE CURÉ EST LE PETIT-FILS DE SON PROPRE PÈRE ;
ISABELLE EST L'ÉPOUSE DU DENTISTE.

– Je vois, dit Jacques en souriant. Et j'ai combien de temps ?

– Tout le temps que tu désires, dit la voix d'Élisabeth derrière lui. La seule chose qui nous intéresse, c'est de faire travailler les fonctions logiques de ton intelligence à plein régime. Que tu prennes une minute ou une heure pour trouver la réponse n'a aucune importance.

« Elle dit ça pour me mettre à l'aise, pensa-t-il, pour atténuer l'influence du facteur d'inhibition sur ma performance. » Malgré ce soupçon, les paroles d'Élisabeth exercèrent sur lui un effet de détente, et il s'attaqua résolument au problème posé. Pendant son adolescence, il avait fait partie d'un groupe d'*aficionados* de *Dungeons and Dragons*, où ce genre d'énigmes à tiroirs étaient très prisées, aussi ne fut-il pas pris au dépourvu par la tâche à remplir. « D'abord, établir les catégories, pensa-t-il. Les noms, évidemment, ensuite les liens familiaux, puis les professions. Combien de personnages ? Paul, Jeanne, Georges, ça fait trois, et Isabelle, quatre. Donc, probablement quatre professions aussi, une pour chacun... C'est ça : *cantatrice, juge, curé* et *dentiste*. Bon, c'est maintenant que ça se corse. Voyons, il y a deux femmes, l'une est évidemment la cantatrice, mais l'autre ? Ah, je vois l'astuce ! L'autre ne peut pas être le curé, elle est donc soit le dentiste, soit le juge. Pas de féminin à *juge* ? Non. Et qu'est-ce que c'est que cette histoire de curé qui est le petit-fils de son propre père ? Zut, j'ai perdu le fil, je n'arriverai nulle part sans un crayon et un bout de papier ! » Il reprit le chapelet de ses déductions depuis le début, mais pour avancer il était contraint de mettre en suspens une conclusion provisoire pour explorer deux hypothèses concurrentes, et l'infirmation de l'une entraînait l'annulation de l'autre, ainsi qu'une série de remises en cause des premiers acquis – et bientôt il sentit que son cerveau renâclait devant l'effort qui lui était demandé, ses yeux lisaient et relisaient des phrases que son esprit excédé se refusait à comprendre, *la fille de la cantatrice est la mère de Paul*, donc... Donc quoi ? Il détourna le regard du plafond, pour refaire ses forces.

– On peut arrêter là, dit Élisabeth, nous avons assez de matériel pour les besoins de la démonstration. L'investigation complète prend trois ou quatre heures.

Elle débrancha rapidement les fils multicolores qui reliaient le casque souple à l'électro-encéphalographe, puis écarta les deux caméras qui avaient été pointées en direction de la tête de Jacques. Celui-ci se leva trop vite de la chaise longue et dut se retenir pour ne pas tomber.

– Ce n'est rien, un étourdissement, dit-il, le souffle court. Montre-moi plutôt ce que tu as enregistré...

Elle lui fit signe de la suivre dans une autre partie du laboratoire. Ils s'assirent sur de hauts tabourets de bois, face à un grand écran légèrement concave, où était projetée en couleur l'image synthétique d'une sphère à la transparence irisée, qui aurait pu être l'agrandissement d'une bulle de savon. Élisabeth tapa une série de commandes sur le clavier d'un terminal et des foyers incandescents apparurent çà et là sur la membrane de la sphère.

– Au début de l'enregistrement, ta réflexion consciente était minimale, dit-elle. Ton esprit poursuivait une tâche d'observateur extérieure à lui-même, qui t'empêchait en quelque sorte de réfléchir...

– Les oiseaux dans la forêt ! murmura-t-il.

Les taches lumineuses s'agrandirent en gagnant en intensité, puis se propagèrent rapidement, comme une succession de courts-circuits se renforçant les uns les autres.

– Qu'est-ce que c'est ?

– C'est ton cerveau qui s'embrase, dit Élisabeth. Comme tu le sais, il n'y a pas de localisation unique de l'intelligence : quand les fonctions spéculatives sont sollicitées, c'est tout le niveau cortical qui participe à l'élaboration de la réponse.

Elle ajouta qu'après la mise à feu initiale des circuits neuronaux, déclenchée par le problème qui lui avait été posé, une organisation croissante allait se manifester dans l'activation des synapses et le bourdonnement dendritique. Et, en effet, il put bientôt suivre sur l'écran le courant des impulsions libérées par les neurotransmetteurs, dont le passage dans les divers secteurs associatifs faisait penser à la vague d'ondulation d'un champ de blé sous le souffle du vent.

– Je me sens comme un petit garçon qui est en train de préparer une surprise, dit-il en se levant de son tabouret, et voilà qu'une grande personne s'approche dans son dos et regarde par-dessus son épaule. C'est idiot, ça n'a aucun rapport avec ce que tu viens de me montrer...

Il resta un moment silencieux, posant sur l'écran un regard lointain, cherchant à mettre de l'ordre dans ses pensées. Pourquoi se remémorait-il soudain la morsure qui était à l'origine de sa peur phobique des chiens ? Il avait perdu beaucoup de sang à cette occasion, se dit-il, et la plaie ouverte lui avait laissé entrevoir pour la première fois l'*intérieur* de son corps, les fluides qui y circulaient à son insu, les tendons et les chairs contenus dans la gaine protectrice de la peau. Le lien entre cet accident et la démonstration à laquelle il venait d'assister lui apparut alors en évidence. Jusqu'à ce jour, il avait considéré ses pensées et ses émotions comme des émanations purement psychiques, les produits immatériels d'une entité nommée « esprit » ou « intelligence », qui n'avait pas de domicile fixe au sein de son organisme. Ce qu'il connaissait du fonctionnement du cerveau et du système nerveux lui permettait certes d'avoir une vue plus rationnelle des processus électriques et chimiques qui constituaient sa pensée, mais une telle explication n'avait jamais été qu'une pièce rapportée sur une sorte de magma cérébral, sans substance ni contour. Où situer le caractère, les instincts, les sentiments ?

Bien qu'Élisabeth l'eût averti que les images synthétiques produites par l'ordinateur n'étaient qu'une interprétation arbitraire de l'activité de son cerveau, il se sentait en état de choc. L'essence de sa personnalité, le noyau secret et unique de son être pouvait-il vraiment se réduire à ce feu d'artifice impressionnant et dérisoire, à ces infimes courants électriques, à cette alchimie microscopique ? Il éprouvait la sensation d'avoir été la victime consentante d'un viol, mais l'humiliation qu'il en ressentait était adoucie, et presque contredite, par la sorte de jubilation intense et irraisonnée qui lui gonflait le cœur. Il eut envie de dire à Élisabeth : « Je viens de comprendre que tout espoir n'est pas perdu pour l'humanité ! » Il s'en abstint en pressentant qu'il serait incapable d'expliquer la signification d'une parole aussi grandiloquente.

– Je suppose qu'on a utilisé la même technique pour étudier l'intelligence de Katja, dit-il. Le résultat a dû être spectaculaire !

– Tiens donc ! répondit Élisabeth avec un sourire ironique. Tu lui as à peine parlé, et déjà tu t'intéresses à elle ! Je t'aurai prévenu ! Spectaculaire, dis-tu ? Attends, tu vas juger par toi-même !

Elle fit courir ses doigts dans le tiroir d'un petit classeur métallique, sortit une disquette qu'elle glissa dans la lectrice de l'ordinateur, avant de pianoter sur les touches du clavier. Puis elle se leva avec une exclamation étouffée et se plaça devant Jacques pour l'empêcher de voir la fiche qui était apparue sur l'écran géant, et où il avait eu le temps de lire le nom de Katja Van Katwijk.

– On n'est jamais assez attentif ! murmura-t-elle, mécontente d'elle-même. Sois gentil, Petit Prince, tourne-toi, il y a là des renseignements confidentiels.

Il fit face aux fenêtres du laboratoire, avec l'impression irritante de se plier à l'arbitraire d'un jeu de société. La requête d'Élisabeth obéissait peut-être aux simples exigences du secret professionnel ; néanmoins, il eut l'intuition qu'elle visait à lui cacher certaines informations précises, qui auraient trahi la véritable fonction du masque blanc. Entre les lattes horizontales des stores intérieurs, il vit le sous-bois ensoleillé qui tapissait la propriété en contrebas du Berghof. De la grande terrasse, on n'apercevait que la futaie des arbres, et le point de vue qu'il en avait à présent lui fit penser à cette visite d'un musée océanographique, faite autrefois en compagnie de son père sur la côte californienne, et à l'oppression ressentie dans les salles d'observation vitrées aménagées au-dessous du niveau de la mer. « Tout à l'heure, j'irai me promener dehors, pensa-t-il. Je suis resté trop longtemps enfermé ici, j'ai besoin d'espace et de solitude ! »

– C'est prêt ! dit la voix d'Élisabeth dans son dos.

Il se retourna et vit sur l'écran la projection d'une sphère semblable à celle qui, quelques instants plus tôt, figurait l'enveloppe de son propre cerveau. Il guetta l'instant où ce ridicule problème de juge et de cantatrice serait soumis à l'intelligence de Katja, et crut qu'Élisabeth l'en avertissait quand elle pointa un scintillement plus brillant dans le frémissement lumineux des synapses. L'éclat de diamant disparut presque aussitôt, sans déclencher de surcroît d'activité.

– Mais il ne se passe rien ! dit-il, déconcerté.

Elle interrompit la projection de l'expérience et lui adressa un petit salut, à la manière d'un prestidigitateur après une passe d'escamotage.

– Il ne se passe *plus rien*, dit-elle. Tu as vu comme moi la vibration du champ neuronal au point d'entrée de l'information. Ensuite, contrairement à ce qui s'est produit chez toi, plus trace d'activité autre que celle de la réflexion résiduelle. Aucune modification de l'électro-encéphalogramme, pas de variation du débit sanguin cérébral ni de la pression intracrânienne, la consommation d'oxygène et le métabolisme glucidique restent stables, et...

– Katja n'était pas intéressée à résoudre ce genre de casse-tête, voilà tout !

– Je me suis mal expliquée, dit-elle. Elle avait à peine fini de lire l'énoncé du problème qu'elle en a donné la réponse exacte ! Tu connais cette expression qui dit que « la réponse est contenue dans la question » ? Cette façon de parler est acceptable au plan philosophique, mais la neurobiologie est une science qui ne croit pas à la génération spontanée. Même si la réponse était dans la question, ton cerveau devrait quand même travailler pour aller l'en extraire ! Ah, Petit Prince, cette intelligence de Katja, qui *trouve sans chercher*, m'a coûté bien des cheveux gris et des nuits blanches, crois-moi !

Elle expliqua que le génie de Katja, qui procédait de l'intuition, se manifestait en télescopant les étapes du raisonnement, jusqu'à abolir la notion même du temps. Comme les points d'entrée et de sortie de la réflexion semblaient se situer au même niveau topographique sur le cortex, elle avait affiné son investigation et tenté d'enregistrer l'activité de cette seule zone vibratoire, en captant le frémissement des axones et des dendrites, et le passage de l'influx des ions Na et K, dans ce qu'elle appelait « le petit ballet des électrons ». Les instruments recevaient effectivement, à une fréquence donnée, un champ de résonance stable. En jouant avec les ouvertures de la fenêtre vibratoire, et après des jours de mise au point, d'épreuves et de contre-épreuves, elle avait finalement distingué au même endroit un autre niveau de vibration : au site et à l'instant de la *question*, la *réponse* se manifestait, mais dans une harmonique infiniment supérieure.

– Sais-tu comment j'ai réussi à faire travailler le cerveau de Katja de façon plus conventionnelle ? Simplement en lui demandant de formuler les étapes du raisonnement qui l'avait conduite à la bonne réponse. Tu aurais dû voir son impatience ! Elle était comme un champion olympique de saut en hauteur à qui on aurait dit : « Recommencez donc votre exploit, mais au ralenti ! » Tu ne souris pas ?

– Excuse-moi, j'avais l'esprit ailleurs... Les recherches auxquelles tu travailles me donnent tout à coup la chair de poule ! Je commence à comprendre pourquoi vous vous êtes faits si discrets au fil des années. Franchement, Élisabeth, n'es-tu pas effrayée par l'usage qu'on pourrait faire de vos découvertes ? Tu me disais tout à l'heure que...

– Tais-toi, Petit Prince ! dit-elle avec émotion, en portant la main à la commissure de sa bouche. Je crois entendre Alex, il utilisait les mêmes mots, avec la même intonation ! Non, je ne suis pas effrayée, en tout cas pas dans le sens où tu l'entends. Mais j'ai parfois le sentiment d'être *écrasée*, c'est vrai !

Elle s'assit à nouveau devant la console de l'ordinateur et programma une série d'instructions, puis régla les curseurs d'un amplificateur, en demandant à Jacques s'il voulait entendre le cliquetis des rouages de son cerveau.

– Tu ne crois pas que j'en ai eu pour mon argent ? dit-il, mi-figue, mi-raisin. Ça ne fait rien, allons-y pour les clics et les claques !

– Avec de l'eau, on peut produire de la glace ou de la vapeur, reprit-elle. Le matériau de base est le même, c'est le traitement qu'on lui fait subir qui est différent. Tantôt, l'ordinateur a emmagasiné les données de ton activité cérébrale, et il les a restituées sous une forme graphique, en reproduisant par des traits lumineux des processus électrochimiques. Mais son logiciel peut aussi bien interpréter ces mêmes données sous une forme sonore, par exemple en assignant une fréquence spécifique à chaque rythme de l'encéphale, et en proposant l'équivalent audible des diverses pulsations neuronales. Voici ce que ça donne...

Elle mit le magnétophone en marche et un singulier concert de craquements de grande amplitude, de modulations sifflantes et de vagues en puissants rouleaux s'abattant lentement sur une plage de fin gravier éclata dans la grande salle.

– J'ai déjà entendu cette musique, cria-t-il. D'Aquino était en train de la faire jouer quand je lui ai rendu visite dans son laboratoire.

– Ça m'étonnerait ! répondit-elle en retrouvant sa moue espiègle. Ce n'était pas plutôt cette partition ?

Elle changea rapidement de cassette et remit l'appareil en marche. L'étrange musique s'éleva à nouveau, plus vaste et plus majestueuse que le précédent morceau, mais de même écriture. Jacques attendit la fin de l'impressionnant vacarme pour reprendre la parole.

– Quand j'ai dit que d'Aquino écoutait le même enregistrement, je ne pensais pas à l'activité de mon cerveau ! expliqua-t-il avec une irritation contenue. Je suppose que tu m'as fait entendre ce qui se passait dans la tête de Katja, comme point de comparaison...

Elle lui lança un regard oblique, dont l'intensité le fit tressaillir. Ses lèvres gardaient encore l'empreinte de son sourire ironique, mais une angoisse inconnue troublait ses yeux sombres.

– Tu te trompes, Katja n'est pas en cause ici, dit-elle d'une voix changée. Ces fréquences proviennent de la constellation du Cygne, elles ont été captées par l'un des plus puissants radiotélescopes du monde, celui du mont Vernon. C'est le chant des étoiles, Petit Prince, la respiration du cosmos ! Quand je l'ai fait entendre à Jorge pour la première fois, il m'a cité un proverbe gnostique : *« Il pense dans l'univers comme il pleut. »*

– Il me l'a dit à moi aussi ! murmura Jacques. Je l'avais oublié, parce que je n'y avais rien compris.

6

Katja était debout dans le corridor au linoléum luisant, portant de ses deux mains gantées le plateau du petit déjeuner. Un fond de guitare l'accompagnait, diffusé en sourdine par les haut-parleurs invisibles de l'étage. Jacques, en tee-shirt et en slip, avait entrouvert la porte.

– C'est très gentil ! dit-il avec un sourire hésitant. Mais je me sens assez bien maintenant pour prendre mes repas en bas avec tout le monde !

– Je le sais, dit-elle de sa voix au timbre délibérément voilé. Seulement la salle à manger est fermée jusqu'à midi.

– Fermée ? Et pourquoi ? Ne me dites pas qu'il est passé neuf heures ! (Il se tourna pour jeter un coup d'œil au réveil posé sur la table de chevet.) Incroyable, j'ai dormi treize heures d'affilée ! Permettez, je vais vous débarrasser...

Il lui prit le plateau des mains et, s'excusant du désordre de la chambre, l'invita à entrer. Elle refusa en secouant silencieusement la tête, sans pour autant amorcer de mouvement de retrait. « Je n'entre pas, semblait-elle dire, mais je ne pars pas non plus ! »

Il alla poser son petit déjeuner sur une chaise. Pourquoi avait-il parlé de désordre ? A part le lit défait, la pièce témoignait comme à l'habitude de son besoin compulsif d'assigner une place à chacune de ses affaires. En revenant vers la porte, il hésita à passer derrière le paravent pour enfiler ses jeans. Il n'était pas prude, cependant il éprouvait une vague sensation d'exhibitionnisme en présence de cette femme figée, à la mise si singulière. Elle avait troqué ce matin sa tunique blanche pour une robe longue, d'un bleu fané, fermée au col par une guipure passée de mode, et dégagé ses épaules en relevant les lourds rouleaux de sa chevelure claire, ce qui renforçait l'effet saisissant du masque inexpressif, étroitement ajusté au visage. Jacques eut toutefois l'intuition que cet accessoire n'était pas la raison déterminante de l'aura d'étrangeté qui nimbait cette femme dont il ne savait presque rien, hormis que son intelligence « trouvait sans chercher », et que sa pensée se cristallisait dans son cerveau avec une intensité de supernova. Non, le masque était chez elle un artifice destiné à estomper la véritable cause de son mystère. La curiosité était déroutée par ce visage impavide et, en s'y attardant, négligeait d'interroger ce *quelque chose* d'autre qui l'avait pourtant alerté au premier contact.

– J'ai retrouvé votre lettre hier soir en triant mes papiers, dit-il gauchement. Pour quelqu'un dont le français n'est pas la langue maternelle, vous vous débrouillez remarquablement bien !

Un petit rire triste de fond de gorge accueillit cette appréciation littéraire. « Quelle gaffe ! pensa-t-il avec dépit. Autant lui dire que j'ai laissé traîner sa lettre comme un vulgaire chiffon ! Elle doit me trouver vraiment *limité*... Il faudra que je me procure une copie de cette charade sur la cantatrice et le curé. Je suis sûr de pouvoir la résoudre en quelques minutes, encore que je risque de bloquer net si je me dis qu'elle a trouvé la réponse en moins d'une seconde ! »

– Le facteur a délivré ce matin un télégramme pour le Dr Frankenthal, dit Katja.

Il ne comprit pas pourquoi elle lui donnait cette information sur un ton qui semblait attendre une réaction de sa part, aussi se borna-t-il à hocher la tête d'un air entendu, en lui disant qu'il descendrait dans le grand hall dès qu'il serait prêt. Elle fit un pas en arrière et il referma la porte sur elle, tendant l'oreille pour savoir si elle s'éloignait ou si elle était restée immobile à l'attendre dans le corridor sombre, en compagnie de ce solo de guitare qui n'en finissait pas.

En s'asseyant par terre devant son petit déjeuner, il trouva une enveloppe enroulée dans la serviette de toile, et en sortit deux feuillets aux bords déchiquetés à l'imitation d'un vieux parchemin.

CECI EST MON TEST-AMANT

A QUOI PENSAIS-JE AVANT DE PENSER À TOI ?
A QUOI PENSÉ-JE AVANT DE ME DÉPENSER POUR TOI ?
UNE TEMPÊTE A LEVÉ DANS MON CŒUR,
C'EST TON SOUFFLE QUE J'AIMERAIS RETENIR,
TES SILENCES QUE JE VOUDRAIS ENTENDRE.

JE VEUX TANT TE DIRE,
JE VEUX TOUT TE DIRE,
JE VEUX ME DIRE,
DANS TOUS MES SENS DU MOT,
C'EST-À-DIRE...
LE MAL DES MOTS, LE MAL D'AIMER,
UN MÂLE, DES MAUX.
ET MOI ? RIEN QU'ÉMOIS.
ET TOI ? RIEN QU'ÉTOILES.
JE RÊVE D'IMMOBILITÉ,
DE REGARDS SILENCIEUX ET RALENTIS,
JE RÊVE DE GESTES CALMES ET RASSURANTS,
DE SOLEILS DOUX ET DE LUNES RONDES.
J'IMAGINE UNE CHAMBRE BLANCHE AVEC DE GRANDES FENÊTRES
AUX LONGS RIDEAUX BLEUS CARESSÉS PAR UN VENT CHAUD.
JE VOIS DES IMMORTELLES BLEUES,
AU PIED DU LIT AUX DRAPS FROISSÉS,
DANS LA TIÉDEUR DE L'OREILLER JE PEUX GOÛTER
CET AMOUR CLAIR-OBSCUR,
CET AMOUR DOUX-AMER,
CETTE JOIE SAUVAGE ET FAMILIÈRE,
QUAND NOS CORPS FONT DES VAGUES À L'ÂME,
QUAND TA PRÉSENCE EST DOUCEUR,
ET TON ABSENCE MÉLANCOLIE.
OUI JE VEUX M'ENDORMIR DANS TES BRAS,
EN RÊVANT QUE NON JE NE RÊVE PAS.

Jacques posa sur le lit cette lettre que Katja avait calligraphiée en caractères majuscules, dans son étrange volonté de déguiser jusqu'à sa propre écriture. « Cette femme est folle ! » se dit-il, et il répéta sa pensée à mi-voix pour tenter de couvrir le remue-ménage que le poème provoquait en lui.

***

Tadeus Bubenblick l'interpella alors qu'il traversait le grand hall et, la tête fendue par son sourire colossal, l'informa que la succursale du Crédit suisse à Davos avait téléphoné pour laisser un message à l'intention de Herr Carpentier.

– Quelque chose est arrivé pour vous du Canada, dit-il avec un regard angéliquement bleu, d'une discrétion redoutable. Quand vous voulez, vous passez à la banque ce matin avec votre passeport, c'est pour la sécurité, *nézebas* ? Attendez une fois, j'ai là un bout de papier pour vous sur la personne que vous devez parler avec au guichet !

Il extirpa de sa poche une enveloppe usagée, à l'endos de laquelle il pointa un nom hâtivement écrit au crayon rouge.

– Ça tombe bien, dit Jacques, j'ai d'autres choses à faire à Davos. Quel est le plus court chemin pour y aller ?

M. Léopold, qui traversait le hall à l'instant en compagnie de Teresa Vincenti, fit un crochet pour les saluer avec cérémonie. Derrière la loupe de ses lunettes, son œil gauche scrutait le jeune homme avec une attention sévère.

– Heureux de vous retrouver sur pied, mon jeune ami ! dit-il. J'entends que vous projetez de descendre à la station, et à ce sujet je vous signale qu'en montagne une chose telle que *le chemin le plus court* n'existe pas ! Tout dépend de votre entraînement, et si vous parlez en termes de temps ou de distance. Puis-je vous offrir de vous accompagner ? Je dois me rendre moi-même à Davos ce matin.

– Avec plaisir, dit Jacques.

A sa surprise, il disait vrai. Ce M. Léopold lui semblait toujours aussi tragiquement dépourvu de tout sens de l'humour, et son ton de dialecticien pointilleux l'agaçait autant qu'à leur première rencontre. Pourtant, il ressentait pour lui une sympathie grandissante.

Ils sortirent sur la terrasse éclatante de soleil et prirent le chemin de gravier qui descendait en pente raide le long du mur de fondation de l'ancien sanatorium. Les touffes d'herbes drues qui nichaient dans les interstices des blocs de pierre étaient piquées de petites fleurs courtes sur tige, aux pétales d'un jaune insolent. Marchant en silence dans une brise tiède et odorante, ils s'engagèrent sur un large sentier de terre battue, à l'orée de ce petit bois qu'on apercevait des fenêtres du laboratoire de Jorge d'Aquino. En se retournant, Jacques fut saisi par la perspective en contre-plongée des bâtiments du Berghof, dont les dimensions se révélaient plus vastes et plus imposantes qu'elles ne lui étaient apparues avant cet instant. La partie centrale, crépie de blanc, dépassait d'un étage les deux ailes latérales, déployées comme la pointe d'une flèche dans le flanc de la montagne. Une tourelle trapue la surmontait, coiffée d'ardoises bleutées. Son attention fut attirée, comme au lendemain de son arrivée, par l'horloge aveugle au fronton de ce semblant de clocher. Les aiguilles en avaient été supprimées sur l'ordre de Jorge d'Aquino, dont l'aversion pour les montres et les pendules fournissait déjà la matière d'innombrables plaisanteries au Bateson Institute. Il sourit en faisant pour la première fois le lien entre cette phobie et le pays que le père de la psychosynergie avait choisi pour ultime retraite.

M. Léopold s'arrêta subitement et, le retenant par le bras, lui désigna du bout de sa canne une scène surprenante. A une vingtaine de pas en retrait du sentier, à demi caché par les buissons, Ado Hobayashi se tenait debout, immobile, les bras écartés dans une pose messianique. Une biche glissa entre les sapins et avança sans bruit, jusqu'à venir poser la tête contre sa poitrine.

– Ne me demandez pas d'explication, prévint M. Léopold à voix basse, en reprenant tranquillement sa marche. M. Hobayashi est un de nos collaborateurs émérites, mais il ne communique pas aisément avec ses congénères de l'espèce humaine. Le voudrait-il que lui-même serait probablement en peine de nous éclairer sur la nature de son don exceptionnel. Car il ne s'agit pas de dressage, vous l'aurez compris ! Il n'apprivoise pas les animaux par de la nourriture ou des appâts quelconques, il se contente de leur parler ! Le cas est certes rare, mais non sans précédent. Saint François d'Assise n'est pas une légende, et les documents d'époque regorgent de descriptions éloquentes à son sujet.

Jacques lui avait emboîté le pas, mais ne put s'empêcher de se retourner plusieurs fois en s'éloignant.

– Ce n'est pas seulement extraordinaire, dit-il en cherchant ses mots, c'est une scène qui me... Vous voyez, cet animal si confiant, et ce bonhomme tout en noir avec ses bras en croix. Je... je trouve ça très émouvant !

Pour toute réponse, M. Léopold fit entendre une petite quinte de toux sèche. Il marchait à présent en regardant le sol, comme s'il craignait de trébucher sur une pierre ou une racine. Jacques s'interrogea sur la signification de son silence. Mais, après tout, que lui importait que l'autre le jugeât naïf ou sentimental ?

– J'aimerais vous poser une question assez délicate... au sujet d'une pensionnaire du Berghof, Mlle Vincenti. Je l'ai vue l'autre soir à l'infirmerie, au moment où elle recevait les soins de Schwester Ursula.

M. Léopold murmura « Oh, oh ! », puis écouta sans broncher le récit du jeune homme, et les raisons pour lesquelles celui-ci s'était pris à douter de l'exactitude de son souvenir.

– Non, vous n'avez pas rêvé, mon jeune ami ! Vous avez toutefois sauté trop vite à la conclusion que Teresa Vincenti a voulu attenter à ses jours. La pauvre âme serait bien incapable de seulement imaginer une telle issue ! Avant de vous donner la clé de cette petite énigme, permettez-moi une digression, dont l'à-propos ne vous sera pas tout de suite évident. Imaginez que je coupe devant vous un gros citron bien juteux, et vous demande de le lécher à pleine langue. Remarquez-vous que cette évocation a provoqué une crispation de vos mâchoires ? Pourtant, je n'ai rien dans les mains ni dans les manches ! Mais la seule image du citron dans votre esprit est suffisante pour entraîner la contraction de vos masséters, la rétraction de votre langue et l'accroissement de votre salivation !

Ils étaient arrivés à une croisée de chemins, et M. Léopold désigna un petit écriteau jaune vif, qui était placardé contre un tronc de sapin et pointait en direction de la vallée : DAVOS PLATZ – 1/4 STUNDE.

– Regardez cette lettre ! dit-il en posant l'extrémité de sa canne sur l'O de DAVOS. Les muscles de votre larynx viennent de se contracter pour donner à votre glotte l'ouverture appropriée à l'émission du son associé à cette lettre, quand bien même vous n'aviez pas l'intention de la prononcer. Nous pourrions multiplier les exemples – et vous noterez que je me suis abstenu d'en emprunter au chapitre de la sexualité – pour démontrer que l'activité de votre pensée, consciente ou inconsciente, est à même de déclencher des réactions physiologiques observables et mesurables.

Jacques lança un rapide coup d'œil à son compagnon, en se demandant si l'expression de sa physionomie était aussi sérieuse que l'intonation de sa voix.

– Dans certains cas exceptionnels, l'influence de l'esprit sur l'organisme dépasse de loin ces faits d'observation courante, et se traduit par des phénomènes qui défient la raison. Si on applique sur le bras d'un sujet en état d'hypnose un cube de glace en lui disant qu'il s'agit d'un fer chauffé à blanc, on verra apparaître sur sa peau les marques caractéristiques d'une brûlure au troisième degré. Mais cela est peu de chose en regard des symptômes extraordinaires présentés par des personnes comme Mlle Vincenti, qui paraissent être à première vue aussi normales que vous et moi... Vous avez compris où je voulais en venir : notre amie Teresa est une stigmatisée.

Trois promeneurs avaient débouché devant eux au détour du sentier et, en les croisant, leur adressèrent la même salutation : *« Grüetzi mitenand ! »* Jacques se dit qu'ils connaissaient M. Léopold, puis comprit qu'il s'agissait plutôt d'une coutume de la région, et en fut secrètement touché. « Mais qu'est-ce qui m'arrive ? pensa-t-il. J'ai l'émotion à fleur de peau... D'abord Katja avec son poème, puis le Japonais avec sa biche, et maintenant ces braves gens qui nous disent bonjour au milieu de la forêt... »

– Une stigmatisée ? Élisabeth avait raison, je ne suis pas au bout de mes surprises ! J'ai vu un reportage à la télévision sur une paysanne française... On essayait de la faire passer pour une mystique, mais ça ne m'a pas convaincu. Elle serait restée des années sans rien boire ni manger ! Je veux bien admettre l'influence de l'esprit sur la chair, mais de là à croire aux miracles !

M. Léopold concéda qu'il devait lui-même se défendre d'être sceptique face à de semblables témoignages, mais il enchaîna aussitôt en descendant une liste impressionnante de cas analogues à ceux de Teresa Vincenti et de Marthe Robin, cette fille de paysans de Valence, à laquelle Jacques faisait probablement allusion. La suppression de toute nutrition liquide ou solide avait d'ailleurs été observée aussi bien chez Thérèse Neumann, la célèbre voyante de Konnersreuth, que chez Marie-Dominique Lazarri, qui était restée les lèvres hermétiquement closes pendant plus de quatorze ans.

– L'histoire de Louise Lateau n'est peut-être pas la plus spectaculaire, mais c'est une de celles qui ont été le mieux vérifiées, poursuivit-il. Elle a présenté ses premiers stigmates à l'âge de dix-huit ans, et ses plaies ont saigné pendant les seize années suivantes, jusqu'au jour de sa mort. N'est-il pas significatif à ce propos de noter que, comme elle, un grand nombre de stigmatisés se sont éteints à l'âge de trente-trois ans ? Les guérisons inexplicables de Louise Lateau ont été passées au crible par plusieurs commissions d'enquête, composées de médecins et de théologiens – ces derniers étant de loin les plus sévères, car le Saint-Siège n'a jamais apprécié ces manifestations extrêmes... Je vous ai parlé tout à l'heure de saint François d'Assise, en référence au talent de M. Hobayashi, mais j'aurais pu ajouter qu'il a lui-même présenté des stigmates pendant les deux dernières années de sa vie, des excroissances en forme de clous, avec une tête ronde et noire dans la paume des mains et sur le dessus des pieds, alors qu'une pointe sortait de l'autre côté...

Jacques avait écouté ces propos avec un trouble croissant. Il ne leur aurait guère accordé de crédit quelques jours plus tôt, et se serait empressé de les évacuer dans ce vaste territoire mental où il reléguait nombre d'informations qui embarrassaient sa logique, ses convictions ou ses préjugés. Mais comment aurait-il pu y exiler à présent Marthe Robin, Thérèse Neumann ou Louise Lateau, alors qu'il avait constaté de ses propres yeux l'existence, puis la disparition quasi miraculeuse des plaies sanglantes de Teresa Vincenti ?

– Les stigmates que j'ai vus se trouvaient sur les poignets, dit-il en baissant la voix, car ce souvenir l'emplissait de gêne. Comment expliquez-vous cela ?

– Les stigmates sont à l'emplacement précis que le stigmatisé leur assigne, répondit M. Léopold sur un ton catégorique, où perçait une note d'impatience. Et, à lui seul, ce fait démontre l'inanité d'évoquer une intervention extérieure à la personne et à son subconscient... Des études anatomiques ont établi que la crucifixion n'est possible que si le supplicié est cloué à la croix par les poignets, et le Saint Suaire de Turin a entériné cette conviction dans l'esprit des mystiques, qui ont déplacé leurs stigmates en conséquence. Quant à la plaie au flanc, on la retrouve chez certains sur le côté gauche, chez d'autres sur le côté droit...

Jacques n'écoutait plus. Il essayait d'imaginer sa prochaine rencontre avec Teresa Vincenti, et le comportement qu'il observerait à son égard. Peut-être serait-elle ce soir sa voisine de table. « Il faudra que j'évite de l'observer comme un phénomène de foire, pensa-t-il. Et aussi que je me surveille pour ne pas laisser échapper une parole malheureuse... » Il savait pourtant que sa crainte de commettre un impair n'était pas justifiée, et qu'en général il se conduisait avec une politesse et un tact qui lui attiraient des compliments. Alors pourquoi s'ingéniait-il à imaginer des incidents humiliants, où il perdait le contrôle de lui-même et se couvrait de ridicule ?

Ils sortirent de la forêt, traversèrent un pré incliné, tapissé d'une telle abondance de fleurs sauvages que le vert de l'herbe dominait à peine dans la mosaïque multicolore. Le sol devint spongieux sous leurs pas aux abords d'une fontaine taillée dans un tronc d'arbre abattu, au goulot de laquelle une petite pancarte était suspendue : *Kein Trinkwasser**. Puis le sentier s'enfonçait à nouveau dans le bois, et l'agglomération de Davos apparut entre les sapins, scintillante au fond de la vallée, en contrebas du ruban

* Eau non potable.

asphalté de la Hohe Promenade, que les deux marcheurs finirent par rejoindre en descendant un long escalier de bois.

– Vous avez devant vous la chaîne de l'Ischalp et le Jakobshorn, et plus à gauche les sommets de la Pischa, dit M. Léopold. Nous sommes arrivés à la hauteur de la jonction des deux Davos, *Dorf* et *Platz*, mais, comme vous le constaterez tantôt, la distinction est purement administrative, car il y a belle lurette que les deux municipalités se sont amalgamées en une seule et même bourgade. Voulez-vous que nous nous reposions un peu ?

– Bien d'accord ! dit Jacques en s'asseyant lourdement sur un banc qui faisait face au panorama.

Il observait le tremblement incontrôlable de ses jambes, humilié de constater que son compagnon, qui devait avoir trois fois son âge, n'était même pas essoufflé. Le beau temps ne l'avait pas dissuadé de porter un blaser marine, ni d'enfiler un foulard Ascott dans l'échancrure de sa chemise rayée. En dépit de cet attirail, son visage et son crâne dégarni ne présentaient pas le moindre reflet de transpiration, et Jacques se demanda mi-sérieusement si la sécheresse de ses manières ne correspondait pas simplement à une particularité de son métabolisme.

– Votre coup de pompe est tout à fait normal, dit M. Léopold. Comme la plupart des gens des pays plats, vous avez pris pour acquis que la montée était la partie la plus épuisante des courses en montagne, alors que c'est la descente qui exige l'effort musculaire le plus soutenu.

Jacques hocha distraitement la tête, puis garda le silence pendant quelques minutes.

– Ce que vous m'avez appris de Mlle Vincenti m'intéresse beaucoup, dit-il enfin, mais votre mémoire m'impressionne autant que cette histoire de stigmates ! J'ai l'impression que ce que vous dites est écrit dans votre esprit et qu'il vous suffit de le lire... Dans le train, Mlle Glück a parlé avec admiration de vos talents, mais je tombais de sommeil et j'ai manqué d'attention...

– Et c'est tant mieux ! dit M. Léopold en redressant la taille et en étendant les bras, ses mains posées l'une sur l'autre sur le bec de sa canne. Notre amie Gertrude s'exalte facilement, et je ne mérite pas ses éloges, soit dit sans fausse modestie. A la rigueur, je puis me reconnaître une qualité, celle d'être conscient de mes limites ! J'ai l'intelligence d'une encyclopédie, voyez-vous, je ne brille que par l'esprit des autres ! Cocteau débutait ainsi une lettre à Jacques Maritain : « Vous êtes un poisson des grandes profondeurs : lumineux et aveugle ! » Mon savoir éclaire mon jugement, pourtant je n'ai pas eu de ma vie une seule idée vraiment neuve : il me manque le grain de folie, l'intuition créatrice, l'étincelle qui met le feu aux poudres ! Mes connaissances me gardent de dire des sottises, de commettre des erreurs grossières : je n'inventerai donc jamais rien ! Par ailleurs, les gens s'imaginent souvent que ma mémoire est d'une *capacité* supérieure à la leur, comme si la nature avait réservé plus d'espace dans mon crâne pour empiler mon savoir... Ils ne se rendent pas compte que leur propre mémoire est aussi bonne que la mienne, et que la seule différence entre nous est une question d'*accès*. Vous savez par votre propre expérience que toutes les connaissances emmagasinées dans votre cerveau ne vous sont pas également accessibles : certaines répondent instantanément à l'appel, et se présentent dans leur intégralité ; d'autres se font prier et arrivent en pièces détachées, que votre intelligence doit rabouter les unes aux autres, en suppléant aux chaînons manquants. Parfois, nul écho ne répond à l'invocation du souvenir et vous dites : « J'ai oublié ! » Est-ce à dire que les informations que vous cherchez sont effacées de votre mémoire, perdues à jamais ? Je ne le crois pas. L'oubli n'est pas un effacement, mais seulement une incapacité momentanée d'extraire le savoir mis en capsule dans les couches les plus profondes de votre mémoire.

– Je veux être sûr de bien comprendre ! s'écria Jacques, qui tout à coup ne sentait plus sa fatigue. J'ai vingt-deux ans, et déjà la quantité d'informations auxquelles j'ai été exposé depuis le début de ma vie doit être astronomique ! Et vous prétendez qu'elles resteront gravées dans notre cerveau jusqu'à la fin de nos jours ? Tout ce que j'ai vu et entendu, toutes mes pensées et mes actions ? Votre théorie est très séduisante, mais, même si votre mémoire est exceptionnelle, je doute que vous puissiez vous souvenir de... je ne sais pas... de ce que vous avez mangé le 31 mai 1961 ! Non, l'exemple est idiot, mais vous voyez ce que je veux dire...

– Je vois, oui ! dit M. Léopold en se levant du banc et en l'invitant d'un signe de tête à reprendre leur descente au village. Laissez-moi prendre de nouveau le raccourci d'une analogie. Vous voulez connaître l'auteur d'un aphorisme, ainsi que le titre de l'ouvrage duquel il a été tiré. Le sens général de la citation fournira votre point de départ, et vous en évoquerez le contexte de façon à réduire votre champ d'investigation. Pareillement, même si j'ignore ce que j'ai mangé le 31 mai 1961, pour reprendre votre exemple amusant, je sais par contre que c'était un mercredi, marqué par l'assassinat de Rafael Trujillo, et par la rencontre du président Kennedy et de Charles de Gaulle à Paris. C'est aussi le jour où l'Afrique du Sud est devenue une république, et où la Turquie s'est donné une nouvelle Constitution. Je me trouvais à l'époque à Bruxelles, accaparé par un conflit syndical qui tournait au vinaigre... Je ne connais pas encore le menu de mon dîner, mais je sais qu'il est stocké dans ma mémoire, hors du champ de ma conscience immédiate, mais accessible pour autant que je fournirai l'énergie mentale requise pour l'amener en pleine lumière. Ma mémoire est exceptionnelle en ce sens que je finis toujours par trouver ce que je cherche, mais cette performance n'est pas instantanée, tant s'en faut, et elle est parfois épuisante !

– Je suis prêt à faire les efforts nécessaires ! dit Jacques avec force, mais par où commencer ? Je suis venu chercher à Davos des informations sur mon enfance, mais j'ai l'impression de tourner en rond. J'en ai assez de réféchir, je veux passer à l'action ! Si des souvenirs se cachent dans ma mémoire, comment faire pour les débusquer ?

– Tournez autour du pot et n'allez pas droit au but ! répondit M. Léopold avec une ombre de sourire sur son visage austère. La mémoire holographique est votre plus sûre alliée. Las Cases rapporte que Napoléon se targuait de pouvoir reconstituer le détail de chaque journée de sa vie à partir d'un seul événement... Voyez cet arbre à droite, qui fait bande à part dans cette forêt de conifères. Un Canadien ne peut manquer de l'avoir identifié ! Cet érable majestueux est sorti d'une graine pas plus grosse qu'une tête d'épingle. Considérez maintenant l'action de la mémoire comme le processus inverse, comme la réduction des racines, du tronc, des branches, des feuilles à la graine originelle. Quand vous cherchez un souvenir dans les couches inconscientes de votre mémoire, ne vous attendez pas à le trouver sous sa forme intégrale ! Ce que vous ramenez à la surface n'est qu'une graine microscopique, mais suffisante pour permettre à votre esprit d'accomplir son œuvre de re-création.

Ils avaient quitté la Hohe Promenade pour les lacets d'une route carrossable, bordée de chalets coquets et bichonnés, assemblés avec une précision d'ébéniste, et auxquels on imaginait volontiers des toits amovibles qui, en basculant vers l'arrière, déclencheraient un mécanisme de boîte à musique. A mesure qu'on approchait de la station, la taille des constructions augmentait, au détriment de la superficie des jardins. De petits immeubles locatifs aux balcons généreusement fleuris étaient étagés sur le flanc de la montagne, et Jacques comprit pourquoi les lieux lui semblaient familiers en découvrant à sa droite une vaste propriété au portail rustique, dont les allées de gravier menaient en pente douce à la Villa Stella Maris.

– Mon frère est en pension ici, dit-il. Quand nous l'avons laissé l'autre soir, le Dr Frankenthal a dit que cette cohabitation entre des personnes âgées et des enfants était une idée intéressante. Personnellement, je n'ai pas d'opinion.

– En ce cas, permettez-moi de vous donner celle-ci : « De vrai, le soin et la dépense de nos pères ne visent qu'à nous meubler la tête de science ; de jugement et de la vertu, peu de nouvelles. » Dites, jeune homme, pourquoi ne profitez-vous pas de l'occasion pour aller visiter la place, et voir si vous y trouvez quelque chose de l'esprit de Montaigne ?

– C'est que... Oui, c'est une bonne idée ! dit-il en se demandant ce qui le retenait d'y donner suite avec plus d'empressement. Mais je ne veux pas vous retarder...

M. Léopold affirma péremptoirement qu'il était en vacances, ce qui signifiait que le temps était devenu extensible et que l'inspiration du moment devait l'emporter sur le programme de la journée. Il accompagna le jeune homme sur la galerie qui faisait le tour de la bâtisse, mais déclina son invitation à le suivre à l'intérieur, et il alla s'asseoir à l'ombre sur un siège de bois verni, aux accoudoirs trop hauts et au dossier trop droit pour être confortable, où il entreprit d'inspecter avec sévérité la propreté de ses ongles. « J'ai remarqué l'autre soir que ce balcon avait une largeur inusitée, pensa Jacques, et je viens de comprendre pourquoi : cette maison était autrefois un sanatorium, comme le Berghof, et les malades s'étendaient ici pendant la journée pour prendre le grand air. »

En franchissant la porte d'entrée, dont les battants étaient ouverts à pleine largeur, il fut traversé par l'impression absurde que, s'il se retournait assez vite, il pourrait entrevoir dans un éclair l'alignement des chaises longues, et les visages aux joues trop rouges et aux regards luisants de ceux qui, dans l'entre-deux-guerres, étaient venus chercher ici une guérison aléatoire. Il traversa le hall d'entrée et se présenta au guichet vitré d'un bureau de réception, qui était désert. Il patienta un moment, cherchant des yeux une sonnette pour annoncer sa venue. La disposition des lieux lui faisait penser au Berghof, et il se dit que les deux constructions dataient probablement de la même époque. Mais, alors que le sanatorium de *La Montagne magique* avait été soigneusement conservé dans son état d'origine, l'intérieur de la Villa Stella Maris était entièrement rénové. « Je préfère malgré tout le Berghof, pensa-t-il, même si j'ai l'impression de vivre dans un musée ! »

Il se retourna avec la sensation de n'être plus seul. A sa droite, une porte s'était ouverte sans bruit et deux fillettes aux yeux bridés se tenaient immobiles dans l'embrasure. La plus grande était torse nu et tenait à la main un pinceau encore humide de gouache, avec lequel elle avait tracé des signes cabalistiques sur son visage et sa poitrine. Jacques s'approcha en souriant, car leur apparition, pour saisissante qu'elle fût, ne manquait pas de cocasserie.

– Bonjour ! Je suis le frère de Didier ! dit-il. Vous savez où je peux le trouver ?

La fillette répondit avec volubilité à la question posée, dans une langue asiatique à laquelle Jacques ne comprit pas un mot.

– Tu t'appelles comment ? dit-il. *What's your name ?*

L'enfant répondit « May-Bee », puis s'approcha pour poser la main sur la poitrine de l'étranger, à l'emplacement du cœur. Entrouvrant la bouche, elle chanta une note unique, comme si elle voulait lui donner le ton. L'expression de son visage était éloquente et Jacques, surmontant sa crainte de paraître ridicule, répondit en fredonnant à voix basse, au même diapason. Aussitôt, elle plaça sa voix une octave plus haut, avec une sûreté d'oreille étonnante, cependant que l'autre fillette les regardait en hochant gravement la tête. « Didier m'avait prévenu que l'ambiance de Stella Maris était *funambulesque !* pensa Jacques. Je commence à voir ce qu'il voulait dire ! Après tout, ces enfants peuvent bien se beurrer de peinture et se saluer comme des Martiens, ça ne fait de mal à personne ! Mais ce que je m'imagine mal, c'est mon frère participant à ces simagrées ! Comme je le connais, il ne doit pas pouvoir garder son sérieux plus de cinq secondes ! Bon, qu'est-ce qu'elle essaie de me faire comprendre à présent ? »

May-Bee (était-ce vraiment son nom ?) lui faisait signe d'entrer et, après une hésitation, il la suivit dans la grande salle commune, où de longues tables de bois étaient alignées devant les fenêtres pour des travaux manuels. L'autre fillette, qui n'avait dit mot, retourna au coin peinture et, ignorant les gerbes de pinceaux ronds et plats, trempa ses doigts dans des pots de gouache aux couleurs vives, un à la fois, pour composer ensuite son dessin sur une grande feuille de papier, par une série de petites touches délicates, comme une collection multicolore d'empreintes digitales.

May-Bee dévisagea Jacques d'un regard plus innocent que ne le suggéraient les arabesques bleues peintes autour de ses yeux en amande, puis l'invita à la suivre en lui disant à nouveau quelque chose qu'il ne comprit pas, à l'exception du nom de Didier qui, comme une bouée, émergea brusquement à la surface de ce flot de paroles musicales.

Ils traversèrent la grande salle dans toute sa longueur. Au-delà de la dernière table, réservée à la poterie et au travail de la glaise, un vaste espace avait été aménagé pour les répétitions de ce qui devait être un orchestre, à tout le moins dans l'esprit de ce « clafoutis pédagogique » dont Tadeus Bubenblick avait parlé l'autre soir, avec ce formidable sourire que Jacques commençait à prendre au sérieux. La plupart des instruments de musique avaient été fabriqués par les enfants – des bambous de différents diamètres pour les flûtes, des boîtes à cigares comme caisses de résonance, des élastiques et des ficelles tendues en guise de cordes, une collection de sonnettes de bicyclette vissées sur une planchette de bois, des bacs et des casseroles retournées en attente de coups de bâton, et des bouteilles plus ou moins pleines qu'un souffle d'enfant transformerait en grandes orgues. « Je comprends l'intention, pensa Jacques, mais le résultat final doit être un beau tintamarre ! »

Ils sortirent de la salle par la porte du fond, gravirent dans la pénombre un escalier de service qui sentait la lessive et se retrouvèrent à l'étage sur le seuil d'une chambre à quatre lits, au parquet à l'anglaise qui paraissait ciré du matin même et qui, près de la fenêtre, craquait aux rayons du soleil. Jacques attendit que la fillette passât la première, mais elle recula d'un pas et couvrit de ses deux mains les signes tatoués sur sa poitrine, dans un geste tardif de pudeur et de protection. Presque aussitôt, son visage bariolé s'éclaira d'une moue espiègle, et elle tourna les talons pour s'enfuir au fond du couloir d'un pas sautillant, petite geisha surréaliste tout droit sortie d'*Alice au pays des merveilles*.

Jacques s'assit sur un coffre de pin, au pied du lit de Didier. Sur les tablettes de l'étagère murale, il reconnut des objets familiers qui témoignaient silencieusement de la présence de son frère dans cette grande maison, et métamorphosaient la chambre anonyme en un lieu complice. C'était ici sa place, le coin où il avait dormi la nuit dernière, où il gardait ses trésors : la casquette des *Expos* de Montréal qu'il emportait partout mais ne coiffait jamais, la fameuse sacoche de cuir récupérée dans le grenier d'Outremont, le singe en peluche offert autrefois par Tante Mathilde et baptisé Pistache.

Jacques s'émut de voir l'attachement que son frère affichait si ouvertement pour son enfance, lui qui envisageait avec tant de sérieux ses premières relations sexuelles. Il pensa : « Je me suis fait des peurs pour rien ! Didier est heureux ici, je le sens ! Personne ne lui fera de mal ! D'ailleurs, je suis sûr qu'il participe pleinement à *l'esprit* de Stella Maris, même si nous en avons ri aux larmes tous les deux. »

Il se leva et posa un genou sur l'édredon gonflé pour regarder de plus près la série de photographies punaisées sur un petit panneau de liège à la tête du lit. Il se reconnut sur une demi-douzaine d'entre elles, que l'agent secret du Spectror avait prises à son insu à l'aéroport de Mirabel et dans le DC 10 de la Swissair. Il y avait aussi un agrandissement de sa tante Lucie, en compagnie de Robert et de leurs quatre enfants, que Didier considérait comme ses frères et sœurs. Jacques ne fit que les effleurer du regard, car son attention s'était portée sur une photographie qu'il n'avait encore jamais vue, et dont la découverte lui serra la gorge.

– Vous n'avez pas de mère, dit une voix tranquille dans son dos, et Didier en a deux ! Oh, excusez-moi ! Je n'avais pas l'intention de vous faire peur !

Jacques avait sursauté, comme pris en flagrant délit de quelque indélicatesse. Il fit volte-face et affronta le regard pénétrant d'une maîtresse femme aux cheveux gris, qui devait approcher les soixante-dix ans malgré la dénégation d'une robe trop longue, trop fleurie, trop serrée, et qui lui allait à ravir. Un collier de fausses perles à trois rangs soulignait avec une coquetterie d'une autre époque les rides de son cou. Elle lui tendit la main avec détermination.

– Bienvenue à Stella Maris, Jacques ! dit-elle avec un accent slave grasseyant. Je suis Anna Welikanowicz. Didier nous a beaucoup parlé de vous, et je vous aurais reconnu même sans l'aide de ces photographies ! Et vous savez qui je suis, n'est-ce pas ? Seulement vous n'arrivez pas à recoller les morceaux ensemble !

Il approuva sa déduction avec un sourire embarrassé, en se demandant si sa physionomie avait trahi le secret de ses pensées, une fois de plus. Le Dr Frankenthal avait parlé l'autre soir de la Petite Sœur de Treblinka, qui s'était illustrée par sa bravoure pendant la guerre, et, bien que Tadeus Bubenblick eût précisé que Mme Welikanowicz n'était pas une religieuse et « avait eu deux mariages avec des enfants à chaque fois », Jacques s'était malgré tout figuré le portrait d'une institutrice à la retraite, sèche et menue, aux talons plats et au collet monté. Cédant au besoin de justifier sa présence dans la chambre de Didier, il raconta son attente devant le bureau de réception et sa rencontre de May-Bee, mais elle ne le laissa pas poursuivre, visiblement peu intéressée par ses explications.

– Les enfants sont partis en excursion à la Schatzalp, dit-elle en continuant à s'adresser à lui en anglais ; puis elle ajouta, sans autre transition : Vous aviez quel âge quand votre mère est morte ?

– Onze ans, murmura-t-il en frissonnant.

Il sut à cet instant qu'elle l'avait mis sur une bonne piste en lui parlant de sa difficulté à recoller les morceaux – sa stature de douairière, sa robe imprimée de camélias jaunes, son collier, sa permanente, ses anneaux qui cliquetaient à son poignet, son accent polonais, autant de mirages sans signification, quand ses yeux seuls importaient, avec leur regard où la perspicacité et la compassion fusionnaient en un éclat douloureux.

– Elle a mis fin à ses jours, je me trompe ?

– C'est Didier qui vous l'a dit ? s'écria-t-il avec émotion. J'ai toujours cru qu'il l'ignorait !

– Il l'ignore encore, affirma-t-elle avec aplomb.

– Mais alors... comment le savez-vous ?

Elle se tourna vers le portrait que Jacques tenait d'une main crispée et sa voix se feutra :

– Son destin se lit sur ses traits, et dans ses yeux sa décision est prise... Nous autres, les gens civilisés, nous nous divertissons de ces « sauvages » qui refusent de se laisser photographier, par peur d'être dépossédés de leur âme... Pourtant, n'étiez-vous pas tout à l'heure le cœur en arrêt devant cette image ? Était-ce d'y avoir reconnu votre mère, ou parce que vous avez capté des ondes... des vibrations... un message qu'elle vous aurait envoyé par-delà l'espace et le temps ?

Elle se retourna et lui présenta son coude pour l'inviter à passer son bras autour du sien, puis elle l'entraîna hors de la pièce d'un pas de promenade dominicale. Ils descendirent l'escalier principal, qu'une verrière ouverte dans le toit avait transformé en puits de soleil, et Jacques prit conscience du malaise insidieux que lui causait à la longue l'absence de bruits dans la maison. May-Bee et sa compagne auraient-elles été laissées seules, sans surveillance ? C'était impensable, il devait y avoir du personnel quelque part, des gens aux cuisines et d'autres en charge de l'entretien... Mais où donc étaient-ils passés ?

Au rez-de-chaussée, ils traversèrent un petit hall, décoré d'une telle profusion de plantes vertes qu'il fallait suivre un sentier jusqu'au vestiaire des visiteurs. Anna Welikanowicz n'avait pas dit mot depuis qu'ils avaient quitté la chambre de Didier, comme si l'étreinte du bras de son cavalier suppléait à la conversation, en permettant aux ondes et autres vibrations de passer entre eux sans résistance. Elle conduisit Jacques devant un miroir mural ancien, où il eut confirmation que la Petite Sœur de Treblinka était presque aussi grande que lui. Elle pointa une inscription, peinte en lettres gothiques au fronton du cadre de bois sculpté : LIEBE, WEN DU HIER SIEHST !

– « Aime celui qu'ici tu vois ! », traduisit-elle, sur un ton qui soulignait l'importance qu'elle accordait à cette maxime.

Elle s'écarta pour laisser Jacques face à son reflet, auquel il n'accorda qu'un regard distrait. « Pourquoi m'a-t-elle amené ici ? se demanda-t-il. Ce n'est quand même pas pour m'inciter à un accès de narcissisme ! » Il reprit son examen avec plus d'attention, et quelque chose dans sa physionomie le surprit – une expression secrètement complice, une ombre de sourire, un air vaguement moqueur qu'il ne se connaissait pas. Il s'était prêté à ce jeu quelques jours plus tôt, devant le miroir de sa chambre, avec un regard dénué de bienveillance. Pourquoi se trouvait-il aujourd'hui une tête plus sympathique ?

Il se retourna pour demander à Anna Welikanowicz ce qu'elle voulait lui faire comprendre en l'attirant dans ce vestiaire, mais il était seul. Une porte à sa gauche était entrouverte, qu'il franchit pour se retrouver dans le hall d'entrée, devant le guichet où il avait fait le pied de grue tout à l'heure. « La Polonaise s'est éclipsée ! pensa-t-il avec dépit. Elle aurait quand même pu me dire au revoir. »

Il sortit sur la galerie et rejoignit M. Léopold qui, le buste raide et le regard lointain, n'avait pas bougé de son inconfortable fauteuil.

– Désolé de vous avoir fait attendre, dit-il. Didier n'était pas là, mais vous aviez raison, cette visite n'a pas été une perte de temps !

– Je m'en réjouis, mon jeune ami ! Je n'ai pas perdu le mien non plus ! Pendant votre absence, j'ai commencé à relire *Les Liaisons dangereuses*... Quelle langue ! Et quelle perversité !

Jacques voyait bien que son compagnon n'avait pas de livre entre les mains et, malgré les preuves qu'il avait déjà reçues quant aux prouesses de sa mémoire, il eut peine à croire qu'il ne plaisantait pas, sous ses dehors austères. *Les Liaisons dangereuses*, rien que ça ! Et pourquoi pas *La Comédie humaine* ?

La rue principale de Davos Platz apparut à Jacques plus huppée et cossue encore que le soir de son arrivée, et il en fit la remarque à M. Léopold.

– Fort heureusement, la mentalité des habitants a conservé au cours des âges plus d'authenticité que le décor, dit l'autre d'un ton sentencieux. Mais je comprends votre désappointement ! Savez-vous que le bureau du tourisme a publié une brochure d'information sur Davos et ses environs, où on peut lire : « Tout a commencé par la thérapie de la tuberculose pulmonaire et tout finit aujourd'hui par une station mondaine pour étrangers. Hôtel contre hôtel, pension après pension, commerce après commerce se suivent, serrés, sans plan d'ensemble, ni goût, signe d'une époque où tout est sacrifié à l'argent. » Cette honnêteté publicitaire est tonique autant qu'imprévue, ne pensez-vous pas ?

Jacques approuva avec un sourire, en se disant que les ressources de son guide étaient décidément intarissables. Mais il se rembrunit en voyant que ce dernier le suivait dans le Schweizerische Kreditanstalt et prenait place avec lui dans une queue d'une demi-douzaine de clients. « Ce n'est pas très discret, pensa-t-il. Il ne faudrait pas qu'il se croie obligé de jouer les mentors à mon égard ! »

– A propos de bureau du tourisme... Je dois justement me chercher une pension ou un hôtel.

– Que me chantez-vous là ? s'exclama M. Léopold en le dévisageant avec sévérité de son œil gauche, cependant que le droit était arrondi par la surprise derrière la loupe des lunettes. Vous voulez nous quitter ? Vous n'êtes pas bien chez nous ?

– La question n'est pas là. Les tarifs du Berghof sont sûrement justifiés pour ce type d'établissement, mais, comme je l'ai expliqué à M. Bubenblick, je préfère...

– N'en dites pas davantage ! Notre ami Tadeus a toutes les qualités du monde, hélas ! – mais il a aussi plus de voile que de gouvernail ! Je me charge de rectifier ce malentendu, et vous demande de l'oublier séance tenante ! Votre séjour au Berghof sera pris en charge par la Fondation Delphi, au moyen d'une bourse de recherche... Je regrette de n'avoir pas pensé à mettre les choses au point dès votre arrivée.

– Comment pouvez-vous être certain que cette bourse me sera accordée ? demanda Jacques, pris de court par l'autorité avec laquelle M. Léopold expédiait cette affaire. Je ne suis pas sûr, de mon côté, de vouloir...

– Et moi je vous dis que la chose est réglée et que nous perdons notre temps à en discuter ! Il se trouve que je suis un des administrateurs bénévoles de la maison...

– Dans ce cas, vous pouvez sans doute me renseigner sur les sources de financement de la Fondation. J'ai entendu certaines rumeurs...

M. Léopold émit une salve de petits claquements de langue, comme s'il réfutait d'emblée tout ce qui avait pu être dit au jeune homme à ce sujet.

– Delphi est une fondation privée, sans buts lucratifs, vouée à la recherche et à l'avancement de la psychosynergie, déclara-t-il. Pour des raisons fiscales, le siège social de l'organisme a été établi à Vaduz, dans la principauté du Lichtenstein. Le capital de la Fondation est constitué de donations privées, dont la plus importante a été faite sous le couvert de l'anonymat par l'unique héritier d'un empire industriel, lui-même sans enfant, et qui a jugé que l'œuvre du professeur pouvait orienter utilement le destin de l'humanité...

Cette explication laissa Jacques à demi satisfait, d'autant qu'il croyait déceler une trace de gêne dans la voix sèche de M. Léopold. « Il ne me dit pas toute la vérité, pensa-t-il. Et cette histoire de mécène au grand cœur est cousue de fil blanc ! » Il était arrivé à la tête de la petite file d'attente (depuis son entrée dans l'établissement, il n'avait cessé de se demander si les autres clients écoutaient leur conversation) et il sortit de sa poche l'enveloppe usagée, où était griffonné le nom de l'employé qu'il devait contacter. Il la tendit à son compagnon :

– Pouvez-vous m'aider ? Malheureusement, l'écriture de M. Bubenblick ne lui ressemble pas !

M. Léopold examina le pli en l'approchant à quelques centimètres de son visage, comme il avait fait pour scruter les photographies prises par Didier dans le train.

– Franz Schutzle, dit-il.

Au guichet, Jacques rencontra un vieillard polyglotte de vingt-cinq ans, rasé de frais, tiré à quatre épingles et immunisé contre les doutes métaphysiques, qui prétendit être Herr Schutzle en personne et lui demanda de produire son passeport en le regardant dans le blanc des yeux, avant de lui remettre sans sourciller la contrepartie en francs suisses des cinq mille dollars que Tante Mathilde avait fait virer à son nom. Alors qu'il bourrait ses poches de plusieurs liasses de billets de banque avec la sensation d'être vaguement ridicule, il entendit M. Léopold pousser une exclamation étouffée, et, tournant la tête, il le vit qui examinait le libellé de l'enveloppe, puis l'oblitération du timbre.

– *Berthe Molinard* ! murmura-t-il, et sur sa physionomie l'incrédulité fit place à une expression horrifiée.

Jacques se remémora aussitôt sa dernière rencontre avec Jorge d'Aquino, dans la petite cour intérieure du Berghof, alors que la même épouvante passait dans les yeux du vieil homme, à cause d'un insignifiant emballage de bonbon trouvé dans la litière de Chouri.

Ils sortirent de la banque et reprirent leur promenade dans la rue principale, sous un soleil de plomb. Jacques s'interrogeait sur la similitude du nom de Berthe Molinard avec celui de Bertha Moll, mais, étonné par le mutisme de M. Léopold, il se retint de le questionner.

– Vous semblez préoccupé, dit-il en lui lançant un coup d'œil oblique.

– C'est parce que je le suis ! Il n'est pas toujours aisé de côtoyer un personnage de l'envergure du Pr d'Aquino.

– Je m'en suis aperçu ! Mais pourquoi dites-vous ça *maintenant* ?

– Parce que sa grandeur d'âme a commencé à me faire peur, pas plus tard que *maintenant*.

***

Jacques frappa à la porte d'Élisabeth. N'obtenant pas de réponse, il abaissa la poignée, mais ne poussa le battant qu'à demi, avec l'impression absurde que sa visite serait moins indiscrète s'il se faufilait par un entrebâillement.

Il traversa la chambre, qui était plus grande que la sienne. Élisabeth se l'était appropriée au cours des années : les murs étaient couverts de photographies, de gravures et de tableaux, des étagères occupaient une paroi entière, avec des livres en abondance, un assortiment de bibelots hétéroclites et une collection de poupées anciennes, au visage de porcelaine. La pièce était un peu en désordre, et la fine grisaille poussiéreuse qui se devinait çà et là apparut à Jacques comme un signe rassurant, une sorte de respiration dans l'étouffante propreté du Berghof.

Élisabeth était étendue sur la chaise longue de la loggia et leva un regard absent, alors qu'il s'asseyait près d'elle dans un fauteuil de rotin blanc. Embarrassé et troublé, il vit qu'elle n'avait pas boutonné son chemisier rayé, dont l'échancrure bâillait sur l'arrondi d'un sein ferme, à l'aréole épanouie. En avait-elle conscience, ou était-elle à ce point perdue dans ses pensées qu'elle ne ferait pas un geste pour rajuster sa tenue ?

– Mais qu'est-ce qui se passe ? dit-il. J'ai frappé, tu n'as pas entendu ? En revenant de Davos avec M. Léopold, je t'ai vue sur ton balcon, tu regardais de notre côté et nous t'avons fait de grands signes, mais tu étais comme une cataleptique ! Enfin, dis quelque chose...

Elle eut un sourire d'infinie lassitude et il sut qu'un événement grave s'était produit.

– Tu es gentil de t'inquiéter, Petit Prince ! dit-elle sur un ton essoufflé qui faisait ressortir son accent roumain. Il se passe que je me suis arrêtée de courir devant moi et que je me suis assise en ma compagnie ! J'ai regardé ma vie derrière moi, tu sais, comme en montagne on se retourne pour contempler la plaine, et la seule pensée qui m'est venue était : « Pourquoi ? » D'habitude, lorsque je me fais mon méli-mélodrame, je finis par m'intéresser moi-même... Mon existence n'est pas vide – et de quoi les gens parlent-ils quand ils se plaignent que la vie est courte ? J'ai bientôt quarante ans, et je n'arrive pas à croire que j'ai réalisé tant de choses, que j'ai lu tant de livres et rencontré tant de gens ! Si je devais apprendre que la nuit prochaine est ma dernière nuit sur terre, je ne serais pas révoltée, juste déçue peut-être. Tu ne me crois pas ? C'est la vérité pourtant ! Je ne bougerais pas d'ici, je regarderais tomber le jour sur ces montagnes et ces forêts et ces champs fleuris, avec une sorte de regret esthétique peut-être, mais sans amertume, en me disant que mon destin a valu sa peine !

– Mais de quoi parles-tu ? Pourquoi ce discours sur la mort ? demanda-t-il, luttant contre l'anxiété. On dirait que tu as peur...

– Oui, j'ai peur du néant, et d'apprendre que tous nos efforts n'auront servi à rien ! J'ai peur de *ne pas mourir* cette nuit, et de me réveiller demain dans un monde qui serait la négation de ce que je crois, des valeurs pour lesquelles je me suis battue – et qui ferait de moi une aveugle sans chien, une créature privée d'espoir et de lumière... O Petit Prince ! Les crépuscules vont se faire si lourds dans les temps à venir !

Elle tendit la main pour lui demander la sienne, et se l'accapara en l'immobilisant entre son épaule et sa joue. Il demeura un moment le bras tendu, penché en avant sur son fauteuil grésillant, jusqu'à ce que l'inconfort de sa posture l'oblige à se lever et à venir se placer derrière la chaise longue, dont le dossier était dressé presque à la verticale. Aussi longtemps qu'il avait fait face à Élisabeth, il s'était astreint à ne pas baisser les yeux vers son corsage, mais l'aurait-il voulu qu'il était incapable maintenant d'ignorer la double courbe de sa poitrine, offerte sans retenue. Garderait-elle sa main captive dans le creux de son cou, ou bien la laisserait-elle aller à l'aventure, s'il se décidait à la plonger sous le tissu soyeux et frais de la blouse ? Il se posait la question alors même qu'il ne ressentait aucun réel désir d'accomplir ce geste, sans doute parce qu'il devinait que le désarroi d'Élisabeth n'était pas de ceux qui s'apaisent par des caresses. Il observait aussi pour la première fois le travail complexe de la tresse qui maintenait relevée sa chevelure sombre, où il distinguait des fils gris qui lui donnèrent la sensation paradoxale d'avoir vieilli de plusieurs années depuis son arrivée en Suisse.

– Lars Frankenthal est venu me voir tout à l'heure, dit-elle d'une voix étouffée. Il a reçu de nouveaux résultats de Stockholm.

– Et c'est ça qui t'a mise dans cet état ?

– Mais enfin, Petit Prince, reviens sur terre ! s'écria-t-elle, lâchant sa main et se levant prestement. Crois-tu vraiment qu'une personnalité comme lui a du temps à perdre ? D'accord, il avait besoin de vacances, mais il n'est pas venu au Berghof sans raison... Tu étais avec nous à table l'autre jour, tu as entendu l'argumentation de Katja !

Elle tournait le dos au paysage et, après avoir assujetti deux boutons de son chemisier d'un geste machinal, elle s'appuya du bassin contre la balustrade de bois, bras écartés. Jacques avait été pris au dépourvu par son éclat, qui le laissait secrètement mortifié.

– J'ai suivi la discussion dans une sorte de brouillard, avoua-t-il. Tu t'en souviens, je suis parti avant la fin... N'empêche que le point de vue de Katja est purement spéculatif, et je ne vois pas pourquoi...

– Non et non ! Si je te dis que la série *trois, six, neuf* se poursuit par le nombre *douze*, je ne spécule pas, j'extrapole ! Des goûts et des couleurs, je discuterais avec Katja, mais j'ai appris à tourner sept fois ma langue dans ma bouche avant de contredire son raisonnement. Lars Frankenthal est venu pour consulter Jorge sur une anomalie dans son expérimentation de la *contraception naturelle*. Son erreur a été de se laisser entraîner dans « la spirale de l'inexplicable ». Katja, elle, ne tourne jamais en rond ! Elle *fait le tour* d'une question à une vitesse vertigineuse... Tu étais fiévreux, je veux bien, mais souviens-toi de la commotion qu'elle a causée en disant que le phénomène observé par Frankenthal ne se limitait pas à son groupe témoin, mais affectait toute la population de la planète...

– C'est ton découragement que je ne comprends pas ! La surpopulation est une menace pour l'humanité, et un déclin des naissances ne peut que... (Il s'interrompit devant son mouvement d'impatience.) Je dis n'importe quoi, c'est ça ?

– Excuse-moi, Petit Prince, ce n'est pas si simple ! répondit-elle avec un sourire contraint. Maigrir est une chose souhaitable quand on fait de l'embonpoint, mais, si la perte de poids survient alors que l'alimentation et le mode de vie n'ont pas changé, le symptôme est plus inquiétant que réjouissant. Katja a suggéré l'autre jour à Frankenthal un moyen ingénieux pour vérifier cette hypothèse de déclin universel. Grâce à ses contacts, il a pu obtenir en une semaine des données provenant de l'inventaire informatisé d'une cinquantaine de pharmacies, parmi les plus achalandées de San Francisco, de Toronto, Paris, Berlin et Melbourne.

– Les tests de grossesse ! s'exclama Jacques.

Élisabeth approuva avec une mine soucieuse :

– La méthode manque de rigueur, c'est évident, mais elle avait l'avantage de la simplicité et de la rapidité. Le nombre des femmes qui ont requis un test pour savoir si elles étaient enceintes a été nettement inférieur à la normale – et la baisse est identique d'un pays à l'autre... Katja était ici quand Frankenthal est venu, elle a jeté un coup d'œil aux chiffres et fondu en larmes ! Tu devrais aller la consoler, elle s'est enfermée dans sa chambre et ne veut rien entendre de personne. Mais toi tu n'es pas personne pour elle ! Et moi je me suis réfugiée ici, pour m'empêcher de penser avec ma tête, pour laisser monter les rumeurs profondes, pour confronter ce que je sais avec ce que je pressens... Une crise se prépare, Petit Prince, un bouleversement dans les choses humaines qui n'a pas de précédent, un chaos sans nom et peut-être sans issue...

Bras croisés, elle couvrit ses épaules de ses mains, frissonnante dans la chaleur de midi. Des questions angoissées se pressaient aux lèvres de Jacques, des objections aussi, dictées moins par sa réflexion que par sa peur de perdre le contrôle de son existence, d'être emporté par ce vent de panique qu'il sentait lever dans la voix d'Élisabeth – et il se tut en prenant conscience que son intelligence ne lui était d'aucun secours pour analyser la situation, trop occupée à chercher une issue au fond de l'impasse. Depuis son enfance, les scénarios apocalyptiques proposés à son imagination projetaient des images de guerre des étoiles et d'holocauste nucléaire, et il n'aurait pas été autrement surpris d'apprendre que l'énième crise du golfe des Syrtes était en train de dégénérer en conflit mondial. Mais comment pouvait-il croire un instant que le cataclysme qui menaçait l'espèce humaine serait invisible et silencieux, et que ses signes avant-coureurs étaient le voyage d'un médecin suédois en Suisse, sa rencontre d'une mystérieuse créature masquée qui ne « tournait jamais en rond dans sa tête », et la livraison par un radieux matin d'été d'un télégramme compilant quelques statistiques plus ou moins rigoureuses ? Et, s'efforcerait-il même d'y croire, comment admettre de surcroît que la réalité de ce cauchemar planétaire ne fût connue pour l'heure que d'un petit nombre d'initiés – et qu'il en fît partie, lui, Jacques Carpentier ?

Élisabeth avait respecté le silence qui s'était glissé entre eux, comme si elle se conformait à un pacte. Elle ne l'avait pas quitté des yeux, pourtant il eut l'impression qu'elle ne le voyait pas.

– Tu as dit qu'on reparlerait de tout ça ce soir. Je ne suis pas au courant.

– C'est une idée de Lars Frankenthal, dit-elle en sortant de sa rêverie. Il veut se rendre en délégation auprès de Jorge, pour lui demander de reconsidérer son refus d'étudier le phénomène du Grand Déclin – tu vois, l'expression inventée par Katja semble s'être imposée d'elle-même.

– A-t-il demandé que je fasse partie de cette délégation ?

– Non, il pensait à Katja, à M. Léopold et à moi-même. Jorge a accepté, à condition que Gertrude Glück et toi soyez du nombre. Il nous attend à neuf heures à l'hacienda – c'est comme ça qu'on appelle son appartement, tu verras pourquoi ! –, et cette invitation est déjà un événement en soi, car il ne reçoit pratiquement personne là-haut, et encore moins un groupe ! Pourtant, ce n'est pas l'espace qui manque...

– Il a vraiment mentionné mon nom ?

– Mais oui, Petit Prince, et il a insisté pour que tu viennes ! Ça t'étonne ?

– Et comment ! Je me demande bien ce qu'il attend de moi...

– Tu doutes de toi, alors qu'en réalité...

Elle se tut en portant la main devant sa bouche et en le dévisageant avec des yeux noyés de larmes, puis fit entendre un gémissement de fond de gorge, comme le soir de son arrivée en découvrant sa ressemblance avec l'homme qu'elle avait aimé.

– *O Doamne !* murmura-t-elle. Je ne m'y ferai jamais ! Tu es sa réincarnation, c'est hallucinant... Tu me regardes avec le même air d'incrédulité qu'il avait quand je lui proposais au milieu de l'après-midi de déserter le laboratoire pour monter dans ma chambre...

Jacques quitta son poste derrière le rempart de la chaise longue, alors qu'Élisabeth se penchait pour enfiler ses bagues et sa panoplie de bracelets, qu'elle avait posés sur la petite tablette de jonc, fixée à l'accoudoir droit du fauteuil d'osier.

– Pourquoi cette mine fâchée ? dit-elle en se redressant.

– Je ne suis pas fâché, au contraire !

– Alors à quoi tu penses ?

Il ne le savait pas. Cette femme le troublait et l'attirait, il devinait en elle des mouvements contradictoires, un équilibre instable entre la détermination et la vulnérabilité, le défaitisme et la passion. La différence d'âge entre eux était pour lui une considération abstraite, qui ne le préoccupait que dans la mesure où elle pouvait l'invoquer pour le remettre à sa place. Il aurait préféré qu'elle fît semblant au début de ne rien voir, qu'elle laissât s'établir entre eux une complicité volatile, dans les demi-silences et les allusions voilées. Au lieu de cela, elle provoquait une explication comme si le temps la pressait ou que l'ambiguïté lui fût insupportable. Il fut tenté de s'en sortir par une fuite vers l'avant, en lui déclarant qu'il l'aimait, quand en vérité il n'était habité que du désir de l'aimer, de la même façon qu'on veut à vingt ans se perdre et renaître.

– Je voudrais m'approcher de toi, dit-il en soutenant son regard.

– Je peux faire le premier pas ! répondit-elle avec une ombre de sourire dans le pli triste de ses lèvres.

Par jeu, elle avait pris son propos au pied de la lettre et s'était avancée vers lui, assumant l'initiative du rapprochement avec cette détermination tranquille qui le troublait et l'inquiétait tout à la fois. A quel degré d'intimité voulait-elle réduire la distance qui les séparait encore ? Le savait-elle elle-même ? « Qu'elle est belle ! pensa-t-il, la gorge serrée. Et moi, je fais quoi à présent ? » Il posa gauchement sa main sur son épaule, presque avec camaraderie, et dit :

– Je ne te choque pas ?

Elle fit non de la tête et ajouta, après l'avoir dévisagé avec un regard intense, où se lisait un mélange complexe de fierté, de tendresse et d'impudeur :

– Qu'est-ce que tu crois ? Tu me fais du bien ! Tu fais que je me sens femme, déjà et encore ! Au-dedans de soi, on ne vieillit pas, on s'endort, peut-être pour mieux rêver... Il n'y a pas d'usure dans le cœur, seulement de l'accumulation ! Tu as une façon de me regarder qui me réveille, et mon sang coule plus fluide dans mes veines quand tu me touches. Seulement je vais te demander d'attendre – et attendre te sera facile puisque tu sais à présent que je ne t'opposerai pas de résistance. Ce n'est ni le désir ni l'amour qui précipite la conquête, mais l'incertitude !

– Attendre quoi ?

– Ce serait plutôt « attendre qui » ! Nous en reparlerons, maintenant il faut y aller. Tu as entendu le gong pour le déjeuner, et toutes mes angoisses métaphysiques n'y peuvent rien : j'ai faim ! Tu fronces les sourcils ? Ne sois pas déçu : je ne te demande pas de patienter à cause de moi, mais à cause de toi. Tu ne vois pas clair en toi, et en cela tu es transparent ! Allez, Petit Prince, serre-moi fort !

Elle avança d'un pas et, les bras repliés contre sa poitrine comme si elle avait froid, posa la tête dans le creux de son épaule. Il l'enlaça, surpris par l'aisance avec laquelle elle s'abandonnait. Il aurait voulu pouvoir fermer les yeux, se laisser emporter par l'instant présent, au lieu de quoi il observait avec attention la balustrade du balcon, dont les planches verticales étaient ajourées de découpes géométriques, où scintillaient les diamants piqués par le soleil à la surface du lac de Davos. Il comprit qu'elle avait dit vrai et que, la sachant consentante, il n'éprouvait plus le besoin de la séduire, et retrouvait pour lors la liberté de l'hésitation. Il l'enveloppa avec une tendresse accrue, en se demandant pourquoi son désir d'elle lui ôtait jusqu'à l'envie de l'embrasser.

7

La salle à manger du Berghof comptait cinq tables rondes, dressées en tout temps de sept couverts chacune, même si le nombre des pensionnaires dépassait rarement la trentaine. Comme le personnel attendait que tous les sièges fussent pris à une table avant de commencer à servir, il en restait habituellement une d'inoccupée, à un endroit ou l'autre de la grande salle. A l'heure du déjeuner, chacun s'asseyait où il l'entendait ; au dîner, l'assignation des places était la prérogative indisputée de Schwester Ursula, qui l'assumait selon un cérémonial quelque peu baroque. Juchée sur une petite estrade de bois verni construite pour ce seul usage, elle saluait l'arrivée de chaque pensionnaire en croassant une formule de bienvenue en allemand. Puis elle se tournait pour inspecter de son perchoir la disposition des lieux et composer mentalement ses plans de table, avec la mine inspirée d'une artiste ajoutant ou retranchant au canevas de son œuvre. Elle se penchait alors pour murmurer sa décision à l'une des jeunes filles de service, qui escortait l'intéressé jusqu'à la place qu'on venait de lui désigner sans appel, en vertu de considérations qui lui resteraient à jamais obscures. Jacques ne prisait guère cette façon de procéder, alors que la plupart des autres pensionnaires semblaient l'apprécier, reconnaissant à Schwester Ursula un talent remarquable pour faire se rencontrer au bon moment des personnes qui croyaient n'avoir rien à se dire, et composer des groupes dont la discussion se révélerait animée et enrichissante. M. Léopold prétendait d'ailleurs que la naine n'avait jamais répété en dix ans la même combinaison de convives.

Ce soir-là, au dîner, Jacques se retrouva en compagnie de Dolorès Sistiega, de Klaus Weldenheim et des époux Tchakalov, avec lesquels il n'avait pas encore eu l'occasion de partager un repas.

Certaines allusions échangées par les pensionnaires lui laissaient deviner que cet honneur n'était guère recherché. On ne se rappelait pas avoir jamais vu les Russes adresser la parole à quiconque, ni même répondre par un sourire aux salutations qui leur étaient adressées. Ils se cantonnaient dans un mutisme rébarbatif, ou alors échangeaient entre eux à voix basse quelques paroles incompréhensibles.

– Ne dites rien, c'est un jeu, il n'y a pas de mal à se distraire ! dit l'aveugle en l'entendant approcher, et elle attendit qu'il se fût assis pour se pencher vers lui et chercher à tâtons sa main sur la table. Ah, voilà, je vous tiens ! Oh, mais alors c'est simple comme bonjour, vous êtes nul autre que notre Canadien errant !

– Comment faites-vous ? dit-il en saluant les Tchakalov d'un signe de tête. Vous êtes surprenante !

– Que non, je n'ai aucun mérite, mon cher monsieur ! répondit-elle avec un air de minauderie qui n'arrivait pas à se greffer sur ses traits trop mobiles. Vous avez des doigts qui vous ressemblent, ce n'est pas sorcier !

– Mes doigts me ressemblent ?

– C'est une façon de parler, bien sûr ! Vous autres voyants, quand vous donnez la main à un inconnu, vous êtes tellement occupés à le regarder que vous ne prêtez pas attention à la texture de sa peau, à son tonus musculaire, ni si ses doigts prennent l'initiative de l'étreinte ou ne font que répondre à la vôtre, ni si son bras s'avance imperceptiblement pour pénétrer dans votre espace, ou au contraire se recule pour vous attirer dans le sien... Mais je vous ennuie avec mes explications, excusez-moi ! D'ailleurs, je n'explique rien, car ces sensations sont de l'ordre de l'inexprimable ! Tout ce que je sais, c'est que le courant passe, qu'on le veuille ou non ! Et c'est bien inquiétant quand une voix chaleureuse vous tient des propos rassurants, mais que la main est dure et froide, avec des ongles comme des griffes ! Vos doigts vous ressemblent parce que le courant que je reçois s'accorde aux vibrations de votre voix, et que ces vibrations sont elles-mêmes en harmonie avec votre odeur ! En général, j'utilise le mot « parfum », car les gens sont mal à l'aise quand on parle de leur odeur ! Bref, acceptez ce compliment d'une vieille dame désintéressée : vous avez une belle personnalité, monsieur le Canadien ! A votre contact, on ne se sent pas menacé, on a envie de montrer le meilleur de soi-même. *Je vous entends sourire,* c'est bien !

Jacques souriait en effet, mais c'était pour masquer la gêne où le plongeait cette déclaration imprévue, qui le touchait certes, encore qu'il se demandait comment cette femme aveugle pouvait discourir de sa personnalité avec tant d'assurance, alors qu'ils ne s'étaient rencontrés qu'à deux ou trois reprises, et fort brièvement. Et pourquoi se présentait-elle comme une vieille dame, quand elle n'avait visiblement pas dépassé la cinquantaine ?

Son embarras était accentué par le regard scrutateur et douloureux avec lequel Serguei Tchakalov le dévisageait sans retenue, en hochant la tête aux paroles que son épouse lui murmurait à l'oreille. « J'ai l'impression qu'elle lui traduit tout ce que nous disons, pensa-t-il. Quel drôle de couple ! Comment font-ils pour vivre dans un tel isolement ? »

– Mme Dolorès a raison tout à fait pour ondes vibratoires, déclara posément Mme Tchakalov en tournant vers lui ses yeux vifs. Serguei trouve aussi vous grandement sympathique !

– Mais... je vous remercie ! dit-il, interloqué.

Il s'obligea à soutenir l'appel intense du regard de l'ex-cosmonaute, dont le menton et les lèvres se mirent à trembler alors qu'il tentait de sourire, pour finalement prononcer à son intention quelques phrases précipitées.

– Il voit vous avec grande tolérance pour humanité, et avec cosmique destinée ! traduisit librement sa compagne. Nous connaissons la véritable raison de vous pour être au Berghof !

Dolorès Sistiega fit entendre un soupir roucoulé.

– Comme c'est instructif ! s'exclama-t-elle. Je suis si reconnaissante de ne pas avoir manqué cet échange. On va en voir de toutes les couleurs ! Enfin, pour moi, c'est une façon de parler !

– Et quelle est cette raison, d'après vous ? demanda Jacques.

Il s'adressait aux Tchakalov dans l'espoir d'en apprendre davantage, mais ceux-ci se contentèrent d'échanger des murmures sans le quitter des yeux, avec une expression de connivence finaude et ironique. « Le jeune Canadien peut jouer l'innocent, semblaient-ils penser, nous ne sommes pas dupes ! » Il n'eut pas le loisir de les relancer, car la jeune Greta était venue tirer à sa droite une chaise à l'intention de Teresa Vincenti, qu'elle aida à prendre place à la table avec une prévenance louable, même si elle en profitait pour décocher des œillades énamourées à cet étranger qui provoquait à l'office, *in abstentia*, tant de roseurs, de supputations, de fous rires et de petites manigances. « Ce matin, je craignais justement de me retrouver à côté de Mlle Vincenti, pensa-t-il, et à la première occasion Schwester Ursula s'arrange pour lui choisir précisément ce siège, parmi tous les autres encore disponibles. Décidément, sa réputation n'est pas surfaite ! Et voici M. Shapiro, le service va pouvoir commencer ! » L'avocat de Salonique s'était en effet joint à eux pour compléter la tablée. Jacques ne savait pas grand-chose de lui, n'était qu'il souffrait de mythomanie aiguë, selon les dires de Schwester Ursula. Elle avait usé de termes plus charitables, sans mentionner au demeurant qu'il était attachant, spirituel, fantasque et grand seigneur. A peine assis, il déclara qu'il était horriblement fâché contre les auteurs des jours de Mme Sistiega.

– Ce sont certainement d'excellentes gens pétries de bonnes intentions, poursuivit-il, et si le Bon Dieu les a gardées en vie, je leur souhaite une vieillesse longue et paisible. Cela dit, expliquez-moi comment des parents sains d'esprit ont pu donner à leur fille le prénom de *Douleur* ? Vous ont-ils aussi pourvue à votre naissance d'une layette en crêpe noire ?

– Il n'y a rien à expliquer, monsieur Théodore ! répondit-elle, ravie qu'on s'occupe d'elle. J'avais une tante maternelle qui s'appelait Dolorès, mais la raison déterminante a sans doute été que ce prénom plaisait à ma famille, tout simplement ! Pourquoi chercher midi à quatorze heures ?

M. Shapiro voulut enchaîner, mais il en fut empêché par Serguei Tchakalov, qui posa avec fracas ses coudes sur la table et plongea son visage dans ses mains en poussant un gémissement lugubre, dont l'écho résonna avec persistance dans la salle à manger tout à coup silencieuse. Mais le brouhaha des conversations ne fut pas long à reprendre, bien que l'ex-cosmonaute continuât de geindre, car les signes de sa crise étaient visiblement connus et on s'accordait pour lui faciliter une sortie discrète. Curieusement, son épouse s'abstint d'intervenir et laissa faire Schwester Ursula, qui était venue chercher le malheureux pour l'emmener avec autorité hors de la salle. Jacques eut le cœur serré devant le tableau grotesque et pathétique que composaient cet athlétique colonel de l'armée Rouge pleurant comme un enfant, les épaules voûtées, et cette naine qui le conduisait par la main, sa petite coiffe de religieuse planant entre les tables au ras des nappes blanches, comme une serviette amidonnée à laquelle auraient poussé des ailes.

Mme Tchakalov prit le temps de terminer le melon au porto que la blonde Greta avait servi en entrée, puis se leva en s'excusant auprès de Jacques, comme s'il était la seule personne qui lui importât dans le groupe. Elle quitta la salle à son tour, laissant à son chignon gris, à sa carrure lourdaude et à ses souliers plats le soin de renouveler l'accréditation de son personnage de paysanne du Caucase. Elle était à peine partie qu'une discussion commença sur le nouveau traitement appliqué à Serguei depuis deux mois. Jacques dressa l'oreille, car dès son arrivée il s'était interrogé sur la nature des soins dispensés dans ce mystérieux *satanarium*, où la plupart des patients portaient le titre d'*assistant de recherche*, assorti d'une bourse d'études de la Fondation Delphi. De fait, Jorge d'Aquino déniait toute utilité pratique à la notion d'*anormalité*, et il avait écrit dans la première partie du *Traité* : « Ce que le thérapeute d'orientation psychosynergique vise, c'est d'aider la personne à quitter un état de mal-être pour un état de mieux-être ; ce qu'il ne vise pas, c'est de la faire passer de la marginalité à la normalité. Car la réduction du singulier à la conformité du pluriel entraîne l'aliénation de la personne et, ultimo, l'annihilation de la société. La santé collective ne s'évalue donc pas par le décompte des gens normaux, mais par l'addition des gens heureux – la double mesure du bonheur de l'être humain étant l'adéquation personnelle entre les moyens et les ambitions, et l'adéquation sociale entre les potentialités et les chances. »

Ce que Jacques connaissait concrètement de la méthode thérapeutique de d'Aquino se limitait au cas de William Fowler, qu'on encourageait à fréquenter son double, et à celui de Katja, qu'on poussait à « devenir semblable à elle-même » en lui faisant porter un masque. Il fut donc intéressé d'apprendre que la cure imaginée pour soulager Serguei Tchakalov de ses terreurs insondables empruntait des voies tout à fait différentes. D'après les explications de Klaus Weldenheim, qui était sorti de son mutisme et révélait une connaissance approfondie du sujet, le Berghof avait fait au printemps l'acquisition d'un modèle perfectionné de « caisson d'isolation sensorielle », qui avait été installé à l'entresol, dans la salle qui faisait office de morgue au temps de *La Montagne magique*. C'était un grand bassin en forme d'œuf, recouvert d'un cockpit insonorisé et rempli d'un liquide maintenu à la température du corps – un mélange d'eau et de sel d'Epsom, où le baigneur flottait comme un bouchon de liège. L'intérieur de cette singulière bulle pouvait être plongé dans l'obscurité, et un dispositif électronique supprimait les bruits extérieurs, laissant l'oreille découvrir les échos de l'activité interne du corps. La sensation d'apesanteur et l'absence de repères de spatialisation entraînaient une variété de phénomènes sensoriels et psychiques, voisins des états induits par la relaxation, la méditation profonde ou les drogues. Mais l'effet le plus intéressant au regard des recherches poursuivies au Berghof était la régulation naturelle des fonctions concurrentes des deux hémisphères cérébraux, favorisant l'accès à cette plénitude de l'*ihuma*, qui restait en fin de compte l'objectif ultime de la démarche psychosynergique.

– Vous devriez essayer, monsieur Jacques, ça vaut la peine ! dit Dolorès Sistiega. C'est comme si vous preniez un vaisseau pour partir à la découverte de votre océan intérieur.

– Je ne savais pas que cet équipement était à la disposition de tout le monde, dit-il. Je vais suivre votre conseil, c'est sûr !

– Tant mieux ! Le Berghof est plein de ressources insoupçonnées, qui ne demandent qu'à être exploitées ! Mais vous venez à peine d'arriver, vous ne pouvez pas tout connaître d'un seul coup !

M. Shapiro intervint pour dire que l'isolation sensorielle était un traitement paradoxal pour soigner un ex-cosmonaute, et que l'incident auquel on avait assisté tout à l'heure soulevait bien des doutes sur son efficacité. Son sourire en zigzag annonçait un ajout caustique à son propos, mais il fut interrompu par Teresa Vincenti, à la surprise de tous. Dès le début du repas, la vieille fille s'était abîmée dans la contemplation des montagnes, par la grande baie vitrée, et personne n'aurait pu se douter qu'elle ne perdait pas un mot de la conversation. (Elle n'avait pas touché aux crudités et s'était contentée de trois menues bouchées du plat principal.)

– Notre pauvre Serguei a laissé son âme là-haut dans les étoiles, dit-elle avec une réelle compassion. Ce n'est pas en faisant le pingouin dans une baignoire qu'il fera la paix avec le Seigneur. Oh, vous pouvez vous moquer ouvertement, Théodore Shapiro, le rire est excellent pour la digestion !

M. Shapiro se défendit contre l'accusation, sans pour autant réussir à éteindre le pétillement ironique de ses yeux noisette, et il assura que la tragédie de M. Tchakalov le touchait d'autant plus qu'il avait personnellement connu Youri Gagarine, le premier cosmonaute de l'histoire. Il parla ensuite de Neil Armstrong et de Gordon Cooper, des amis de longue date qui l'avaient reçu à tour de rôle lors de son dernier séjour aux États-Unis.

Jacques l'écoutait parler, médusé, car, bien qu'il eût été prévenu contre la mythomanie de l'avocat de Salonique, il n'en avait pas encore fait l'expérience. Prétextant un coup de téléphone à donner, il s'excusa et sortit de table sans attendre la double portion de dessert que Greta s'apprêtait à lui servir. « Ce type ne ment pas délibérément, c'est clair ! pensa-t-il en quittant la salle à manger. Il cède à un besoin compulsif de se faire valoir en inventant ces fables qui ne tiennent pas debout ! Ou alors, il est incapable de distinguer entre le réel et l'imaginaire, entre le vrai et le faux. Mais tout ça ne me dit pas pourquoi ses propos m'ont rendu si anxieux, au point de me forcer à partir pour ne pas en entendre davantage ! »

***

Sigmund était accroupi au milieu du grand hall, harnaché de chaînes, de cuir, de cuivre, de chrome et de clous, les cheveux électrifiés et l'oreille percée d'un petit anneau d'or. Il aboyait avec un réalisme saisissant, et Kugli lui répondait par de petits jappements aigus, en gambadant sur ses pattes mal assurées. Les grognements de l'adolescent se faisant trop menaçants, le chiot courut se réfugier contre le flanc de sa mère Betsy, qui le rassura de deux coups de langue.

Jacques n'avait jamais adressé la parole à Sigmund, bien qu'il l'eût croisé à plusieurs reprises en divers endroits du Berghof – où il vaquait à des tâches plus ou moins définies de garçon de courses, de groom, de bricoleur et d'aide jardinier – et ces rencontres fortuites lui avaient permis de découvrir un trait de caractère attachant chez cet énergumène dégingandé et plus rutilant qu'un sapin de Noël : une timidité maladive, qui lui valait d'être le souffre-douleur des trois jeunes filles qui assuraient le service de la salle à manger, et la bête noire de Koraman, le redoutable cuisinier turc, auquel il prêtait parfois main-forte pour de hauts travaux de plonge et d'épluchage.

En apercevant Jacques, Sigmund se releva avec vivacité et resta immobile au milieu du hall, les bras ballants et le regard oblique, comme pris en faute. Puis, sur une brusque inspiration, il se pencha pour saisir Kugli et le tendre au Canadien d'un geste gauche.

– *Danke vielmal !* dit Jacques en prenant le chiot et, voyant que l'autre s'apprêtait à partir, il ajouta : *Nein, nein ! Komm mit mir !**

* Non, non ! Viens avec moi !

Ils allèrent s'asseoir côte à côte sur le canapé de cuir, à proximité du vieil ascenseur transformé en cabine téléphonique, et se mirent à jouer avec Kugli et Betsy, dans un concert de claquements de langue, de petits cris, de sifflements, de jappements et de rires. Jacques sentait contre son épaule le corps osseux de l'adolescent, ses doigts touchèrent les siens en caressant la fourrure du chiot, et il fit appel aux notions d'allemand glanées depuis son arrivée pour engager avec lui une conversation cahoteuse, au fil sans cesse rompu. Ils n'avaient en fait rien à se dire, pourtant un courant passait entre eux – celui-là même dont Dolorès Sistiega disait qu'il était de l'ordre de l'*inexprimable.*

Mlle Brochet, qui traversait à l'instant le grand hall, bifurqua pour venir s'asseoir en face d'eux et tendit les mains vers Kugli, comme si elle réclamait son tour dans le plaisir de le chouchouter. Sigmund le lui remit, se leva aussitôt et s'éloigna en grommelant une salutation embarrassée.

– J'espère que ce n'est pas moi qui le fais fuir ! dit l'institutrice en le suivant des yeux. Mais ça m'étonnerait, je crois que c'est un garçon naturellement sauvage. Il doit se dire que deux c'est assez, trois c'est trop !

Jacques connaissait Mlle Brochet de vue et n'était pas mécontent d'avoir enfin un tête-à-tête avec elle, car la panoplie de montres qu'elle portait à chaque bras et autour de son cou l'intriguait. Il nota pour la première fois que tous les remontoirs en avaient été supprimés.

– J'ai entendu dire que vous participiez à une recherche de Jorge d'Aquino...

Elle étouffa un rire frais de jeune fille contre le museau de Kugli – elle devait avoir dans les trente-cinq ans et son visage ingrat gagnait à être étudié – et répondit que sa contribution aux travaux du professeur l'avait condamnée à la modestie à perpétuité.

– Une sinécure m'est tombée du ciel par le plus grand des hasards, ajouta-t-elle de sa voix chantante. Imaginez un peu ! La Fondation m'offre deux mois de vacances chaque été, dans ce cadre idyllique, en compagnie d'un groupe de personnes plus fascinantes les unes que les autres ! Et tout ça parce que j'ai écrit un jour à Mme Bogdan-Popesco, après avoir lu un de ses articles, pour lui raconter que j'étais incapable de porter une montre sans la détraquer. Pourtant, je n'ai pas l'impression d'être un phénomène, beaucoup de gens ont ce genre de problème, mais enfin il semblerait que mon cas est particulièrement aigu. Voyez vous-même !

Elle tendit ses poignets pour lui faire constater que la moitié des montres affichaient des heures différentes. La vérification n'était pas possible sur les autres cadrans, qui étaient recouverts d'une petite housse de velours écarlate, fermée par un minuscule rivet poinçonné dans le tissu. Schwester Ursula disait que Mlle Brochet ne passait pas inaperçue au village. Avec un pareil attirail, le contraire aurait été étonnant ! Mais pourquoi ne mettait-elle pas une chemise à manches longues, tout simplement ?

Elle dut se douter des questions qu'il se posait, car elle sourit et dit que son étrange pouvoir s'appliquait indistinctement aux mouvements de toutes sortes, qu'ils fussent mécaniques ou à quartz, et mus par des ressorts ou par des piles. Pour ajouter à l'énigme, elle affirma que des montres de même modèle ne subissaient pas les mêmes dérèglements, selon qu'elles étaient portées au poignet droit ou au gauche.

– Et comment expliquez-vous ce phénomène ? demanda-t-il en luttant contre son scepticisme, car malgré l'absence de remontoirs il soupçonnait quelque supercherie.

– Mais je ne l'explique pas ! répondit-elle avec insouciance. C'est comme ça depuis mon enfance, j'ai eu le temps de me faire une raison et, franchement, le monde est plein de choses qui me paraissent beaucoup plus intéressantes ! Notez que je me suis toujours efforcée de suivre à la lettre les directives qu'on me donne, et les deux entrevues qui m'ont été accordées par le professeur ont été extrêmement gratifiantes ! D'ailleurs, quand je suis arrivée au Berghof, on m'a avertie qu'il souffrait lui-même d'une véritable phobie des pendules et des montres, et tout le monde se demandait comment il allait se débrouiller avec mon cas. Et savez-vous ce qu'il m'a dit ? Que, s'il ne supportait pas les machines à standardiser le temps, il se sentait par contre des affinités particulières pour des montres suisses qui n'en faisaient qu'à leur tête ! Il croit que la mesure objective du temps nous empêche de vivre notre existence dans sa plénitude... ou quelque chose d'approchant. Vous le connaissez, il n'est pas facile à suivre quand il s'embarque dans ses grandes théories !

La semaine dernière, elle avait reçu comme nouvelle instruction de considérer que les montres encapuchonnées étaient destinées à la seule mesure du temps subjectif – à l'écoulement des heures tel qu'elle le ressentait, selon son humeur du moment et ses occupations de la journée.

– Mais par définition le temps subjectif ne se mesure pas !

– Pour être tout à fait franche avec vous, je n'ai pas encore saisi le but de cette expérience, avoua-t-elle, mais j'ai bien vu que les premiers résultats ont décontenancé le professeur... Personnellement, je croyais que les montres auraient pris de l'avance, car, comme je vous l'ai dit, ce séjour au Berghof est des plus agréables pour moi, et tout le monde sait que le temps passe plus vite quand on est heureux. Pourtant, lorsque les housses ont été retirées, cinq montres sur six étaient arrêtées !

– Je ne comprends pas.

– Moi non plus, dit-elle avec candeur. M. Léopold nous a proposé une explication en citant Lamartine : « O temps, suspends ton vol, et vous, heures propices, suspendez votre cours ! » C'est aller chercher un peu loin, vous ne trouvez pas ?

– Franchement, je ne sais pas ! dit-il.

Il joua encore quelques minutes avec Kugli, mais le cœur n'y était plus. Il prit congé de Mlle Brochet, puis sortit sur la terrasse et descendit rapidement vers les allées du jardin, pour éviter les pensionnaires qui sortaient par grappes de la salle à manger.

Le crépuscule prenait corps dans la lumière et les odeurs. Il flâna en observant la nature environnante, puis s'arrêta devant la grande rocaille fleurie, avec son bassin ovale où tombait le rideau bruissant d'une cascade, dont l'eau cristalline était dérivée par une canalisation souterraine du torrent qu'on entendait gronder dans la forêt, derrière le Berghof. Il examinait toute chose avec une attention aiguë, comme si la texture de ce tronc d'arbre, la forme des pétales de cette fleur ou la mousse couvrant ce rocher avaient une signification de la plus haute importance, et il comprit que son esprit s'attachait à tout objet capable de le détourner de ses propres pensées. Il s'assit sur un banc et, d'une pichenette du pouce, catapulta un petit caillou dans le bassin, puis un autre, et un troisième.

Plus tard, en prenant pied sur la terrasse, il fut interpellé par Bertha Moll, dont la silhouette sombre sur le hall éclairé remplissait à capacité le compartiment de la porte tambour.

– Vous dépêchez surtout pas ! cria-t-elle de sa voix acariâtre. Vous croyez peut-être que le Maître a rien d'autre à faire que vous attendre ?

– Le rendez-vous est à neuf heures, dit-il en s'approchant.

L'obésité de la Mollosse n'avait pas épargné son visage, où les expressions avaient peine à s'inscrire sur la peau luisante, tendue à craquer. Le rictus qui distendait ses lèvres minces aurait pu à la rigueur passer pour un sourire, mais les deux boutons des yeux luisaient d'un éclat sans équivoque.

– Ici pour le soir on dit vingt et une heures, répliqua-t-elle. Mais qu'est-ce que ça peut vous faire, maintenant que vous avez déjà un quart d'heure de retard ?

Il consulta vivement sa montre, qui indiquait huit heures quarante-cinq, et secoua la tête avec soulagement.

– Mais non voyons, j'ai tout mon temps !

– En tout cas, vous en aviez assez pour fricoter avec cette folle de Julie Brochet ! répliqua-t-elle avec une méchanceté satisfaite.

Comme elle immobilisait le tambour d'entrée et ne faisait pas mine de s'écarter, Jacques dut passer par la porte latérale, et il traversa le hall d'un pas tranquille pour ne pas donner à cette créature détestable le plaisir de le voir se dépêcher. Mais, dès qu'il eut gravi la moitié du grand escalier circulaire, il fut incapable de retenir sa hâte et escalada les marches quatre à quatre, furieux contre lui-même. Que l'institutrice détraquât ses propres montres, passe encore ! Mais qu'à son contact la sienne prît une demi-heure de retard, alors ça, non ! « La Mollosse m'a fait marcher, se dit-il, et moi je cours ! »

Les deux ailes du Berghof comptaient chacune quatre étages, alors que l'édifice central en avait un de plus, réservé pour sa partie septentrionale à une enfilade de greniers mansardés, où le mobilier, l'équipement et les décorations de l'ancien sanatorium étaient conservés avec un soin méticuleux, au dire de Schwester Ursula. Trois pièces communicantes donnaient de l'autre côté, sur la façade sud, aménagées pour l'usage exclusif de Jorge d'Aquino. Jacques n'eut pas à hésiter en arrivant sur le palier, car la porte d'une des salles était restée ouverte, et il sut que la réunion avait déjà commencé. Il entra sans s'annoncer et resta à l'écart, attendant d'avoir repris son souffle pour se joindre au groupe.

Sa lecture récente de *La Montagne magique* lui avait appris que la salle d'héliothérapie servait autrefois au traitement des tuberculoses ganglionnaires. Les malades, étendus sur des chaises longues, étaient exposés aux rayons du soleil qui pénétraient à flots par de larges baies vitrées, ouvertes dans la pente oblique du toit. Des rideaux de coutil blanc coulissaient sur de longues tringles de cuivre, grâce à un système d'anneaux et de cordelettes qui, à l'instant, les tenait levés contre le haut plafond en un accordéon compact. Jacques ne fut pas surpris que Jorge d'Aquino eût choisi d'aménager sa retraite à ce point le plus élevé du Berghof, où la vue panoramique sur le village et le lac, sur les montagnes et le ciel, de l'horizon au zénith, avait une majesté qui s'accordait bien à la stature du personnage. L'inclinaison des vitres, en supprimant les reflets, créait l'illusion vertigineuse que la salle était ouverte à l'air libre, sur le vide. A l'ouest, le crépuscule tisonnait ses dernières braises sur la crête de la Dent Noire et les arêtes bleutées du glacier de la Scaletta. Dans la partie haute du firmament déjà gagnée à la nuit, l'air ne consommait plus qu'un gaz violet, à la limite du visible, où l'étoile du Berger scintillait dans une hégémonie éphémère.

Jacques se demanda si Élisabeth s'était gardée de rien lui dire sur l'aménagement des lieux pour conserver sa surprise intacte. Sa première impression fut de se retrouver dans une sorte de jardin botanique, où une profusion de plantes tropicales et diverses espèces de cactus (certains avaient plus de deux mètres de haut) étaient exposées dans des bacs posés à même le sol de céramique, sur des tables étroites en bois franc et sur les marches de trois grands escabeaux, dressés côte à côte pour ce seul usage. La température de la salle était restée élevée, bien que le soleil fût couché depuis longtemps, et malgré la rotation silencieuse de deux ventilateurs au plafond. Un espace avait été dégagé devant la verrière, une manière de clairière dans cette végétation luxuriante, où sept fauteuils étaient disposés en rond. Au centre du cercle, posée sur le plateau de cuivre ouvragé d'une table basse de style marocain, une couronne de sept bougies allumées projetait contre les murs des ombres démesurées de bras épineux et de palmes tentaculaires et, sur le plafond, les croix mouvantes des ventilateurs qui s'imbriquaient l'une dans l'autre comme les rouages de quelque fantastique moulin. Pourquoi cette mise en scène ? se demandait Jacques, impressionné malgré lui. Il vit qu'un seul siège était encore inoccupé, qui lui était destiné de toute évidence, et nota aussi qu'il n'y avait pas dans le cercle deux fauteuils qui fussent semblables, et qu'on s'était même ingénié à composer un ensemble de formes, de matériaux et de couleurs aussi disparates que possible. « Je ne serais pas surpris que d'Aquino ait donné des instructions à cet effet, pensa-t-il, pour marquer jusque dans les moindres détails son aversion de l'uniformité. Élisabeth prétend qu'il ne reçoit presque jamais personne à l'*hacienda* – je comprends maintenant l'origine du nom ! –, mais elle n'a pas dit pourquoi il faisait une exception aujourd'hui. »

Il avança silencieusement et prit place entre M. Léopold et Gertrude Glück, qui tricotait une barboteuse jaune canari avec une application de petite fille, la langue tirée entre les dents. Le Dr Frankenthal marqua une pause pour saluer son arrivée d'une brève inclinaison de la tête, puis reprit son exposé de sa voix appliquée, où perçait une sourde tension :

– Les résultats reçus ce matin sont donc sans équivoque... L'anomalie dans le groupe témoin ne s'est pas seulement confirmée, elle s'est même aggravée dans des proportions telles que la validité de notre expérimentation est irrémédiablement compromise. Mais cette conséquence, qui m'affecte personnellement, est tout à fait insignifiante si on accepte l'hypothèse que nous avons débattue l'autre jour, selon laquelle ce déclin de la fécondité ne serait pas un fait circonscrit à mes seuls travaux, mais un phénomène affectant l'ensemble de l'humanité.

Sa voix s'était enrouée sur les derniers mots, qui firent place à un silence consterné, troublé seulement par le cliquetis des aiguilles à tricoter de Gertrude Glück, qui ne semblait pas autrement intéressée par la discussion. « Tout le monde ici sait à quoi s'en tenir sur les conséquences ultimes du Grand Déclin, pensa Jacques, mais chacun semble attendre que le Suédois les exprime à haute voix pour manifester ses sentiments. »

– Doux Jésus ! Comme ça *c'est la fin des enfants* ! s'exclama Gertrude.

Elle avait parlé sans lever la tête de son tricot, dont elle se mit à compter silencieusement les mailles en poussant des soupirs désolés, comme si elle craignait que le nourrisson auquel elle le destinait ne vît jamais le jour.

– Ce n'est pas une hypothèse, docteur Frankenthal, et vous le savez aussi bien que moi ! A ce niveau de probabilités, le Grand Déclin est une certitude.

Les interventions de Katja étaient imprévisibles. Sa voix rauque et contenue sortait de son masque poreux au moment où on s'y attendait le moins, causant une vive tension autour d'elle : l'air se chargeait d'électricité.

Lars Frankenthal l'avait écoutée en hochant la tête, comme s'il était spontanément porté à lui donner raison contre lui-même. Jacques se remémora leur souper en tête à tête dans le salon de musique, et il pensa avec un brusque mouvement de sympathie que ce prix Nobel était venu à Davos pour se reposer, sur ordre de son médecin. Il avait d'ailleurs meilleure mine qu'à son arrivée, et on avait su qu'il se considérait vraiment en vacances le jour où il avait renoncé à se présenter à la salle à manger en veston et cravate. Paradoxalement, plus sa mise vestimentaire se relâchait, et plus il avait l'air d'un ministre du culte, avec sa longue face glabre et son grand front dégagé.

– Comme praticien, je sais par expérience que l'infertilité d'une patiente peut s'expliquer par une diversité de causes, dit-il de son ton scrupuleux. Par contre, si plusieurs ouvrières d'une même usine se révèlent subitement incapables de procréer, on suspectera un facteur extérieur unique, lié à l'environnement. Et, si ces cas augmentent de façon notable à l'échelle d'une ville ou d'une région, on parlera alors d'une épidémie, c'est-à-dire de la propagation d'un agent contagieux provoquant la stérilité – encore qu'à ma connaissance un tel virus n'ait jamais existé. Les chiffres qui m'ont été communiqués ce matin indiquent que la chute du taux de natalité dans quelque huit mois pourrait atteindre dix-sept pour cent – ce qui est proprement effarant quand on sait qu'une variation de zéro virgule cinq pour cent serait déjà vue comme un indice alarmant... Plus inconcevable encore, les résultats des cinq villes considérées aboutissent au même pourcentage, à quelques dixièmes près. Conclusion irrecevable : non seulement ce Grand Déclin dont parle Katja se produirait partout dans le monde, mais *il se manifesterait partout avec la même intensité.* Pourquoi irrecevable ? Parce que si une épidémie planétaire est à la rigueur envisageable, le concept d'une contagion universelle instantanée est en contradiction avec tous les postulats connus de la biologie.

– C'est la quadrature du siècle ! dit la voix de Katja.

Elle s'était dressée dans son fauteuil et le langage de son corps – son port de tête, la crispation de ses mains gantées, le raidissement de son buste – suppléait avec éloquence à l'expression cachée de ses traits. Jacques, qui se demandait encore si son calembour avait été ou non volontaire, sentit sa gorge se serrer alors qu'elle tournait vers lui son masque, dont la blancheur spectrale était rendue plus saisissante encore par l'éclairage mouvant des bougies. Dans les deux orifices en forme d'amande, un regard étincelant de larmes l'observait. Mais qu'attendait-elle de lui, à la fin ? Il détourna les yeux et s'aperçut que d'Aquino regardait Katja lui aussi, avec une lumière de compassion dans son visage ombrageux, et une ombre de sourire sur le pli douloureux de sa bouche. « Je gage qu'il n'a pas prononcé un mot depuis le début de la soirée, pensa-t-il. Il est vrai qu'il n'a pas besoin de s'exprimer pour se faire remarquer. » La respiration lente du géant comptait en effet pour autant, sinon pour davantage que des paroles – c'était une aspiration caverneuse et sifflante, puis un interminable temps d'arrêt évocateur d'asphyxie et de mort, enfin le râle sourd d'une expiration chargée de miasmes.

M. Léopold leva la main et toussota pour réclamer l'attention générale. Contrairement à Lars Frankenthal, il s'était mis sur son trente-et-un pour cette soirée exceptionnelle et, dans sa veste boutonnée, ne paraissait nullement incommodé par la température élevée de l'*hacienda.* Il s'adressait au groupe mais, à l'imitation de ceux qui avaient pris la parole avant lui, il s'était tourné inconsciemment vers Jorge d'Aquino, quand bien même celui-ci avait une façon d'écouter, le visage impavide, sans un hochement de tête ni un cillement de paupière, qui vous donnait envie d'abréger vos phrases ou de les finir en points d'interrogation.

– Je veux être certain de bien comprendre, dit-il avec sa sécheresse coutumière. Docteur Frankenthal, vous expérimentez depuis dix mois, en Suède, en Allemagne et aux Pays-Bas, une nouvelle méthode de contraception, sur un échantillon de six cents couples. Depuis neuf semaines, une anomalie persistante compromet la vérification de vos travaux, et vous êtes venu consulter le Pr d'Aquino. Bien ! Après avoir pris connaissance de votre problème, notre amie Katja émet l'hypothèse que cette anomalie est sans rapport avec votre recherche, et que vous n'avez fait qu'observer au moment opportun le début d'une baisse universelle de la fécondité humaine. Très bien ! Une première enquête plus ou moins artisanale sur trois continents semble confirmer la réalité de ce Grand Déclin, et son accentuation dramatique d'une semaine à l'autre. Parfait ! On ne sait apparemment rien des causes de ce phénomène « scientifiquement inacceptable », et je ne me rappelle pas avoir entendu la moindre suggestion sur la façon de le contrecarrer. Je me défends d'être indûment mélodramatique, mais il me semble que nous aurions avantage entre nous à désigner les choses par leur nom. Que les femmes cessent d'avoir des enfants et qu'aucun remède ne soit trouvé à cette stérilité généralisée, et il s'ensuivra à plus ou moins brève échéance une conséquence inéluctable, qui s'appelle l'*extinction de la race humaine.*

Il se laissa retomber dans les profondeurs de ses coussins (tout en parlant, il s'était avancé jusqu'à l'extrême bord du fauteuil) et trente-six chandelles dansèrent dans les verres de ses lunettes, alors qu'il promenait un regard circulaire sur son auditoire.

– L'échéance n'est pas « plus ou moins brève », dit Katja. Au rythme actuel de décroissance, elle est de trente-cinq ans.

– Ça va faire de la peine à beaucoup de monde ! déclara Gertrude Glück, de cette voix niaise qui hypothéquait chacune de ses paroles.

Un nouveau silence se fit, plus pesant que celui qui avait accueilli plus tôt les paroles de Lars Frankenthal. L'énormité de la conclusion à laquelle était arrivé M. Léopold ne surprenait personne, mais on trouvait inconcevable de pouvoir la formuler de cette façon, sans la contredire aussitôt par un rire ou un haussement d'épaules. Et on s'inquiétait de surcroît de ne pas trouver drôle la dernière saillie de la brave Gertrude.

De l'endroit où il se trouvait, et par une échappée entre deux cactus protubérants, Jacques avait vue sur la chambre à coucher de Jorge d'Aquino, qui communiquait avec la salle d'héliothérapie par une arcade en plein cintre, à demi masquée par une lourde tenture de laine brodée, dont le dessin artisanal s'harmonisait avec les motifs art déco incrustés dans le sol de céramique. Un quinquet de cuivre éclairait cette pièce contiguë d'une lumière mordorée, et en révélait l'extrême dépouillement, qui contrastait tant avec le capharnaüm du laboratoire du professeur. Un vieux coffre militaire en cuir craquelé montait la garde au pied d'un lit de bois massif, construit sur mesure – et ce coffre noir exerçait sur Jacques une fascination qu'il ne s'expliquait pas. L'aspect monacal du lieu lui remémora les confidences qu'Élisabeth lui avait faites le lendemain de son arrivée au Berghof, à propos des tortures infligées à d'Aquino pendant son emprisonnement en Argentine, et le traumatisme qui en avait résulté. « Ce colosse impuissant, qu'on vient consulter de si loin pour un problème d'infertilité ! songea-t-il en frissonnant, sans oser tourner les yeux dans sa direction, de peur de laisser paraître ses pensées. Tout cela est d'une ironie atroce... »

– Vous avez demandé à nous voir, dit d'Aquino d'une voix calme, plus caverneuse encore qu'à l'accoutumée. Pour quel motif ?

Son regard sombre fit le tour des invités, interrogeant chacun avec une égale distance, comme s'il se posait réellement la question, et que l'extinction de l'espèce humaine ne lui apparût pas être une raison suffisante pour le déranger.

– Pour l'instant, la réalité du Grand Déclin n'est connue que d'une poignée d'initiés, dit Élisabeth. Dans quelques mois, le phénomène sera visible à tous, du jour au lendemain !

– Dans quatre ou cinq semaines, dit la voix sourde de Katja.

– Qu'importe ! Je ne vois pas comment la chose pourrait se savoir si vite, mais admettons que tu aies raison, comme d'habitude ! Seulement, que ce soit dans cinq jours ou dans cinq mois, la nouvelle va provoquer la même commotion, un choc sans précédent dans l'histoire de l'humanité ! Vous vous souvenez de Churchill, qui disait que la guerre est une chose trop grave pour être confiée à des militaires...

– Suarès attribue cet aphorisme à Georges Clemenceau, rectifia malgré lui M. Léopold.

– Je veux bien, à condition que vous m'accordiez que la fin du monde est une chose trop grave pour être confiée à des politiciens ! répliqua Élisabeth. Grâce au Dr Frankenthal, nous avons quelques longueurs d'avance sur le peloton, aussi profitons-en pour organiser une assemblée de sages, venant de tous horizons et indépendants des pouvoirs et des idéologies.... Quand la nouvelle du Grand Déclin fera surface, ce groupe parlera d'une seule voix pour aviser les gouvernements des conduites à tenir... Nous devons éviter à tout prix la confusion et la panique, et de laisser le champ libre aux démagogues de tous poils ! Ce *brain trust* doit préparer un plan d'action en vue de coordonner les recherches à l'échelle internationale, pour trouver la cause du Grand Déclin et sa cure... (Elle se tourna vers d'Aquino.) Nous sommes venus vous demander de prendre la tête de ce groupe et d'user de votre crédit pour convaincre des personnalités de premier plan de se joindre à nous pour entreprendre cette tâche sans délai.

Elle se tut, essoufflée, le visage en feu. Jacques l'observait, en se disant qu'elle avait présenté cette requête en leur nom à tous, comme s'ils l'avaient approuvée avant de venir ici. Elle en avait évidemment parlé au Suédois, et probablement à M. Léopold et à Katja. Mais pourquoi ne lui en avait-elle rien dit, quand il lui avait rendu visite ce matin dans sa chambre ?

L'expression de Jorge d'Aquino était restée sévère et distante. Il se leva et, dans son immense charpente, une série d'articulations jouèrent avec des craquements de bois mort. Sans hâte, il alla éteindre la couronne des sept cierges en écrasant les mèches du bout des doigts, puis, dans la pénombre laiteuse, pointa le doigt vers le ciel d'un geste de prophète.

Les grandes verrières de la salle d'héliothérapie contenaient l'amas d'étoiles le plus compact que Jacques eût jamais contemplé – une myriade de soleils scintillants piqués dans les profondeurs du néant, et une poignée de planètes brillantes disséminées au hasard dans le lot, qu'il voyait pour la première fois avec une telle netteté. La voie lactée étincelait comme une rivière dans ce présentoir de joaillerie céleste. Et tout à coup, à quelques secondes d'intervalle, deux traits de feux rayèrent le firmament.

Le grondement de la voix de d'Aquino s'éleva alors dans la demi-obscurité, mêlé par une singulière alchimie à la senteur de carême des chandelles mouchées.

– Voilà votre réponse, et voici notre questionnement ! Pour chaque étoile visible, vingt millions de soleils dans notre galaxie, trop lointains pour déposer ne fût-ce qu'une étincelle sur la rétine de notre œil. Et, pour chacun de ces vingt millions de soleils invisibles, cinquante galaxies dans les profondeurs de l'univers. Nous sommes des aveugles avec une poignée de sable dans la main, qui croyons toucher le désert ! *Rrrrâh !* Nous regardons l'infini par le petit bout de la lorgnette – le livre de l'univers est grand ouvert devant nous, et nous le déchiffrons par la tranche !

Alors qu'au-dessus de leurs têtes un nouveau météorite se consumait aux confins de l'atmosphère, le géant reprit son souffle, avec cette plainte déchirante au creux de la poitrine qui semblait empirer à chaque nouvelle respiration.

– Les hommes qui ont scruté le ciel à l'infini ont tracé des frontières sur la Terre, reprit-il enfin. Dans le scintillement des soleils nocturnes, ils ont morcelé leur grain de poussière, ils ont divisé le moins que rien ! La multitude ici-bas connaît l'immensité de l'univers, mais l'humilité reste la marque du petit nombre. Plus insondable que les profondeurs du néant, voici la présomption de l'homme ! Plus vaste que les plus vastes champs d'étoiles, voici sa vanité ! *¡ Fatuidad, arrogancia y orgullo !** Qu'avons-nous appris depuis Socrate, qui nous dispenserait aujourd'hui de lui répondre : « Tout ce que je sais est que je ne *suis* rien » ?

Il laissa retomber son bras et pivota lentement sur lui-même, regardant les silhouettes éthérées qui l'entouraient, comme s'il possédait la faculté de voir dans la pénombre l'expression des visages, même celle qui se dissimulait derrière le masque spectral de Katja.

– Conciliabules, apartés, mines longues, oreilles basses... Pour-

* Fatuité, arrogance et orgueil !

quoi ? Van Katwijk prédit l'avènement du Grand Déclin, et on se présente cette nuit en délégation du Grand Refus ! Mais quelle alternative avez-vous à proposer à l'humanité ? Nous vous le demandons. Quel autre choix qu'entre l'extinction de la race et l'extermination de l'espèce – entre la fin par l'absence de vivants ou la fin par le cumul des morts ? Vos lamentations ont pour sujet des générations manquantes, et vous êtes emplis de compassion pour des enfants qui ne naîtront pas ! *Rrrrâh !* Qu'est-ce que la postérité a jamais fait pour vous, que vous vous sentiez en dette envers elle ? Bogdan-Popesco attend notre collaboration à la recherche d'un remède au Grand Déclin – une cure pour que la femme aujourd'hui stérile demain sente remuer en elle le germe de la vie... Pour répondre à votre requête, il nous faut au préalable répondre à cette question : qu'avons-nous à offrir à cet enfant que nous voulons contraindre à naître ? Une maison qui tombe en ruine, une famille en discorde, un garde-manger vide, un passé sans grandeur, un avenir sans horizons ! Vous secouez la tête, Frankenthal ? Auriez-vous dans la manche une planète de rechange ? Avec tous les organismes vivants, nous sommes locataires de cette mince bande de terre, d'air et d'eau – l'unique refuge de l'humanité et la cible de son vandalisme et de ses excès ! Nous vivons en osmose biologique et psychique avec Gaïa, la déesse Terre, et pourtant nous nous acharnons à rompre notre alliance avec elle.

Tout en parlant, Jorge d'Aquino se déplaçait dans la demi-obscurité. Sa silhouette massive se dissolvait dans les recoins d'ombre, puis se matérialisait avec un bruissement de palmes entre des arbustes et des plantes aux contours torturés. Son réquisitoire contre ce qu'il appelait « le viol de Gaïa » avait les accents contradictoires de la passion et du détachement ; s'il frôlait la grandiloquence, il n'y versait jamais. A l'entendre, on avait l'impression que son esprit – cette trinité où les voix de Doña Isabel et du petit Eduardo s'unissaient à la sienne – s'était projeté dans l'espace, et que la *planète bleue* tout entière entrait dans son champ de vision. Il en parlait comme un voyageur au retour de mondes lointains parlerait de sa terre natale, à ses yeux un havre, à son cœur une patrie.

– Dix millions de siècles à la patience de Gaïa pour couver la pulsation originelle de la vie... dix mille siècles à l'intelligence humaine pour imposer sa domination aux autres espèces.... un seul siècle à la folie des hommes pour dégrader la biosphère – la matrice et le sein de tout ce qui respire et croît ici-bas ! Voyez ! Décimation de la végétation tropicale, contamination des eaux et des sols, pollution de l'air ! Plantes et animaux en voie d'extinction ! Voyez ! Poussières, déchets et résidus ! Pillage de Gaïa : appauvrissement des terres agraires, dépeuplement des lacs et des océans ! Et dans le gaspillage et la débauche, la misère et la faim ! *Rrrrâh !* Combien d'enfants se sont éteints aujourd'hui sur cette planète ? Cinquante mille, et neuf fois sur dix leur mort aurait pu être évitée ! Combien d'enfants sont nés aujourd'hui sur cette planète ? Un tiers de million, dont la moitié n'apprendront jamais à lire ni à écrire ! Hier encore, la raison nous disait que la fin de l'humanité serait à l'image de son histoire sordide, un désastre exemplaire pour un échec sans rémission – l'accumulation des souffrances, la morne répétition de l'injustice et de la violence, l'escalade ultime de la destruction et du mal. *¡ Sangre !* Notre cauchemar se nourrissait des visions d'un holocauste planétaire : les guerres nucléaires et bactériologiques, l'anéantissement brutal de l'espèce par toutes les abominations ! Enfants décharnés, squelettes ambulants, pourritures vivantes, charniers d'innocents ! *¡ Sangre y lacrimas !* Nous pleurons sur la personne, vous vous lamentez sur l'espèce ! *Rrrâh !* Or voici qu'à notre cauchemar Frankenthal et Van Katwijk substituent un rêve ; à la peine capitale, une mort de vieillesse ; à l'apocalypse sanglante, une fin naturelle. L'espèce humaine ferait-elle pour la première fois preuve de sagesse, en mettant ainsi un point final à son histoire ? Elle a vécu dans la folie, elle s'éteint dans le silence. Que peut-on espérer de mieux ? Le millénaire périclite : essoufflement de l'intelligence, anémie de l'âme – l'esprit s'est éteint avant que la chair cesse de se reproduire ! Répondez-nous à présent, vous qui êtes venus en délégation nous demander de l'aide : votre haine de l'homme est-elle si aveugle que vous le condamniez à vivre ?

D'Aquino avait posé cette dernière question dans un murmure tonitruant. Il regagna son siège et s'assit avec lenteur, le buste droit. Jacques n'était pas seul à s'être laissé envoûter par la puissance et la passion de son discours et, bien que la plupart des arguments invoqués ne fussent pas nouveaux pour lui, il devait lutter contre le découragement et la nausée.

– Et Doña Isabel, qu'est-ce qu'elle en pense ? demanda Élisabeth en s'avançant sur son fauteuil.

Jorge d'Aquino s'immobilisa, la tête penchée sur le côté comme s'il n'était pas certain d'avoir saisi la question.

– Nous sommes déchiré ! répondit-il enfin, sur un tout autre ton.

Dans la pénombre, des exclamations de surprise rompirent le silence, après qu'une demi-douzaine de traits lumineux eurent à nouveau rayé le firmament. La voix de Gertrude Glück s'éleva, chargée d'une admiration éperdue :

– Vous avez vu ? C'est à cause du professeur ! C'est lui qui fait tomber les étoiles !

– Tssstt, tssstt ! Ne dites pas de bêtises, Gertrude ! intima M. Léopold, sur un ton moins sec qu'à l'accoutumée. Le Pr d'Aquino nous a invités ici, sachant fort bien que le vaisseau *Terre* traverse cette nuit le sillage d'un astre errant, la fidèle comète Swift-Tuttle. Cette douche luminescente que nous observons depuis un moment est un phénomène scientifique bien connu. Ce qu'on appelle communément les étoiles filantes – les poètes préfèrent parler des « larmes de Saint-Laurent » – ne sont en réalité que des particules gazeuses, qui dégagent un intense rayon lumineux en s'échauffant au contact de l'atmosphère. Vous vous en doutez, cette pyrotechnie céleste a inspiré les mythes de l'humanité depuis la nuit des temps !

Jacques avait été souvent irrité par l'encyclopédisme pointilleux de M. Léopold, mais il accueillit sa dissertation avec soulagement, tout en sachant que le répit serait de courte durée. Katja s'était brusquement levée. De sa démarche singulière, que la pénombre rendait encore plus fluide et plus aérienne, elle alla prendre un briquet sur la table au plateau de cuivre. Elle leva la tête vers les étoiles et on l'entendit murmurer avec un petit rire triste : « Les vœux sont faits, rien ne va plus ! » Puis elle alluma à la suite les sept cierges, et le tremblement de sa main gantée contrastait avec la détermination de son attitude. « On dirait qu'elle a peur de rester dans l'ombre, pensa Jacques, de plus en plus intrigué. Pourtant, l'ombre devrait être son alliée... *Qu'est-ce que l'obscurité pourrait révéler, que son masque réussit à dissimuler ?* »

Le Dr Frankenthal avait remis ses lunettes et regardait pensivement Jorge d'Aquino.

– Je ne puis souscrire à votre raisonnement, dit-il enfin d'une voix contenue. Vous semblez prendre pour acquis que le Grand Déclin est permanent et irréversible. Or les chiffres que nous possédons ne nous permettent pas de...

– Je vous en prie, n'entrez pas dans son jeu ! s'écria Katja, avant d'apostropher le géant d'une voix rauque et mordante. J'ignore quelles sont vos véritables raisons pour nous refuser votre aide, professeur, mais ce ne sont pas celles que vous dites, et ces sophismes sont indignes de vous ! « Extinction ou extermination ! » Vous présentez en alternative ce qui est en séquence, et vous essayez de nous faire croire que le Grand Déclin est le début de l'Age d'or ! La fin de la consommation et le commencement de la contemplation ! Point d'avenir, point de guerre ! Plus d'enfants, plus de soldats ! Généraux sans armées... politiciens sans électeurs... financiers sans échéances... empires sans hégémonies ! *¡ La utopia y el sueno !**

Elle imitait le débit torrentueux et emphatique de d'Aquino avec une insolence décapante, et l'amalgame des accents hollandais et espagnol ajoutait à son éclat une note hautement comique.

– Elle a de la joie à être fâchée ! dit la voix gémissante de Gertrude Glück. Elle joue pour de vrai ! Sa colère est un autre masque.

Katja se tourna vivement vers elle, la main levée dans un geste apeuré, comme pour la supplier de ne pas en dire davantage. Cette réaction de crainte était surprenante, venant de celle qui n'hésitait pas à affronter un personnage aussi formidable que le Sage des Grisons. Son audace éveillait chez Jacques une secrète satisfaction, et le soupçon humiliant qu'il ne trouverait pas en lui-même, si le besoin s'en faisait sentir, le courage d'exprimer son désaccord avec une telle virulence.

– Poursuivez, je vous prie ! dit Lars Frankenthal en s'avançant sur son siège. Vous avez parlé de sophismes...

Elle reprit sur un ton plus calme, en affirmant qu'il n'était pas prématuré d'imaginer le pire quand le mal était dans la place. Qu'arriverait-il si la courbe du Grand Déclin continuait sa chute, sans qu'il soit possible de l'arrêter ? Quelles seraient les conséquences politiques, économiques et sociales ? A quoi ressemblerait la vie de tous les jours, sur une planète dont la population déclinerait sans cesse ? Elle ajouta que, contrairement à ce qu'il prétendait, le professeur ne croyait pas que l'extinction lente de l'espèce humaine rendrait toute guerre si absurde que les hommes finiraient par y renoncer, pour jouer le dernier acte de leur courte histoire dans la fraternité et la tolérance. Que non ! Il savait comme eux que ni la raison, ni la logique n'inspireraient le comportement des derniers survivants. Un monde sans lendemains serait un monde en panique – et que pouvait-on attendre de la panique, sinon la dérai-

* L'utopie et le rêve !

son et les excès ? Quand il n'y avait plus rien à espérer de l'avenir, il n'y avait plus rien à perdre dans le présent.

– Le Grand Déclin est annonciateur de tous les fanatismes et de toutes les abominations, s'écria-t-elle, et mon intuition me dit que les femmes en seront les premières victimes, quand la protection de la maternité leur aura été retirée !

Sa voix se brisa et elle eut un geste irréfléchi qui toucha Jacques plus que toutes les paroles qu'elle avait prononcées. Elle plongea son visage dans ses mains, comme si elle craignait que sa détresse ne s'imprégnât sur les traits stylisés de son masque.

– C'est notre peur, en effet ! concéda Jorge d'Aquino sans paraître embarrassé de se contredire. Ce n'est toutefois pas notre certitude. Van Katwijk sait-elle seulement que ses propos apportent de l'eau à notre moulin, par le démenti qu'elle oppose à ceux d'entre vous qui croyaient encore que les enjeux des conflits et de la guerre étaient le sol, la richesse, la puissance, la religion... Elle nous dit en effet que les hommes ne se battront pas pour des territoires que le dépeuplement agrandira chaque jour, ni pour des possessions de moins en moins disputées, ni même pour un pouvoir devenu sans objet ni récompense. Ils s'extermineront parce que tel est leur destin depuis le commencement des temps ! Massacres, pogromes, génocides, hécatombes : *¡ los medios justifican el fin !** Pendant quarante ans, nous avons fouillé l'intelligence humaine dans l'espoir de découvrir la nature de cette tare ancestrale, qui frappe la race et épargne la personne. Notre quête est un lamentable échec, couronné par le Grand Déclin !

– « Le pluriel a finalement eu raison du singulier », cita M. Léopold d'une voix changée.

Du coin de l'œil, Jacques surveillait Katja et Élisabeth. Qu'allaient-elles dire ou faire à présent ? Lars Frankenthal regardait dans le vide, son visage austère marqué par une grande lassitude.

– Docteur Frankenthal, dit Katja, vous êtes venu à Davos pour consulter Jorge d'Aquino sur vos travaux de recherche. Si vous avez fait ce long voyage, c'est sans doute que vous aviez l'intuition que le professeur était une des rares personnes capables de trouver l'explication d'un phénomène que vous avez vous-même qualifié d'*impossible.*

– J'étais dans une impasse, en effet ! concéda le médecin,

* Les moyens justifient la fin !

qui se demandait où elle voulait en venir. Et je n'en suis pas sorti.

– Il ne vous est jamais venu à l'esprit que celui qui peut expliquer l'impossible serait également le plus qualifié pour le provoquer ? dit-elle à voix basse, avant de se tourner vers d'Aquino en redressant la taille. Professeur, il faut que je pose la question, pour ne pas me laisser empoisonner par le doute. Êtes-vous directement ou indirectement responsable du Grand Déclin ?

Élisabeth étouffa une exclamation indignée, et M. Léopold émergea de ses pensées pour regarder Katja avec saisissement.

– Nous aurions manqué d'imagination, répondit d'Aquino sans s'émouvoir. La vérité est que nous n'y sommes pour rien, et que nous avons mis du temps à apprécier le phénomène à sa juste valeur. Vous vous obstinez à chercher le *combien* et le *comment* du Grand Déclin, alors que seul importe le *pourquoi.*

– Si je peux aider, vous me dites ! Je demande pas mieux de me rendre utile, déclara Gertrude Glück avec autant d'entrain et de bonne volonté que si elle avait proposé de ranger la salle à l'issue de la réunion.

– Merci, chère amie, votre contribution peut nous être en effet d'un grand secours, répondit M. Léopold. Que proposez-vous ?

– Vous n'êtes pas sûr de ce qui va arriver l'année prochaine, dit-elle, même le professeur ne sait pas si on recommencera à faire des enfants. Si vous voulez, je peux aller voir.

– Non, non ! C'est trop dangereux, s'écria Élisabeth en se levant à demi. Vous ne devez pas le faire, souvenez-vous de la dernière fois...

La course régulière des aiguilles à tricoter s'arrêta brusquement – toute la soirée, leur cliquetis rassurant avait égrené le temps, sans plus être influencé par la pénombre que le tic-tac d'une horloge. Gertrude posa son ouvrage sur l'accoudoir de son siège et se leva, en regardant du côté d'Élisabeth avec un air d'excuse et de confusion.

– Il faut bien que je serve à quelque chose, dit-elle.

Jacques sentit sa gorge se serrer. Sous l'intonation geignarde perçait un accent infiniment tragique.

Mlle Glück traversa le cercle en ligne droite, même si toute sa personne boulotte et courtaude aurait visiblement préféré un chemin plus circulaire. Elle alla se planter devant le siège de Jorge d'Aquino, dont la tête auréolée de sa solide masse de cheveux blancs arrivait à hauteur de la sienne, et le dévisagea intensément, avant de commencer une série d'exercices respiratoires, avec l'application et l'aisance dues à une longue pratique.

– Pourquoi la laisse-t-il faire à sa tête ? murmura Élisabeth. Il sait pourtant que ses transes sont de moins en moins contrôlables ! Et d'abord, sommes-nous vraiment prêts à savoir ce que l'avenir nous réserve ?

Gertrude écoutait les paroles que d'Aquino lui murmurait à l'oreille, tout en prenant par le nez des inspirations de plus en plus profondes. Soudain, elle se raidit comme sous l'effet d'une décharge électrique et fit demi-tour en vacillant. Il se leva de son siège et l'empêcha de tomber en passant ses bras puissants autour d'elle et, la saisissant aux poignets, la contraignit à ramener ses bras contre sa poitrine. Elle fut alors prise d'un tremblement généralisé, aussi violent qu'une crise épileptique, et poussa une plainte effroyable. Ses yeux se révulsèrent jusqu'à ne laisser dans ses orbites que deux lobes blancs, et son visage exsangue perdit tout relief. Une voix d'enfant pure et claire sortit alors de sa bouche :

– *Mais arrêtez, vous faites trop de bruit, ça m'empêche de dormir ! D'abord, pourquoi vous vous disputez ?*

Alors qu'elle parlait, ses traits se modifiaient à vue d'œil, pour se remodeler avec une plasticité qui tenait du prodige.

Pétrifié de stupeur, Jacques retrouvait l'expression du jeune garçon qu'il avait vu assis sur les épaules de son père, sur cette photographie prise dans les jardins du Bateson Institute, que Katja lui avait montrée à leur première rencontre. Il sentit qu'Élisabeth lui lançait un regard stupéfait et l'entendit murmurer : « Petit Prince ! » Puis elle poussa un gémissement apeuré en découvrant que la métamorphose du visage de Gertrude Glück se poursuivait dans le cillement continu des bougies, et que c'était la voix d'Alexander Carpentier qui s'élevait à présent dans le silence – cette voix que Jacques n'avait pas entendue depuis douze ans.

– *Ce n'est rien, Jacquot ! Le professeur et moi ne sommes pas d'accord, voilà tout ! A présent, ferme la porte et retourne dans ton lit, je viendrai te dire bonne nuit tout à l'heure.*

– Nous ne savions pas que tu pouvais nous entendre ! dit d'Aquino. Nous t'avons effrayé.

Il observait Jacques de son regard sombre, mais s'adressait lui aussi à l'enfant qui s'était exprimé par la bouche de Gertrude.

– *C'est de ma faute, je me suis laissé emporter,* reprit la voix d'Alexander avec une intensité contenue. *Cette discussion ne mène à rien, Jorge, je ne reviendrai pas sur ma décision. Nous sommes des scientifiques, il ne nous appartient pas de censurer nos travaux sous prétexte que nos collègues risquent d'en faire mauvais usage. Le Troisième Ordre existe et nous ne sommes pas les propriétaires de cette vérité-là. Ne voyez-vous pas que sa révélation forcera l'humanité à faire enfin le choix de sa destinée ? On ne nous a pas attendus pour écrire que Dieu avait créé l'homme à son image. Notre découverte est tout au plus un miroir que nous tendons à nos semblables... Pourquoi les croyez-vous incapables de faire face à ce qu'ils vont y découvrir ?*

Jorge d'Aquino, qui tenait toujours Gertrude serrée contre lui, ouvrit la bouche pour répondre aux propos qu'Alexander Carpentier lui tenait douze ans plus tôt, mais il hésita et tourna la tête vers Élisabeth. Jacques tressaillit en captant le regard qu'ils échangeaient dans la pénombre – ce regard qui éveillait en lui un souvenir lointain, longtemps tenu au secret dans les méandres de sa mémoire. « Quelque chose les effraie, pensa-t-il, le cœur battant. Voilà bien la seule expression que je croyais ne jamais voir dans les yeux de d'Aquino... C'est la même peur qu'à San Francisco, quand ils ont découvert mon père étendu dans le salon. Oh ! maintenant je me souviens : Élisabeth était là, elle aussi, et ils se sont regardés de la même façon ! Comment ai-je pu oublier un événement aussi important ? »

L'indécision de Jorge d'Aquino fut de courte durée, et ses traits exprimèrent qu'il n'avait pas l'intention de continuer à donner la réplique au Dr Carpentier. Aussi tous furent-ils pris au dépourvu – à commencer par le principal intéressé – en entendant s'élever la voix de stentor :

– *L'humanité n'est pas prête à affronter la révélation du Troisième Ordre, Alexander ! Vous jouez à l'apprenti sorcier, prenez garde ! Rappelez-vous la tour de Babel... Intervention divine, sagesse du démiurge !* Rrrâh ! *Iahvé a dit : « Si les hommes ont un seul langage, rien désormais ne leur sera impossible ! Confondons leur langage pour les empêcher de se comprendre ! » Que faut-il de plus pour vous convaincre ? Les hommes étaient unis dans un grand dessein collectif, et Dieu est intervenu pour empêcher de communiquer les uns avec les autres... Mesurez-vous votre prétention ? Le secret de Babel est caché depuis trois millénaires, et vous décidez de le révéler à l'humanité, sans plus réfléchir aux conséquences de votre acte !*

« C'est hallucinant, pensa Jacques, je n'ai jamais rien vu de pareil ! » Dans sa transe, Gertrude Glück ne répétait pas seulement les paroles prononcées jadis par Jorge d'Aquino, elle reproduisait aussi son timbre caverneux et ses râles, avec une fidélité qui ne prêtait pas à rire, contrairement à la caricature que Katja en avait faite plus tôt.

Après une accalmie, le tremblement de Gertrude reprit avec une violence accrue. Elle se débattit pour se soustraire au contrôle de d'Aquino et, bien que celui-ci la ceinturât en lui tenant fermement les poignets, elle réussit contre toute vraisemblance à forcer l'étreinte colossale et à écarter lentement les bras, comme pour s'offrir à une crucifixion mystique. Puis elle parut se vider brusquement de toute énergie et s'affaissa mollement.

– Carpentier, aide-nous ! gronda d'Aquino en retenant la malheureuse.

Jacques se précipita et passa un bras sous les genoux de Gertrude pour aider à la transporter sur le grand lit de la chambre voisine. En se penchant pour lui glisser un traversin sous la nuque, son oreille approcha sa bouche entrouverte, aux lèvres décolorées, et il crut entendre un brouhaha de foule et des chants lointains, aux accents de mélopée. Comment faisait-elle ? se demanda-t-il avec un malaise physique qui le laissait sans souffle et la peau moite. Il commençait à douter de ses sens, c'était grave ! Le jour même de son arrivée à Davos, il avait découvert que cette femme avait été la patiente de son père, mais il ne s'était pas interrogé avant ce soir sur un lien possible entre ses pouvoirs de médium et l'opération qu'elle avait autrefois subie. Bien que cette évocation lui fût pénible, il ne put s'empêcher de penser que ce crâne à la chevelure clairsemée avait été autrefois rasé, puis que la partie supérieure en avait été ouverte comme un couvercle de boîte, pour mettre à nu la masse grisâtre de l'encéphale. Les doigts de son père – qui alors n'étaient pas agités d'un tremblement sénile – s'étaient activés avec une délicatesse extrême pour sectionner le réseau de fibres nerveuses qui reliaient les deux hémisphères de ce cerveau vivant, plein de souvenirs, d'images, d'émotions, de mots et de rêves.

En se redressant, il vit qu'Élisabeth les avait rejoints et questionnait d'Aquino du regard, la mine soucieuse.

– M. Léopold avait raison, je n'ai rien oublié ! dit Jacques d'une voix qui faussait, tant il était bouleversé. Mes souvenirs sont là, jusque dans les moindres détails. Élisabeth, tu te rappelles ce qui est arrivé à San Francisco ? Les ambulanciers ont emmené mon père, et toi tu es allée sangloter dans les bras du professeur. Tu lui as dit : « Elle n'a pas pu faire ça, c'est impossible ! »

– Tu étais là ? murmura-t-elle, stupéfaite.

– Je n'étais pas loin.

Elle se mordit nerveusement les lèvres, hésitant à parler. Gertrude poussa un gémissement et, se redressant à demi, dévisagea Jacques en plissant les paupières. Son visage luisait de transpiration.

– Sedna ! chuchota-t-elle.

Sa tête dodelina et Jorge d'Aquino s'agenouilla pour la prendre aux épaules. Avec une douceur féminine, il l'aida à se recoucher.

– Tu as cru que nous parlions de ta mère, dit-il.

Jacques mit quelques secondes avant de saisir que la remarque lui était destinée.

– Mais... évidemment ! Avant son départ pour Montréal, les scènes avec mon père étaient quotidiennes. Vous voulez dire que vous ne... Mais alors, de qui parliez-vous, si ce n'est pas d'elle ? *Qui* n'aurait « pas pu faire ça » ?

Le regard du géant n'était plus distant ni inquisiteur, mais empreint d'une compassion vibrante.

– Nous avons été aveugle ! L'affreux malentendu... le quiproquo cruel et inutile ! *Rrrâh !* Quel tourment pour une âme d'enfant ! Heureusement que le petit Jacques a eu la sagesse d'oublier... Oblitération du soupçon, équilibre fragile dans le clair-obscur et le doute ! Le faux meurtre du père, la vraie mort de la mère. Pardonne-nous !

Jacques eut un geste de protestation pour signifier que ces excuses ne lui paraissent pas fondées. La sollicitude de d'Aquino le désarmait. Sans douter de sa sincérité, il était déterminé à maintenir ses distances. « Il a réussi l'autre jour à me faire pleurer, pensait-il, mais je ne le laisserai plus jouer avec mes sentiments ! Je comprends pourquoi les gens sont en admiration devant lui. Sa personnalité dégage une sorte de magnétisme, que je ressens moi aussi presque physiquement, même si je me tiens sur mes gardes ! Il donne à ceux qui l'approchent l'impression d'être uniques et importants, et en même temps il les ignore et répond rarement à leurs questions. Je ne sais pas comment il s'y prend, c'est peut-être lié à cette histoire de personnalités multiples... »

– Laissons Gertrude avec le professeur, dit Élisabeth en le prenant par le bras pour l'entraîner vers la salle voisine. Regarde-la, elle est exténuée ! Il lui faut du calme à présent, du calme et rien d'autre !

Alors qu'ils louvoyaient entre les palmiers nains et les cactus géants de l'*hacienda*, Jacques se disait que l'inquiétude d'Élisabeth pour la santé de Gertrude cachait peut-être la crainte que son état second ne l'entraînât à faire des révélations indésirables sur ce qui était arrivé à son père, douze ans plus tôt.

– Qui est Sedna ? demanda-t-il avec agressivité.

Élisabeth fit mine de n'avoir pas entendu, profitant du concours involontaire de M. Léopold qui les attendait dans la clairière aux sept fauteuils et qui se leva précipitamment pour leur demander des nouvelles de Mlle Glück. Comment un être aussi érudit et raffiné pouvait-il s'intéresser à une femme d'une telle insignifiance, en dehors de ses dons de clairvoyance ? se demanda Jacques. Il percevait entre eux une solidarité complice, qu'il leur enviait, même s'il ne comprenait pas ce qui la motivait.

– J'ai cru remarquer que le professeur avait été lui-même pris de court par l'intensité de la crise, dit M. Léopold après qu'Élisabeth lui eut donné des nouvelles de Gertrude. Ne trouvez-vous pas étrange que notre amie, qui s'est offerte pour une incursion dans l'avenir, se soit retrouvée dans le passé ? Je suis au regret de vous dire que cette volte-face me met personnellement dans une situation très délicate.

– Je ne comprends pas, dit-elle.

– Réfléchissez un peu ! Voilà dix ans que je m'évertue à ferrailler contre les adversaires du professeur et contre les détracteurs de son œuvre. Sans le vouloir, j'ai même offusqué notre ami Jacques à notre première rencontre par la sévérité de mes propos sur le Troisième Ordre, et la prétendue conspiration du silence à l'encontre des découvertes du Dr Carpentier. Or les événements de ce soir ne laissent place à aucune ambiguïté : malgré tous nos démentis, ce Troisième Ordre existe bel et bien. Je suis blessé d'avoir été tenu dans l'ignorance, et je suis humilié d'avoir été compromis à mon insu dans une opération de camouflage.

Jacques observait avec saisissement la colère froide qui équarrissait la mâchoire de M. Léopold. Avait-il sous-estimé la trempe de cet homme qui s'était présenté à lui comme un industriel à la retraite ? On ne devait pas lui marcher impunément sur les pieds ! Élisabeth avait écouté ses protestations en regardant distraitement les arabesques du sol de céramique. Elle releva finalement la tête, avec la même expression de détresse que Jacques lui avait vue dans sa chambre, plus tôt dans la journée.

– Léo, vous vous trompez ! dit-elle en posant la main à plat sur le revers de sa veste. Si le Grand Déclin se confirme, vous serez le premier à connaître la vérité sur le Troisième Ordre, car nous n'aurons pas d'autre choix que de vous la révéler – et à toi aussi, Petit Prince ! Qu'est-ce que vous croyez ! Que nous voulions garder ce savoir pour nous ?

– N'est-ce pas précisément ce que vous avez fait ?

– Oui, mais pas pour les raisons que vous supposez ! (Elle jeta un coup d'œil angoissé autour d'elle et baissa le ton, comme si elle craignait que des oreilles indiscrètes ne fussent aux aguets dans la végétation de l'*hacienda.*) Vous me connaissez suffisamment pour me croire à l'abri de l'hystérie, n'est-ce pas ? Alors faites-moi confiance quand je vous dis que la connaissance du Troisième Ordre est dangereuse, pas seulement pour celui qui l'acquiert, mais aussi pour ceux qui l'ignorent ! Ne me demandez pas d'en dire davantage, c'est au-dessus de mes forces !

M. Léopold la dévisagea longuement de derrière la loupe gauche de ses lunettes, et son examen parut le convaincre d'accorder quelque crédit à ses propos. Il prit congé sur un petit signe de tête, mais se ravisa pour se tourner vers Jacques.

– J'allais oublier, c'est un comble ! Notre amie Katja est sortie prendre l'air – cette soirée l'a fortement ébranlée ! Elle m'a chargé de vous demander de la rejoindre sur la grande terrasse. Sur ce, je vous souhaite le bonsoir !

– Eh bien, tu as entendu ! Qu'est-ce que tu attends ? s'écria Élisabeth après que l'autre se fut éloigné. Tu as un rendez-vous !

– J'aimerais d'abord terminer notre discussion, répondit-il, surpris par la vivacité du ton. On dirait presque que tu es jalouse !

– Mais je suis jalouse ! répliqua-t-elle avec emportement. Et c'est bien ce qui me met en colère, de découvrir que je ne suis pas immunisée contre ce genre de mesquinerie.

– Élisabeth, tu as tort ! dit-il en lui prenant les mains avec émotion. Je n'y peux rien si cette femme me fait des avances depuis mon arrivée au Berghof. Imagine, je n'ai même pas vu son visage ! Tout ce que je sais, c'est qu'elle perd son temps !

Elle eut un rire dur qui sonnait faux, et retira ses mains.

– On ne dit pas non à Katja, murmura-t-elle. Au lieu de te

défendre, tu devrais te demander pourquoi tes protestations ne font qu'aviver ma rancœur... Quelle ironie !

Elle retenait ses larmes et, d'un geste furtif, lui caressa la joue du bout des doigts, avec une tendresse qui lui fit mal. Comment lui dire qu'en la revoyant à travers ses yeux d'enfant il avait renoué avec l'impossible amour, et compris qu'il ne prendrait jamais auprès d'elle la place de son père ?

Katja se tenait debout immobile à l'extrémité de la grande terrasse, face au gouffre noir de la vallée, ses mains gantées de blanc posées sur la balustrade de pierre. Sa robe longue aux manches évasées, qui faisait une tache claire dans la nuit, ne ressemblait-elle pas étrangement à celle que portait la belle Clawdia Chauchat, au crépuscule sans fin de *La Montagne magique* ? Derrière elle, les hautes cimes des sapins se découpaient contre la carte du ciel, et une brise tiède levait de l'ombre des senteurs pénétrantes de résine et d'humus.

– Je ne vous dérange pas ? dit Jacques.

– Oh, que si ! répondit-elle en se retournant. Mais pas dans le sens où vous le demandez ! Le dérangement est à l'intérieur et n'a rien à voir avec l'instant présent.

La mise en garde d'Élisabeth avait préparé le jeune homme à une déclaration du genre, néanmoins il fut pris de court, car il ne l'attendait pas d'entrée de jeu. En traversant la terrasse et en s'approchant de Katja, il avait jonglé avec l'idée romanesque qu'une autre femme avait pris sa place, en empruntant sa tenue et ce masque propice à toutes les supercheries. Mais à peine l'eut-il rejointe qu'il renonça à ce fantasme de substitution : elle avait une *présence* qui ne ressemblait à aucune autre, une sorte d'aura presque tangible – et personne n'aurait pu copier sa voix à la fois limpide et rauque, et l'intensité fiévreuse de son regard.

– Vous étiez en train de penser aux révélations de Mlle Glück sur le Troisième Ordre ? demanda-t-il pour donner à leur discussion un tour moins intimiste.

– Pas du tout ! Je vous écrivais un poème. Vous voulez l'entendre ?

– Je... Volontiers !

Elle se recueillit, puis ferma les yeux et récita d'une voix essoufflée :

Jacques...
Ton nom est étrangement l'envers du mien.
Et toi, es-tu l'envers de moi ?
Tu es sous ma peau comme un tatouage,
et moi je passe à travers toi comme le vent.
Tu ne me dois rien, alors demande-moi toute !
Je veux t'apprendre,
je veux te prendre,
et te surprendre !
Vas-tu m'attendre,
quel que soit le temps ?
Vas-tu m'entendre,
malgré les contretemps ?
Tu es mon essence,
mon essensuel,
mon essentiel,
mon ciel !
Trouve-moi !
Touche-moi !
Trouble-moi !

Elle avait prononcé les derniers mots dans un chuchotement à peine audible, en gardant ses yeux clos.

Jacques avait assuré Élisabeth que Katja perdait son temps en essayant de le séduire, et le romantisme incongru et désuet où baignait cette rencontre nocturne ne changea pas sa disposition d'esprit. Mais les sentiments qu'il inspirait à cette mystérieuse créature ne le laissaient pas indifférent, et il mesurait les risques qu'elle prenait d'être rejetée ou tournée en ridicule à cause de son aveu. Il admirait sans réserve sa témérité, tout en se demandant pourquoi sa prodigieuse intelligence n'avait pas été pour son cœur un guide plus sûr. Il n'était pas loin de s'interroger aussi sur les raisons qui incitaient cette même intelligence à s'intéresser à lui.

Les yeux de Katja étaient deux îles sombres dans l'écume blanche du masque, entourées d'une ligne de khôl et des reflets bleutés d'un fard à paupières. Le reste de ce visage qu'on prenait tant de soin à cacher était-il maquillé, lui aussi ? Cette supposition accentua l'inconfort de Jacques.

– J'envie votre facilité à vous exprimer ! dit-il enfin. Les mots semblent couler de source pour vous... Vous allez me répondre que ce n'est pas trop tôt, mais plusieurs fois j'ai voulu vous remercier pour les poèmes que vous m'avez envoyés. Vous venez vraiment de composer celui-là ?

– Les grandes lignes, oui. Je l'ai complété en le disant. Quant au tutoiement, c'est une licence poétique. Je ne voudrais pas que vous me trouviez trop entreprenante...

Il répondit par un haussement d'épaules, sans savoir si elle parlait sérieusement. Après un silence, il lui proposa de laisser tomber le vouvoiement entre eux, ajoutant que l'usage en paraissait toujours un peu guindé à l'oreille canadienne.

– Si ça ne vous fait rien, je préfère attendre, dit-elle en secouant la tête. Pour des raisons que je dois taire, je n'aime pas être ru... tutoyée. Voyez, j'ai failli dire : rudoyée !

Décontenancé par son refus, Jacques chercha quelque chose à ajouter. Il ne trouva rien de mieux que de dire qu'il serait heureux de recevoir à l'occasion une transcription de ce dernier poème.

– Je veux bien, dit-elle avec hostilité. Vous pourrez toujours le comparer à cette prose...

Une carte postale était apparue entre ses mains, qu'elle lui remit d'un geste brusque. C'était une vue aérienne de la plage de Torremolinos, avec au verso un mot de Christine : *Bains de soleil et grasses matinées. Les parties non bronzées de mon corps s'ennuie de toi...* La carte lui avait été adressée à Montréal, et il se demanda si sa tante Mathilde l'avait lue avant de la faire suivre à Davos.

– Mais... où vous l'avez trouvée ? demanda-t-il, sur ses gardes.

– Elle vous a attendu pendant trois jours dans votre casier. Je me suis consolée en me disant que vous n'étiez pas autrement pressé de recevoir des nouvelles de cette femme ! C'est votre maîtresse ? Oui, évidemment que c'est votre maîtresse. Mais est-ce que vous l'aimez ?

Il se retint de lui dire que ça ne la regardait pas, et finit par concéder que non, il ne l'aimait pas. Mais pourquoi avait-il le sentiment de manquer de loyauté envers Christine, alors qu'elle aurait donné la même réponse à sa place ?

– Tant mieux ! murmura Katja. Parce qu'elle n'est même pas capable d'écrire une carte postale sans faire une faute...

La remarque lui déplut (la faute ne lui avait pas échappé) et il regarda machinalement sa montre, en se disant qu'il ne faudrait pas oublier de la remettre à l'heure. Katja ne lui laissa pas le temps de poursuivre sa manœuvre de retrait :

– Il faut m'excuser, la soirée a été très éprouvante pour moi.

– Je m'en suis aperçu, dit-il, touché par la détresse de sa voix. Déjà l'autre jour, à table, vous avez pleuré quand le Dr Frankenthal parlait du Grand Déclin. Pourquoi ?

Il n'avait pas fini de poser sa question qu'il la regrettait, tant la réponse lui en paraissait évidente. Il aurait tout aussi bien pu demander pourquoi la fin du monde ne lui donnait pas envie de rire.

– Non, mes raisons sont plus égoïstes, répondit-elle, comme si elle avait lu ses pensées. On en parlera une autre fois. Je ne veux pas vous effaroucher.

– M'effaroucher ? s'écria-t-il avec un mouvement d'humeur. Pourquoi me traitez-vous comme un enfant ?

– Non, non, *non* ! murmura-t-elle avec force. Jamais je ne ferais une chose pareille ! Si j'hésite à parler, c'est uniquement par peur de ce que vous allez penser de moi ! Le Grand Déclin me désespère parce que, si le pire se confirme, je ne pourrai jamais avoir un enfant de vous !

– Ah bon... Au moins c'est clair !

Il se mordit l'intérieur des joues, à nouveau pris de court. Le regard intense de Katja était levé vers lui, il tenta de le soutenir, puis détourna les yeux pour cacher son embarras.

– Vous voyez bien que je vous effarouche, dit-elle en retrouvant sa voix rauque, qui oscillait sans cesse entre le ton de conversation et le chuchotement. Et dire que je ferais n'importe quoi pour gagner votre confiance !

– Je ne me méfie pas de vous, dit-il. Mais enfin, vous êtes consciente de l'effet que vous produisez sur les gens, et sur moi dans ce cas particulier. Je ne parle pas seulement de votre masque, mais aussi de ce que vous dites, et de la façon dont vous le dites. D'accord, tout ça me semble étrange parce que je n'en comprends pas la logique, mais... Je vous amuse ?

Il avait cru entendre le souffle d'un rire silencieux traverser la matière poreuse du masque.

– Oh non, si vous saviez, vous me faites tant de bien ! dit-elle avec une sincérité évidente. Parfois, mes paroles me déconcertent moi-même... Mais quelle délivrance de pouvoir les dire comme je les *sens*, et non comme je devrais les *penser* pour être acceptée dans l'univers des gens « normaux » ! Vous croyez que mon masque me dissimule, alors qu'il me donne la liberté de vous montrer mon vrai visage – le visage du dedans !

– Et si je vous demandais de l'enlever ?

– Non ! fit-elle sourdement en reculant d'un pas.

– Pourquoi ? Que craignez-vous ?

– Je ne crains rien, *je sais* ! Si je vous dévoile mes traits à présent, vous vous éloignerez de moi, et cela je ne le veux pour rien au monde. Un jour, vous me verrez telle que je suis. Ne me faites pas trop attendre !

– Vous faire attendre ? Mais la décision ne dépend pas de moi !

– Oh que si ! Il vous suffira de dire que vous m'aimez... Alors le masque tombera, car ce qu'il cache n'aura plus d'importance à vos yeux ! (Le ton changea, et sa voix parut s'éclaircir d'un sourire.) Nous nous sommes croisés cet après-midi à Davos, vous sortiez d'une banque en compagnie de M. Léopold.

– En effet, mais... je ne vous ai pas remarquée ! dit-il en cherchant à comprendre la signification du coq-à-l'âne. Vous étiez au village, *vraiment* ?

– Et pourquoi pas ? Je ne suis pas cloîtrée ici ! Je porte ce masque dans l'enceinte du Berghof seulement, dehors je n'en ai plus besoin. Je m'arrange pour passer inaperçue, c'est tout un art !

Elle répondait indirectement à la question qu'il n'avait pas osé lui poser, en lui faisant savoir que, non, elle n'était pas défigurée et pouvait se promener à Davos le visage à découvert, sans attirer l'attention. Jacques avait croisé plusieurs personnes en sortant du Crédit suisse, mais il ne se souvenait d'aucun visage en particulier. Une chose était certaine, toutefois : s'il avait rencontré une femme affligée d'une difformité ou d'une singularité quelconque, il n'aurait pu faire autrement que de la remarquer. Il pressentit que cette énigme allait le poursuivre dans les jours à venir, et avec elle le malaise d'avoir à se demander, chaque fois qu'il descendrait à Davos, si Katja se trouvait parmi les piétons de la Hohe Promenade, ou si elle l'observait à son insu de la terrasse de la Kronen Konditorei, protégée par cet anonymat paradoxal où elle avait le pouvoir de se réfugier en retirant son masque.

– Jacques, vous êtes croyant ?

– Non.

– Tant mieux ! Nous allons devoir nous convertir ensemble !

– Pourquoi ça ?

– Vous ne savez pas ? C'est une des idées fixes de cette brave Gertrude. Elle croit que le Troisième Ordre de la psychosynergie concerne la relation entre l'intelligence humaine et l'intelligence divine ! Personne ne l'a jamais prise au sérieux... L'athéisme du Pr d'Aquino est bien connu, et le chapitre du *Traité* sur la perversion de l'intelligence par les doctrines religieuses est un de ceux qui lui ont valu le plus d'inimitiés.

– Il n'est pas lui-même à l'abri de la tentation doctrinaire ! dit Jacques. Sinon, pourquoi a-t-il laissé dire à l'époque que le Troisième Ordre était une élucubration de mon père, dénuée de tout fondement scientifique ? Grâce à Gertrude Glück, nous savons maintenant ce qui s'est vraiment passé à San Francisco...

– Il y a une explication, mais elle est farfelue, dit-elle. Le Troisième Ordre apportait la preuve de l'existence de Dieu ! Et le professeur s'est refusé à la divulguer parce qu'elle contredisait son athéisme... Non, je n'y crois pas une seconde !

Jacques n'avait rien à répondre. L'air de la nuit lui semblait subitement plus frais, les odeurs de la forêt plus sauvages, les ombres de la montagne plus secrètes, les étoiles du firmament plus indifférentes – et sa compréhension des événements, des autres et de lui-même, plus limitée que jamais.

– Est-ce que je peux vous exprimer ce que je ressens ? demanda Katja avec une timidité inusitée.

– Vous n'avez pas de permission à me demander !

– En ce cas, laissez-moi trouver mon point d'appui.

Elle posa ses mains gantées sur sa poitrine, puis se laissa aller lentement contre lui. Il la soupçonna de le mettre à l'épreuve et se contenta de la prendre aux épaules d'un geste léger, surpris par la fermeté de son corps, et sa plénitude. Elle déroba son masque à sa vue en détournant la tête, et posa son oreille dans le creux de son cou.

– Je vous écoute, murmura-t-il après un silence.

– Mais je vous parle, répondit-elle.

Elle continua de se taire. Soudain, il sentit dans son corps un long frémissement, comme un sanglot joyeux qui la possédait tout entière et dont elle avait perçu la rumeur montante, mais qui d'évidence ne répondait pas à un ordre de sa volonté. Cet étrange et puissant frisson se communiqua à Jacques par contagion, se propageant sur sa peau et dans ses muscles, et prenant possession de chaque fibre de son être à la manière d'une révélation infiniment troublante. Il n'apprit des pensées de Katja rien de plus que ce qu'elle lui en avait déjà confié, mais partagea pour un instant les forces vives qui agitaient son cœur et les courants tumultueux de ses émotions, comme si elle s'était prêtée à quelque mystérieux transfert de personnalité. Il eut accès à un univers intérieur qui lui était en grande partie incompréhensible, mais dont il reconnaissait sans hésiter la cohérence et la vérité. « Elle m'envahit ! pensa-t-il avec un sursaut de défense. Et comment la repousser, quand je la sens aussi démunie que moi face à ce qui nous arrive ? »

Elle se détacha de lui, encore toute tremblante.

– Je voulais savoir si j'avais une place en vous, dit-elle avec un regard douloureux. Votre cœur est libre, mais il n'est pas disponible... Et nous avons si peu de temps !

Elle ne lui donna pas la chance de répliquer et le quitta pour traverser la terrasse de sa démarche dansante, se retourna pour s'adosser contre la porte-fenêtre du salon de musique – le battant vitré pivota derrière elle, les étoiles qui s'y reflétaient furent balayées par le coup d'aile d'un rideau de tulle, et sa blanche silhouette fut aspirée par les profondeurs obscures du Berghof.

8

Jacques sortit sur le balcon de sa chambre, les épaules enveloppées dans une couverture de laine, et observa le paysage en claquant des dents. Le matin prenait corps dans une transparence d'aigue-marine, au point d'équilibre entre la nuit et le jour. Le grondement assourdi du torrent et le timbre aigrelet des clarines meublaient l'heure creuse, mais on percevait déjà dans le fond de l'air des stridulations montantes, des froissements mystérieux, des pépiements isolés. La nature accordait ses instruments pour la symphonie de l'aurore.

La Land Rover du Berghof était stationnée en contrebas de la grande terrasse, au pied de l'escalier de pierre. Sa capote avait été remontée et ses feux de position clignotaient dans le paysage désert avec une application pathétique. Tadeus Bubenblick sortit de l'établissement par la porte-tambour, portant une valise de cuir sur l'épaule à la façon d'un portefaix de grande gare. « Ainsi je ne me suis pas trompé ! pensa Jacques qui avait été réveillé quelques instant plus tôt par la prémonition angoissante d'un événement imminent. Quelqu'un nous quitte aujourd'hui, en s'arrangeant pour passer inaperçu. » Il vit une silhouette élancée traverser la terrasse, mais il hésita avant d'être certain de l'avoir reconnue. Bien que la journée s'annonçât radieuse, Lars Frankenthal portait un chapeau de tweed et avait enfilé un imperméable de coupe anglaise, comme s'il savait que son voyage finirait dans la pluie et la brume.

Tadeus rompit son garde-à-vous pour fermer la portière sans bruit sur son passager, puis s'installa au volant et desserra le frein à main. La voiture se mit en mouvement avec une lenteur exaspérante, sans autre bruit que le crissement soyeux des pneus sur le gravier de l'allée, et ne commença à prendre de la vitesse qu'après avoir amorcé sa descente vers la route. Jacques la perdit de vue derrière un bosquet de sapins et supposa que Tadeus la mettrait en marche en franchissant le portail toujours ouvert de la propriété, mais il la vit réapparaître trois minutes plus tard aux dimensions d'un modèle réduit dans les derniers lacets avant l'arrivée à Davos Dorf. A cet instant seulement, le démarrage du moteur se fit entendre, porté jusqu'à lui par cette acoustique particulière aux régions montagneuses. Il sourit alors en pensant à la tête que devait faire le médecin suédois au terme de cette course silencieuse, vers un train suisse qui n'attendait pas les retardataires.

Transi par l'air du petit matin, dont la vivacité l'étonnait toujours en regard de la chaleur qui l'accablerait au milieu de l'après-midi, Jacques rentra prestement dans sa chambre et se coucha sous son édredon de plumes, en proie à une compassion poignante pour cet homme qui venait de quitter le refuge du Berghof et se retrouverait ce soir en étranger parmi les gens des pays plats, sans que personne se doute du secret terrifiant dont il était le porteur. « Je sais ce qu'il voulait me faire comprendre l'autre jour, en me disant que “ la gloire est le soleil des morts ”, songea-t-il en regrettant de n'avoir pas été plus perspicace. Quand je pense qu'il a fait tout ce voyage en pure perte, pour essuyer en fin de compte un refus de Jorge d'Aquino, quelle déception ! Et quelle affreuse ironie pour l'inventeur de la *contraception naturelle* d'être le premier à annoncer à la race humaine son extinction ! J'aurais dû l'appeler du balcon pour lui dire d'attendre, et je serais descendu lui serrer la main pour lui faire comprendre qu'il laissait de véritables amis derrière lui... »

La poitrine dilatée par l'émotion, il entreprit de rédiger en pensée une lettre chaleureuse, retournant et polissant ses phrases à la recherche de la formulation la plus appropriée, mais un arrière-goût amer et rageur se mêla à son exaltation quand il comprit que la transcription de ces propos si bien sentis serait probablement repoussée de jour en jour, et qu'après s'y être décidé il laisserait tomber la plume à la fin du premier paragraphe, en se disant que le moment opportun était passé. « Non, cette fois ce sera différent ! pensa-t-il avec irritation. De toute façon je dois lui rendre son *Traité de psychosynergie*, et m'excuser de l'avoir gardé si longtemps. Mais aussi, pourquoi je ne l'ai pas rapporté tout de suite après l'avoir trouvé dans la cabine téléphonique ? Avec toutes les annotations manuscrites qu'il contient, il doit représenter pour moi une sorte de grimoire, qui me donne un accès privilégié à l'intimité intellectuelle de cet homme dont la notoriété n'a cessé de m'impressionner depuis notre rencontre dans le train. Décidément, je manque de maturité, et qui sait ? peut-être même de jugement ! »

Il laissa vagabonder ses pensées, alors que la chaleur du lit l'entraînait dans une somnolence propice à la réconciliation avec lui-même. Soudain, il se dressa sur son séant, l'esprit alerté par une révélation d'autant plus surprenante qu'elle ne lui apprenait rien de neuf. Dès les premières discussions au Berghof sur le Grand Déclin, il avait été convaincu de la pertinence des craintes du Dr Frankenthal et de la logique des déductions de Katja – et la discussion nocturne chez Jorge d'Aquino n'avait fait que lui confirmer la réalité du phénomène. Alors pourquoi, dans la lumière hésitante de l'aube, découvrait-il cette nouvelle avec une telle émotion – et par quelle alchimie la réalité de la veille s'était-elle transmuée dans la nuit en vérité ? Oui, l'aventure humaine tirait à sa fin ! Pourtant, la certitude qu'il en avait l'effrayait moins que le sentiment qu'elle libérait en lui – si différent de l'angoisse d'Élisabeth, de l'apparent cynisme de d'Aquino ou de la douleur horrifiée de Katja. De fait, la proximité de cette crise le stimulait au plus haut point. Après tout, sa propre existence n'était pas mise en péril par le Grand Déclin, et, bien que les cataclysmes sociaux en préparation la bouleverseraient de fond en comble, il savait que l'excitation qui le faisait trembler intérieurement n'était pas un signe de révolte ni de peur. Il se trouvait irresponsable et égocentrique, mais ne pouvait s'empêcher d'entrevoir dans le Grand Déclin une issue à l'impasse du présent, un remède à son ennui et à sa médiocrité, une promesse qui ne serait pas trahie. « Il va enfin se passer quelque chose ! », pensait-il, et la catastrophe annoncée se profilait comme une délivrance.

Son attention fut attirée par un frôlement contre la porte et, se retournant sur son lit, il vit apparaître le rectangle blanc d'une enveloppe au ras du sol. Alors qu'il avait pris la veille en se couchant la résolution d'éviter à l'avenir les occasions de tête-à-tête avec Katja, son premier mouvement fut de sauter sur ses pieds et d'enfiler un peignoir à la hâte avant de sortir dans le corridor, qui était désert. Comment avait-elle fait pour s'éclipser si rapidement ? Même au pas de course, elle n'aurait pas eu le temps d'atteindre les portes vitrées qui donnaient sur l'escalier circulaire du grand hall. Sans doute était-elle passée par l'escalier de service, à l'extrémité de l'aile. « On va bien voir ! se dit-il, secrètement piqué par cette mystification. Didier a beau l'avoir surnommée l'Ectoplasme, je sais moi qu'elle est bien en chair et en os ! » Pieds nus sur le linoléum luisant, il parcourut le corridor et, au détour du palier, évita de justesse une collision avec Koraman, le cuisinier du Berghof.

– Houps, excusez-moi ! Dites, vous n'auriez pas croisé Katja par hasard ?

– Pas vu personne, à part soi-même ! marmonna l'autre sans s'arrêter.

Jacques lui céda le passage, encore sous le coup de la surprise que lui avait causée l'apparition de ce personnage court et râblé, à la mine patibulaire et aux yeux inquiets, qui terrorisait le personnel de l'office par ses coups de gueule en turc et en allemand. Quand il n'était pas en colère, ni pris de boisson, il s'exprimait uniquement en français, usant à tort et à travers de l'expression « soi-même », qui était devenue avec le temps une sorte de mot de passe humoristique parmi les pensionnaires. Au demeurant, et malgré les apparences, Koraman était un chef talentueux et imaginatif, et on disait que sa table n'avait pas à craindre la comparaison avec celles de plusieurs grands hôtels de la région. Il était aussi apprécié pour sa mauvaise habitude de rembarrer Bertha Moll en public, et faisait se pâmer de rire Julie Brochet et Mlle Vincenti en produisant sur commande des bruits organiques d'une parfaite grossièreté.

Il était allé frapper du poing contre une porte qui s'ouvrit presque aussitôt, et Jacques, en regagnant sa chambre, aperçut M. Hobayashi dans un kimono bleu ciel, le front ceint d'une écharpe noire, qui écoutait son visiteur avec incrédulité. Quand celui-ci eut fini de parler, il lui fit signe d'attendre et alla chausser ses lunettes rondes qui accentuaient son caractère de bande dessinée, puis s'inclina cérémonieusement devant une effigie encadrée, veillée par la flamme d'une lampe à huile en cuivre, qui se reflétait dans la laque noire d'un guéridon. Jacques regardait les deux hommes qui s'éloignaient à présent côte à côte dans le corridor, et nota qu'ils avaient exactement la même taille. « C'est bien la seule chose qu'ils ont en commun, pensa-t-il, car pour le reste il m'est difficile d'imaginer des compères plus dissemblables. Depuis une semaine, on s'inquiète au Berghof de la menace qui pèse sur l'espèce humaine, et je ne me suis pas privé moi-même d'en parler comme si cette espèce-là était une vieille connaissance à moi, alors que c'est une réalité qui m'échappe complètement, une abstraction que j'ai réduite dans mon esprit à une sorte d'agrégat anonyme, avec Koraman et Hobayashi en tête de liste. Oh non, c'est impossible, il n'est pas déjà sept heures ! » Les premières notes d'un duo pour flûte et harpe tombaient du haut plafond du corridor comme une pluie de musique céleste, et Jacques se promit une nouvelle fois de demander à Tadeus Bubenblick s'il choisissait lui-même les morceaux qui faisaient office de matines pour les pensionnaires du *satanarium*.

En rentrant dans sa chambre, il ramassa l'enveloppe sur le pas de la porte et la décacheta distraitement. Elle contenait une lettre d'une dizaine de feuillets, que Katja avait numérotés, en indiquant l'heure à laquelle elle avait commencé chaque nouvelle page. « Une façon de me faire comprendre qu'elle a passé la nuit à m'écrire ! », pensa-t-il en s'asseyant pour lire. Il se releva presque aussitôt et acheva de s'habiller, en se disant que le cuisinier turc devait avoir une raison sérieuse pour venir déranger M. Hobayashi à cette heure matinale. Après tout, qu'est-ce qui l'empêchait d'aller voir ce qui se passait en bas ? La lettre fut mise au fond d'un tiroir, il en prendrait connaissance plus tard. Il ne savait pas ce qui causait son irritation, l'insistance de Katja ou le trouble qu'elle éveillait en lui...

Jacques traversait la cour intérieure à l'arrière du laboratoire de d'Aquino lorsque les éclats d'une voix haut perchée lui parvinrent de l'ancienne buanderie. Il s'approcha d'une fenêtre grande ouverte et, à travers la rangée de barreaux qui avaient été récemment scellés dans le mur, découvrit une scène extravagante. Ado Hobayashi était debout au milieu de la salle à la sonorité de crypte, dans ce costume traditionnel qu'il avait revêtu plus tôt dans l'intimité de sa chambre. Il invectivait Chouri en japonais, avec une gestuelle de colère froide et d'indignation bouillante, un trépignement contrôlé comme un pas de danse, au rythme d'une cavalcade de sons gutturaux et de jappements aigus. Le gorille était recroquevillé au pied d'une des anciennes cuves à lessive et se couvrait la tête de ses bras démesurés pour se protéger contre cette avalanche de reproches. L'affrontement était d'autant plus insolite que Hobayashi ne s'exprimait pas sur un ton distancié de soliloque, mais s'adressait à l'animal comme à un interlocuteur capable d'entendre raison.

– Alors on écoute aux fenêtres à présent ? dit la voix acrimonieuse de Bertha Moll dans le dos de Jacques. Continuez, vous gênez surtout pas pour moi ! Et qu'est-ce qui se passe de si intéressant là-dedans ? Je parie que c'est encore le macaque qui martyrise cette pauvre bête !

Elle jeta un coup d'œil par-dessus l'épaule du jeune homme, puis se dirigea vers la porte avec une vélocité pachydermique. Furieux d'avoir été surpris, et offensé par sa remarque, Jacques la suivit dans la buanderie pour démontrer à Hobayashi qu'il n'avait aucune intention de l'épier. Il eut un haut-le-corps : la Mollosse laissait derrière elle un effluve de sueur âcre, alors même que le soleil venait à peine de se lever.

Elle prit place sur un des tabourets massifs de la cuisinette. Le gorille, qui avait accueilli son arrivée avec un grognement plaintif, courut s'asseoir à ses pieds et cacha son museau dans son formidable giron. Elle lui caressa la nuque, qui était aussi large que l'arrière du crâne, en lui parlant à mi-voix dans un patois traînant, alors qu'une expression ressemblant à de la douceur tentait de se frayer un chemin sur son faciès empâté et revêche. « Jorge d'Aquino disait l'autre jour que Chouri était sa dernière chance, pensa Jacques en frissonnant. Elle s'est attachée à cet animal, c'est évident, mais il y a dans cet amour quelque chose qui met mal à l'aise. »

Ado Hobayashi se détourna brusquement de Bertha et aperçut le jeune homme immobile sur le pas de la porte.

– Venez ici, vous ! dit-il dans son anglais abrupt, après l'avoir salué d'une inclinaison du buste. Vous ne comprenez rien, ça se voit ! Je vais vous montrer, mais rappelez-vous que vous n'êtes pas une mauviette !

Jacques le suivit avec inquiétude dans un coin de la salle. Les vieilles couvertures et les chiffons de la litière où Betsy avait mis bas sa dernière portée étaient maculés de sang frais. La malheureuse chienne, allongée sur le flanc contre le mur, avait eu le crâne fracassé par une lourde quille de bois, abandonnée à proximité sur le sol.

– C'est affreux ! dit Jacques, saisi. Comment c'est arrivé ? Où est Kugli ?

– Koraman l'a pris à la cuisine et s'en occupe. En venant ce matin pour nourrir Chouri et les chiens, voilà ce qu'il a trouvé ! Et le petit tétait encore sa mère, qui était froide...

– Mais... vous êtes sûr que c'est Chouri qui a fait ça ?

– Qui d'autre ? Dites-le si vous le savez ! s'écria l'anthropologue avec cette diction hachée menu qui lui donnait l'air d'être constamment en colère. On enferme Chouri chaque soir, sécurité oblige ! Il a passé la nuit seul avec Betsy et le chiot. Alors, votre explication ?

– Je n'en ai pas. Mais lui, qu'est-ce qu'il dit ? Vous l'avez interrogé ? Je suppose que vous lui parlez, vous aussi !

– Evidemment ! Mais il est très confus... Il demande pardon et prétend qu'il ne se souvient de rien ; en même temps, il jure qu'il n'a fait de mal à personne.

– Vous ne le croyez tout de même pas capable de mentir ?

La question de Jacques provoqua des grésillements dans l'électricité du personnage.

– Depuis un an, son intelligence a fait d'immenses progrès, répondit enfin Hobayashi, à contrecœur. Ah ça non ! Pas d'autres curieux ! Laissez-nous à présent ! Ce n'est pas la foire ici !

Théodore Shapiro, en tenue de jogging, avait fait irruption dans la buanderie, les joues rouges, le front perlé de transpiration et le souffle court. Pour ne pas cesser trop brusquement son effort, il continuait de sautiller sur place et, après avoir adressé un grand sourire à l'irascible Japonais, ressortit de la salle en marche arrière, aussi inopinément qu'il y était entré. Jacques le suivit dans la cour intérieure, soulagé de n'avoir plus sous les yeux le corps sans vie de la petite chienne, mais secrètement froissé par la brusquerie avec laquelle on les avait renvoyés.

– Charmant accueil, par tous les saints ! s'exclama M. Shapiro en souriant avec désinvolture. Soyez aimable, mon cher Jacques, et accompagnez-moi pour me raconter ce qui a mis ce bon Ado dans un état pareil ! Dites-moi donc qu'il a surpris son gorille et Bertha Moll dans un commerce compromettant pour le jugement de l'un et la virginité de l'autre !

Jacques ne put se retenir de faire chorus à la bonne humeur de son compagnon, qui l'entraînait dans une allée du jardin potager, à l'extrémité de la petite cour. Tout en continuant à sautiller d'un pied sur l'autre, l'avocat écouta son récit avec attention. Ils se retrouvèrent de l'autre côté de la bâtisse sur une pelouse bien entretenue, où étaient disposés une demi-douzaine de fauteuils de jardin en rotin blanc, du même modèle que ceux de la grande terrasse. Jacques ne connaissait pas ce coin de la propriété, qui d'ailleurs n'était pas visible de l'aile où se trouvait sa chambre, et il se rappela les propos de Mlle Vincenti sur les nombreuses découvertes qui lui restaient à faire au Berghof. Un pommeau de douche et des robinets de laiton sortaient du mur de la buanderie, au-dessus d'une petite dalle de béton. Une serviette de bain et une savonnette étaient posées à proximité sur le gazon.

– Cet accident représente une déception cruelle et un monumental échec pour le professeur, dit M. Shapiro en se déshabillant sans hâte. Et je ne dis rien du chagrin que va lui causer la mort de cette pauvre bête, à laquelle on le disait très attaché.

Après avoir retiré ses vêtements, il ouvrit la douche et se savonna avec entrain sous le jet puissant. Jacques s'écarta pour n'être pas éclaboussé. Pourquoi ne s'en allait-il pas, tout simplement ? La nudité de son compagnon ne l'embarrassait pas, mais qu'allaient penser les occupants des chambres donnant sur ce coin de la propriété, si jamais la fantaisie les prenait de regarder par la fenêtre ? La curiosité d'en savoir davantage sur cet « échec monumental » de d'Aquino le décida à rester. Pour se donner une contenance, il s'assit dans un des fauteuils, face au soleil levant. Théodore Shapiro le rejoignit en se frottant les épaules, le dos et les reins d'un va-et-vient énergique de sa serviette éponge, qu'il étendit ensuite avec soin sur le dossier de son siège.

– Ado Hobayashi est un drôle de pistolet ! dit-il en s'asseyant à son tour et en frictionnant vigoureusement ses cuisses poilues. Ses dons le destinaient logiquement à la médecine vétérinaire ou à la zoologie. Or il a un doctorat en anthropologie, et un autre en sémiologie ! Vous n'aviez sans doute jamais entendu parler de lui avant de venir ici, ni moi non plus, je le confesse ! Pourtant, c'est une vraie star au Japon, et pas seulement dans les cercles spécialisés ! Son ouvrage sur les grands primates a figuré dans la liste des best-sellers pendant des mois. Personnellement, je me suis souvent demandé comment le professeur s'y était pris pour le convaincre de venir poursuivre ses travaux ici, à Davos, au centre de tout et au milieu de nulle part ! Certains murmurent que la Fondation Delphi lui a offert un pont d'or, mais ce que je sais de la psychologie du personnage m'incline à rejeter cette explication trop simpliste.

– Je pense comme vous, dit Jacques, qui trouvait son interlocuteur de plus en plus sympathique. D'Aquino a autrefois convaincu mon père de se joindre pour deux ans à son équipe de recherche, au Bateson Institute. Pour des raisons trop longues à expliquer, mes souvenirs de cette époque sont devenus plus précis, et je me rappelle que ma mère lui reprochait les conditions financières de son engagement, et de s'être laissé séduire par les idées visionnaires de celui qu'elle appelait « le prophète maudit ».

– Le Pr d'Aquino sait être très persuasif quand il le veut, murmura M. Shapiro d'un air entendu. Dans mon cas, malheureusement, sa méthode a fait chou blanc, mais il est vrai que nous ne sommes qu'en début de thérapie. Je ne désespère pas de guérir avec le temps !

Jacques attendit une suite à cet aveu. C'était la première fois qu'un pensionnaire du Berghof parlait ouvertement devant lui de traitement et de guérison, et en des termes qui laissaient percer un doute sur l'efficacité de la méthode psychosynergique.

– J'ignorais que d'Aquino attachait tant d'importance aux travaux de M. Hobayashi, dit-il enfin, après avoir compris que l'avocat de Salonique n'en dirait pas davantage sur la nature de son mal. Mais en quoi le comportement de Chouri contredirait-il ses théories ? Je ne comprends pas !

– Ce n'est pas tant qu'il les contredit, mais plutôt qu'il les confirme ! dit-il en coulissant vers Jacques un regard pétillant, où se lisait le plaisir qu'il prenait à la discussion. C'est bien ce qui décourage le professeur ! Entre nous, lorsque j'ai commencé mon premier cycle d'entrevues avec lui, je n'étais pas loin de croire que le bonhomme était un peu fêlé ! Connaissez-vous l'histoire de cette dame qui consulte un célèbre psychanalyste et lui demande s'il est exact qu'il exige cent dollars pour répondre à une question ? « On vous a bien renseignée, dit-il. Quelle est la seconde question ? » Mais, par saint Georges, vous souriez ! Tant mieux ! Je vous ai observé depuis votre arrivée au Berghof, et vous me donnez l'impression d'être un brin trop sérieux pour votre âge ! Notez que je ne vous ai pas raconté cette anecdote pour vous dérider, mais pour dire que les docteurs de l'âme ont généralement la réputation d'être terriblement avares de paroles et de conseils. Aussi, vous imaginez ma tête à mes premières sessions de psychothérapie, quand j'ai découvert que le professeur ne me laissait pas placer un mot ! Sans exagération ! Il m'a entretenu pendant des heures de sa hantise de la fin du monde – et comme quoi l'humanité ne survivrait pas au changement de millénaire ! Au début, je l'ai soupçonné de me mettre à l'épreuve, mais, après l'avoir discrètement soumis à deux ou trois tests de mon cru, j'en suis venu à la conclusion qu'il était sincèrement persuadé de la réalité de ses craintes. Quel délire fascinant, venant d'un cerveau d'une telle envergure !

– Un instant ! s'exclama Jacques, la gorge serrée. Vous dites que d'Aquino vous a parlé de la disparition de l'espèce humaine au début de votre traitement, c'est-à-dire bien avant l'arrivée du Dr Frankenthal...

– En mars dernier, pour être précis ! Et, comme vous amenez vous-même le nom de notre illustre visiteur dans notre discussion, laissez-moi vous dire que je n'ignore rien de la rencontre d'hier soir à l'*hacienda*, à laquelle vous avez participé au sein d'un aréopage privilégié ! Personnellement, j'ai décliné l'invitation du professeur, car je savais qu'il s'apprêtait à utiliser les travaux de son confrère suédois pour accréditer ses prédictions apocalyptiques, et en toute conscience je ne pouvais m'associer à cette manœuvre récupératrice.

– Vous faites erreur, dit Jacques. La réunion a été convoquée à l'initiative d'Élisabeth et du Dr Frankenthal pour discuter de ce phénomène que nous appelons le Grand Déclin, et pour solliciter la collaboration de d'Aquino à ce sujet. Or il n'a rien voulu entendre, contrairement aux intentions que vous lui prêtez !

M. Shapiro fit une grimace complice et se pencha vers le jeune homme pour lui serrer le bras d'un geste affectueux.

– Votre candeur est rafraîchissante dans le monde cynique et desséché où nous vivons, dit-il d'un ton convaincu. Il n'empêche que ce fameux Grand Déclin n'est qu'une nouvelle variante de ce thème que le professeur développe depuis des années... Pourquoi croyez-vous que les progrès de Chouri l'intéressent à ce point, si ce n'est parce qu'il y voit la préfiguration de la relève ?

– La relève ? répéta Jacques, se refusant à comprendre.

– C'est une question hypothétique qui a été souvent débattue, dit Shapiro en se levant et en se drapant à la romaine dans son linge de bain. Si l'homme disparaissait de la surface de la Terre, *qui* prendrait possession de son héritage ? Quelle espèce animale établirait à la longue sa suprématie sur les autres ? Quant à moi, je n'ai pas de réponse, mais je connais celle de Jorge d'Aquino, et je sais qu'il fera tout ce qui est en son pouvoir pour l'imposer à Dame Nature ! Voyez-vous, sa passion a pour objet *l'intelligence pure*, et il lui serait relativement indifférent que le support organique en fût le cerveau d'un homme ou l'encéphale d'un gorille ! Vous l'avez sans doute entendu dire que l'intelligence humaine était incurablement tarée, en ce qu'elle précipitait la déchéance de l'humanité, au lieu de favoriser l'épanouissement de la personne. C'est pourquoi il fondait les plus grands espoirs sur le développement d'une nouvelle race d'êtres intelligents, partageant avec nous un même ancêtre commun, mais dont l'évolution s'est arrêtée en cours de route – cette évolution qu'il faudrait à présent faire repartir dans le bon sens, en évitant les erreurs et les perversions qui ont entraîné notre perte. « Les descendants de Chouri ne violeront pas la Joconde ! », m'a-t-il confié l'autre jour. Comprenez-vous à présent la véritable signification de la mort brutale de cette pauvre Betsy ? Jusqu'à la nuit dernière, Chouri passait pour être un modèle de douceur, en dépit de son apparence redoutable. Son changement de comportement ouvre un débat philosophique bouleversant, en nous laissant entrevoir une relation de cause à effet entre l'acquisition du langage et l'apparition de la violence. Si tel était le cas, la décadence de l'humanité ne devrait plus être imputée à la folie de l'homme, mais à l'intelligence en elle-même, où qu'elle siège, qui porterait le germe de sa propre perversion, et en fin de compte de son anéantissement.

Tout en devisant de la sorte, M. Shapiro était allé ramasser ses vêtements de jogging près de la douche, puis il s'engagea sur l'allée de gravier qui menait au Berghof. Jacques l'accompagnait, en proie à un trouble profond. Se pouvait-il que Jorge d'Aquino eût machiné cette affaire de Grand Déclin, comme Katja l'avait laissé entendre la veille ? Comment avait-il pu en parler six mois plus tôt, alors que le phénomène avait à peine commencé ? Lars Frankenthal était-il de mèche avec lui, et toute cette crise n'était-elle qu'une formidable mise en scène ? Non, non ! La frayeur d'Élisabeth n'était pas feinte quand il avait évoqué hier soir devant elle le mystérieux nom de *Sedna*... Existait-il donc un rapport entre cette hantise de la fin du monde dont souffrait d'Aquino et le Troisième Ordre de la psychosynergie ?

– Merci de m'avoir parlé sans détour, dit-il. Je suis venu à Davos pour éclaircir les circonstances qui ont entouré l'accident cérébral de mon père à San Francisco, et les informations que je recueille sur Jorge d'Aquino et sur ses travaux me sont très utiles. Mon opinion à son sujet était beaucoup plus claire quand je suis arrivé, mais plus j'apprends à le connaître, et plus je suis désorienté et ambivalent...

Théodore Shapiro s'arrêta pour prendre la main de Jacques et examiner la gravure de sa chevalière.

– Fasce d'azur et quartier de sinople, surmontés d'un lambrequin rétréci, dit-il avec satisfaction. J'en étais sûr ! Vos armoiries sont celles de la grande lignée des Charpentier, et vous comptez parmi vos lointains ancêtres nul autre que l'illustre compositeur

Marc Antoine ! Le nom s'est changé en Carpentier peu après que votre arrière-grand-père eut émigré aux États-Unis... Alexander n'était pas convaincu lorsque je lui ai fait part de cette déduction, mais voyez : l'héraldique nous le confirme de façon irréfutable !

– Alexander ? murmura Jacques, abasourdi. Vous voulez dire...

Le visage ouvert de l'avocat s'imprégna d'une compassion sincère :

– Je me suis abstenu d'en parler jusqu'à présent par crainte de rouvrir une blessure, dit-il, mais la vérité est que j'ai bien connu votre père ! Je l'ai rencontré pour la dernière fois à Montréal, quelques semaines avant sa mort, et il m'a honoré à cette occasion de ses confidences sur les véritables motifs de sa répudiation de plusieurs postulats de la psychosynergie.

– Ah oui ? C'est très intéressant ! dit Jacques avec précipitation, alors qu'ils repassaient devant la porte fermée de la buanderie. Je vous laisse à présent, excusez-moi ! Je vais faire un tour dans la forêt avant le petit déjeuner...

Il le quitta avec un sourire embarrassé et gagna l'orée du bois d'un pas rapide, sans se retourner. Il s'engagea dans un sentier en direction du torrent et, au passage, ramassa une branche morte pour fouetter les broussailles à grands coups rageurs. Ah oui ! M. Shapiro avait rencontré Alexander Carpentier à Montréal *avant sa mort*, vraiment ! Et il avait recueilli des confidences de la bouche d'un homme qui avait perdu l'usage de la parole depuis douze ans, rien de moins ! « Je réagis comme un enfant, se dit-il, et cette pensée ne fit qu'aviver sa colère. Le pire est que je n'ai personne d'autre à blâmer que moi ! Schwester Ursula m'avait mis en garde contre la mythomanie du gentil M. Shapiro, et j'en ai eu moi-même plusieurs preuves au cours des derniers jours. Alors quoi ? Il est clair qu'il ne fait pas la distinction entre la réalité et ses fabulations – on ne peut même pas l'accuser de mentir ! D'ailleurs, la chose serait sans importance si nous n'avions échangé que des banalités, mais il reste que notre conversation était passionnante à plus d'un point de vue. Et, parmi les propos qu'il m'a tenus, certains sont véridiques, je le sens ! Cette affaire de Chouri, par exemple, qu'on préparerait pour la relève... C'est cela qui me rend furieux, d'être incapable de trier le bon grain de l'ivraie, d'être condamné à douter systématiquement de tout ce qu'il m'a dit, moi qui suis venu de si loin à la recherche de certitudes ! »

La vie quotidienne au Berghof était marquée d'un singulier dérèglement du temps, comme si tous les ressorts des montres et les balanciers des pendules avaient été affectés par la phobie de Jorge d'Aquino et les mystérieux pouvoirs de Julie Brochet. Les heures s'écoulaient ici à un rythme différent, s'étalaient de l'aurore au crépuscule sans faire de vagues, une indolence trompeuse était dans l'air, favorisée par une absence totale d'improvisation. L'horaire de la maison était réglé comme du papier à musique, et les événements les plus anodins s'accomplissaient selon des rituels immuables qui leur conféraient une importance démesurée – la montée du courrier de Davos par le lymphatique Sigmund, l'affichage du bulletin météorologique par Tadeus Bubenblick, l'ouverture de la boutique par Schwester Ursula, la réunion hebdomadaire du Comité des loisirs, présidée par l'honorable Fowler. Les repas demeuraient cependant la cérémonie principale, autour de laquelle s'ordonnait l'existence de la petite communauté. Lorsque Mme Sistiega soulevait le verre de sa montre et disait de sa voix empreinte de gratitude qu'il était onze heures dix, chacun comprenait à la ronde que la salle à manger ouvrirait dans cinquante minutes. A quinze heures trente, le thé était servi sur la terrasse ou, si le temps ne le permettait pas, dans la véranda à l'extrémité de l'aile ouest du bâtiment. Quand le petit clocher à l'horloge sans aiguilles avait sonné la demie de cinq heures, une effervescence subtile se faisait sentir dans les salons et les corridors : le dîner approchait.

Après la réunion nocturne à l'*hacienda* et le départ du Dr Frankenthal, Jacques éprouva que son rythme intérieur était devenu trop rapide pour le métronome invisible qui réglait la mesure du temps au Berghof, et il se surprenait à retenir ses élans et à raisonner ses impatiences, comme le voyageur sur un quai de gare qui ralentirait le pas en comprenant que l'annonce diffusée par les haut-parleurs le faisait courir pour un train qui n'était pas le sien. A sa surprise, les heures lentes finissaient par passer inaperçues, il regardait sa montre et se demandait pourquoi il ne s'était pas ennuyé au long de cet après-midi interminable – et pourtant son désœuvrement trouvait le moyen d'accueillir comme un signal imprévu les coups de gong qui annonçaient le dîner. Il se levait en murmurant : « Déjà ! », alors qu'en toute logique il aurait dû penser : « Enfin ! » Avec raison, il voyait dans cette confusion le signe de son ambivalence entre sa hâte et son anxiété, entre sa nonchalance et sa détermination : il attendait avec impatience un événement qu'il avait peur de voir arriver.

Élisabeth avait discrètement informé chaque participant : à la fin de la réunion chez d'Aquino, Lars Frankenthal était venu la trouver dans sa chambre pour discuter de la conduite à tenir, et s'était engagé à lui donner des nouvelles de Stockholm dès que les derniers résultats de sa recherche auraient été compilés. Jacques s'était rendu compte, à son ahurissante rencontre avec Théodore Shapiro, que les spéculations sur le Grand Déclin avaient transpiré hors de ce groupe privilégié. Toutefois, les conversations à la salle à manger et dans les salons démontraient que le reste des pensionnaires se faisaient une idée plutôt abstraite de la catastrophe qui menaçait l'espèce humaine, et les diatribes de l'honorable Fowler sur l'extinction inexorable de la race blanche contribuèrent à brouiller les pistes. Une nervosité inquiète était dans l'air, que tous ressentaient sans doute, mais dont seuls une poignée d'initiés connaissaient la cause. Ils s'interrogeaient du regard en se rencontrant pour savoir si *la confirmation du pire* était arrivée de Stockholm, même s'ils savaient que l'information ne serait pas disponible avant le début de la semaine prochaine. Cette condamnation à l'attente était assortie pour Jacques de sursis imprévisibles, alors qu'il lui arrivait d'oublier le Grand Déclin pendant des heures, sans effort délibéré, et d'occuper son esprit par des pensées inconsistantes, des projets futiles, des rêveries sans suite. Et soudain son souci revenait à la charge et lui arrachait une grimace et un sursaut, comme l'eût fait l'élancement d'un muscle endolori. Il s'en était ouvert à M. Léopold, comparant ce qu'il éprouvait à la condition d'un malade attendant de savoir si sa tumeur est bénigne ou cancéreuse.

– Je crois comprendre ce que vous ressentez, avait répondu l'autre, bien que votre analogie ne soit pas entièrement convaincante. Si vous étiez dans l'expectative des résultats d'une biopsie, l'angoisse ne vous lâcherait pas une seconde, parce que votre destin personnel serait en cause. En revanche, l'extinction de l'espèce humaine ne menace pas directement la durée de votre propre existence, et c'est ce qui vous permet d'en oublier l'éventualité pour une partie de la journée.

De fait, les réflexions de Jacques, obnubilées par les événements des derniers jours, ne l'empêchaient pas de poursuivre avec assiduité son étude de l'allemand, de se consacrer à divers loisirs et de s'évader du Berghof pour de longues promenades solitaires en montagne. Il prenait parfois le funiculaire de la Schatzalp, dont la forme baroque de parallélogramme l'intriguait et l'amusait – il y voyait le rejeton hybride d'un ascenseur et d'une rame de métro –, et il s'asseyait sur la banquette du dernier compartiment, face à la vitre arrière. Les portes coulissantes se fermaient automatiquement et, sans autre avertissement, le véhicule démarrait silencieusement pour sa montée oblique si déroutante, tiré par un câble d'acier d'un diamètre rassurant, mais qui révélerait au premier arrêt une élasticité insoupçonnée. En quelques secondes, les toits du village étaient dépassés, puis les pointes des sapins s'effilaient de chaque côté de la cabine, et le roulement huilé des essieux changeait de sonorité en passant sur le viaduc qui enjambait le ruban gris de la Hohe Promenade. Jacques aimait cette sensation de surplomber le vide, d'être aspiré vers le haut, alors que les parois des montagnes qui s'élevaient du versant opposé de la vallée paraissaient se rapprocher de lui et non s'en éloigner, en vertu d'une illusion d'optique qu'il ne savait comment déjouer.

De la station supérieure de la Schatzalp, il poursuivait la montée à pied jusqu'au promontoire qui servait de piste de décollage aux adeptes du deltaplane, dont il avait maintes fois suivi les évolutions dans le ciel, du balcon de sa chambre. Il observait attentivement la façon dont ils assemblaient la structure tubulaire de leur engin et assujettissaient la voilure horizontale, dont la fragilité n'était qu'apparente, puis le soin méthodique qu'ils prenaient à vérifier attaches, boucles, courroies et cordes, avant de se harnacher solidement à l'aile triangulaire qu'ils soulevaient à bout de bras et transportaient tant bien que mal au sommet de la rampe de départ, où le moindre coup de vent les faisait vaciller comme d'étranges coléoptères pris de boisson. Après une dernière vérification, ils dévalaient en courant la pente raide, quatre ou cinq enjambées, et ils commençaient déjà à planer, puis s'élevaient dans un envol impressionnant au-dessus du gouffre qui béait à l'extrémité du promontoire, abandonnant au sol leur lourdeur et leur maladresse pour se métamorphoser en grands oiseaux agiles et gracieux.

Une école de deltaplane utilisait l'emplacement comme terrain d'exercice, où les aspirants effectuaient leur vol initial sur une aile à deux places, en tandem avec leur instructeur. La plupart d'entre eux affichaient un air crâne, mais Jacques ressentait dans ses viscères la peur qui les étreignait avant de se lancer dans le vide. L'intensité de son empathie le troublait, car il n'en voyait pas trace sur les visages des promeneurs qui s'arrêtaient pour assister au spectacle. Il se souvenait alors d'une scène entrevue à l'aéroport de Zurich, le matin de son arrivée en Suisse – l'étreinte d'un vieillard et d'une fillette de cinq ou six ans, au milieu d'une foule mouvante et indifférente. Il avait capté l'expression fugitive du grand-père et, par un phénomène de contagion émotive, il avait éprouvé la déchirure de l'adieu, regardant cette enfant avec d'autres yeux que les siens, et ressentant comme sienne la certitude qu'il ne la reverrait plus. Le chagrin l'avait habité pendant une partie de la matinée, en dépit de ses efforts pour le raisonner. « Je me suis senti comme dépossédé de mon âme ! », pensa-t-il en se remémorant cet incident. Il se demanda si une telle sensibilité était *normale*, et sourit en se rappelant que ce terme avait été proscrit par Jorge d'Aquino du vocabulaire de la psychosynergie.

Son intérêt pour le deltaplane l'amena à lier conversation avec un des instructeurs de l'école, un Américain dans la trentaine prénommé Christopher, qui payait de la sorte de tardives études de chiropraxie. De fil en aiguille, il se retrouva inscrit à un cours accéléré, qui débutait par six heures de formation théorique, dispensée à même le plancher des vaches.

Jacques descendit un soir à l'unique cinéma de Davos Dorf pour voir *Fitzcarraldo*, un film dont il ne savait rien, mais dont l'affiche l'avait intrigué. Il avait fait le projet de demander à Élisabeth de l'accompagner, mais s'était heurté à un écriteau à la porte de son laboratoire, où elle était restée toute la journée cloîtrée pour une nouvelle expérience de psychosynergie de Deuxième Ordre. Il aurait pu l'inviter au moment du dîner, mais sa tentative infructueuse de l'après-midi l'avait fait changer d'avis, en le rendant conscient qu'il avait été froissé par sa jalousie injustifiée au sujet de Katja et attendait qu'elle fît le premier pas.

Le film lui causa une si forte impression qu'il ne cessa de soliloquer sur le trajet de retour au Berghof. Fitzcarraldo était un homme dominé par une passion et prêt à se lancer corps et biens dans les entreprises les plus téméraires pour réaliser son rêve. Quelle différence avec lui, Jacques Carpentier, qui se surprenait à couper ses sentiments en quatre, à faire des comptes d'apothicaire dans son commerce avec les autres, à économiser sa sensibilité par toutes sortes de calculs mesquins et de rationalisations ! Était-ce cela qu'on appelait la maturité – ce rétrécissement, ce début d'impasse, ce compte à rebours ? Se pouvait-il que le phénomène de dégénérescence précoce dont parlait Jorge d'Aquino n'affectât pas seulement les facultés intellectuelles, mais aussi la capacité d'aimer ?

Jacques ralentit le pas en débouchant sur la terrasse du Berghof, et observa les fenêtres éclairées avec le regret indicible d'arriver avec soixante-quinze ans de retard au rendez-vous du destin. Il aurait donné n'importe quoi – et son âme à l'instant ne lui semblait valoir guère plus que ce *n'importe quoi* – pour remonter le cours du temps, revenir au début du siècle et, après avoir poussé la porte-tambour du grand hall, rejoindre au salon de musique Hans Castorp, qui fumerait un Maria Mancini, appuyé rêveusement contre le chambranle de la fenêtre. Ils échangeraient en silence un regard d'amitié et de connivence – après tout, n'étaient-ils pas les enfants d'une fin d'époque, avec un héritage commun de promesses non tenues, de rêves brisés, de vestiges d'une civilisation à bout de souffle ? Et Jacques dirait au jeune Allemand : « Les hostilités éclateront pour toi dans trois ans, et tu combattras du côté des perdants. Et, à moi, combien de temps reste-t-il avant la prochaine guerre ? Mais la différence entre nous, c'est que j'ai le sentiment d'être vaincu avant même d'avoir commencé à me battre. Me battre ! Y a-t-il seulement une cause qui, à mes yeux, mériterait le sacrifice de mon existence ? Je n'en vois pas, *mein lieber Freund*, et c'est justement cette carence qui me rend l'exercice de vivre si laborieux... »

Tout à l'envoûtement de sa rêverie, Jacques s'était promené de long en large sur la terrasse, retardant le plus possible le moment d'entrer dans l'ancien sanatorium. Quand enfin le froid de la nuit le contraignit à en franchir le seuil, il découvrit avec soulagement que le grand hall et les salons étaient déserts, offrant un cadre propice à l'invocation des fantômes du passé. Il se rendit à la salle de lecture et tira d'une étagère le premier volume de *La Montagne magique*, en se promettant d'attaquer la version originale, dès que ses bases d'allemand seraient assez solides. Il feuilleta l'ouvrage et s'arrêta au chapitre de la veillée du Mardi Gras, à l'occasion de laquelle les malades avaient organisé une fête carnavalesque, au grand scandale de M. Settembrini qui disait que « même dans les asiles d'aliénés on organisait parfois de ces bals costumés pour les fous et les idiots ». Tenant d'une main le livre ouvert à la manière d'un bréviaire, il déambula lentement d'un salon à l'autre, tout en lisant le texte à mi-voix. Il vit bientôt les serpentins qui pendaient des lustres, les bougies dans les lampions de papier en forme de lunes coloriées, le récipient en grès où fumait un punch sucré à l'arack et, sur les petites tables de bridge, les cartes où le Dr Behrens avait dessiné des petits cochons à la queue tire-bouchonnée. De temps à autre, il s'immobilisait et fermait les yeux pour mieux voir son ami Hans Castorp dans son fauteuil d'osier craquant et grésillant, les bras tendus sur les accoudoirs, son porte-mine d'argent entre les mains, penché vers cette femme aux yeux obliques et aux pommettes saillantes – et il entendait la voix de Clawdia avec son accent exotique, cette voix légèrement voilée et agréablement rauque qui ressemblait de façon si troublante à celle de Katja, quand elle disait : « Je vais partir pour le Daghestan, joli bourgeois à la petite tache humide. Est-ce vrai que tu m'aimes tant ? » Cette scène infiniment mélancolique l'emplissait d'une sourde appréhension, car il lui voyait une signification intime, comme un message posthume de Thomas Mann, adressé à lui personnellement – et pourquoi les liens mystérieux entre les êtres, entre un écrivain disparu et son lecteur, ne feraient-ils pas fi de l'espace et du temps ? Il avait cru se reconnaître dans le portrait du héros, en raison des similitudes de leur sensibilité et de leur destinée. Or il découvrait que son identification à Hans était nourrie non par ce qui les rapprochait, mais par ce qui les séparait, par ce que l'autre possédait et qu'il n'avait pas, par ce qui le faisait souffrir et qu'il lui enviait : *la passion !* Il pensa à Christine, puis aux quelques jeunes filles qui l'avaient précédée, et découvrit qu'aucune ne lui avait fait connaître cette composante du désir amoureux qui avait marqué la passion de Hans Castorp, et qui était peut-être la condition des grandes amours romantiques : *l'attente.* « Je suis venu trop tard dans un monde trop vieux ! », récita-t-il à mi-voix. Élisabeth avait raison, il cherchait midi à quatorze heures.

En montant au second étage par l'escalier circulaire, il entendit s'élever des profondeurs du corridor le cri déchirant qui l'avait glacé d'épouvante le soir de son arrivée. Mais cette fois, au lieu de s'enfuir, il se rapprocha de la porte des Tchakalov. Le silence fut à nouveau troublé par les appels écorchés du malheureux cosmonaute, puis par des sanglots de panique que Jacques écoutait en grelottant, avec une crampe douloureuse dans la poitrine. Une prémonition obscure le retenait de s'éloigner, en lui laissant entendre que cette souffrance recelait une signification qui le concernait et qu'il ne tenait qu'à lui de découvrir. Serguei Tchakalov n'avait-il pas tenté à plusieurs reprises, dans leurs rencontres occasionnelles, de déjouer l'obstacle des langues pour lui faire comprendre quelque chose ?

Il s'éloigna enfin, mais s'aperçut en arrivant sur le palier du premier étage que ses pas ne l'avaient pas conduit à sa chambre, contrairement à son intention. Il poursuivit sa descente jusqu'au bas de l'escalier, observant son comportement comme celui d'un étranger. Pourquoi n'allait-il pas se coucher ? D'où lui venait cette impression d'avoir oublié quelque chose d'important ?

Il consulta sa montre, fit un rapide calcul et entra précipitamment dans l'ancien ascenseur en bois, dont la porte grillagée se referma sur lui avec un tintamarre que le grand hall, les corridors et les salons vides renvoyèrent avec un écho réprobateur. Il s'y reprit à trois fois pour composer correctement ce numéro qu'il connaissait mieux que tout autre, et les battements de son cœur le surprenaient, en exprimant des pressentiments sans liens avec ses pensées. Il était passé sept heures du soir dans la maison familiale d'Outremont, le dîner était terminé et la table desservie, Mathilde venait de déposer sur le large accoudoir du fauteuil de son père cette tasse de café noir qu'il ne buvait jamais, et dans la soucoupe un sablé au beurre Peek Freans qu'il effriterait nerveusement, et dont il ne porterait que quelques miettes à sa bouche, pour les mastiquer avec une extrême lenteur. Ce cérémonial du *night cap*, immuable et absurde, avait toujours exaspéré Jacques et il s'arrangeait le plus souvent pour n'avoir pas à y assister. Mais ce soir, à Davos, il voyait en pensée les doigts rapides de sa tante époussetant la veste et le pantalon du vieil homme, et l'évocation de ce geste banal lui donna envie de pleurer.

– Bonsoir ma tante ! J'appelle pour prendre des nouvelles, dit-il en anglais à Mathilde, qui avait mis du temps à répondre. Je vous dérange ?

Non, il ne la dérangeait pas, simplement elle se trouvait à la cuisine et le lave-vaisselle faisait un tel vacarme qu'elle avait préféré venir prendre l'appel au salon. Le *Consumer's Report* plaçait la Maytag en tête de liste pour la huitième année consécutive, mais évidemment le modèle qu'ils possédaient n'était plus de première jeunesse et il fallait sérieusement envisager un remplacement à brève échéance, avant le court-circuit ou l'inondation.

– Qu'est-ce que tu en penses, Jacques ?

– Je suis sûr que vous choisirez pour le mieux ! dit-il, sachant qu'elle ne prendrait en fin de compte aucune décision avant que la machine n'eût définitivement rendu l'âme. A propos, j'ai bien reçu les fonds que vous avez fait virer, mille mercis !

– Ah, tout de même ! Comme tu n'appelais pas, j'ai vérifié directement auprès de la banque à Davos, on m'a dit que tu les avais encaissés. J'en ai déduit que tu étais encore en vie.

– Tout va bien, je vous assure ! dit-il en se rendant compte que sa perception de la distance qui le séparait de Mathilde le contraignait à parler deux fois plus fort que nécessaire. Comment se porte mon père ?

Elle éluda la question en exigeant des nouvelles de Didier et un rapport circonstancié de son emploi du temps et de la qualité de la nourriture à la Villa Stella Maris, dont elle prononçait le nom comme s'il s'agissait d'une nouvelle pension Salem, tenue par un descendant de Mr Bumble. Puis elle questionna Jacques sur le déroulement de ses propres vacances (le mot le fit grimacer) et, après un nouveau détour par la Maytag, lui répondit que son père était en bonne santé, quoique préoccupé par les rumeurs persistantes de guerre dans la région des Syrtes.

– On sonne, je reviens à l'instant ! dit-elle. (Il avait en effet entendu à l'arrière-plan le carillon de la porte principale et, plus encore que la voix de sa tante, cette suite égrenée de trois notes ajoutait un relief troublant à son évocation des lieux familiers.) En attendant, je te passe Alexander, explique-lui toi-même que tout va bien, tu sais comme il est sensible !

– Attendez, ma tante, je ne...

Elle lui faisait le coup à chaque fois, sans lui laisser le temps de la dissuader, et il subissait avec un déchirement de honte et de pitié les halètements et les bruits de fond de gorge qui constituaient toute la gamme des moyens d'expression de son père. Il n'avait alors d'autre choix que de feindre une conversation avec lui en faisant les questions et les réponses, car il se sentait incapable de ne rien dire en attendant que Mathilde eût repris le combiné. Sa participation à cette comédie qu'il avait toujours désavouée l'humiliait cruellement.

– Je... je suppose que tu te demandes comment Didier se débrouille en allemand, dit-il. Eh bien, c'est tout à fait étonnant, il absorbe cette langue comme une éponge, et moi je tire de l'arrière...

– *My... boy ! J...acques ! Be ca... careful !*

– *Father !*

Son propre cri ajouta à sa stupeur et à sa paralysie, avant qu'un éboulement d'émotions ne lui fasse battre le cœur à grands coups. Du pied, il ouvrit brutalement la grille de l'ascenseur, dont l'exiguïté lui était devenue intolérable. La voix de Mathilde résonnait à présent à son oreille :

– ...un plein panier de tomates de son jardin, *superbes* ! C'est vraiment trop gentil de sa part ! Et toi, qu'as-tu raconté à ton père ? Il a l'air tout remué...

– Il m'a parlé ! Vous comprenez ce que je vous dis, ma tante ? Il m'a parlé pour de vrai, vraiment ! Juste quelques mots, mais tout à fait compréhensibles... C'est inouï !

– Mais bien sûr, Jacques, il participe beaucoup ! Les gens ne se rendent pas compte, on se demande bien où ils ont la tête..

– Non ! Non, vous ne saisissez pas ! Je...

Il renonça à lui expliquer l'événement extraordinaire qui avait eu lieu pendant qu'elle s'était absentée du salon, mais qui ne lui avait pas échappé à lui, témoin aveugle et éloigné. Il n'eut pas la force de poursuivre leur conversation, qu'il termina par des banalités. D'ailleurs, une nuance de distraction satisfaite dans l'intonation de Mathilde lui fit soupçonner que, tout en lui parlant, elle faisait subir à chacune des tomates de Mme Thibodeau un examen de qualification au ketchup.

Le lendemain matin, Jacques descendit aux premiers coups de gong et expédia son petit déjeuner sans parler à personne. Puis il passa prendre son équipement de tennis au vestiaire du rez-de-chaussée et se rendit à Davos Platz par le chemin forestier que M. Léopold lui avait fait découvrir l'autre jour. Didier l'attendait sur la galerie de la Villa Stella Maris, où il s'exerçait à faire tenir sa raquette de tennis en équilibre sur son menton.

– Jack ! Je croyais que t'avais oublié ! dit-il en guise de salutation.

– Mais qu'est-ce que tu racontes ? Je suis même en avance sur l'heure prévue ! Crois-tu vraiment que je pourrais t'oublier ?

– Ben non, je me disais ça pour être sûr que tu viendrais. T'aurais pu te casser la jambe, je sais pas, ou encore pire, rester endormi. On y va ?

Ils prirent la direction des courts de l'hôtel Schweizerhof mais, en chemin, Didier manœuvra victorieusement pour se faire offrir un chocolat chaud à la Kronen Konditorei, dont les initiales lui fournirent matière à de fines plaisanteries. Il précéda son frère dans l'établissement et alla s'asseoir à la table la plus éloignée de l'entrée, comme pour contrecarrer toute velléité de retraite. Alors que la jeune serveuse à tresses rousses et petit tablier blanc s'approchait d'eux avec un regard éveillé et un sourire endormi, il profita sans vergogne de sa supériorité en allemand pour passer avec aplomb une commande élaborée, à laquelle Jacques ne comprit pas grand-chose, sinon qu'il venait de se faire piéger.

– Puisque tu es si bien parti, dit-il, demande-lui donc de m'apporter un café au lait.

– C'est déjà fait, Jacquot ! Je t'ai aussi pris quelque chose de solide, because t'as pas bonne mine. Tu sais que les rouquines sont une espèce en voie de disparition ? C'est biologique, sans blague ! Dis, tu trouves pas qu'elle a les tresses bien roulées ? OK, c'est une remarque sexiste, je sais ! Mais qu'est-ce tu veux, c'est mes hormones qui me travaillent, on peut pas aller contre. Tu sais pas quoi ?

– Non, mais je ne vais pas tarder à l'apprendre ! dit Jacques d'une voix feutrée, pour l'inciter à baisser le ton.

– Tu gardes ça pour toi, mais ça y est, je commence à avoir des poils ! C'est pas encore terrible, mais ça pousse *steady*. La seule chose, j'ai un peu mal aux couilles.

Jacques se félicita d'avoir suivi son frère à cette table isolée et jeta un coup d'œil faussement dégagé aux autres consommateurs. Personne ne leur prêtait attention, à l'exception peut-être d'une jeune femme blonde qui les lorgnait par-dessus les pages glacées d'un magazine de mode. « Et si c'était Katja ? pensa-t-il en se sentant rougir. Elle est bien capable de me surveiller... Non, c'est absurde ! Cette fille était là quand nous sommes entrés, et sa couleur de cheveux n'est pas naturelle, alors que celle de Katja... Mais, au fait, qu'est-ce qui est naturel chez Katja ? Et pourquoi je perds mon temps à me faire du cinéma à son sujet ? »

– Comment ça, un peu mal ?

– Ah bon, je croyais que t'écoutais pas ! fit Didier. Ben, c'est rien que des crampes, mais pas tout le temps sans arrêt, tu comprends ? C'est un truc à la Newton, je me développe vers le bas, quoi ! Ça me tire, parce que j'ai commencé à fabriquer mes supermatozoïdes.

Maintenant, y a plus qu'à attendre la première fois, paraît que c'est vachement le fun ! Et toi, qu'est-ce que tu fricotes avec ton ectoplasme ? Remarque que t'es pas obligé de répondre...

– J'aimerais bien avoir quelque chose à te répondre ! dit Jacques, incapable de décider si ces « supermatozoïdes » étaient un authentique lapsus, ou si son frère se payait sa tête. Tu vois, mon petit vieux, je me sens un peu paumé depuis quelques jours.

Didier lui lança un regard rapide, extraordinairement pénétrant, et une expression de sympathie et de sagacité qui lui venait d'un âge futur passa comme une ombre sur son visage espiègle. Mais un plateau garni de croissants, de brioches aux raisins, de coquilles de beurre et de petits pots de confiture d'abricots, de miel et de gelée de framboises le ramena à la solide réalité. Bien qu'il eût pris son petit déjeuner à Stella Maris, il fit un sort à ce modeste rabiot avec une voracité telle que Jacques se demanda si les inquiétudes de Mathilde au sujet du régime alimentaire du pensionnat de la Petite Sœur de Treblinka n'étaient pas fondées. Il regarda manger son frère, se retenant de lever le bras pour caresser son abondante tignasse bouclée. « Je ne vais pas le gêner par des démonstrations en public, se dit-il. Pauvre Didi, s'il savait ! » Une bouffée de tendresse lui montait à la gorge et aux yeux, il piqua du nez dans son bol de café au lait pour cacher son trouble. Il n'aurait su que répondre à la question : « Si Didier savait quoi ? », car ce qu'il voulait dire était un mélange confus d'idées et d'émotions. Ses sentiments envers Élisabeth, Jorge d'Aquino ou Katja se ressemblaient sur un point, leur ambiguïté – et son affection pour son père n'était pas sans avoir ses zones d'ombre. Tout compte fait, il n'y avait dans sa vie qu'un seul amour inconditionnel, limpide et désintéressé – et c'était l'amour qu'il portait à ce gamin. Ils n'avaient que dix ans de différence, et, quoiqu'il ne se sentît pas lui-même menacé par les conséquences du Grand Déclin, la perspective de ce qui attendait Didier l'inquiétait terriblement. Il poussait si droit, avec une telle confiance et une telle joie de vivre ! Quel destin connaîtrait un cœur pur comme le sien dans un monde de loups, désolé et crépusculaire ?

– Hé ben dis donc, c'est pas la joie ! déclara Didier sans le regarder, en raclant consciencieusement le fond du godet de miel. T'as fait une connerie ?

– J'ai des soucis. Et puis je voulais te parler du coup de fil que j'ai donné hier à Montréal.

– Oh, oh ! Il me semblait aussi qu'y avait aiguille sous roche. T'es sûr que tu veux pas la dernière brioche ? Je suis prêt à me dévouer... Et alors, ce téléphone, c'est des mauvaises nouvelles ou quoi ?

– On dit *anguille* sous roche... Non, ce ne sont pas de mauvaises nouvelles, rassure-toi ! Ça ne perturbera pas ta digestion.

Il raconta sa conversation avec Tante Mathilde, puis les quelques mots distinctement prononcés par son père. La réaction de Didier ne fut pas aussi exubérante qu'il l'avait prévu. Il modula bien un sifflement de surprise qui fit tourner quelques têtes aux autres tables, mais se contenta ensuite de déclarer qu'« il était temps que ça se débloque ». Il ajouta après un silence :

– Je peux essayer moi aussi ? Regarde, y a une cabine juste là qui a rien à faire. Allez, laisse-moi, je te promets de faire ça vite !

– Tu n'y penses pas, il est trois heures du matin là-bas ! Et puis ne te fais pas trop d'espoirs, il s'agit peut-être d'une manifestation isolée et sans suite. Je t'en ai parlé parce que je trouve normal que tu sois au courant.

– C'est ce qu'on dit au condamné à la chaise électrique ! Tu sais ce qui serait génial si Papa redevenait comme avant ?

– Dis toujours !

– On pourrait s'acheter une voiture – et forcément, comme il serait pas dans la course avec tous les nouveaux modèles, je pourrais le conseiller. Tu connais la Saab 9000 Turbo ? C'est en plein le modèle qu'il faut pour un chirurgien qui a pognon sur rue. Qu'est-ce que t'as ? Je t'ai fait de la peine ?

– Non, dit Jacques en posant trois pièces de cinq francs sur la table. Je crois que je t'aime trop. Viens, on y va !

Didier se leva et jeta un coup d'œil intimidé autour de lui.

– Je t'aime aussi, Jacques ! dit-il à voix basse. Seulement moi, comme disait l'aveugle, ça me fait pas brailler ! T'es sûr que ton asile de fous, ça serait pas finalement un sanatorium ?

Avant de quitter la place, Jacques acheta au comptoir une boîte de Bouchons vaudois, petits cylindres en chocolat remplis de kirsch et protégés par un emballage imitant la texture du liège.

– C'est pour qui ? demanda Didier, que la discrétion n'étouffait pas.

– Pour une pensionnaire du Berghof, qui est alitée depuis quelques jours, on ne sait pas exactement ce qu'elle a. Son nom ne te dira rien – elle s'appelle Gertrude Glück –, mais tu l'as vue dans le train le soir de notre arrivée.

– Ah oui, la bonne femme qui parlait comme une débile ! Est-ce qu'elle est heureuse au moins ?

Ils étaient sortis dans la rue ensoleillée et s'éloignaient en direction du Schweizerhof. Jacques hésitait, ne sachant que répondre. Gertrude, heureuse ? La question le prenait de court, car de toutes les singulières personnalités qui gravitaient autour du Pr d'Aquino, elle restait pour lui l'une des plus énigmatiques.

– Pourquoi tu me demandes ça ?

– Ben quoi, *Glück* en allemand, ça veut dire *bonheur*...

– Tu me l'apprends. Et toi, tu savais qu'elle a été autrefois une des patientes d'Alexander ?

– De Papa ? Fa-ra-mi-neux ! Et regarde, elle vit toujours ! N'empêche que ça me fait drôle quand tu l'appelles Alexander... Tu penses que quand je serai vieux comme toi, je lui dirai encore *Papa* ?

– Bien sûr, l'âge n'a rien à voir ! dit Jacques. Mais, avec tout ça, tu ne m'as pas parlé de ta petite amie Granola ! C'est toujours le grand béguin ?

Didier pressa sa raquette de tennis contre son visage épanoui en disant qu'il ne parlerait qu'en présence de son avocat. Puis il ajouta sur un autre ton :

– Vu qu'on commence à s'aimer pour toujours, on a décidé de pas se presser, à cause du fossé culturel qu'il faut d'abord mettre sous un pont. A part ça je dois la rattraper, parce qu'on n'a pas une puberté synchronisée, moi et elle. Je te dis pas les détails, juste que c'est métabolique, et à cause que quand les filles ont du plaisir, c'est une bosse de chameau et pas une dent de scie, tu comprends ?

– Je comprends, dit Jacques. Tu expliques si bien.

*
* *

Deux messages avaient été déposés dans le casier de Jacques pendant son absence. Le premier était de la main d'Élisabeth : *Je vais à Rome pour trois jours, Petit-Prince-qui-boude ! Je t'ai cherché partout pour te dire au revoir, et également pour te montrer le dernier résultat de mes travaux. Le mystère du Grand Déclin te semblera bien banal en comparaison de ce que j'ai découvert !* Prépare-toi à l'impossible ! *Je voulais aussi me faire pardonner mon attitude de lundi soir. Tu as eu raison de m'en vouloir, même si tu t'es trompé sur mes raisons ! On s'embrasse ? Élisabeth.*

Le second pli, signé par Tadeus Bubenblick, invitait Herr Carpentier à se présenter au bureau de l'administration, pour « affaire personnelle ». Jacques supposa que l'intervention promise par M. Léopold auprès de la Fondation Delphi n'avait pas eu le résultat escompté, et il passa par sa chambre pour soustraire quelques billets du fond du sac de biscuits où il avait dissimulé son pécule. Puis il se rendit chez le gérant du Berghof, qu'il trouva assis derrière son impressionnant pupitre, en grande discussion avec Sigmund, qui se tenait debout devant lui, les épaules rondes et les pouces enfilés dans sa ceinture cloutée.

– Je vous en prie, entrez ! Plus on est de fous... ! s'exclama Tadeus en éclatant de rire. Merci d'avoir répondu si vite à mon invitation !

Sans autre transition, il parla de sa sœur Magdalena, qui s'était prise d'amitié pour le *biditte vrairrr*, de Frau Welikanowicz qui n'était pas une sœur mais une sainte, et des gens « comme vous et moi » avec la tête aussi pleine de trous que du fromage d'Emmenthal. Voui, voui !

– Vous vous inquiétez pour le règlement de ma note, dit Jacques pour couper court à ce galimatias. J'ai tardé à vous la payer, parce que M. Léopold devait...

– Halte ! Confusion ! Défense de continuer ! s'écria Tadeus en levant une main militaire. Tout est réglé pour votre séjour ici, la Fondation vous a accordé une bourse d'études, congratulations ! Frau Popesco ne vous l'a pas dit ? Ayayayaïe ! C'est toujours la même chose ! Et moi qui voulais seulement vous signaler le petit oubli pour la facture de Stella Maris.

Jacques se sentit penaud, car ce compte en souffrance lui était revenu en mémoire à plusieurs reprises au cours de la semaine, et à chaque fois il avait remis à plus tard le moment de le régler. Et, en allant chercher Didier ce matin, il ne lui était même pas venu à l'esprit d'en profiter pour faire d'une pierre deux coups ! Il remercia Tadeus de lui avoir signalé cette négligence, mais son intention de retourner à Davos Platz après le déjeuner fut accueillie par une protestation joviale, et un regard bleu clair d'une inflexible candeur :

– *Nein, nein ! Vollig ausgeschlossen !** Vous n'allez pas vous tourmenter pour un petit détail matériel ! Justement, Sigi n'est pas occupé, il va une fois faire tout de suite la commission avec son vélomoteur. *Jawohl !*

* Absolument exclu !

Pendant cet échange, l'adolescent punk n'avait pas bougé de sa station devant le pupitre de Tadeus, mais sa longue silhouette dégingandée n'en était pas pour autant restée immobile. A l'évidence, ses articulations étaient reliées entre elles par des filins élastiques, et tout mouvement vers la périphérie entraînait aussitôt une contraction opposée vers le centre. Jacques compta cinq coupures de cent francs et se préparait à demander à l'administration du Berghof le don d'une enveloppe, mais l'adolescent ne lui en laissa pas le temps et fit main basse sur l'argent, qu'il fourra sans ménagement dans la poche arrière de ses jeans rapiécés, tout en hochant sa coupe iroquoise aux instructions que Herr Bubenblick lui donnait en dialecte schweizerdeutsch.

– Pas de souci à vous faire ! confia Tadeus après son départ. (Il prononçait *bas de zouzi*.) En français, vous dites que « l'habit ne fait pas le moine ». Chez nous, on dit que *« der Schein trügt »*.

En veine de confidences, il révéla qu'un de ses anciens camarades d'école, le commissaire Josef Zwiggerli, de la police municipale, lui avait demandé avec insistance d'embaucher Sigmund pour la période des vacances d'été.

– Il a eu des démêlés avec la justice ? s'enquit Jacques en pensant à une histoire de drogue.

– Négatif ! fit Tadeus. Seulement Josef est son papa, alors il prend des précautions, *nézebas* ? Je lui ai parlé de vous, il est très reconnaissant pour votre bonne influence.

– Mon influence ?

Jacques avait déjà du mal à concevoir que ce grand escogriffe débraillé était effectivement le fils du commissaire de la place, mais il fut encore plus surpris d'apprendre qu'il lui vouait en silence une admiration éperdue, et avait confié à Tadeus que le Canadien était en train de devenir son meilleur ami. « Comment aurais-je pu m'en douter ? se dit-il, touché par cette révélation. Nous n'avons pas échangé cinquante mots depuis mon arrivée ! Pauvre Sigmund, il doit être bien seul et mal dans sa peau, et je ne suis pas sûr que le choix de son idole ait été très judicieux. »

Alors qu'il se levait pour partir, Tadeus lui confirma que Frau Popesco l'avait vainement cherché ce matin pour lui parler de sa dernière découverte.

– Je sais, nous nous sommes manqués ! dit-il. J'ai hâte de savoir de quoi il s'agit !

– A vos ordres ! dit l'autre en se levant d'un bond et en claquant des talons. Pour ça je peux aider, si vous avez un quart d'heure à perdre. Venez, vous allez rire !

Ils descendirent au rez-de-chaussée et traversèrent au long le laboratoire d'Élisabeth, pour gagner le studio d'enregistrement. Jacques nota que les portes n'étaient pas fermées à clé. Certains de ces équipements avaient coûté une fortune, n'importe qui aurait pu entrer et se servir. Quelle imprudence ! Qu'est-ce qui l'empêchait de revenir plus tard, pour chercher dans les dossiers les informations qu'Élisabeth avait soustraites à sa vue l'autre jour au sujet de Katja ? Cette pensée lui arracha une grimace, comme si un goût amer lui était venu à la bouche. Jamais il ne commettrait un acte aussi vil, se dit-il, honteux de l'avoir seulement imaginé.

Tadeus Bubenblick avait fait de la lumière dans la régie du studio et enfilait une cassette dans le moniteur vidéo, avec un petit rire d'anticipation, comme s'il se préparait à montrer un épisode particulièrement savoureux de *Candid Camera*. Se refusant à doucher son plaisir, Jacques chercha une façon discrète de lui dire qu'il avait déjà assisté à une démonstration de psychosynergie de Deuxième Ordre. Il n'en fit rien en se rappelant qu'Élisabeth, avec l'aide de la Fondation Delphi, avait offert un voyage aux États-Unis à Gisella, la mère de la petite Rose-Marie, pour vérifier si l'éloignement géographique affectait la qualité du lien mystérieux qui les unissait l'une à l'autre.

– Liaison par satellite ! annonça fièrement Tadeus. Zurich-San Francisco avec double relais, soixante-douze mille kilomètres aller-retour. Ayayayaïe ! Gare à la facture ! Et voici le résultat – enregistrement VHS, vitesse normale, connexion établie dix-sept zéro zéro, heure locale. *Hokus pokus !*

Deux images apparurent côte à côte sur l'écran du moniteur. A gauche, la fillette était occupée à jouer avec des plots de bois aux couleurs vives, sur la moquette du studio voisin, que Jacques pouvait apercevoir dans la pénombre à travers le miroir d'observation de la régie. Dans la partie droite de l'écran, Gisella était sagement assise derrière une table, dans un décor et un éclairage différents, et parlait en romanche à la petite Rose-Marie. Une indication au bas de l'image – *Liaison en différé* – confirmait à Jacques ce qu'il savait déjà des résultats de la première expérience. La fillette ne prêtait qu'une attention distraite à sa mère, qu'elle voyait sur le moniteur posé devant elle. La projection fut bientôt interrompue, puis repartit après quelques secondes en affichant cette fois la mention *Liai-*

son en direct. Dès le début de la séquence, ainsi que Jacques s'y attendait, Rose-Marie eut une réaction spontanée en apercevant Gisella.

– *Achtung !* s'écria Tadeus en étouffant à grand-peine un fou rire qui mettait en valeur sa formidable denture. On va voir une fois si vous avez les yeux en face des trous !

Dans le studio de San Francisco, la jeune mère avait sorti un petit koala en peluche de sous la table, et la fillette tendit la main vers ce qui devait être son jouet préféré, en poussant un gazouillis aigu. Élisabeth avait prouvé son postulat : la distance n'empêchait pas l'établissement de ce lien mystérieux, parallèle à la transmission de l'image, qui laissait l'enfant savoir si elle était ou non en contact direct avec sa mère. La démonstration était spectaculaire, bien sûr, mais Jacques s'attendait à quelque chose de plus surprenant. Ne lui avait-on pas conseillé de se *préparer à l'impossible* ?

– Vous êtes un soupçon défrisé, *nézebas* ? dit Tadeus, dont les mines joviales dissimulaient habilement la perspicacité. Vous vous dites qu'il n'y a rien de nouveau sous le soleil... *Aber es ist nicht wahr !**

Il interrompit la projection vidéo et fit défiler la bande en sens inverse à haute vitesse, en se penchant pour surveiller le déroulement de la séquence où Gisella brandissait le koala.

– *Ztôp !* Regardez une fois comme il faut ! s'écria-t-il après avoir pressé vigoureusement sur une touche pour immobiliser le film. Ici, Rosy tend la main vers le jouet, voui ? A présent je montre image par image, à la bernoise !

Jacques observa que le geste de la fillette, auquel le ralenti donnait une grâce aérienne, avait été achevé avant même que la mère ne sortît le koala de sa cachette.

– Comment elle a pu deviner ?

– Ayayayaïe ! Je l'attendais celle-là ! dit Tadeus comme s'il avait réussi à le faire tomber dans un piège. Rosy n'a pas deviné, *ganz nicht*, c'est l'image de la maman qui nous est arrivée avec deux secondes de retard ! A cause du ping-pong par satellite, voui, voui !

Jacques sentit une sueur froide lui courir dans le dos, alors qu'il saisissait enfin la véritable portée des travaux d'Élisabeth Bogdan-Popesco sur le Deuxième Ordre de la psychosynergie. Les phénomènes de télépathie et de prémonition l'avaient toujours intrigué

* Mais ça n'est pas vrai !

et, sans avoir une claire opinion à leur sujet, il inclinait à croire à la réalité de telles manifestations. Mais alors, pourquoi la preuve irréfutable de leur existence soulevait-elle en lui cette vague d'angoisse et de peur ?

– Je n'ai pas protesté l'autre jour quand Élisabeth m'a exposé son projet, avoua-t-il d'une voix altérée. L'idée que la distance n'affecterait pas la communication entre Rose-Marie et sa mère m'apparaissait même presque plausible... Une transmission *instantanée !* Où avais-je la tête ?

– Solide sur vos épaules ! s'exclama Tadeus. Votre serviteur en personne a fait la régie de l'enregistrement, mais c'est ce matin seulement au moment du montage que Frau Popesco a découvert le pot-aux-roses ! Ayayayaïe ! La transmission du Deuxième Ordre va plus vite que les ondes radioélectriques, et probablement plus vite aussi que la lumière !

– C'est impossible, voyons ! dit Jacques, irrité par la bonne humeur impénitente de son compagnon. Il doit y avoir une autre explication ! Enfin, monsieur Bubenblick, vous savez tout de même qu'une vitesse supérieure à celle de la lumière ne peut tout simplement pas exister, en tout cas pas dans l'univers tel que nous le concevons, à moins de balayer tous les postulats fondamentaux de la physique !

– Et moi qui croyais que le mot *impossible* n'était pas français ! répliqua Tadeus en s'amusant de plus belle. Vous avez vu avec vos yeux propres et quand même vous dites que ça n'existe pas ! Hahaha ! Et moi *soi-même* vous savez ce que je dis ? Albert Einstein, pffuitt ! Sir Arthur Stanley Eddington, pffuitt, pffuitt ! Hendrik Lorentz et Herman Weyl, pffuitt, pffuitt, pffuitt !

Il envoyait son poing par-dessus son épaule à chaque onomatopée, le pouce dressé, tout en multipliant ses éclats de rire. Jacques ne trouvait rien à répondre et regardait sur l'écran du moniteur l'image clignotante de la petite Rose-Marie, artificiellement figée dans une expression d'émerveillement. Derrière ce front lisse, sous le duvet soyeux des cheveux, dans ce crâne à la fontanelle encore entrouverte sur le *sahasrar*, un cerveau fonctionnait, plus complexe que les plus puissants ordinateurs, une machine vivante capable de déjouer les contraintes de l'espace et du temps – et l'un des derniers modèles de la série humaine, si le Grand Déclin tenait ses promesses...

***

Schwester Ursula était debout sur la dernière marche d'un escabeau de bois et, un registre à la main, faisait l'inventaire de l'armoire aux médicaments. Lorsque Jacques entra dans l'infirmerie, elle déchaussa prestement ses lunettes rondes à montures d'acier, qu'elle n'avait jamais portées en sa présence, et les fit disparaître sous un des plis verticaux de son habit. Il eut le cœur serré par ce réflexe de menue coquetterie, tant était dérisoire l'espoir d'une quelconque amélioration du physique de la naine.

– Notre amie Gertrude ne manque pas de visites cet après-midi, dit-elle de sa voix de crécelle rouillée, en le toisant du haut de son perchoir. Je constate qu'on lui a apporté une petite douceur... J'avais déjà entendu dire que les Canadiens étaient des gens pleins d'attentions !

– La visite est pour elle, dit-il en souriant. Mais la petite attention vous est destinée.

Il lui remit la boîte de Bouchons vaudois, surpris de l'impulsion qui lui avait fait changer ses plans au dernier instant.

– Tttût, tttût, tttût ! Quelle idée saugrenue ! dit-elle sévèrement, alors que sa face plissée virait à la pivoine. A-t-on une raison précise de me gâter comme ça ?

– Je n'en ai pas cherché ! Mettons que c'est une façon comme une autre de vous dire merci pour les heures que vous avez passées à mon chevet...

Elle eut un effet de glotte et lui tendit sa main de poupée pour s'assurer un appui, alors qu'elle descendait de son escabeau avec la dignité d'une reine quittant son piédestal. Elle trottina vers la porte vitrée de l'une des deux chambres attenantes à la salle de garde et, après s'être hissée sur la pointe de ses bottines vernies pour jeter un coup d'œil à l'intérieur, se tourna vers Jacques avec un éclair malicieux dans les yeux.

– Je crois qu'on a gagné quelque chose en retour des friandises, dit-elle. On ne s'en souvient peut-être pas, mais, au temps de la scarlatine, on a posé des questions sur la belle Katja.

– Je m'en souviens, dit-il en souriant. Ce sont les réponses que j'ai oubliées !

– On me tisonne, mais je n'ai que ce que je mérite ! Et que dirait-on de voir aujourd'hui l'expression de son visage ?

– Du visage de Katja ? On aurait des doutes sur le sérieux de la proposition !

Il s'efforçait de lui répondre sur le ton particulier qu'elle avait adopté pour leurs échanges, mais il se sentait maladroit dans le registre de l'ironie. Que fallait-il comprendre de cette offre qui le troublait, même s'il faisait mine de ne pas la prendre au sérieux ?

Il obéit à Schwester Ursula, qui agitait son index boudiné pour lui dire d'approcher, sachant qu'en dépit de son excentricité et de ses bavardages cette religieuse haute comme trois pommes était incapable d'indélicatesse. Il regarda dans la chambre.

Gertrude Glück occupait un lit d'hôpital, qu'on avait tiré près de la fenêtre ouverte. Katja, assise de profil à son chevet, parlait en lui tenant la main. Elle portait son masque, à l'accoutumée, et Jacques s'interrogeait déjà sur le sens des paroles de Schwester Ursula, lorsqu'il poussa une exclamation de stupeur en remarquant l'expression du visage de la malade. Il avait été témoin à quelques reprises de son extraordinaire faculté de mimétisme, mais jamais encore il n'avait assisté à une métamorphose aussi complète : ses traits semblaient s'être liquéfiés, et la physionomie tout entière montrait une expression qui ne lui appartenait pas, qu'elle reflétait à la façon d'une eau dormante, et qui se brouilla comme sous l'effet d'une onde de surface à l'instant où Schwester Ursula frappa de l'ongle contre la vitre.

Jacques comprit que la naine ne lui avait pas menti – il avait eu le temps d'entrevoir *l'expression* du visage de Katja, et il en fut brutalement remué : elle était lumière, passion et intelligence. Une composante indéfinissable et discordante s'ajoutait à ce reflet, un élément incompréhensible qui justifiait la protection du masque. Pour la première fois, il fut convaincu qu'elle ne dérobait pas ses traits pour attirer l'attention sur elle, ou pour quelque autre motif de même nature, mais parce qu'elle avait effectivement quelque chose à dissimuler. Elle se tourna à cet instant vers la porte qui s'ouvrait et, reconnaissant Jacques derrière Schwester Ursula, lâcha prestement la main de Gertrude pour enfiler son gant blanc. Elle portait une robe en toile légère gris souris qu'il lui voyait pour la première fois, et qui avait en commun avec ses autres vêtements de ne rien laisser paraître de sa peau, avec ses manches longues, sa haute encolure et son bord à mi-chevilles.

Jacques s'approcha du lit et se pencha pour embrasser la malade. Le geste était spontané et le surprit lui-même, comme tout à l'heure son cadeau à Schwester Ursula, d'autant que sa sympathie se manifestait habituellement avec plus de retenue. Gertrude leva la main et le toucha au front du bout des doigts.

– C'est gentil d'être venu me dire adieu, dit-elle d'une voix ténue. On aurait encore des tas de choses à se dire ! Avant votre départ, il faudrait trouver le temps de parler à notre amie, pour la convaincre d'être raisonnable.

Elle lui prit la main et la joignit à celle de Katja, les enveloppant l'une et l'autre de ses doigts écartés. La fermeté de son étreinte contrastait avec la fatigue qui creusait son visage et opprimait sa respiration.

– Notre amie est trop intelligente pour être raisonnable, poursuivit-elle de sa récitation appliquée. Elle veut se donner, mais elle est tout entière à sa passion ! Moi aussi, j'aurais voulu continuer à rendre service au bon professeur, mais ma pauvre tête n'a pas tenu le coup. Il faut être sûr de s'appartenir avant d'accepter de perdre le contrôle de soi !

Elle leur adressa un sourire lointain, sa tête aux cheveux clairsemés s'inclina sur le côté, son regard s'abîma dans le paysage ensoleillé, puis se fit absent.

Jacques se détourna pour consulter Schwester Ursula, mais il découvrit avec surprise qu'elle s'était retirée en fermant la porte derrière elle. Il s'écarta sans bruit du lit, tenant toujours la main gantée de Katja, sans savoir s'il devait la lâcher. Ses doigts recueillirent un frémissement soutenu, semblable à la vibration du violoniste sur les cordes de son instrument. Sentant que son avant-bras s'engourdissait, il décida que son imagination lui jouait des tours, mais la transfiguration du visage de Gertrude lui revint à l'esprit, pour opposer un démenti narquois à son scepticisme.

– « Votre départ », est-ce vrai ? murmura Katja en lui lâchant la main et en reculant d'un pas. Vous quittez l'arche avant le déluge ?

– Je n'ai aucune intention de partir, répondit-il sur le même ton feutré. Je ne sais pas pourquoi Gertrude l'a prétendu, ni ce qu'elle a voulu dire en me demandant de vous convaincre d'être « raisonnable ».

– C'est bien simple, elle ne veut pas que je la remplace auprès du Pr d'Aquino.

– La remplacer pour quoi faire ?

– Des expériences comme celle de l'autre soir... répondit-elle sur la défensive. Pourquoi croyez-vous que la fondation qui paie si généreusement notre séjour au Berghof s'appelle Delphi ?

– Je ne me suis jamais posé la question, dit-il à voix basse, en reculant vers la porte pour éviter que la malade ne les entende.

Maintenant que vous m'y faites penser, ça me paraît évident : c'est une allusion à Delphes, et à son fameux oracle. Mais là où le rapprochement devient plus troublant, c'est avec Gertrude Glück, qui entre en transe pour prédire l'avenir, ou remonter dans le passé ! Quand je vois l'état où cette expérience l'a laissée, je comprends pourquoi elle vous déconseille de prendre la relève !

– Vous croyez que je vais rester passive et laisser l'avenir me filer sous le nez ? demanda-t-elle avec une sourde colère. Le professeur doit avoir de bonnes raisons pour me demander de l'aider, malgré les risques... Sa grande diatribe de l'autre soir était trop logique pour être sincère ! Je ne crois pas à son refus de chercher une parade au Grand Déclin, seulement il veut se battre à sa manière, avec des moyens plus ou moins orthodoxes. Une seule personne pourrait me faire changer d'avis, et elle ne s'est pas manifestée...

– Ça me rassure de penser que d'Aquino n'est pas aussi défaitiste qu'il en a l'air, dit Jacques, évitant de relever l'allusion le concernant.

– Pourquoi vous n'avez pas répondu à ma lettre ? s'écria Katja. Si vous saviez combien j'ai hésité avant de vous la remettre ! Je me suis préparée intérieurement à votre refus, et même à votre mépris... Votre silence a été pire que tout !

Elle avait parlé d'une voix écorchée, en regardant par la fenêtre. Elle joignit ses mains dans son dos et lui fit face en redressant la taille. Chaque fibre de son être dénonçait l'impassibilité de son masque.

– Je vous ai blessée, dit-il en soutenant son regard étincelant. Mon silence a une explication toute simple, mais je crains de vous offenser davantage en vous l'avouant. J'ai ouvert votre lettre tout de suite après l'avoir reçue, mais, comme elle était longue, je l'ai mise dans un tiroir pour la lire plus tard, car je voulais savoir pourquoi Koraman était venu chercher M. Hobayashi en catastrophe. La suite de la journée a été très mouvementée et je... j'ai complètement oublié que vous m'aviez écrit !

– Comment vous le reprocher ? répliqua-t-elle après un silence. Par définition, l'oubli est involontaire ou il n'est pas ! Mais ma colère se fiche bien de la logique. Vous m'avez fait souffrir et je vous en veux !

Elle se détourna et quitta la chambre sans lui laisser le temps d'une réplique. Se reprochant sa maladresse, il sortit pour la rattraper, et entra en collision avec Schwester Ursula, qui venait à sa rencontre en tenant grande ouverte la boîte des friandises de la Kronen Konditorei. Elle vacilla et il la retint par les épaules pour l'empêcher de tomber.

– Où court-on comme ça ? croassa-t-elle. Doucement, le fougueux cavalier ! Et d'abord on fait une petite provision, si, si, j'insiste ! En Argovie, nous disons qu'une goutte de kirsch est une larme du Bon Dieu ! *Eine Träne des lieben Gottes !*

Intrigué, Jacques nota que sa petite coiffe amidonnée avait pris un air penché, qu'une trace de chocolat lustrait le bout de son nez, et que la boîte de Bouchons vaudois était aux trois quarts vide. « Ma parole, mais elle est pompette ! se dit-il avec un élan d'amitié. Évidemment ! *Der lieber Gott* n'a pas à pleurer longtemps pour la remplir à capacité ! »

– On en garde en réserve pour la belle Katja ! ajouta-t-elle en lui donnant deux autres cylindres de chocolat. La pauvrette est passée sans s'arrêter, elle ne sait pas s'y prendre avec son beau Canadien ! Hû-hû-hû !

Elle avait porté sa main devant sa bouche dans l'intention d'étouffer son fou rire, ce qui ne l'empêcha pas de produire des bruits de plomberie en cascade.

– Je ne suis pas doué non plus ! avoua-t-il. Une bonne dose de diplomatie ne me ferait pas tort !

La naine le tira fermement par sa chemise, l'obligeant à baisser le pavillon de son oreille à la hauteur de son chuchotement, qu'elle gargarisait dans un restant d'hilarité.

– *« Frauendienst, Seelendienst ! »* *, dit-elle avec un clin d'œil entendu, comme si elle lui confiait la formule cabalistique qui lui permettrait de percer une fois pour toutes le mystère de l'éternel féminin.

***

Le lendemain matin, Jacques se réveilla tard et ne se présenta pas au petit déjeuner. Il compléta deux leçons dans son manuel d'allemand, puis se plongea dans la partie du *Traité* consacré au Deuxième Ordre de la psychosynergie. Le chapitre débutait par une mise au point sur l'*ihuma*, ce concept intégrateur des multiples activités du cerveau humain et de leurs ramifications dans le système nerveux central.

* « Au service de la dame, au service de l'âme ! »

« La mesure de l'*ihuma* est celle de la complémentarité opératoire des hémisphères cérébraux, écrivait Jorge d'Aquino. Toutefois, le produit d'une synergie ne peut être entendu comme une donnée permanente et immuable. A l'opposé des définitions traditionnelles qui considèrent l'intelligence comme une quantité acquise et l'évaluent au moyen d'un quotient vertical, nous défendons le point de vue que l'intelligence subit des variations notables au cours de l'existence de l'individu, et est influencée autant par des facteurs organiques que par des facteurs d'environnement. Dans cette perspective, l'*ihuma* est rebelle à la quantification, cet outil de prédilection de l'hémisphère gauche. Attribuer un *niveau* à l'intelligence d'une personne est aussi absurde que d'imprimer sur son passeport qu'elle est en “ bonne santé ”. Santé et intelligence sont des états d'équilibre, donc instables par définition. Il existe un équilibre des fonctions cérébrales comme il existe un équilibre du système cardio-vasculaire – un génie n'est pas plus à l'abri d'une rupture de l'*ihuma* qu'un athlète de l'hypertension. »

Pour illustrer cette influence de l'environnement sur le psychisme, d'Aquino présentait une série d'exemples, à commencer par celui des gens de théâtre, qui disaient pouvoir « sentir la salle » quelques minutes après leur entrée en scène, prédire si le public serait ou non gagné par le spectacle, et même localiser dans le gouffre noir qui leur faisait face la source des courants favorables ou hostiles. Dans un autre domaine, on ne comptait plus les découvertes scientifiques ou les œuvres d'art majeures qui avaient été réalisées au lendemain d'un voyage à l'étranger – et l'interprétation de ce phénomène par la psychosynergie était que le contact avec une autre culture, avec de nouvelles valeurs, stimulait des fonctions cérébrales que l'uniformité et la routine tendaient à atrophier. « Les voyages forment la jeunesse, et après ? pensa Jacques. On pourrait aussi bien parler de l'hystérie collective, du phénomène de la rumeur ou de la simultanéité de percées scientifiques dans des laboratoires situés aux antipodes les uns des autres... Tout ça est très intéressant, mais où veut-il en venir ? »

Comme s'il avait prévu la question, Jorge d'Aquino poursuivait par une définition du Deuxième Ordre de la psychosynergie. « Jusqu'ici, nous avons entendu l'intelligence humaine comme la résultante des activités distinctes de chaque hémisphère cérébral. Nous devons à présent admettre que cette synergie peut être influencée par des apports extérieurs. Notre étude ne s'appliquera plus au fonctionnement du cerveau humain considéré comme un système clos, elle portera dorénavant sur l'influence que les cerveaux exercent les uns sur les autres *en dehors des relais sensoriels.* La nature de cette influence est mal connue, et nous ignorons son mode de transmission. Ses manifestations sont par contre nombreuses et aisément vérifiables. »

Des diverses expériences citées par Jorge d'Aquino, Jacques fut surtout impressionné par celle de la « causalité formative ». Deux figures énigmatiques avaient été réalisées, composées de taches noires et blanches sans signification apparente, mais qui, lorsque l'esprit réussissait à en percevoir l'arrangement, montraient l'une le portrait d'un vieillard fumant sa pipe, l'autre un enfant jouant au ballon. La procédure expérimentale consistait à remettre les deux dessins à une personne pendant une minute, en lui demandant ce qu'ils représentaient. Huit cents sujets avaient répondu au test, qui fut répété dans six pays européens. La solution du portrait du vieillard à la pipe fut alors diffusée à la télévision danoise, à une heure de forte audience. Dans les jours qui suivirent, le test fut administré à de nouveaux groupes, dans chacun des pays concernés. Partout, le nombre des personnes qui devinèrent le dessin du vieillard tripla, alors que les chiffres restèrent stables pour l'autre dessin. Aux termes du Deuxième Ordre de la psychosynergie, la « résonance » des intelligences au Danemark avait atteint une masse critique, et le savoir acquis par les cerveaux de plusieurs était devenu accessible au cerveau d'un seul.

Jacques secoua la tête, le regard dans le vague. S'il avait lu ce texte une semaine plus tôt, il n'y aurait vu qu'une de ces élucubrations parapsychologiques qui foisonnaient dans les magazines. Mais ce que Tadeus Bubenblick lui avait montré la veille dans le laboratoire d'Élisabeth n'avait pas fini de le faire réfléchir. Plus que des objections intellectuelles, c'était une résistance affective qui le retenait d'accorder trop de crédit à ces théories. La supposition que son esprit pouvait être influencé à son insu, que ses pensées bénéficiaient de concours non sollicités, et qu'en définitive son libre arbitre était essentiellement relatif, tout cela le dérangeait beaucoup, vraiment !

Au moment de fermer l'ouvrage, ses yeux tombèrent sur une phrase soulignée : *« Qui se ressemble et s'assemble s'appauvrit. »* Il chercha à comprendre les raisons pour lesquelles Lars Frankenthal avait relevé cet aphorisme, mais fut incapable d'en saisir seulement la signification. Son cerveau se refusait à tout effort. « J'expédie ce livre à Stockholm aujourd'hui même, avec un mot d'excuse, pensa-t-il. C'est décidé ! »

Vers dix heures, il se leva, prit dans la commode la lettre de Katja et la glissa entre les pages d'un recueil de poèmes qu'il voulait lire à ciel ouvert, puis descendit dans le hall. Il fit le tour des salons avant de sortir sur la grande terrasse, dans la blancheur aveuglante. Un large parasol rouge vif était déployé au-dessus d'une des tables de jardin. Dans l'oasis sanglante de son ombre, l'honorable Fowler jouait avec le chiot Kugli, qu'il tenait sur sa bedaine, Mlle Vincenti contemplait le panorama en remuant silencieusement ses lèvres exsangues, et Dolorès Sistiega modelait un petit buste dans un bloc de glaise. Le quatrième fauteuil d'osier était inoccupé, et placé à l'écart de la table, en pleine lumière. Jacques se préparait à le prendre, mais l'ancien ministre travailliste l'en empêcha d'un geste impératif, puis lui fit signe d'aller chercher un des sièges alignés le long de la balustrade, face au paysage. Que signifiaient ces simagrées ? Pourquoi étaient-ils tous silencieux ? C'était peut-être un autre de leurs jeux de société... En transportant son fauteuil, il remarqua que Sigmund se tenait à l'extrémité la plus éloignée de la terrasse, occupé à observer la montagne à l'aide d'une puissante jumelle montée sur trépied.

– Notre ami canadien *soi-même* nous fait l'honneur de sa compagnie, annonça Mr Fowler à l'intention de Dolorès Sistiega. Je m'en réjouis, car il n'a pas été très communicatif dernièrement, ou suis-je le seul à l'avoir remarqué ? C'est le benjamin de notre équipe et, à ce titre, on s'attendrait à le voir insouciant ou même dissipé... Or il n'est pas sourcils plus soucieux et regard plus pensif au *satanarium !*

– De tout temps, les âmes bien nées ont été enclines à prendre la charge des péchés d'Israël, déclara Mlle Vincenti d'une voix égale.

– Vous permettez ? dit l'ancien ministre en saisissant le livre que Jacques avait posé sur la table. Oh, oh ! *Les Dieux*, de Pierre Oster... J'ignorais que la jeunesse donnait encore dans la poésie ! Dois-je en conclure que les livres sont vos véritables compagnons, et que ceci explique cela ?

– Ne l'écoutez pas, monsieur Jacques ! s'écria Dolorès Sistiega en se tournant vers lui. Sans faire la prétentieuse, je suis bien placée pour comprendre votre besoin de solitude, et le respecter ! Savez-vous que les gens se font souvent une obligation de me tenir compagnie parce que je suis aveugle ? Ils s'imaginent que ce handicap est un isolement, alors que c'est tout faux ! Comme je ne les vois pas, les personnes qui m'entourent me deviennent terriblement présentes, et, ma foi, j'ai besoin de me retrouver seule pour... justement pour me *retrouver*. Oh mais attention ! Que personne ne se méprenne ! A l'instant même, je jouis pleinement de votre compagnie, de celle de William et de Teresa, et bien entendu de celle de notre invité mystère, qui se prête de si bonne grâce à cette expérience !

Elle avait tourné son regard sans vie vers le fauteuil vide pour lui adresser un sourire minaudier et complice. William Fowler se pencha aussitôt vers Jacques pour lui remettre Kugli, puis il tira de sa poche un stylo feutre et écrivit sur la laque blanche de la table, comme s'il s'agissait d'une page de bloc-notes : « Ne dites rien ! Nous faisons une expérience. »

– C'est une idée du Pr d'Aquino, expliqua-t-il avec un clin d'œil appuyé. A notre dernière entrevue, je lui ai avoué mon scepticisme quant à de prétendus phénomènes de perception extrasensorielle, et il m'a suggéré cette petite expérience. Mme Sistiega nous a rejoints tout à l'heure, sans rien connaître de l'identité de la personne qui lui sert actuellement de modèle, et qui s'astreint au mutisme pour les besoins de la cause !

L'attention de Jacques oscillait entre plusieurs sollicitations également pressantes. En s'efforçant de contenir les démonstrations de Kugli, qui s'obstinait à lui lécher le visage à petits coups de langues, ses mains enregistraient dans cette petite boule de fourrure la pulsation frémissante de la vie. Cette sensation ne l'empêchait pas de s'indigner devant le spectacle de cette quadragénaire aveugle, aux mains luisantes de glaise, qui regardait un fauteuil vide en prenant des airs inspirés, et il hésitait à croire que Jorge d'Aquino fût l'instigateur de cette mystification de mauvais goût. En même temps, son esprit était ailleurs et s'étonnait de la facilité de l'honorable Fowler à l'entretenir d'un sujet avec assurance, tout en lui écrivant sur la table un message différent, sans que son stylo suspendît sa course : *Depuis l'éclatement de la crise, mon* alter ego *se manifeste presque en permanence. Il est assis actuellement en face de nous, et notre expérience le rend très anxieux. Je n'ai pas encore établi de contact positif avec lui, mais des progrès sont en cours.* Ne détrompez pas Dolorès S. *Son témoignage peut être décisif. Merci.*

Jacques prit à son tour le stylo laissé sur la table pour encercler le mot « crise » et le faire suivre d'un point d'interrogation.

– Le professeur a fait une apparition ce matin à la salle à manger, répondit William Fowler, en lui signifiant d'un hochement de tête qu'il allait satisfaire sa curiosité. En soi, c'était déjà un événement exceptionnel ! Il nous a parlé de ce phénomène du Grand Déclin, que vous connaissez mieux que nous pour avoir assisté à cette fameuse « conférence au sommet », qui a suscité bien des jalousies dans les rangs des *backbenchers*. Notez que cette affaire de croissance négative était un secret de polichinelle, et je juge que le professeur a eu raison de mettre un terme aux rumeurs en nous lisant le télégramme de notre ami Frankenthal.

– Le télégramme ? Quel télégramme ? s'écria Jacques avec une vivacité telle que Kugli poussa un petit jappement aigu et sauta de ses genoux pour courir se réfugier entre les chevilles de l'honorable gentleman.

– C'était très émouvant, dit Dolorès avec un soupir théâtral. La pauvre Katja était aux cent coups et a dû s'en aller ! Elle prend tout tellement à cœur...

– Elle est habitée par la grâce, murmura Mlle Vincenti, qui suivait la conversation en dépit des apparences.

Mr Fowler ne partageait pas l'émoi de Jacques, ni *a posteriori* le tourment de Katja, et il déclara que la dépêche de Stockholm lui était apparue remarquable surtout par son laconisme. Pour le reste, elle prétendait que la diminution des naissances à l'échelle planétaire n'était plus une hypothèse de travail, mais bien une réalité confirmée hors de tout doute par des données de différentes sources. Il rapportait la nouvelle en se tenant penché pour taquiner Kugli et lui donner à mordiller le bout de ses chaussures. Son comportement avait une gentillesse bonhomme qui contraignit Jacques à reviser son opinion. D'ailleurs, depuis le début de leur conversation, il avait trouvé le personnage moins pompeux qu'à l'ordinaire – et, à bien l'observer, n'avait-il pas aussi perdu quelques kilos ?

– William, vous oubliez de parler de l'affaire de Kita-Kyûshû ! rappela Dolorès, alors que ses doigts poursuivaient leur travail de modelage. On se serait cru dans un feuilleton exotique, avec un je ne sais quoi de rocambolesque et de *Mme Butterfly*, c'était le bouquet !

– Le Dr Frankenthal a eu accès à des informations privilégiées, confirma Mr Fowler à contrecœur, comme s'il estimait en avoir assez dit. Selon ses sources, une firme pharmaceutique japonaise aurait entrepris de cloner sa découverte – je parle bien sûr de ce fameux « contraceptif naturel » – et de tester ce nouveau produit à Kita-Kyûshû, une des régions populeuses du pays. Or il semble que cette expérimentation et celle des Suédois aient été affectées par les mêmes anomalies.

– Vous ne prenez pas cette menace de Grand Déclin au sérieux ? dit Jacques à voix basse, après un silence où son cœur avait joué du tambour dans son oreille interne.

– Permettez ! Je récuse ses conclusions, ce n'est pas pareil ! L'expérience m'a appris à me méfier des prophètes autant que des scientifiques ! Votre serviteur a assumé par le passé la charge de trois portefeuilles successifs au gouvernement de Sa Majesté, puis il a siégé sur une demi-douzaine de comités parlementaires en qualité de membre de l'opposition – et vous ne sauriez croire le nombre de *livres blancs*, d'études exhaustives et de manifestes de tout acabit qui lui sont passés entre les mains, avalisés par les experts internationaux les plus chevronnés, qui annonçaient avec force chiffres et tableaux les conséquences inéluctables de telle ou telle politique en matière de ressources naturelles, d'urbanisme, de santé publique, ou que sais-je encore ! Or le temps a passé et m'a enseigné que l'avenir était d'une nature indépendante et facétieuse : il n'en fait qu'à sa tête, et s'ingénie de surcroît à confondre les devins et les futurologues.

– Vous n'y allez pas avec le dos de la cuillère ! protesta Dolorès Sistiega. Je ne connais rien à la politique, mais j'ai quand même assez d'intuition pour savoir que le Dr Frankenthal est tout le contraire d'un charlatan.

– Ai-je porté une semblable accusation ? Je ne m'autorise même pas à mettre en doute la validité de ses travaux, ni *a fortiori* l'existence d'une variation dans les statistiques démographiques. En revanche, je condamne sa désinvolture lorsqu'il prétend que ce déclin risque de mettre le point final à l'aventure humaine. Cette conclusion ne tient pas compte de la vitalité de l'espèce, ni des ressources incommensurables de l'intelligence humaine.

– Certaines gens iraient jusqu'à se laisser mourir pour se réconcilier avec leur âme, dit Teresa Vincenti.

L'honorable Fowler ne répondit pas, mais son masque de bouledogue satisfait fut traversé d'une ombre inquiète.

– Que se passe-t-il, William ? On me cacherait quelque chose ? demanda Dolorès en penchant la tête à la façon d'un merle des Indes, alertée par de mystérieuses vibrations.

– J'ai présumé que notre « invité mystère » partageait mon opinion sur cette affaire du Grand Déclin, répondit-il en regardant le fauteuil vide. Or je vois à sa mimique qu'il endosse les craintes du jeune Canadien. Franchement, l'idée que nous allons nous laisser passivement disparaître de la surface du globe me paraît d'une naïveté coupable, dans son outrance même ! Teresa, seriez-vous disposée à me prêter votre concours pour contrer l'incrédulité de nos amis, en leur démontrant la toute-puissance de l'esprit sur la matière ?

La vieille demoiselle acquiesça avec un sourire doux et résigné, puis posa son coude sur la table et étendit le bras vers Jacques, comme si elle lui offrait de prendre sa main. Il fut frappé par son extrême maigreur. M. Shapiro prétendait qu'elle était capable de se passer de nourriture pendant des mois. Il n'en croyait rien, mais le fait est qu'il ne l'avait jamais vue avaler plus de deux ou trois bouchées à un même repas.

– A présent, avec un doigt, faites une croix sur le bras de la signorina, dit Mr Fowler.

– La cécité peut être une bénédiction, déclara Dolorès Sistiega avec une pointe acide. Je ne voudrais voir ce spectacle pour rien au monde !

Jacques fit ce qu'on lui demandait, l'esprit ailleurs. Ce phénomène hallucinatoire du *Doppelgänger*, qui jusqu'alors n'avait fait que l'intriguer, lui causait aujourd'hui une angoisse insidieuse. Il ressentait dans sa nuque une résistance musculaire à tourner la tête vers ce fauteuil étrangement inoccupé – dont le tressage d'osier grésillait et craquait sous le soleil brûlant...

Après avoir tracé le signe demandé sur l'avant-bras de Teresa Vincenti, il avait retiré sa main et attendait distraitement la suite des instructions. Soudain, des gouttes rouges perlèrent à l'emplacement qu'il venait d'effleurer et, le cœur chaviré, il vit s'imprimer en quelques secondes une croix de sang sur la peau diaphane.

– Je ne... Je suis désolé ! dit-il, même s'il n'avait rien à se reprocher. Est-ce que ça vous fait mal ? C'est tout à fait... C'est vraiment extraordinaire !

Elle appliqua un petit mouchoir brodé sur le stigmate, sans plus d'émotion que si elle avait épongé une tache, puis elle se leva avec un sourire d'excuse. Dolorès Sistiega l'imita aussitôt pour « profiter d'un brin de conduite jusqu'au petit coin », car elle retenait « une grosse envie depuis un bon moment, et tout le monde sait que c'est la meilleure façon de faire de l'urticaire ! ». Escortées de Kugli qui zigzaguait dans leurs jambes au risque de les faire trébucher, elles s'éloignèrent ensemble, la *signorina* guidant l'aveugle qui tenait levées à hauteur des épaules ses deux mains maculées de terre glaise.

– Alors, jeune homme, comprenez-vous le sens de cette petite démonstration ? demanda William Fowler. Je concède qu'elle était quelque peu mélodramatique, mais vous conviendrez en retour qu'elle illustre parfaitement ma position en regard de la crise que nous traversons.

Jacques fit un effort pour répondre sans laisser paraître sa consternation :

– Non, au contraire ! Ce que je viens de voir, cette preuve de la « toute-puissance psychique », affaiblit votre argumentation et dissipe mes derniers doutes ! Le Grand Déclin n'est pas provoqué par une bactérie inconnue ou je ne sais quelle radiation cosmique ! Il a sa source dans l'esprit humain – et rien ne peut l'arrêter, hors l'esprit !

La physionomie de l'honorable Fowler se décomposa par strates successives, alors qu'il se débattait intérieurement pour trouver une issue à la contradiction où il s'était enferré.

– *Damn it !* gronda-t-il en abattant avec force la paume de sa main sur la table blanche. Vous deux, si on vous laissait faire, vous n'auriez rien de plus pressé que de former une coalition pour me mettre en minorité ! Comment n'ai-je pas compris d'emblée que mon raisonnement était à double tranchant ? La vérité est que je suis une vieille baderne, et que, sous votre mine de rien, vous êtes un jeune homme redoutable !

Il se leva en mastiquant dans son double menton une arrière-pensée saumâtre, puis se dirigea d'un pas imposant vers l'escalier qui descendait au jardin. « Quel caractère ! pensa Jacques. Au temps de sa notoriété, son entourage a dû payer la note ! C'est quand même un peu fort, il nous a bassinés avec sa phobie de la disparition de la race blanche, à laquelle il croit dur comme fer, mais il se refuse obstinément à admettre la réalité du Grand Déclin. De toute évidence, l'une fait son affaire, et l'autre pas ! Il a vraiment tout ce qu'il faut pour faire un politicien ! »

A l'extrémité de la grande terrasse, Sigmund avait abandonné son poste de vigie et se dirigeait vers l'entrée du hall, mais sa démarche chaloupée le fit dériver malgré lui jusqu'à la table de Jacques, qu'il salua d'un sourire jaune et emprunté.

– *Ich habe sie gefunden !** annonça-t-il fièrement.

– *Ich verstehe nicht ! Was hast du gefunden ?***

Après un échange laborieux, mais qui lui confirma ses progrès en allemand, Jacques se leva pour suivre l'adolescent. Que signifiait cette histoire ? Jorge d'Aquino et Katja avaient apparemment filé à l'anglaise après le petit déjeuner, sans notifier à personne leur destination. Tadeus Bubenblick s'en était inquiété : pour fantasque qu'il fût, le professeur dérogeait rarement à la rigueur de ses habitudes de travail. Levé à l'aube, il s'enfermait dans son laboratoire avec un thermos de café noir et un pot de yoghourt bulgare, et ne recevait personne avant onze heures du matin. On ne se rappelait pas l'avoir jamais vu descendre à Davos, ni accepter de la compagnie pour sa promenade quotidienne à travers bois et pâturages, entre chien et loup.

Sigmund ajusta les contrôles de la jumelle, et Jacques nota que ses mains aux ongles coupés court étaient soignées, presque féminines, et que l'ensemble de sa tenue néo-zazou n'avait pas échappé à la contagion de l'asepsie helvétique.

– Les voilà de nouveau ! Le vieux a encore de bonnes jambes ! dit l'adolescent en allemand. Ils sont rendus pas mal haut ! S'ils continuent jusqu'au sommet de la Walpurgis, ils ne pourront jamais être de retour avant la fin de la journée. Excusez, il faut que j'avertisse Tadeus tout de suite. Il va faire une de ces crises !

Cette perspective semblait lui procurer une inavouable satisfaction et il partit à la course, après avoir serré la main de son ami canadien avec une énergie surprenante de sa part, comme s'il ne comptait pas le revoir de sitôt. Jacques prit son tour à la jumelle télescopique, mais déplaça le trépied dans son empressement et dut scruter à nouveau le secteur où Sigmund avait localisé les deux alpinistes. Alors qu'il s'attendait à un rapprochement du paysage par l'effet grossissant des lentilles, il éprouva au contraire la sensation d'être projeté vers la montagne, de flotter dans un vide légèrement granuleux, et la vue des longues coulées d'ardoise pailletées d'éclats de quartz, des traces d'avalanches près des sommets, de la région hostile qui séparait les hauteurs désolées des derniers pins de la forêt, rabougris et tordus, éveilla en lui une émotion poignante, comme si la vision qui se présentait dans la double sphère optique

* Je les ai trouvés !
** Je ne comprends pas. Tu as trouvé quoi ?

éveillait de secrètes correspondances avec une contrée intérieure, une région de son âme qu'il n'avait visitée qu'en rêve.

Il réussit enfin à immobiliser, dans le déferlement rapide des masses rocheuses, deux silhouettes qui avançaient lentement sur la ligne d'une coupure oblique dans la paroi de la montagne. La distance ne l'empêcha pas de reconnaître la stature colossale de Jorge d'Aquino et l'auréole de sa crinière blanche, mais le fit hésiter sur l'identité de la personne qui le suivait, dont le chandail rouge, le pantalon aux fuseaux sombres et le pas pesant offraient un contraste déroutant avec la mise habituelle de Katja, romantique et éthérée, et avec la chorégraphie si singulière de sa démarche. Il la voyait aux trois quarts de dos et se fit la réflexion que, si elle se retournait, il serait peut-être capable de discerner ses traits. Elle s'immobilisa à l'instant même et regarda vers la plaine, comme si elle avait senti le regard de Jacques posé sur elle, par le même mystérieux lien qui avait uni l'autre jour la petite Rose-Marie à sa mère. Toutefois, malgré leur force, les prismes de la jumelle ne capturèrent du visage de Katja qu'une tache pâle, un point clair perdu dans l'immensité de la montagne.

Jacques mit fin à sa surveillance et alla s'accouder sur la balustrade de pierre, pour absorber le choc de la révélation provoquée par ce face-à-face silencieux avec Katja. Pourquoi n'était-elle pas venue frapper à sa porte ce matin pour lui parler de la dépêche de Lars Frankenthal ? S'imaginait-elle que la nouvelle le laisserait indifférent ? Et pourquoi était-elle partie avec d'Aquino sans l'avertir ? Elle n'avait pas de comptes à lui rendre, se disait-il, voyant dans cet argument une excellente raison pour qu'elle ne lui dissimulât rien. Il se rendit à l'évidence : cette femme comptait pour lui, elle avait pris contre sa volonté une place dans sa vie. Il eut peur tout à coup qu'il ne lui arrivât malheur.

Traversant vivement la terrasse, il reprit son siège sous le parasol rouge et tira du recueil de poèmes la lettre de Katja. Pourquoi avait-il tant tardé à la lire, se demandait-il, mais, dès qu'il eut posé les yeux sur le premier feuillet, il eut sa réponse : la passion amoureuse qu'on lui témoignait par ces lignes éveillait en lui un cruel sentiment d'usurpation. Il ne doutait pas de la sincérité de celle qui les avait écrites, ce qu'elle lui disait le troublait, et la façon dont elle le disait le confondait : c'était un jaillissement spontané, un feu d'artifice, un jonglerie désinvolte où la plume rapide se permettait autant de ratures que d'ajouts. Il interrompait le cours de sa lecture pour relire çà et là une phrase à mi-voix : « *Je vous aime amoureusement, je t'aime amourheureusement, j'aime amourheureuseaimant.* » Plus loin : « *D'une vie occupée, l'amour a fait une vie pleine !* » Plus loin encore : « *Sans toi je suis seule ; avec toi, je suis unique !* »

Plus tard, en se levant pour rentrer au Berghof, Jacques aperçut le bloc de glaise laissé sur la table par Dolorès Sistiega, et il contourna les fauteuils pour examiner de face le travail de l'aveugle. Il croyait trouver une ébauche plus ou moins informe, et se figea sous le coup de la surprise. Le modelage du visage était presque terminé et, bien que la ressemblance n'eût rien de photographique, il était impossible de ne pas reconnaître immédiatement la physionomie de l'honorable Fowler. « Trop, c'est trop ! pensa Jacques avec exaspération. Dolorès était en face d'un fauteuil vide, et rien de plus ! On peut me raconter les plus belles théories de la psychosynergie, jamais je ne croirai qu'elle a perçu la présence de ce prétendu *Doppelgänger*, et avec assez de précision pour en modeler le buste ! » Il combattait cette supposition insensée avec d'autant plus d'acharnement qu'il ne pouvait détacher les yeux de l'objet posé devant lui. Ce n'était pas tant la ressemblance des traits qui le fascinait, mais leur expression de chagrin indicible, d'égarement et de désespoir sans appel – le visage hanté d'un homme en éternelle perdition.

Au début de la soirée, quand il fut évident que d'Aquino et Katja ne rentreraient pas avant le lendemain, et passeraient probablement la nuit au refuge de la Walpurgis, Jacques s'inquiéta de savoir si quelqu'un avait averti Élisabeth des événements de la journée. Il se rendit au bureau de Tadeus Bubenblick et tomba sur Bertha Moll, assise derrière une machine à écrire d'un ancien modèle, dont elle pilonnait les touches à deux doigts. De larges croissants humides s'étendaient sous ses bras dans le tissu de sa robe ; même si la porte-fenêtre était grande ouverte, une odeur rance semblait s'être installée à demeure dans la pièce.

– C'est pour quoi ? dit-elle en réponse à sa salutation, sans cesser de taper.

– J'aimerais dire deux mots à M. Bubenblick.

– Vous pouvez pas. Il est descendu au village, c'est son soir. Vous lui voulez quoi, d'abord ?

Il contempla un petit bloc de basalte qui faisait office de presse-papier, avec l'envie de le placer dans la machine à écrire pour en bloquer le fonctionnement.

– Je désire connaître le numéro de téléphone de Mme Bogdan-Popesco à Rome. Il faut que je lui parle, c'est urgent !

– Si c'est pour lui dire pour le Maître et la Katja, vous perdez votre temps. Moi j'ai du travail.

– Je le vois bien, dit-il en épuisant rapidement ses ressources de patience. Ça ne vous ferait rien d'arrêter une minute ? Pourquoi vous donnez-vous tant de mal pour être désagréable ? La seule chose qui m'intéresse est de savoir si Élisabeth peut être rejointe, parce que j'ai de bonnes raisons de croire que Katja est en danger.

Bertha Moll consentit à interrompre sa frappe laborieuse et leva la tête. Ses yeux avaient encore rapetissé et concentraient en deux pastilles noires une venimeuse décoction de rancœur et de sournoiserie.

– En danger, voyez-moi ça ! dit-elle avec une ironie de poids. Vous croyez peut-être que le Maître va la passer à la casserole ? Et d'abord, qu'est-ce que ça peut vous faire ? Elle vous a assez couru après, vous aviez qu'à faire main basse, c'est votre faute !

– Votre conversation est toujours d'une finesse exquise, dit-il en grinçant des dents. Mais je ne suis pas venu ici pour parler de Katja.

– Ça vaut mieux ! répliqua-t-elle en se replongeant dans son travail. Si vous téléphonez à la Bogdan-Popesco, demandez-lui donc où cette sainte nitouche fourre son masque pendant la nuit !

– Je vais surtout lui dire le genre de collaboration que j'ai reçu de Berthe Molinard ! lança-t-il en tournant les talons.

Il n'avait pas atteint la porte qu'il entendit un fracas dans son dos. Se retournant, il vit que la détestable mégère s'était levée avec une brusquerie telle que son siège avait basculé sur le côté. La bouche ouverte, une main sous son énorme sein, elle cherchait à reprendre son souffle, le regardant avec un air d'épouvante, alors que la peau de son visage boursouflé prenait un teint de cendre. Puis elle lui montra le poing, les lèvres retroussées sur des canines prêtes à mordre, et s'enfuit sur la terrasse en renversant tout sur son passage.

La colère de Jacques fut douchée net. Il mesurait avec désarroi l'effet dévastateur de cette pique qu'il avait lancée à l'aveuglette, après s'être rappelé le trouble de M. Léopold en découvrant le véritable nom de la Mollosse. Sortant à son tour sur la terrasse, dans la lumière déclinante du jour, il l'aperçut qui s'éloignait en titubant, les jambes grotesquement écartées. Elle s'arrêta et, se retenant à deux mains contre la maison, fut prise de vomissements d'une violence effroyable.

Le cœur levé, il battit en retraite et retourna directement à sa chambre. Il ne fit pas de lumière en entrant et resta debout dans la pénombre, adossé contre le battant de la porte. En montant l'escalier, il s'était rappelé la dernière allusion de Bertha Moll, et y découvrait une signification qui le prenait à la gorge. Comment avait-il pu être aussi naïf et imbu de lui-même ? Il eut l'impression d'avoir une poussière dans l'œil et se frotta la paupière pour calmer le piccotement, dans l'espoir inavoué de provoquer les larmes qui l'auraient soulagé de son humiliation.

Le Petit Prince borgne d'Élisabeth était le roi des aveugles.

9

Les coups impatients contre la porte reprirent de plus belle, il se leva d'un bond, la bouche sèche et le cerveau embrumé. Qui pouvait bien venir à pareille heure ? Il alla ouvrir en nouant à la hâte la ceinture de son peignoir. Élisabeth attendait dans le corridor, la tête échevelée. Elle avait quitté la Montagne magique pour trois jours, assez longtemps pour que l'air des pays plats exerçât ses pouvoirs maléfiques sur elle en ternissant sa peau, en creusant des poches sombres sous ses yeux à l'éclat fébrile. Il s'effaça pour la laisser passer, se pencha pour jeter un coup d'œil dans le couloir désert, puis referma le battant sans bruit. Elle ne s'était pas avancée dans la chambre et se blottit contre lui avec un gémissement sourd quand il se retourna. Il sut qu'elle avait voyagé toute la nuit, qu'elle était arrivée avec le premier train et montée à pied de Davos Dorf par le raidillon qui coupait à travers les pâturages et la forêt de pins. Elle sentait le compartiment surchauffé, la sueur tiède et le tabac froid, et sa cape de loden était imprégnée de l'humidité des sous-bois.

– Mais quelle heure est-il ?

– Est-ce que je sais ! Pas loin de sept heures. Écoute, il faut que je te parle de la nouvelle échéance...

– C'est drôle, je me croyais en pleine nuit !

– Oh, quant à ça, nous y sommes ! Et ces ténèbres-là ne se dissiperont pas de sitôt ! Bien sûr, tu es au courant pour Frankenthal ? J'avais un pressentiment et je lui ai téléphoné hier matin de Rome, il venait tout juste d'envoyer son télégramme ! C'est pour ça que je suis montée te voir, parce que j'avais besoin de ton calme et de ta chaleur, et aussi d'un point d'appui qui ne me lâcherait pas !

Elle se pelotonnait dans ses bras en frissonnant mais, sentant qu'il lui opposait une résistance passive, elle se détacha de lui, cherchant son regard. « Elle est en pièces ! pensa-t-il avec un détachement qui le rendit mal à l'aise. Je n'aurais jamais cru qu'elle puisse faire une dépression, mais elle n'en est pas loin ! Et dire qu'elle me paraissait si désirable l'autre jour... »

– Tu as quoi derrière tes grands airs ? demanda-t-elle.

– Mais... rien ! Tu me réveilles en sursaut, il faut que je reprenne mes esprits.

– Tes esprits ? Tu as tous tes esprits, qu'est-ce que tu chantes ? Tu n'es pas le même, tu caches quelque chose, c'est écrit sur ton visage. Tu es transparent, et tu mens si mal, mon pauvre Petit Prince !

Cette nuit, alors qu'il cherchait en vain le sommeil, il s'était juré de ne rien dire, d'agir comme si rien ne s'était passé, d'entrer dans son jeu et de la punir le moment venu, en prétendant qu'il n'avait jamais été dupe de son théâtre. Mais il la sentit vulnérable et comprit avec une satisfaction méchante que c'était à l'instant même que ses paroles l'atteindraient au plus vif.

– Pourquoi tu ne m'as rien dit au sujet de Katja ? demanda-t-il en s'écartant d'elle.

– Rien dit pour quoi ? dit-elle en se raidissant.

– Tu le sais bien ! Toi et Katja... Pour qui tu me prends ? Chacun ses préférences, et ça ne me fait ni chaud ni froid, tu peux me croire ! Seulement, si j'avais su que tu aimais les femmes, je ne me serais pas mis dans une situation aussi ridicule !

Elle le dévisagea avec une incrédulité ouverte, accusant le coup, puis recula de deux pas pour se laisser tomber sur la chaise au dossier droit, devant la commode. Les bras ballants et les jambes écartées, elle regarda le plafond et partit d'un rire grelottant. Derrière elle, les rideaux tirés laissaient passer une raie blafarde qui dénonçait l'éclairage de la lampe de chevet, et rappelait que le jour était levé depuis plus d'une heure.

– Vrai, il ne manquait plus que ça ! s'écria Élisabeth d'une voix enrouée. Tu choisis bien ton temps, félicitations ! Je ne sais pas comment tu as su et je m'en moque, mais je sais ce que tu penses et tu as tort ! Non, je n'aime pas les femmes, tout au moins au sens où tu veux l'entendre – et oui, j'aime Katja ! Comprends-tu ou fais-tu encore ton bûcheron canadien ? Je l'aimerais de la même façon si elle était un garçon, quelle importance ! Et, quand tu sauras ce que cache son masque, tu t'offusqueras encore davantage ! Et puis je n'ai pas eu le choix de l'aimer, elle a pris la décision pour nous deux ! Pourquoi ne m'as-tu pas écoutée chez Jorge quand je t'ai dit : « On ne résiste pas à Katja » ? Je parlais par expérience ! Et toi qui joues les hommes forts, n'es-tu pas déjà en son pouvoir ?

– Jamais de la vie ! dit-il en ouvrant les rideaux d'un geste rageur, pour inonder la chambre d'une lumière blême qui l'obligea à plisser les yeux. Elle finira par se lasser de son jeu de séduction... Où veut-elle en venir ? Je ne juge pas, Élisabeth, mais, quand je pense au regard que tu m'as lancé l'autre soir à l'*hacienda*, j'ai mal à chaque fois. J'ai cru que tu étais jalouse d'elle et je me suis fait des idées... En réalité, tu étais jalouse de moi, comme d'un rival !

Elle frappa du pied sur le plancher, mais ses épaules refusèrent de participer à sa colère et s'affaissèrent un peu plus, cependant qu'elle faisait entendre à nouveau son rire cassé :

– Et moi qui venais chercher du réconfort et te parler de l'Apocalypse, je me retrouve en plein vaudeville ! Jorge a bien raison, la bête humaine n'est pas faite pour la grandeur ! Mais ça m'est égal, tu ne me forceras pas à parler de mes sentiments pour Katja en des termes petits-bourgeois ! Pourquoi tu ne vas pas en jaser avec la Mollosse, elle te serait si reconnaissante de lui donner quelques miettes à se mettre sous la dent !

– Tu m'as mal compris, dit Jacques, qui avait pâli. (L'allusion à Bertha Moll était-elle fortuite ?)

– Qui a mal compris l'autre ? Oui, j'étais jalouse et je le suis encore – mais pas plus de toi que de Katja ! Je suis jalouse de vous deux, parce que vous êtes jeunes, parce que vous allez m'exclure de votre relation et que je vais vous perdre tous les deux et me retrouver seule ! Peux-tu comprendre cela, monsieur le censeur, ou vas-tu croire que je te fais l'article pour un ménage à trois ?

– Mais pourquoi veux-tu absolument... Enfin, Élisabeth, je te répète que cette femme ne m'intéresse pas. Non, ce n'est pas exact, elle m'intrigue et elle a réussi à s'imposer en un certain sens, mais ce que j'éprouve n'a rien à voir avec de l'amour. Et pourquoi ce ne serait pas elle qui te perdrait et se retrouverait seule ?

Élisabeth se leva et, le corps en retrait, courba la nuque et posa un front insistant contre son épaule. Elle s'abandonnait un peu, mais en même temps cherchait à forcer ses défenses. Il l'entendit murmurer :

– Jamais ! Si elle doit souffrir, ce sera malgré moi ! Tu ne connais pas son histoire, Petit Prince, sinon tu saurais que nous ne pouvons pas la rendre à elle-même. Vois-tu, *nous sommes son premier grand amour !*

Il secoua la tête, renonçant à lui faire entendre raison, et secrètement troublé par ses paroles. Il lui prit alors le visage à deux mains pour la contraindre à lui donner son regard, en se préparant à y pourchasser un restant de colère. Il n'y vit que de la peur.

– Tu es venue me parler d'une « échéance », murmura-t-il avec un frisson. Lars Frankenthal t'a confié des choses qui ne sont pas dans son télégramme, c'est ça ?

Elle approuva lentement, les yeux fermés. Des coulées de rimmel avaient infiltré les plis de ses paupières lourdes.

– La courbe du Grand Déclin est tombée à la verticale, dit-elle avec une sourde irritation, comme si le fait de l'exprimer à haute voix rendait l'affirmation encore plus invraisemblable. Comprends-tu ce que ça signifie ? Ce n'est plus trente-cinq ans qu'il nous reste pour redresser la situation...

– Qu'est-ce que tu attends pour me dire... (il s'éclaircit la gorge) pour me dire la nouvelle échéance ?

– J'attends d'avoir retrouvé mon souffle ! Ton accueil m'est resté en travers de la gorge, je n'y peux rien ! (Elle fit un effort pour se dominer.) Frankenthal est formel, et tu le connais, il n'est pas du genre à jouer les dramaturges : si le Grand Déclin se poursuit au rythme actuel, *le dernier descendant de l'espèce humaine verra le jour dans sept ans.* Sept ans ! Tu comprends pourquoi je voulais te voir avant d'en parler à Jorge et à Katja ? J'ai peur que ces statistiques en peau de chagrin ne les entraînent à prendre des risques démesurés...

Elle aspira un grand bol d'air et chercha à nouveau le refuge de ses bras, et cette fois se trouva prise dans une étreinte sans équivoque. Le cœur serré, Jacques observait le reflet hybride renvoyé par le miroir de la commode, un couple éphémère et désemparé dans le décor familier de sa chambre, avec son ameublement sage, les livres empilés sur la table de travail, le bouquet de myosotis et de gentianes étoilées qui achevaient de se faner dans une flûte à champagne, et, dehors, le paysage estompé par une brume teintée de soleil pâle. Il vivait un tournant décisif, se répétait-il, il comptait parmi les premiers témoins de ce qui s'annonçait comme l'ultime tragédie de l'histoire de l'humanité – mais alors, pourquoi n'entendait-il pas dans les profondeurs de son être le tumulte des grands sentiments, la résonance des nobles pensées ou le silence solennel du recueillement et du deuil. « Je ne suis pas à la hauteur de la situation ! », songeait-il avec découragement. Et, comme pour le narguer, son esprit prosaïque trouvait le moyen de se réjouir de ce qu'Élisabeth eût choisi de parler à son Petit Prince avant même de passer par le laboratoire de d'Aquino ou la chambre de Katja.

– Si je comprends bien, tu n'es pas au courant des derniers événements du Berghof ? dit-il. J'ai essayé de t'atteindre hier soir à Rome, mais je ne...

Elle l'interrompit brusquement, alertée par ses paroles :

– Je n'y étais plus, j'ai passé la soirée chez des amis à Genève. Qu'est-ce qui s'est passé ? Dis vite !

Elle l'avait repoussé pour le regarder dans les yeux, et ses traits se durcirent à mesure qu'il progressait dans son récit.

– *Măgar !* s'exclama-t-elle avec emportement. *Mi-o va plăti !**

– Si tu veux que je te suive, parle-moi en français !

– *Scuză-mă !* J'oublie que tu ne comprends pas ! De toute façon, c'est mieux que tu n'écoutes pas quand je vitupère Jorge. Le malheureux, il brûle de l'intérieur, rien ne l'arrêtera, il est comme possédé ! Tu comprends ce que ça veut dire ? Il a un compte à régler avec Dieu !

– Dieu ? Mais qu'est-ce que tu racontes ? D'Aquino n'a jamais caché son athéisme, au contraire ! Tu veux dire qu'il a changé d'avis ?

– Tu le fais exprès, ou quoi ? s'écria-t-elle dans une nouvelle flambée de colère. Depuis quand faut-il avoir la foi pour affronter Dieu ? Mais là, Jorge est allé trop loin ! Il avait besoin de quelqu'un pour remplacer Gertrude, et toi tu es resté comme ça à bayer aux corneilles, tu aurais pu l'empêcher ! Tu ne vas quand même pas le laisser faire ça à Katja !

Il eut la sensation de recevoir une gifle froide sur la nuque, mais se refusa à répondre sur le même ton.

– Laisser faire quoi ? J'ai rendu visite à Gertrude avant-hier à l'infirmerie, elle était exténuée – Katja était là aussi – et elle nous a dit que...

– Je ne veux pas le savoir ! Gertrude c'est Gertrude, c'est un cas unique, aucune comparaison ne tient ! Ton père l'a opérée, tu le sais bien, les hémisphères sont devenus indépendants. C'est comme si elle avait deux cerveaux... Mais Katja a beau être géniale, *elle n'a qu'un cerveau,* la pauvre chose, comme toi et moi. Elle manque de protection !

* La tête de mule ! Il me le paiera !

Il s'écarta d'elle instinctivement, comme si la distance pouvait retarder la contagion de son effroi.

– Cesse de parler par allusions ! Si tu crains que d'Aquino fasse du mal à Katja, dis-le !

– Lui faire du mal, Jorge ? Non, non ! Il en est incapable, voyons ! Mais son obsession peut l'entraîner à sous-estimer le danger...

– Ah ! C'est un dialogue de sourds ! s'exclama-t-il, exaspéré. Tu vas me dire à la fin ce que tu crains ? Ce danger, c'est quoi ?

– Je ne veux pas que Katja finisse comme ton père, ça te suffit ? cria-t-elle en serrant les poings comme pour le frapper.

Elle se radoucit en voyant l'effet de ses paroles, et expliqua avec volubilité qu'elle n'avait qu'une certitude dans cette affaire : Alexander avait eu une thrombose cérébrale, un point c'est tout ! Mais pourquoi l'accident avait-il eu lieu cette nuit-là précisément, c'était ça le mystère qui la poursuivait depuis douze ans, une véritable hantise ! Oh, il pouvait bien la regarder avec ses yeux de Grand Inquisiteur ! Elle ne lui parlait pas de sorcellerie, ni de puissances démoniaques ! Ils se mesuraient à des forces physiques aussi concrètes que celles qui provoquaient la marée des océans, aussi réelles que celles qui faisaient se tourner les plantes vers la lumière, remonter le cours des rivières aux saumons !

Jacques la saisit par le poignet, maîtrisant mal son agitation :

– Qu'est-ce que tu essaies de me dire avec ces histoires de saumons et de tournesols ? L'attaque qui a réduit mon père à... à ce qu'il est devenu n'a pas été un accident, c'est ça ? Au lieu d'évoquer des puissances occultes, parle-moi du rôle de d'Aquino ! Il avait tout intérêt à empêcher mon père de faire cette présentation à San Francisco, parce qu'il ne supportait pas l'idée qu'on puisse s'opposer publiquement à ses théories ! Et maintenant, tu me dis qu'il s'en prend à Katja !

Il se tut, conscient de s'être laissé emporter et de poursuivre un raisonnement qui ne menait nulle part. Leurs regards se croisèrent, ils échangèrent un demi-sourire piteux.

– Alex ne voulait pas dénoncer les théories de Jorge, qu'est-ce que tu crois ? murmura-t-elle. Tu les as entendus se disputer par la bouche de Gertrude, sur le fond ils étaient d'accord ! Seulement, Jorge refusait de divulguer prématurément l'existence du Troisième Ordre, il craignait de déclencher une réaction en chaîne. Par contre, ton père pensait que la vérité scientifique...

Il lui coupa la parole, avec la brusque certitude que le temps leur était compté.

– Tu crois que Katja a vraiment mesuré les risques auxquels elle s'expose ? D'Aquino n'est pas un monstre, il a dû l'avertir que ces expériences pouvaient endommager son cerveau, la réduire du jour au lendemain à l'état de légume...

– Tais-toi, ça me fait trop mal ! Non, il ne l'a pas mise en garde parce qu'il ne croit pas à la réalité du danger. Il a toujours refusé de voir dans l'accident cérébral d'Alex autre chose qu'un coup du sort, un pur hasard – comme si le hasard pouvait jamais être pur ! Et moi, que pouvais-je lui opposer, sinon des craintes superstitieuses de bonne femme, indignes d'un esprit scientifique ! Je ne suis pas d'accord avec lui, mais c'est surtout contre ma propre raison que je dois me battre.

– *« Elle n'a pas pu faire ça, c'est impossible ! »*, dit-il en reprenant la phrase qu'elle avait prononcée à San Francisco, devant le corps inanimé de son père. Je t'ai posé une question à l'*hacienda*, mais tu n'as pas voulu répondre. Qui est Sedna ?

Elle lui posa vivement ses doigts sur la bouche en jetant autour d'elle un regard traqué, comme si cette redoutable Sedna se cachait sous le lit, ou derrière le paravent de toile du lavabo.

– Ne dis pas son nom, je t'en supplie ! murmura-t-elle. Gertrude a été trop bavarde, et *regarde ce qui lui arrive !* Et puis non, oublie ça, je dis n'importe quoi à cause de ma grande inquiétude pour Katja !

– Sedna n'est pas une personne... dit-il en baissant le ton malgré lui. Je suppose que c'est un sigle pour désigner un phénomène psychique en rapport avec ce fameux Troisième Ordre...

Une brise fraîche agita les rideaux en pénétrant dans la chambre. Il regarda dehors en frissonnant, avec l'impression que la brume matinale virait au gris – sans doute un nuage isolé qui passait devant le soleil. Il s'insurgea contre sa propre angoisse :

– Enfin, Élisabeth, tu le connais ce secret, et d'Aquino aussi ! Et vous n'êtes pas mal en point comme Gertrude, au contraire ! Tout ça n'a vraiment aucun sens ! Tu ne vas pas me dire que vous êtes menacés !

– Non, mais nous avons gardé le silence ! Regarde-moi, Jacques, est-ce que j'ai l'air d'une hystérique ? Pourtant, il suffit que je parle de cette chose pour avoir des papillons noirs dans l'estomac ! Sans compter que je vois des signes funestes partout !

Il la regarda avec surprise. Elle l'appelait rarement par son prénom, et ce *Jacques* dans sa bouche le troublait.

– Des signes funestes ?

– Ne te moque pas ! dit-elle en détournant les yeux. En arrivant, je suis passée par la porte arrière pour poser mon sac de voyage et mes documents au laboratoire. Dans la cour intérieure, j'ai vu Chouri qui pleurait...

***

Ce matin-là, au Berghof, une nervosité volatile était dans l'air, une appréhension sournoise qui incitait aux conciliabules et favorisait des va-et-vient inhabituels dans les salons et les corridors – un échange de murmures sans consistance, et un mouvement ralenti de bousculade sans objet. En se présentant à la salle à manger pour le déjeuner, les pensionnaires trouvèrent une note affichée sur la porte, les avisant que les entrevues avec le Pr d'Aquino avaient été annulées pour la journée.

A sa sortie de table, Jacques s'arrangea pour attirer Tadeus Bubenblick à l'écart et l'interroger sur le refuge de la Walpurgis. Il apprit alors que les montagnes suisses étaient jalonnées à haute altitude d'un réseau d'abris équipés de couvertures, de bois de chauffage, de vivres d'urgence et de médicaments. Ils n'étaient pas fermés à clé, et les alpinistes qui s'y réfugiaient se faisaient un point d'honneur à leur départ de laisser les lieux *blitzblank.* « Le code de la haute montagne ! avait déclaré Tadeus avec une fierté hilare. Les gens des pays plats devraient en prendre de la graine, *nézebas ?* »

Jacques passa le début de l'après-midi dans sa chambre, avec le projet de se consacrer au journal qu'il tenait de façon plus ou moins régulière depuis l'âge de seize ans. Il éprouvait un besoin impérieux de recourir à l'écriture pour mettre de l'ordre dans le tumulte de ses pensées et de ses sentiments, après les révélations de Gertrude Glück sur les événements de San Francisco. Sa résolution vacilla dès que son stylo toucha la page blanche. Il dessina distraitement dans la marge une série de petites figures géométriques, une île minuscule avec un palmier, la lettre K en trois dimensions avec des fioritures byzantines, puis il repoussa le cahier d'un geste rageur. Il se rabattit alors sur sa correspondance et rédigea une demi-douzaine de lettres, la plupart fort brèves, en se donnant un mal fou pour éviter les tournures stéréotypées. Il avait reçu deux nouvelles cartes postales de Christine, un peu trop explicites à son goût, mais envoyées directement à Davos – elle avait probablement obtenu son adresse de Mathilde. Il déchira sa réponse quatre fois de suite, chaque nouvel essai lui paraissant plus insipide que le précédent.

Impatient contre lui-même, il descendit dans le grand hall, qui était désert comme toujours à l'heure de la sieste, puis sortit sur la terrasse, dans la brûlure d'un soleil blanc. Pendant quelques secondes, il eut l'illusion d'être au Canada, en plein hiver, quelque part dans les Laurentides ! Étrange phénomène ! Il alla s'asseoir au jardin devant la rocaille fleurie, luttant contre son dépaysement. Il se retrouvait désœuvré dans cette retraite suisse, l'oreille insidieusement assaillie par la stridulation des cigales, les narines par la senteur pénétrante des foins fraîchement retournés, dans laquelle se diluaient les effluves de résine de conifère. Pourquoi cette paix alpestre et ces pâturages déserts, quand le jour d'aujourd'hui aurait exigé des mouvements de foule et une atmosphère de panique ? Que se passait-il à l'Académie royale de médecine de Stockholm ? Lars Frankenthal avait-il averti ses confrères, alerté les pouvoirs publics ? Ou avait-il décidé d'attendre la confirmation de nouvelles statistiques ? Et lui dans tout ça, resterait-il ici à se tourner les pouces ? Que pouvait-il faire ? descendre à Davos et brandir une pancarte pour annoncer la fin du monde ? Quant à Élisabeth, elle était allée dormir, alors qu'on était sans nouvelles de d'Aquino et de Katja. Il est vrai qu'elle tenait à peine debout ce matin dans sa chambre.

Jacques avait quitté la rocaille et se promenait dans les allées du jardin, rendues à la nature depuis des décennies, mais qui conservaient encore un cachet discret et soigné, une touche aristocratique de l'époque révolue où les malades languissantes du sanatorium le Berghof y prenaient l'air sous des ombrelles en dentelle blanche. Il traversa le sous-bois qui maintenait une zone de fraîcheur devant les fenêtres du laboratoire de Jorge d'Aquino. Maintenant qu'il avait payé sa quote-part de souci au sort de l'humanité, pouvait-il revenir à des préoccupations plus terre à terre, et s'interroger par exemple sur l'amitié amoureuse d'Élisabeth et de Katja ? Pendant une partie de la nuit, il avait macéré dans sa rancœur, imaginant des confidences échangées sur l'oreiller à son propos, des fous rires dont il faisait les frais, des petits complots tramés contre lui, pour abuser sa bonne foi. Mais ce matin, en ouvrant à Élisabeth, il avait su au premier regard que ses soupçons n'étaient pas fondés, et qu'il forçait la note de son ressentiment. Avant même qu'elle n'eût commencé à s'expliquer, il avait intuitivement compris tout ce qui s'était passé, et pourquoi elle n'avait pu résister à l'envahissement de Katja. A l'évidence, leur relation n'avait pas été platonique, mais il savait qu'Élisabeth était capable d'exprimer ses sentiments sur plusieurs registres, sans que le fond de son cœur en fût changé. « Quand je lui ai rendu visite dans sa chambre, elle aurait consenti à faire l'amour si je le lui avais demandé, pensa-t-il. J'ignore ce qui m'a retenu, mais je suis sûr d'une chose : ses sentiments pour moi n'en auraient pas été modifiés, ni dans un sens, ni dans l'autre. »

Contournant l'aile du Berghof, il traversa la cour intérieure, puis remonta sur la grande terrasse par l'escalier de coin. S'il se préoccupait tant d'interroger son cœur sur Élisabeth, c'était pour mieux retarder le moment où il le sonderait pour Katja. Quand il le fit, il reçut une réponse inattendue, qu'il mit du temps à comprendre. Il avait dit vrai en affirmant ce matin que cette mystérieuse femme l'intriguait, mais ne l'attirait pas. Sa liaison avec Élisabeth aurait dû accentuer cette indifférence, or le contraire s'était produit. Depuis que Bertha Moll lui avait dévoilé le pot aux roses, l'évocation de Katja provoquait une sensation de chaleur au creux de sa poitrine, et dans son esprit une curiosité non plus couvée par la méfiance, mais tisonnée par le désir.

Une mélodie filtrait dans la touffeur de l'après-midi, chantée par une voix de femme avec accompagnement d'orchestre, une aria éthérée ondulant dans l'air surchauffé de la grande terrasse. Quelqu'un faisait jouer un vieux disque sur le Polyhymnia. Jacques avait passé des heures à répertorier les enregistrements de l'extraordinaire collection du Dr Behrens, dont les plus récentes acquisitions dataient de 1938. Il avait aussi examiné le gramophone sous tous ses angles et s'était procuré auprès de Schwester Ursula des chiffons, des brosses miniatures et des produits d'entretien pour le briquer avec un soin jaloux. Il s'arrêta pour mieux écouter le disque grésillant. Etait-ce une illusion ? Il lui sembla que la voix de la cantatrice s'était dédoublée, comme pour se libérer des imperfections de sa gravure dans la surface d'ébonite et retrouver sa pureté originelle. Intrigué, il poussa la porte-fenêtre du salon de musique et entra sans bruit, pressentant que sa visite pouvait être indiscrète. M. Léopold lui tournait le dos, assis de biais sur la causeuse de rotin au rembourrage dur, tenant contre sa joue la main amaigrie que Gertrude Glück, du fond de sa chaise roulante, lui avait abandonnée avec une langueur distraite, si bien accordée au romantisme désuet de la mélodie qu'elle finissait de chanter, les yeux clos, avec cette diction délicatement ourlée qui n'était pas à elle, et une magnifique voix de *prima donna*. La dernière note vibrait encore dans le salon lorsque l'aiguille du gramophone s'engagea avec un crissement agaçant dans la boucle qui refermait le sillon sur lui-même. Jacques se hâta d'aller soulever le résonateur de nickel, et d'arrêter la rotation du plateau avec le petit frein à tête de caoutchouc.

M. Léopold fit volte-face en entendant le plancher craquer derrière lui. Jacques eut peine à le reconnaître : il avait ôté ses lunettes aux verres bombés, et ses yeux, qui semblaient à présent minuscules, scrutaient le vide avec le regard papillotant d'un oiseau nocturne ébloui par le jour. Mais sa transformation était surtout causée par les larmes qui ruisselaient sans retenue sur ses joues glabres. Il se pencha nerveusement vers la table basse et chercha ses lunettes à tâtons, qu'il chaussa en se levant avec raideur.

– Ah, c'est vous ! dit-il en dévisageant l'intrus. J'aime mieux ça !

Il s'approcha pour lui serrer la main comme s'il ne l'avait vu de la semaine, puis se tourna vers le gramophone pour glisser le disque dans sa pochette de papier jauni, avant de le ranger avec soin dans un des compartiments verticaux, au bas du meuble.

– Excusez-moi ! dit Jacques, décontenancé par son chagrin. Je ne savais pas que...

– Je vous en prie, mon cher ami ! Ne partageons-nous pas le même fardeau ? J'ai croisé Mme Bogdan-Popesco ce matin dans le hall, elle m'a mis au parfum des nouvelles de Stockholm... Ma raison s'est rebellée et cherche encore une échappatoire aux visions de cauchemar évoquées par l'annonce de cette échéance de sept ans. Subitement, l'avenir m'est apparu vidé de sa substance, et pour la première fois de ma vie j'ai éprouvé cette sensation qu'on appelle la vieillesse ! Ma réaction peut vous paraître anodine, mais elle m'a semblé à moi tout à fait singulière, compte tenu de mon caractère. Le seul fait de m'en ouvrir à vous est aussi très insolite ! Quoi qu'il en soit, pour fuir le spectre du Grand Déclin, je me suis tourné vers le passé, c'est-à-dire vers Norma.

– Votre femme ?

– *La* femme ! Vous l'avez entendue chanter, que pourrais-je ajouter ? Nous avons vécu une idylle de treize ans, un duo sans une fausse note. Nous nous aimions avec une passion qui ne semble plus avoir cours chez les gens de votre génération. Oh, vous faites grise mine ! Croyez-moi, la remarque ne vous visait pas personnellement !

– Je n'en doute pas, mais vous avez touché une corde sensible... Et qu'est-il arrivé ?

– A Norma ? Elle a été emportée par un cancer de la gorge. D'entre tous les maux... Jusqu'alors, mon existence avait été marquée par une pratique religieuse assidue, mais, du jour de ses obsèques, je n'ai plus mis les pieds à l'église, ni adressé la parole à Dieu. Ces radotages devraient vous faire sourire, ou à tout le moins bâiller – et qu'est-ce à dire ? Vous semblez y prendre un réel intérêt ! Je ne vous comprends pas.

Il rabattit le couvercle du gramophone d'un geste décidé, comme s'il voulait indiquer que leur entretien était à son terme. Pourtant, à la surprise de Jacques, il s'accouda sur le meuble, non sans avoir au préalable essuyé ses joues et examiné avec reproche l'extrémité humide de ses doigts. Derrière lui, dans sa chaise roulante, Gertrude Glück avait ouvert les yeux et levé les deux mains pour saluer le jeune Canadien en remuant ses dix doigts d'une façon infantile. « Elle est de retour ! », pensa-t-il en lui répondant par un signe de tête amical.

– J'ai eu un moment de faiblesse, poursuivit M. Léopold. Je suis allé trouver Gertrude pour évoquer en sa compagnie le souvenir de Norma. Elles se connaissent depuis des années et sont devenues de grandes amies. Je me rends parfaitement compte que, formulée ainsi, la chose peut vous paraître singulière, voire carrément saugrenue – c'est pourtant l'exacte vérité ! D'ailleurs, c'est Gertrude qui m'a proposé de venir ici pour entendre Norma une dernière fois. J'ai refusé, bien sûr, compte tenu de son état, mais elle a insisté et, ma foi, la volonté m'a fait défaut !

– Pourquoi une « dernière fois » ? chuchota Jacques. Craignez-vous que...

M. Léopold lui fit signe que ses paroles ne faisaient pas allusion à la santé de Gertrude. Puis il se recueillit, cherchant la façon la plus simple de tourner ce qu'il avait à dire.

– Savez-vous ce qui gouverne les affaires humaines, plus encore que les pouvoirs temporels et spirituels ? demanda-t-il enfin. *C'est la perception de la durée.* Or, à mesure que le Grand Déclin fera entendre son glas aux quatre coins de la terre, la notion du temps changera dans l'esprit et le cœur des hommes. Je n'ai pas la larme facile, mon cher Jacques, mais j'ai eu un coup de désespoir en comprenant qu'il me fallait abandonner Norma à la douceur du présent – car quelle place pourrais-je lui assurer dans un avenir avare de ses heures ? J'ai saisi ce que notre chère Katja avait à l'esprit en disant que, dans un monde sans enfants, les femmes seraient les victimes désignées de tous les fanatismes...

Jacques était déconcerté. Pour quelle raison M. Léopold lui donnait-il accès à son monde intérieur ? Il se revit le soir de son arrivée, dans ce même salon, en tête à tête avec Lars Frankenthal. Dieu qu'il avait changé depuis cette époque !

– A vous entendre, le Grand Déclin ne peut entraîner que des désastres et des cataclysmes ! Ça me surprend, car à l'*hacienda* votre réaction n'était pas aussi pessimiste.

– Les données du problème ont changé ! s'exclama M. Léopold avec irritation. Une échéance de trente-cinq ans permettait de voir venir, si je puis m'exprimer ainsi. Annoncez à un homme de votre âge qu'il ne franchira pas le cap de la soixantaine : il se rassurera en pensant que la science dispose du temps nécessaire pour découvrir le remède à ce mal dont on le dit atteint. A présent, dites-lui que vous vous êtes trompé et qu'il ne lui reste que sept ans à vivre !

– Sept ans et rien de plus, psalmodia Gertrude qui suivait leur discussion de loin avec des hochements de tête. Dites-le-lui à cet homme condamné, juste pour voir !

– Votre analogie n'est pas convaincante, dit Jacques. C'est la survie de l'espèce qui est menacée, pas l'existence des individus. Pourquoi écartez-vous la possibilité que le Grand Déclin rapproche les hommes au lieu de les diviser ? L'existence d'un ennemi commun stimule les forces de cohésion dans la collectivité qui est menacée, c'est bien connu !

– Je n'écarte pas de gaieté de cœur les hypothèses optimistes, croyez-moi ! Mais vous devez tenir compte que la société des hommes à l'échelle planétaire est devenue un organisme non seulement très complexe, mais aussi d'une extraordinaire et inquiétante fragilité. Considérez ceci : un monde sans enfants est par définition un monde sans durée ! Or toute l'économie contemporaine repose sur le postulat de la durée. Je puis affirmer en toute quiétude que, si les données de Stockholm sont confirmées à brève échéance par une chute du taux de natalité, l'annonce publique de ce Grand Déclin entraînera une crise économique mondiale, aux conséquences plus catastrophiques pour l'humanité qu'une guerre nucléaire. Personnellement, je prédis l'effondrement du système monétaire international dans les prochains dix-huit mois ! Soit dit sans ironie, les temps à venir ne manqueront pas d'intérêt, car, si vous me passez ce trait d'esprit revu et corrigé, l'homme sans descendance connaîtra la valeur de chaque chose, et le prix d'aucune !

– L'argent ne fait pas le bonheur ! ânonna Gertrude. Léo fait le brave, mais il voit des choses affreuses dans sa tête. Le monde est en gros désordre, c'est la panique partout, les gens s'entre-déchirent comme des loups ! Ce n'est pas un spectacle pour vous, monsieur Jacques !

M. Léopold se tourna vers la femme assise et lui adressa un sourire ému, empreint d'affection, qui contrastait avec ses manières habituelles, plutôt sèches et abruptes. Puis il alla ouvrir à pleine largeur les battants de la porte-fenêtre, comme s'il manquait d'air.

– L'heure des grands règlements de comptes a sonné ! dit-il sourdement, en contemplant le paysage inondé de soleil.

– Des règlements de comptes, alors que les gens devraient s'entraider ! s'exclama Gertrude en levant la main pour protéger ses yeux contre la réverbération. Ce n'est pas du tout raisonnable !

– J'ai quelque chose à vous demander, qui n'a pas de rapport avec notre discussion, dit Jacques en rejoignant M. Léopold sur le seuil de la terrasse. *Qui est Berthe Molinard ?*

– Je présume que vous ne faites pas cette demande à la légère, répondit l'autre gravement, après un temps de réflexion. Vous rappelez-vous notre discussion sur la mémoire ? Vous étiez peu enclin à me croire sur parole quand je vous disais que l'oubli est une bénédiction pour la santé de l'esprit. Or, le même matin, le hasard a mis sous mes yeux l'enveloppe d'un courrier adressé à Bertha Moll. Le timbre avait été oblitéré à Chavèze, une petite ville du canton de Fribourg. Ce rapprochement a produit une étincelle, et je n'ai pu l'empêcher de mettre le feu aux poudres ! (Il baissa la voix pour n'être pas entendu de Gertrude.) L'affaire Molinard remonte à dix-neuf ans – un cas d'infanticide qui fit les manchettes en raison du comportement particulièrement monstrueux de la mère de la victime. Avec la complicité passive du mari qui, tenez-vous bien, était instituteur à l'école communale, Berthe Molinard martyrisa sa fille Claudine pendant six ans, de sa naissance à sa mort, qui fut causée par une embolie à la suite d'un excès alimentaire. Il faut savoir qu'une des punitions préférées de cette créature, parmi les innombrables sévices qu'elle avait imaginés et dont je vous épargne le détail, consistait à forcer la fillette à avaler des quantités phénoménales de nourriture. Elle l'a nourrie à mort, littéralement.

– Mais qu'est-ce qu'elle fait ici ? demanda Jacques, secoué par ces révélations. Avez-vous mis d'Aquino au courant ?

– Ne parlez pas si fort, je vous prie ! Cette conversation doit rester entre nous. Comme vous le pensez bien, j'ai pris mes informations par des voies officieuses. Berthe Molinard a été condamnée à vingt ans de pénitencier, d'où elle est sortie après avoir purgé les deux tiers de sa peine. C'est un travailleur social de l'Office des libérations conditionnelles qui a pris contact avec Jorge d'Aquino, voici cinq ans, pour lui demander d'aider cette personne à prendre un nouveau départ dans la vie, en lui offrant un emploi stable au Berghof. A ma connaissance, le professeur n'a jamais révélé à quiconque la véritable identité de Bertha Moll, pas même à Mme Bogdan-Popesco. Aussi, pour ma part, je compte agir comme si je ne savais rien, et je vous demande avec amitié d'observer la même discrétion.

– Je veux bien, dit Jacques sans oser avouer qu'il avait déjà vendu la mèche, et à nulle autre qu'à Bertha Moll elle-même. Franchement, je ne sais pas comment vous vous y prenez pour conserver la même attitude à son égard, sachant tout ce que vous venez de me dire !

– La justice a suivi son cours, répliqua M. Léopold sèchement, et la coupable a subi son châtiment selon les dispositions de la loi. Nous n'avons pas à nous ériger en juges, encore moins en justiciers ! Cela dit, je n'ai aucun mérite à n'avoir pas changé de comportement à l'égard de Bertha Moll, car je me suis toujours gardé d'elle comme de la peste !

– En ce cas, comment expliquez-vous la position de d'Aquino ? Qu'il embauche cette femme au Berghof, d'accord, mais il n'était pas obligé d'en faire son garde-chiourme ! C'est pousser la confiance un peu loin, non ?

– Qui parle de confiance ? dit M. Léopold. Je crois au contraire que...

– Un instant ! murmura Jacques en lui prenant le bras. Vous n'avez rien entendu ?

Tendant l'oreille, ils perçurent distinctement un râle caverneux, qui ne pouvait être confondu avec aucun autre.

– Carpentier, vite !

C'était indéniablement la voix de d'Aquino, qui provenait du salon de musique, dans leur dos. Ils s'y retrouvèrent avec des mines abasourdies, car Gertrude y était seule, endormie la bouche ouverte et la tête renversée sur le côté.

– Mais qu'est-ce à dire ? grommela M. Léopold. J'aurais pourtant juré que...

Il se précipita pour ouvrir la porte et regarder dans le corridor, car le gémissement avait repris, assourdi et lointain, entrecoupé de bribes d'espagnol. Jacques s'approcha de Gertrude et, posant les mains sur les accoudoirs de la chaise roulante, il se pencha pour l'écouter respirer. Il n'eut pas longtemps à attendre et, bien qu'il s'y fût préparé, il tressaillit de frayeur en entendant la voix rauque de Jorge d'Aquino monter de la poitrine de cette femme assoupie, par cet extraordinaire effet de ventriloquie qu'il avait déjà observé à la réunion de l'*hacienda.*

– Carpentier... Pas de temps à perdre ! *Rrrâh !* Au lieu-dit des Trois-Croix... Le corps nous abandonne... Viens !

***

La chapelle des Trois-Croix était une solide bâtisse en pierre de taille, isolée sur un plateau boisé en contrefort de la Schatzalp. On pouvait y accéder en voiture par un chemin cahoteux, à demi effacé par les herbes sauvages, qui grimpait de Davos Dorf en longeant la montagne. Jacques connaissait l'endroit pour y être souvent monté à pied par un sentier qui prenait naissance dans le sous-bois à l'arrière du Berghof, et il ne manquait jamais en arrivant de se désaltérer à une fontaine creusée dans un imposant bloc de rocher et alimentée par une source naturelle.

La chapelle était à l'abandon depuis des années, et son délabrement avait un je-ne-sais-quoi de provocateur en ce pays d'ordre et de bonne tenue. Jacques aurait aimé la visiter, mais les vantaux de l'entrée principale étaient fermés par une imposante serrure en fer forgé, que la rouille n'avait pas affaiblie, et la porte latérale était obstruée par un épais fourré aux branches acérées, portant de petites baies rouge vif à l'aspect peu comestible. Par les châssis défoncés des fenêtres en ogive, où pendaient çà et là des vestiges de vitraux, il avait pu néanmoins apercevoir l'intérieur de la construction, dont la toiture s'était effondrée, laissant apparaître les poutres maîtresses qui se rejoignaient sur fond de ciel, comme les doigts croisés de deux mains en prière. Dans l'enceinte aux murailles rongées par le lichen et le lierre, deux ou trois arbres avaient poussé, et quelques branches aventureuses sortaient par les fenêtres. Le faîte de l'un d'entre eux dépassait déjà la niche de l'ancien clocher, aménagée dans le prolongement de la façade.

Les trois croix de pierre qui avaient inspiré l'appellation de la chapelle étaient érigées à la droite du parvis, au sommet d'un tertre recouvert de fougères. Leur disposition en triangle était singulière, et Théodore Shapiro avait trouvé une explication ingénieuse qu'il s'était empressé d'exposer au Berghof à qui voulait l'entendre. (Selon lui, cette bâtisse avait été construite en 1935 pour servir de lieu de rassemblement à la Loge des loges, une organisation maçonnique internationale, fondée pour lutter contre la progression du nazisme. Il prétendait d'ailleurs avoir découvert dans un ancien registre du Kaiserhof Palace la preuve du passage à Davos du colonel von Stauffenberg, les 6 et 7 juillet 1944, soit deux semaines avant l'attentat manqué contre Adolf Hitler.)

Jacques avait quitté précipitamment le Berghof et couvert le premier tiers du trajet au pas de course. La montée de la colline à travers bois avait eu raison de ses forces et il avait dû faire halte à deux reprises pour reprendre son souffle, et attendre que soit dénouée la crampe qui le poignardait au côté droit. Le ciel était d'un bleu solide, la chaleur pesait, écrasante, même ici sur les hauteurs. Tout au long de sa marche, il avait tenté de se convaincre qu'il faisait cet effort en pure perte et avait eu tort d'accorder foi aux paroles de Gertrude. Le cœur battant, il déboucha dans la grande clairière, non loin de la chapelle, à demi aveuglé par les gouttes de sueur qui ruisselaient dans ses yeux. Il aperçut Jorge d'Aquino, assis à califourchon sur le rebord de la fontaine, qui tourna la tête en l'entendant approcher et poussa un rugissement de délivrance.

– Carpentier, c'est toi ? Pas trop tôt ! Nous désespérions de voir passer quelqu'un !

– Je suis venu dès que Gertrude vous... dès qu'elle nous a donné votre message ! dit Jacques en s'approchant. Oh, mais c'est horrible ! Qu'est-ce qui vous est arrivé ?

D'Aquino avait déchiré le fuseau droit de son pantalon de toile jusqu'à la ceinture, pour plonger dans l'eau froide une jambe aux chairs violacées, qui avait doublé de volume du genou au bas de la cheville. Une béquille de fortune, confectionnée avec une branche d'arbre en fourche, était appuyée contre le rocher.

– *Rrrâh !* Quel message ? gronda-t-il. Gertrude, bien sûr ! Nous ne lui avons rien dit, et elle nous a entendu... Aaaah ! *¿ Para qué sufrir cuando hay tantas cosas que pensar ?**

– Il faut faire quelque chose ! s'écria Jacques au comble de l'anxiété. Vous pouvez tenir un quart d'heure ? Je vais chercher du secours !

Une poigne vigoureuse le cloua sur place.

– Attends, pour l'amour ! murmura d'Aquino en l'attirant vers lui comme s'il avait de la peine à distinguer ses traits. Katja d'abord, ta priorité ! Elle est restée là-haut, au refuge ! Elle se remet de sa nuit et t'attend ! *Rrrâh !* Ne la laisse pas seule dans les ténèbres de Walpurgis ! Non, reste !

Son regard avait pris un éclat vitreux, et son visage buriné un teint grisâtre qui le rendait méconnaissable. Dans un essoufflement croissant, il expliqua que Katja avait refusé de redescendre à Davos. De toute façon, elle n'était pas en état de faire une si longue marche... Il l'avait laissée aux premières lueurs de l'aube pour aller quérir de l'aide, mais une mauvaise chute dans la descente du Spitzwald l'avait retardé de plusieurs heures.

– Elle n'aurait jamais dû accepter de vous suivre là-haut ! lança Jacques avec colère. Qu'est-ce qui lui est arrivé au juste ? Elle ne va quand même pas subir le sort de mon père !

– Le singulier échappe à Sedna, par nature, par définition ! répondit d'Aquino avec un regain de force dans la voix. *¡ Solo la multitud es su victima !*** Katja a vu la Gorgone cette nuit, et elle est restée pétrifiée... *Rrrâh !* Tu peux serrer les poings, Carpentier ! Colère... revanche... vengeance ! Mais pas contre nous ! C'est contre le temps qu'il faut te battre ! Trop tard pour partir à pied, la nuit ne t'attendra pas... La nuit n'a jamais attendu les valeureux, de toujours la complice des lâches et des infâmes ! Alors, cherche ! Trouve un moyen pour rejoindre Katja... *Ne la laisse pas seule avec elle-même !*

Il se pencha pour saisir sa jambe à deux mains et la sortir de l'eau, comme un objet sans rapport avec sa personne. Puis il tenta de se lever, mais poussa un râle de souffrance et, se retenant d'une main au bord du bassin, il se laissa lentement choir sur le sol, couvert à cet endroit d'un épais tapis de mousse, piqué de champignons minuscules. Jacques le ceintura pour tenter d'amortir sa

* Pourquoi cette souffrance, quand il reste tant de choses à penser ?
** Seule la multitude est sa victime !

chute, mais bascula à sa suite, entraîné par sa masse et son poids. Pendant quelques instants, il eut l'oreille collée contre sa poitrine. Le soufflet de forge qui contrôlait d'ordinaire sa respiration s'était grippé, remplacé par un halètement humide et tumultueux, de mauvais augure.

S'écartant avec effroi, il jeta un coup d'œil à la jambe tuméfiée. Son incapacité à prendre une décision avisée le précipita dans un début de panique. Il s'agenouilla vivement et trempa son mouchoir dans la fontaine, pour éponger le visage exsangue du vieil homme, dont l'abondante chevelure blanche, aux longues mèches collées par la transpiration, s'étalait sur la mousse sombre comme une auréole tragique. Les yeux s'ouvrirent et se fixèrent avec effort sur Jacques, qui fut ébranlé par une secousse montée du tréfonds de son âme. Jamais encore il n'avait affronté un regard chargé d'une telle détresse, ni entendu ce cri silencieux sorti des plus noirs recoins du désespoir – la supplication muette de la victime livrée aux forces du mal. Ce qu'Élisabeth avait dit de la mort de Doña Isabel, ce qu'elle avait tu du sort du petit Eduardo avait imprimé dans l'esprit de Jacques des images atroces, pourtant les mots autant que les silences avaient été impuissants à communiquer ce que reflétait ce regard qui, trente ans auparavant, avait été témoin de l'innommable : le vacillement de la raison humaine devant la monstruosité de l'homme.

– Carpentier... Nous voyons la figure de ton père se profiler derrière toi ! Rigueur et courage ! Vérité et obstination ! *Rrrâh !* Laisse-nous à présent ! Cours alerter Bogdan-Popesco et les autres, ils prendront soin de ce qui reste de nous ! Mais toi, pars ! Occupe-toi de Katja... Personne d'autre ne doit compter pour toi que la femme qui t'attend ! Elle est ta chance, et tu es sa délivrance ! *Rrrâh !* A présent, va-t'en ! *¡ Obedece por una vez !**

– Ce ne sera pas long, je vous le promets ! dit Jacques en se relevant. Vous êtes sûr que je ne peux rien faire pour... Ah, j'hésite à vous laisser seul !

D'Aquino laissa retomber sa tête, et une éclaircie fugitive passa sur ses traits creusés par la souffrance, comme s'il contemplait une vision bienheureuse.

– Pars sans crainte, nous ne sommes pas seul ! Nous sommes pluralité, trinité, coexistence ! Dans le temple de l'Esprit, nous avons vieilli ensemble. *Rrrâh !* Place forte... citadelle inexpugnable... for-

* Obéis pour une fois !

teresse sans murailles ! *Rrrâh !* Lumière chaude, rire d'enfant, présence de femme – le soleil intérieur n'est pas taché de sang !

Le bras levé vers une main invisible retomba lourdement. Le géant était tombé en syncope.

⁂

Jacques avait observé à maintes reprises les manœuvres d'envol des élèves du cours avancé, néanmoins la rapidité et l'aisance de son décollage le prirent par surprise. Aux côtés de Christopher, il avait dévalé à grandes enjambées le promontoire abrupt, dix pas le séparaient encore du bord de la falaise que déjà il sentait le sol se dérober sous ses semelles et une puissante traction le soulever dans les airs. Il avait éprouvé une sensation analogue dans des manèges forains, mais c'était une chose que de défier la gravitation dans la nacelle capitonnée d'un Crazy Roller Coaster, et une autre que de foncer tête baissée sur la crête d'une falaise abrupte, droit vers le gouffre.

Son premier vol en tandem ne devait pas avoir lieu avant quinze jours, aussi s'était-il mentalement préparé à défendre sa cause en se faisant bringuebaler sur le porte-bagage du vélomoteur de Sigmund, qui l'avait descendu à Davos Platz en un temps record, en l'exposant à plus de risques de se casser le cou à cinquante centimètres du sol qu'il n'allait en affronter une heure plus tard à deux mille mètres d'altitude.

Dans le bureau exigu de l'École nationale de deltaplane, son instructeur avait écouté le début de son plaidoyer en fronçant les sourcils, puis l'avait interrompu en consultant sa montre, avant de lui donner à signer un formulaire de décharge de responsabilité civile. Le funiculaire de la Schatzalp les avait amenés à proximité de la piste d'envol, où ils avaient perdu une demi-heure à remplacer un harnais défectueux. « Te bile pas pour ta copine, on va le faire, avait dit Christopher. Ce qu'il faut, c'est dégotter un vent ascendant dans les premières quinze minutes. Sinon on tourne bride, j'ai pas envie de rentrer de nuit ! Alors, le Canadien, tu pensais pas que ça serait pour aujourd'hui ! »

Jacques ne l'avait pas prévu, en effet. Sans doute devait-il s'en féliciter, car l'échéance des deux semaines lui donnait amplement le loisir de ressasser ses craintes, alors que la précipitation des dernières heures avait accaparé son esprit au point de l'étourdir. Tout au plus à la dernière minute, en assujettissant son harnachement à l'armature de l'aile au moyen de courroies et de mousquetons, avait-il éprouvé une sorte de mollesse dans les jambes et de crampe à l'abdomen. Il s'était imaginé qu'une des peurs à vaincre serait celle du plongeon dans le vide, mais, maintenant qu'il survolait ce précipice tout à l'heure si menaçant, il éprouvait à travers sa musculature l'effet sustentateur de l'air dans la voile triangulaire déployée au-dessus de sa tête, et cette sensation physique contredisait en quelque sorte le concept même de la chute. D'ailleurs, il avait autre chose à faire qu'à analyser ses émotions, notamment à passer en revue les consignes qu'on lui avait enseignées, et à se rappeler de tenir la barre de suspension sans céder au réflexe de la tirer à lui. Il avait très chaud (Christopher l'avait convaincu de porter un épais chandail de laine), et la tension des câbles de nylon sur sa ceinture de cuir et ses étriers était beaucoup plus contraignante qu'il ne l'avait prévu.

Le planeur décrivit une ellipse allongée au-dessus de Davos Platz. Prenant pour repères les tennis du Schweizerhof et le ruban gris de la Hohe Promenade, Jacques localisa sans peine la Villa Stella Maris et pensa à Didier, en se reprochant de n'avoir pas chargé Sigmund d'aller l'avertir de son expédition. « Après tout, non, c'est mieux ainsi ! se dit-il. Malgré ses airs bravaches, il se serait fait du mauvais sang pour moi ! » Réussissant enfin à s'arracher à l'hypnose du sol, il regarda du côté de son instructeur, dont le corps flottait à l'horizontale, parfaitement rectiligne. L'autre tourna la tête et sourit derrière la visière de son casque blanc, puis lui cria en anglais de ne pas s'inquiéter, que « l'ascenseur était en marche ». Pendant quelques minutes, Jacques ne nota aucun changement, puis se rendit compte qu'ils avaient en effet amorcé une ascension régulière. La silhouette caractéristique du Berghof se profila sur le versant de la Schatzalp, avec en surplomb la chapelle des Trois-Croix. Ce n'était pas la première fois qu'il survolait un coin de pays familier – au Canada, son oncle Benoît lui avait fait faire en Cessna le tour des Cantons de l'Est –, pourtant cette expérience lui parut entièrement nouvelle, en ce que ni carlingue d'avion ni vitre de hublot ne le séparaient de l'étendue qui se déroulait sous lui. Mais c'était l'univers sonore où il était plongé qui le déconcertait le plus, avec l'absence choquante de vrombissement de moteur – car comment concilier cette dérive contrôlée dans le ciel avec le silence grandiose qui l'environnait de toute part, troublé par le seul froissement du vent ? Et était-ce cette perspective à vol d'oiseau qui lui valait la révélation que, dorénavant, il aurait le choix des distances à établir entre lui-même et Jorge d'Aquino, Élisabeth, l'illustre Dr Frankenthal ou M. Léopold, et ces autres pensionnaires du Berghof qui l'impressionnaient tant – la liberté intérieure de s'approcher d'eux ou de s'en éloigner, sans plus dépendre passivement de leur disponibilité et de leurs humeurs ? Au sens propre, il dominait la situation, et l'impression de détachement qu'il en ressentait lui révéla par contraste la place immense que ces gens avaient prise dans son existence.

Il avait supposé que les craintes qui accompagneraient son baptême de l'air augmenteraient avec son éloignement du sol. Le contraire se produisit, et, alors qu'il dépassait le massif de la Strela, il cessa subitement de se préoccuper de son instructeur et des consignes de vol, de l'état de santé de d'Aquino comme de l'extinction de l'espèce humaine. Il ouvrit son esprit à l'indicible, renonçant à penser pour se laisser envahir.

Aussi loin qu'il portait le regard, il voyait se dérouler un panorama de cimes enneigées, de pics rocheux balafrés de coulées d'avalanches, de glaciers aux langues souillées par les moraines, de lacs aux eaux couleur de plomb et de falaises vertigineuses, où des mélèzes solitaires, mutilés par les vents, avaient trouvé moyen de s'enraciner. Flottant au-dessus du cirque des montagnes, trois strates atmosphériques de composition différente filtraient les rayons du soleil couchant. Jacques avait entendu parler de l'ivresse des profondeurs dans la plongée sous-marine, mais personne ne l'avait averti que l'altitude pouvait avoir les mêmes effets. Avec l'envie de rire et de crier son émerveillement, il s'abandonnait à un état d'euphorie tel qu'il n'en avait jamais vécu, et une pensée lui vint qu'il se répéta comme un leitmotiv, lui trouvant une tournure fleur bleue et kitsch qui le porta au comble de l'exaltation : « Je vole au secours de ma bien-aimée ! »

Le refuge était ancré sur la crête arrondie de la Walpurgis, mais Christopher avait décidé avant de partir qu'ils atterriraient sur le versant sud, en contrebas d'un escarpement moins exposé aux sautes du fœhn, ce vent capricieux de la haute montagne. Ils décrivirent une large spirale descendante, et Jacques trouvait que le sol rocailleux se rapprochait d'eux un peu vite, mais au dernier instant le planeur se redressa en se cabrant, et ils n'eurent que quelques pas à faire avant de l'immobiliser. L'aile délestée de leur contrepoids piqua lentement du nez, et Jacques s'en détacha rapidement pour ne pas la laisser dans cette position instable, à la merci de la première brise venue. Il voulut prêter main-forte à son instructeur, qui lui fit signe de s'en abstenir et le gratifia d'une bourrade sur l'épaule, avec une allusion à la « nana » qui l'attendait là-haut dans la « baraque ». Christopher souleva ensuite le deltaplane à bout de bras et le porta vers le sommet de la pente la plus proche, avec la démarche vacillante d'un funambule sur son fil, encombré d'un balancier récalcitrant. L'inclinaison du terrain laissait à désirer, car il ne décolla pas avant d'avoir franchi une quinzaine de mètres à la course et, pendant quelques secondes interminables, il plana dangereusement près du sol.

Jacques ne retrouva son souffle qu'après l'avoir vu prendre de la hauteur, mais son soulagement fit rapidement place à un sentiment d'anxiété, et il entreprit la montée au refuge d'un pas pressé. A vue aérienne, le trajet ne lui était pas apparu aussi escarpé qu'il le découvrait à présent. Les grandes dalles rocheuses qui pavaient le sol l'obligeaient à redoubler d'attention pour ne pas se prendre la cheville dans une anfractuosité. Des poches d'eau cristalline brillaient çà et là dans des cuvettes naturelles creusées dans la pierre. Il ralentit bientôt l'allure, portant son essoufflement au compte de l'altitude et de la configuration du terrain, sans s'avouer encore qu'une peur sournoise érodait la détermination avec laquelle, au cours des dernières heures, il avait suivi l'objurgation suppliante de d'Aquino de ne pas laisser Katja « seule avec elle-même ».

Il atteignit enfin la ligne de faîte de la Walpurgis, découvrant davantage à chaque pas le panorama des versants nord et est de la montagne. Le refuge, qui se présentait comme le verrou d'une chaîne de petits sommets, au plus haut point de convergence de trois vallées, était une construction trapue, de dimensions plus modestes qu'il ne l'avait imaginé. Le toit aux larges auvents était couvert d'épaisses plaques d'ardoise de forme irrégulière, maintenues au bâti par des crampons de fer. Les murs étaient faits de solides planches grossièrement équarries, crevassées par le temps et les intempéries, et dont les interstices avaient été colmatés de ciment blanc. Des volets aveuglaient les minuscules fenêtres, fixés aux chambranles par des crochets pivotants.

Jacques s'arrêta une nouvelle fois, la gorge sèche. Un mince filet de fumée sortait de la cheminée du toit, mais ce signe de vie ne suffisait pas à conjurer l'aura de désolation qui émanait des lieux.

L'existence même de cet abri à pareille altitude, dans ce désert de rochers et de pierraille inaccessible à tout véhicule motorisé, défiait l'imagination. Comment les gens de la contrée s'y étaient-ils pris pour transporter les matériaux nécessaires à sa construction ? Et, plus encore que le *comment*, le *pourquoi* d'une telle entreprise lui échappait en partie.

La lumière déclinante du jour avait viré à des teintes de gris et de bleu froid, l'arête de chaque chose en était affûtée, et la roche se pétrifiait en perdant son relief. Il avait maintes fois observé à Davos la soudaineté de la transition entre le jour et la nuit, ce crépuscule précipité qui lui faisait découvrir de nouvelles nuances dans l'expression « entre chien et loup », mais jamais le phénomène ne lui était apparu de façon si spectaculaire. L'obscurité avait empli le fond des vallées et se déversait dans les gorges et les cluses, s'élevant à vue d'œil le long des parois rocheuses. Christopher avait eu raison de s'inquiéter : dans un quart d'heure, il ferait nuit.

La fraîcheur de l'air, qui s'accordait à la crudité de l'éclairage, l'avait fait frissonner au cours de son ascension, traversant les mailles de son épais chandail. Mais, au moment d'atteindre le refuge, il se trouva exposé à la caresse puissante d'un souffle ascendant chaud, en provenance des pentes septentrionales de la Walpurgis. L'expérience était si singulière et inattendue qu'il fut tenté un instant de se rendre à l'extrémité de la corniche qui surplombait le vide, mais il y renonça : le mystère qui l'attendait dans l'abri était autrement plus angoissant. « Qu'est-ce qui me retient d'entrer ? pensa-t-il. Je ne risque rien ! » Il frappa à la porte, d'abord timidement, puis avec le poing.

– Katja ! C'est moi, Jacques !

Retenant sa respiration, il souleva le loquet et poussa le battant, dont les trois panneaux étaient maintenus par une longue croix de Saint-André. Contrairement à sa première impression, l'intérieur du chalet n'était pas plongé dans l'obscurité : une lanterne à pétrole, suspendue par une chaînette à une poutre du toit, jetait une lueur vacillante sur l'aménagement rudimentaire du lieu et en révélait la relative exiguïté – l'entière superficie excédait à peine celle de sa chambre du Berghof.

– Katja ? chuchota-t-il en avançant d'un pas.

Un rectangle rougeoyait dans la partie inférieure d'un poêle de fonte et, sur la table rustique entourée de trois ou quatre tabourets carrés, une bouteille vide, une pomme entamée et des pelures d'orange, l'emballage froissé d'une tablette de chocolat et les restes d'un sandwich témoignaient que celle qui se cachait quelque part dans l'ombre ne s'était pas laissée mourir de faim.

– Vous êtes malade, ou quoi ? demanda-t-il d'une voix mal assurée. Pourquoi ne répondez-vous pas ?

Il distingua près de la porte une cordée de fagots et une réserve de briquettes de tourbe alignées contre la paroi avec une méticulosité suisse, qui aurait porté à son comble la fierté de Tadeus Bubenblick. A sa droite, sur une étagère clouée contre la paroi, des récipients d'aluminium étaient rangés par ordre de grandeur et fermés par des lanières de cuir. Il tendit le bras vers la lampe pour augmenter l'intensité du brûleur, mais un sourd gémissement de frayeur et le froissement d'une étoffe l'attirèrent au fond de la pièce, occupée à pleine largeur par un grand caisson plat, solidement encastré entre les murs à mi-hauteur du plancher et du toit. Une litière d'épeautre en tapissait le fond, recouverte d'une toile de gros lin fixée au cadre de bois. Katja était assise dans l'encoignure la plus sombre de cette sorte de couchette surélevée, les jambes repliées contre sa poitrine, enroulée dans une épaisse couverture comme pour se protéger du froid, alors que la température du refuge était plutôt clémente. Elle avait quitté le Berghof sans emporter son masque. Pour le remplacer, elle avait ceint sa tête d'une large écharpe de tissu effiloché, qui couvrait son front jusqu'à l'arc des sourcils, et relevé jusqu'au-dessus de ses pommettes le col d'une vareuse de coutil marine, trois fois trop grande pour elle, prêtée sans doute par Jorge d'Aquino. Cette mascarade improvisée avec les moyens du bord ne manquait pas de cocasserie, ni même d'une touche de ridicule, mais Jacques ne trouva qu'à s'en émouvoir, et à se reprocher d'avoir prêté à Katja des intentions de jeu et d'intrigue, quand en réalité elle tentait désespérément de conjurer une malédiction.

– Vous voulez que je reste ? demanda-t-il, comme si le choix était encore possible.

Elle hocha lentement la tête, mais son regard effrayé regardait par-dessus son épaule l'embrasure bleu sombre de la porte restée ouverte sur le crépuscule. Craignait-elle d'y voir apparaître un autre visiteur ?

– Je suis venu seul, dit-il. D'Aquino s'est blessé sur le chemin du retour. Il était très mal en point quand je l'ai trouvé, ça m'inquiète. Nous avons perdu beaucoup de temps... Vous voulez que je ferme la porte ?

Elle fit un nouveau signe d'assentiment et il comprit que, pour quelque raison, elle ne voulait ou ne pouvait lui parler. Il traversa l'abri et contempla un instant la percée des premières étoiles dans le ciel, avant de rabattre la porte et de l'assujettir au loquet pour empêcher le vent de la repousser – ce même vent chaud qui l'avait enveloppé avec ménagement tout à l'heure, et qui tournait maintenant à la bourrasque. « Et Julie Brochet qui disait que le fœhn est un vent qui rend fou ! pensa-t-il. Il ne manquerait plus que ça ! »

Il détacha les bretelles de son sac à dos, le posa sur la table et en sortit le thermos de chocolat chaud préparé à la hâte par Schwester Ursula, qui l'avait convaincu que le café noir et la haute montagne ne faisaient pas bon ménage. Il en versa dans deux gobelets et, avançant avec précaution pour ne pas trébucher dans la pénombre, gagna le châlit et tendit la boisson à Katja, qui la refusa en secouant la tête.

– Comme vous voudrez ! Je le pose ici, au cas où vous changeriez d'avis. Je peux m'asseoir ?

Elle approuva cette fois avec un empressement qui se conciliait mal avec son mutisme. Il prit appui sur un petit escabeau et se hissa sur le rebord de la couchette, en ayant soin de ne pas renverser sa tasse. Puis, se glissant sur la litière, il alla s'adosser contre la paroi du fond, les jambes étendues, en se disant que, s'il levait haut la main, il réussirait probablement à toucher les poutres du plafond.

Ils s'observèrent un moment en silence, et il crut deviner à un faible éclat dans la pénombre que ses yeux étaient noyés de larmes. L'expérience avec d'Aquino l'avait visiblement ébranlée, mais elle avait toute sa raison, il en était sûr ! Elle attendait quelque chose de lui, mais quoi ? Il n'avait aucune idée de ce qui allait arriver pendant cette nuit qu'ils passeraient ensemble dans ce refuge. Et elle, le savait-elle ? Elle ne pouvait pas ne pas se poser la question ! Était-ce assez étrange ! Il planait tout à l'heure entre ciel et terre dans la lumière du soleil, en proie à une sorte d'ivresse amoureuse, et il se retrouvait dans la nuit avec cette créature muette, sans être même certain d'avoir envie de l'approcher...

Une émotion forte l'envahit, intempestive et déplacée, qui l'arrachait contre son gré au moment présent et le draguait en eau trouble. Avait-il joué les Superman et survolé cimes et abîmes au secours d'une princesse captive des forces de l'Ombre, pour lui refuser son attention maintenant qu'il l'avait rejointe ? Mais son émotion ne lâchait pas prise : un éclat de kryptonite fiché dans son cœur le rendait impuissant contre l'emprise du passé.

– Il m'arrive une chose que je... C'est idiot ! dit-il d'une voix étranglée. Vous connaissez ce passage de Proust sur la petite madeleine trempée dans du thé ? (Elle hocha affirmativement la tête.) Je ne veux pas faire de la littérature, mais j'éprouve un bouleversement comparable à celui du narrateur, à la différence que j'ai retrouvé tout de suite le souvenir lointain associé à cette odeur de vieux bois, de toile de jute et de chocolat chaud... Donnez-moi une minute, ça va passer !

Il porta son poing à sa bouche pour le mordre et, retenant le sanglot qui roulait dans le fond de sa gorge, il se demanda s'il avait imaginé le murmure qui lui disait : « Raconte ! » – et si vraiment Katja avait pris l'initiative du tutoiement.

– Vous voulez savoir, vraiment ? dit-il. (Nouveau signe de tête.) C'était chez nous à Montréal, je devais avoir cinq ou six ans. Je m'étais aménagé un coin dans le grenier, une base secrète où j'empilais mes trésors, et où je poursuivais pendant des heures mes jeux imaginaires. A l'exception de mon ami Philippe, personne ne connaissait ce repaire. Un jour, pour je ne sais plus quelle raison, mon père est monté m'apporter une tasse de Nesquick, et est entré à quatre pattes dans la petite cabane que j'avais...

Sa voix se brisa et, calant sa tête contre les planches rugueuses de la paroi, il baissa les paupières et prit une longue inspiration, la bouche grande ouverte. Il continua enfin sur un ton plus bas, les yeux rivés sur la courte flamme du falot :

– Si vous attendez une suite dramatique, c'est manqué ! Il n'y a rien de plus à raconter, justement ! Pour vous faire comprendre, il faudrait que je vous parle de mon père... (Il perçut à nouveau un murmure léger à sa droite, où il lui sembla entendre : « Oui ! ») Je ne me livre pas facilement, Katja, même à ceux qui me sont proches...

Il eut l'impression qu'elle souriait dans les pans de son col relevé, et il la trouva transformée, quand même elle continuait à lui dissimuler ses traits. Derrière le prodige d'intelligence, dans l'ombre de la collaboratrice étoile du Berghof, il voyait se profiler une créature tremblante, vulnérable, indécise.

– A quarante ans, mon père était déjà une célébrité dans le monde médical, reprit-il. Il avait mis au point une intervention audacieuse en neurochirurgie pour des cas extrêmes d'épilepsie. Bien entendu, la nature exacte de ses travaux m'échappait, mais je savais d'instinct qu'un homme capable de nouer ses lacets d'une seule main était forcément quelqu'un de remarquable. Quand il rentrait le soir, j'étais habituellement couché. Il venait me voir dans ma chambre sans ouvrir la lumière, il s'asseyait au bord du lit et posait la main sur mon front – je n'ai jamais su si c'était une caresse ou s'il prenait ma température... Comme il ne trouvait rien à me dire, il se rabattait sur un échange rituel – si j'avais terminé mes devoirs et brossé mes dents, et si les enfants du voisinage m'avaient fait des crasses. Il connaissait mieux que personne tous les méandres du cerveau humain, mais il n'avait pas la moindre idée de ce qui se passait dans la tête de son fils... J'avais renoncé depuis longtemps à lui demander de me raconter des histoires, parce qu'il se lançait dans des contes sans queue ni tête, où les méchants étaient rarement punis et finissaient toujours par se faire soigner d'une façon ou de l'autre. Le jour où il m'a rejoint dans ma base secrète, il paraissait avoir tout son temps, contrairement à ses habitudes. On est restés assis en tailleur l'un en face de l'autre, un peu mal à l'aise, à nous sourire gauchement. Tout à coup, il m'a dit qu'on lui avait volé son enfance, et qu'il était né à l'âge de vingt et un ans. Je ne voyais pas trop ce qu'il voulait dire, mais ce qu'il taisait m'a été évident pour la première fois : il m'aimait. Je n'en avais jamais vraiment douté, mais cette découverte-là était d'une autre nature. J'ai compris que son incompétence de père et son amour pour moi n'étaient pas contradictoires, et même faisaient bon ménage, contre toute logique. Ce fut le début d'une complicité tacite qui n'a jamais été trahie – mais qui a pris fin à San Francisco dans les circonstances que Gertrude a révélées l'autre soir...

Il se tut, déconcerté par ses propres larmes. N'étaient-elles pas une façon détournée de proposer un pacte à Katja, de lui offrir le gage de ses confidences en échange de sa complicité ? « Je me livre par défiance ! », pensa-t-il. Si tel était le cas, pourquoi éprouvait-il ce soulagement, cette envie de poursuivre son récit, de parler pendant des heures de son passé, de ses contradictions, de lui-même, de lui seul ? N'avait-il pas annoncé tout à l'heure qu'il ne se livrait pas volontiers ? Était-ce de sentir sur lui le regard intensément attentif de Katja, qui se jouait de la pénombre pour l'encourager et l'approuver ? Ou était-ce sa conscience de leur situation ? Leur isolement sur la crête désolée de la Walpurgis, leur promiscuité troublante dans cet espace enclos qui évoquait pour lui une couchette de paquebot vétuste, maintenant que le fœhn, qui avait gagné en force, faisait travailler la structure du refuge et réussissait à tirer des craquements de chaque pièce de bois. « Je me laisse envoûter ! », se dit-il, sans pour autant chercher à se ressaisir. Il éprouvait en regardant Katja une sensation jusqu'alors inconnue de lui, une poussée intérieure qui l'oppressait à la poitrine et aux tempes. Il fut sur le point de lui déclarer qu'il l'aimait, mais il se retint par peur que le tutoiement n'ébranlât une certitude si nouvelle – et aussi parce qu'il sentait venir l'instant où la distance entre eux ne serait plus. Il ne savait lequel des deux prendrait le risque du rapprochement, n'osant s'avouer son désir de la voir faire le premier geste. Il retira son chandail et le suspendit à un crochet contre la paroi, s'étonnant de la chaleur qui régnait maintenant dans l'abri et qui ne pouvait être attribuée aux seules braises qui achevaient de se consumer dans les entrailles du poêle.

Katja avait écouté ses confidences sans bouger, retenant son souffle jusqu'à la fin pour ne pas en perdre la moindre nuance. Elle s'avança sur la couchette et étendit le bras dans le vide vers la lanterne, qu'elle éteignit d'un tour de molette. Il entendit dans le noir le crépitement feutré de la litière d'épeautre, le froissement doux des étoffes et des laines, un déplacement rêche sur la toile de lin : elle s'approchait de lui, soudain multipliée et omniprésente, et reprit forme en posant sur sa poitrine une main légère. Elle chercha sa nuque par un effleurement aérien du bout des doigts, il eut bientôt à portée de souffle sa respiration émue et avança la bouche, croyant deviner son intention. Mais c'est à son chagrin qu'elle en avait, et il sentit par deux fois la pointe fraîche de sa langue glisser le long de ses joues pour cueillir ses larmes jusqu'au creux des paupières. La caresse le surprit par son audace, et par la spontanéité primitive qui l'avait inspirée et qui le rejoignait au plus secret de sa pudeur, par un raccourci que lui-même aurait hésité à prendre. La proximité de ce visage qui s'était enfin dévoilé, mais que néanmoins la nuit dérobait à sa vue, réveilla des fantasmes et des peurs qu'il pensait avoir chassés de son esprit. De quelle bouche était sortie cette langue rapide, par quelles narines passait ce souffle haletant ? Elle devina sans doute ses craintes, car elle s'écarta de lui, chercha sa main pour la prendre avec douceur et la porter contre sa joue. Sans même prendre conscience du caractère paradoxal de sa réaction, il ferma les yeux dans l'obscurité pour mieux se concentrer dans son exploration, et ses doigts trouvèrent au visage qui s'offrait, frémissant, un nez, une bouche et un menton comme au commun des mortels, et un velouté de peau qui, lui, ne pouvait appartenir qu'à elle. Sous son toucher d'aveugle, il sentit un sourire se former sur ses lèvres : elle s'amusait silencieusement de cet examen qui ne trouvait ni cicatrice, ni difformité. Il se sentit honteux.

– Je vous demande pardon, murmura-t-il. Je suis...

Elle l'interrompit en posant sa bouche contre la sienne. Elle demandait le baiser mais ne le donnait pas, et il la retrouvait tout entière en son mystère dans ce mélange de provocation et de retenue. Alors qu'il lui prenait son souffle, il éprouva un élancement au cœur, la pointe acérée d'un bonheur impertinent de petite enfance, un bonheur d'insomnie de veille de Noël, sans réserve et sans mesure, qui partait du creux de la poitrine et irradiait le corps d'une onde chaude.

– Katja ! Qui es-tu ?

Les ténèbres avaient donné un nouveau relief aux voix de la montagne et aux soulèvements du vent, une dimension mythique de grand large, d'espaces sinistrés, de fin du monde. Pour la seconde fois, elle s'écarta de lui avec un soupir qui oscillait entre le gémissement et le sanglot, et murmura de sa voix un peu rauque, adoucie par son accent flamand qui lui mettait un cheveu sur la langue :

– Je suis celle qui s'apprête ! Mais, Jacques, j'ai peur de te décevoir. Il est si facile d'être intelligente, et si difficile d'être femme ! Non, laisse-moi parler, c'est mon tour. Je me suis trompée. J'avais décidé de me taire, de laisser mon corps prendre la parole pour moi, et que ma bouche fasse l'amour au lieu de le dire ! Mais rester muette, c'est me priver de la joie de te céder ! C'est me donner, alors que je veux être prise ! En même temps, je sais comme toi que l'amour n'est pas une possession, mais une quête. Tu es prêt à m'accompagner ?

– Je le suis ! Où veux-tu aller ?

– A ma rencontre ! Ne te moque pas... Pendant des années, j'ai vécu une existence de prisonnière, enfermée dans l'image que les gens se faisaient de moi. Je te l'ai dit, Jorge d'Aquino m'a libérée en m'apprenant à refuser d'être celle que je parais, pour devenir celle que je suis ! Oh, Jacques ! Quelle longue et tortueuse entreprise ! *Et moi qui ne suis qu'impatience !* Je voulais brûler les étapes, me donner à toi sans penser à moi, sauter à pieds joints par-dessus cette fatalité de la première fois ! Mais j'en suis incapable ! Remarque que si je parle autant, c'est peut-être aussi parce que j'ai peur de ne pas savoir comment faire dans le silence...

– Ce qui me fait peur à moi, si tu veux savoir, c'est de t'aimer pour ton mystère.

– Oh, si ce n'est que ça ! Aime-moi de n'importe quelle façon et pour n'importe quelle raison, je me charge du reste ! Lâche la proie pour l'ombre, je suis l'une et l'autre à la fois...

Il devina une gesticulation lente dans le noir, accompagnée d'un glissement fluide et d'un crépitement d'électricité statique, alors que de minuscules flammèches bleutées s'allumaient au frottement de la laine contre l'abondante chevelure. Elle retirait son chandail et murmura qu'elle suffoquait elle aussi, sans savoir si la chaleur venait du dehors ou du dedans – du vent, du poêle ou de son cœur. Réfléchissant à ce qu'elle avait dit de sa féminité et de son intelligence, il pressentait qu'elle lui livrait par bribes l'explication de son mystère, et il hésita à tendre le bras pour rétablir le contact qu'elle avait rompu. Elle n'avait pourtant fait qu'exprimer sa vulnérabilité, ses appréhensions et sa hâte, mais sa façon de formuler ses états d'âme maintenait contre son gré une distance entre eux. Il écouta sa respiration oppressée, comprenant qu'elle l'attendait et ne prendrait pas l'initiative du prochain geste. Il l'attira à deux mains contre sa poitrine : elle avait fait plus que sa part en retirant sa blouse avec son chandail, elle était nue jusqu'à la taille et trouva sa place dans ses bras sans à-coup, se laissant enlacer et se blottissant, ses bras repliés contre elle, les deux poings dans le creux de son cou.

– Je t'ai attendu si longtemps ! gémit-elle. Délivre-moi !

Elle fut traversée de ce frémissement singulier dont il avait déjà subi la contagion le soir où elle s'était abandonnée sur la terrasse du Berghof, à la différence qu'il n'avait aujourd'hui ni raison, ni intention d'y résister. Il se sentit rapidement gagné par un vertige léger et infiniment agréable, une sensation de bien-être qui évoquait dans son esprit une préfiguration d'état second, de transe, de possession initiatique. Pour échapper à ses démons qui lui conseillaient de garder la tête froide, de continuer à analyser la séduction que cette femme sans visage exerçait sur lui, il se força à écouter les rafales du vent, ses sautes brusques et désordonnées, ses plaintes et ses insinuations, en se disant qu'il lui suffisait de suivre la partition de ce guide magistral pour atteindre avec Katja ce lieu mystérieux où convergeaient leurs destinées. Ils n'avaient qu'à se laisser porter ensemble, au gré de la tourmente, sans penser ni résister, afin que leurs souffles mêlés, leurs soupirs et leurs gémissements se fondent aux voix des éléments, et leur corps à corps à l'ébranlement du refuge sous les coups de boutoir du fœhn.

– Enseigne-moi l'attente ! murmura-t-elle.

Pour lui prouver le bien-fondé de sa requête, ses doigts s'activaient fébrilement dans le désordre des vêtements de Jacques, et son corps souple s'arc-boutait pour aider au glissement des siens – et elle veillait à se débarrasser de ses prises en les laissant tomber dans les ténèbres de la hauteur de la couchette sur le plancher de bois, où chacune s'écrasait avec un bruit différent. Ils n'étaient pas à l'étroit dans ce lit encastré, assez large pour accommoder une demi-douzaine de dormeurs, mais elle tenait à faire place nette, ne voulant qu'elle et lui sur cette couche et rien d'autre, et sur leurs corps rien non plus qui fît obstacle à leurs caresses et à leurs jeux. Car une note ludique, un arpège espiègle perçait dans la hâte grave de ses mains, la poussée nerveuse et un peu erratique de ses reins, les mots solennels qu'elle lui glissait à l'oreille en un chuchotement éperdu. Alors qu'une dernière chaussure était poussée dans le vide, le gobelet de fer-blanc posé sur le cadre du lit fut entraîné à son tour et roula avec fracas jusqu'aux pieds de fonte du poêle. Distraite un instant de sa quête amoureuse, Katja pouffa dans le cou de Jacques et murmura quelque chose au sujet de la légèreté du sommeil de Dolorès Sistiega. Il saisit dans sa remarque une allusion à peine voilée au silence qui lui était imposé quand elle passait la nuit dans la chambre d'Élisabeth. Ce fou rire chuchoté, qui le sollicitait à partager la complicité de ce secret, le dérouta plus que tout ce qui s'était passé depuis son arrivée au refuge. Contrairement à ce qu'il avait supposé, Katja n'éprouvait nulle honte de cette liaison, et si elle ne l'avait pas affichée au Berghof, c'était probablement sur les instances d'Élisabeth. N'avait-il pas été lui-même troublé en pensant à la relation des deux femmes, en s'interrogeant sur la nature profonde du lien qui les unissait ? Que se passait-il pour de vrai dans le lit d'Élisabeth, quand elle n'y dormait pas seule ? Mais le rire de Katja changeait tout, car il savait à présent qu'elle répondrait sans détour à ses questions les plus indiscrètes, dès lors qu'il oserait les poser. Elle se faisait de lui l'image de quelqu'un à qui on peut tout confier, d'un ami que n'offusqueraient pas les aveux les plus intimes. En se livrant à lui, elle le désarmait – en évoquant avec une insouciance amusée un sujet qu'il croyait tabou, elle prenait sa tolérance pour acquis. Allait-il la détromper ?

– Tu es si douce ! murmura-t-il, alors qu'il pensait avec une émotion presque douloureuse : « Tu es si bien faite ! »

Il n'osa le lui dire par crainte que son soulagement ne s'entendît dans sa voix. D'ailleurs, la douceur dont il parlait n'était que celle de sa peau, car la réponse qu'elle donnait à ses caresses le surprenait au contraire par sa violence. Ses lèvres et ses mains n'éveillaient chez elle ni volupté, ni langueur, mais une sorte de désir exacerbé, où pointaient les accents discordants du triomphe et de la colère. Elle fut bientôt traversée d'un frisson puissant, ses muscles se nouaient et se dénouaient, elle s'agrippait à lui avec une fougue qui ne dissimulait qu'imparfaitement ses hésitations et son inquiétude. Ses mains à elle le caressaient moins qu'elles ne l'exploraient.

– C'est à cause de moi ? chuchota-t-elle avec une intonation d'orgueil.

– C'est pour toi.

Elle le supplia à nouveau de la délivrer, puis tressaillit en gémissant et, prenant conscience que l'envahisseur tenait compte d'elle davantage que de lui, elle creusa farouchement ses reins, quémandant sa force avec des cris rauques, des plaintes étouffées, des sanglots de joie, des mots balbutiés qui disaient son consentement, sa fierté, sa douleur.

– *Give us time !* dit-il dans un souffle. *The night is still young...*

– Jacques ! Oh, mon Jacques ! Je te sens ! répondit-elle tout bas, en acceptant la trêve qu'il lui proposait. J'ai attendu si longtemps que tu sois le premier ! Prends-moi pour me rendre à moi-même, et tu seras le seul !

Jacques reposait sur le dos, les yeux grands ouverts dans l'obscurité. Sous son poids, le lit rustique s'était creusé pour prendre la forme de son corps, il retrouvait le bien-être d'une sieste sur une plage de sable chaud. La température ambiante et les bourrasques du vent le contraignaient à faire un effort pour se persuader qu'il se trouvait bien au sommet de la Walpurgis, à sept heures de marche du hameau le plus proche. Il se complaisait dans cet état de confusion légère, dans cette désorientation propice au vagabondage de la pensée, encore accentuée par une découverte qu'il venait de faire dans le noir. Il s'était imaginé que la tempête avait amoncelé des nuages d'encre dans le ciel, et que la nuit au-dehors était aussi opaque qu'à l'intérieur de leur abri. Or, par un interstice du volet rabattu contre la petite fenêtre près du lit, il distinguait une étroite bande de firmament, guère plus large qu'un doigt, néanmoins suffisante pour que s'y inscrivît une pleine poignée d'étoiles, comme les gradations d'une règle à mesurer l'univers. « Il fera grand soleil demain matin, pensa-t-il. Je n'aurai même pas besoin d'ouvrir la porte pour voir le visage de Katja. »

Pourquoi n'était-il pas plus impatient de découvrir ce qu'elle avait pris tant de soin à lui dissimuler ? Elle dormait à présent, couchée sur le côté contre son flanc, la tête enfouie dans son cou. Il sentait sur sa poitrine l'effleurement de son souffle tiède. Mais dormait-elle vraiment ? Elle s'était donnée avec une détermination farouche, et sans paraître lui savoir gré de ses égards. « Ne te préoccupe pas de moi, lui avait-elle dit dans l'essoufflement d'une plainte. Je ne veux plus attendre, tu comprends, j'ai hâte de n'avoir plus mal ! Le plaisir ne loge encore que dans ma tête, c'est vrai, mais mon ventre suivra avant longtemps... Comment me donner si je ne m'appartiens pas ? » Elle avait ajouté plus tard, après une suite de mots épars murmurés dans sa langue natale : « Jacques, *mijn innige liefde !* Tu ne m'apprends rien, tu me *révèles* tout, et d'abord moi à moi-même ! »

Il se revit sur la crête de la Walpurgis, quand il s'était arrêté pour observer le refuge, en se demandant ce qui l'attendait derrière la porte fermée. Serait-il pris au dépourvu, comme si souvent en sa présence ? Il l'avait été en effet, moins par son attitude à elle que par son propre comportement. Lorsqu'il lui avait demandé : « Pourquoi ne m'as-tu pas dit que c'était la première fois ? », elle avait répondu : « Parce que tu aurais fait des tas d'histoires. De toute façon, c'était la première fois pour toi aussi, en ce qui nous concerne ! » Sa remarque tombait à point nommé, mais il s'était refusé à y voir davantage qu'une repartie, car comment aurait-elle deviné qu'il venait en effet de vivre une expérience totalement nouvelle pour lui, de laquelle il avait émergé à bout de souffle, le cœur à l'envers ? Pensant à Christine si avertie et décontractée, qui ne se compliquait pas la vie avec des angoisses métaphysiques et l'appelait, en riant, « mon grigolo » (elle était son aînée de six ans), il ne pouvait se figurer de quelle manière Katja, avec son inexpérience et ses contradictions, avait réussi à lui faire perdre la tête. Pour la première fois, son plaisir avait été de la joie, son gémissement un cri, sa fuite un abandon.

– Tu ne dors pas ?

– Non, mais je rêve ! Et je suis ta maîtresse ! (Elle prononçait le mot comme un titre de noblesse.) Je sais à présent que ce n'est pas à toi que j'ai cédé, mais à nous deux ! Oh, mon Jacques ! La métamorphose ne fait que commencer... Pourquoi tu souris ?

Il répondit qu'il lui avait déjà fait subir dans son esprit toutes les métamorphoses imaginables. En réalité, il taisait sa véritable pensée : « Avec les autres, j'avais envie de me taire après l'amour. Avec elle, j'ai le goût de parler. » Et elle, songeait-elle aux autres à l'instant ? Elle avait attendu longtemps qu'il soit le premier, avait-elle dit, mais il y avait eu Élisabeth avant lui. Pourquoi s'était-elle tenue à l'écart des hommes, et que lui avait-elle trouvé de si particulier qui l'avait fait changer d'avis ?

– Comment peux-tu savoir si je souris ? demanda-t-il, et il ajouta sans attendre sa réponse : Qu'est-ce qui est arrivé hier soir avec d'Aquino ?

Il la sentit contre lui qui se raidissait et regretta sa curiosité.

– Me croiras-tu si je te dis que je l'ignore, et en même temps que j'ai une peur mortelle de te le révéler ? murmura-t-elle.

Elle avait accepté de faire une première expérience au Berghof, et tout s'était bien passé – seulement elle n'était pas seule dans sa transe, Gertrude l'avait accompagnée, en la tenant par la main. Enfin, c'était une façon de parler ! Le professeur avait demandé à Katja de recommencer, en disant qu'il n'y avait pas de temps à perdre : il venait de recevoir les nouvelles de Stockholm... Il lui avait proposé cette expédition à la Walpurgis, car il savait qu'Élisabeth réussirait à la dissuader, s'ils restaient sur place.

– Et tu as dit oui ! Mais pourquoi ?

– Parce que Jorge nous a menti ! Il en sait plus long sur le Grand Déclin qu'il ne veut le dire ! Et puis j'ai pensé à toi, à nous deux, à mon ventre qui serait stérile, à cette absence de prolongement de toi en moi... Oh, Jacques ! J'ai si peur de l'avenir !

Elle quêta le réconfort de ses bras, en le couvrant à demi de son corps nerveux. Une onde de chaleur le traversa de part en part.

– Tu ne m'as toujours pas dit ce que vous avez fait !

Elle perçut son irritation et embrassa son visage au jugé, puis répondit qu'elle s'était conformée aux instructions de d'Aquino, pour atteindre à un état de relaxation profonde. Il lui avait ensuite fait respirer la fumée d'une poignée d'herbes jetées sur des braises tirées du poêle.

– Tu plaisantes ! dit Jacques.

– Mais non ! Souviens-toi de notre discussion sur l'oracle de

Delphes... La pythie était assise sur un trépied, au-dessus d'une crevasse d'où montaient des vapeurs toxiques, probablement d'origine volcanique. De toute façon, ça a marché pour moi, au-delà de toute attente !

– Comment a-t-il pu prendre un tel risque ? Je n'en reviens pas ! Il connaît les conséquences que ce genre de pratiques peut avoir sur le cerveau, et...

– Non, Jacques, tu es trop sévère ! Jamais il ne m'aurait entraînée dans une expérience qui aurait pu me faire du mal ! C'est vrai, je n'en menais pas large ce matin, mais il a été complètement pris de court par ma réaction ! Gertrude a mis des années avant d'atteindre ce niveau de transe qu'elle appelle « la grande réunion ». Comment Jorge pouvait-il prévoir que j'allais réussir du premier coup ? Crois-moi, Jacques, il poursuit un grand dessein, quelque chose qui nous dépasse, toi et moi ! Voilà sept mois, il m'a sauvée de la folie en m'ouvrant les portes du Berghof, et ce matin encore il m'a tirée d'affaire. Tu aurais dû voir sa patience et sa douceur ! Quand j'ai repris mes esprits, j'étais dans un état indescriptible, mon intelligence avait été fragmentée en mille morceaux ! Je n'arrivais pas à les rassembler, à me reconstruire mentalement. Oh, Jacques ! J'étais partout et nulle part, multipliée et divisée en même temps ! Et Jorge qui me pressait de revenir dans la réalité, qui me suppliait de tenir bon, qui me parlait de toi et de nous...

– Katja ! Tu as dû avoir si peur !

Elle tressaillit et, retenant sa respiration, secoua de droite à gauche son visage enfoui dans son cou. Puis elle murmura, avec une intonation qui ressemblait à de la honte :

– Je ne veux pas en parler, pas maintenant ! Un jour, quand nous serons dans la lumière, je te dirai tout...

Jacques ne répondit pas, craignant de trahir son sentiment. Si proche de lui et si vulnérable, Katja lui était devenue étrangère, et sa nudité même lui semblait déplacée. Les ténèbres du refuge, jusqu'alors complices de leur rencontre, lui étaient tout à coup hostiles et oppressantes. Elle poussa enfin un long soupir et, devinant son ressentiment, s'appliqua avec une ardeur nouvelle à refaire sa niche au creux de lui.

– J'ai une bonne nouvelle, murmura-t-elle avec un fou rire inattendu. Nous devons réapprendre à faire l'amour !

– Je suis d'accord ! dit-il en se laissant gagner par sa bonne humeur. On commence quand ?

Elle ne répondit pas tout de suite, cherchant la meilleure façon de s'expliquer. Tout en fourrageant dans ses cheveux avec une douceur nouvelle, elle lui demanda d'imaginer un homme des cavernes frappant avec un os sur une carapace de tortue, pour produire un son. En modifiant la force et le rythme du battement, il découvre qu'il peut obtenir des effets différents. Il ignore que son activité s'appellera un jour de la musique et que son jeu préfigure le *Sacre du printemps*, parce qu'il est incapable de prévoir les apports successifs des générations qui lui succéderont au cours de l'histoire. Par contre, sa descendance immédiate héritera des connaissances qu'il a acquises pendant sa vie et, sur cette fondation, ajoutera de nouvelles pierres à l'édifice du savoir. Sans ce progrès par accumulation, l'homme serait condamné à recommencer indéfiniment le cycle de l'apprentissage. Cette loi de l'évolution s'était vérifiée dans toutes les sphères de l'activité humaine, à l'exception d'une seule.

– Faire l'amour ? dit Jacques avec émotion. Je comprends ton idée, mais tout de même, les mœurs ont évolué depuis ton batteur de Cro-Magnon !

– Les mœurs, bien sûr ! Les fréquentations, les rôles à l'intérieur de la famille, nos connaissances sur les fonctions sexuelles, tout ça oui, bien sûr ! Mais je te parle d'autre chose, Jacques, qui est la disposition de l'être humain à la jouissance amoureuse ! Mes parents m'ont donné une éducation très libérale, et mes questions sur la sexualité ont toujours reçu des réponses sans détour. Alors pourquoi je n'ai jamais réussi à me figurer la réalité de leur accouplement, dans le secret de leur chambre à coucher ? Tu hoches la tête, c'était la même chose pour toi ! La vérité est que personne ne nous a enseigné à faire l'amour...

– C'est vrai, mais je ne vois toujours pas où tu veux en venir.

– Quand tu m'as prise tantôt, je me suis sentie aussi ignorante qu'une couventine au siècle dernier, aussi démunie qu'une vierge au temps des Croisades ! Mon esprit savait tout de l'homme, mais mon corps ne connaissait rien de toi. La jouissance amoureuse est pour chacun de nous une terre inconnue : nous n'héritons pas des cartes dressées par les générations qui nous ont précédés... Nous sommes depuis des millénaires les pionniers d'un continent qui n'a jamais été exploré plus loin que ses rives !

– Et que vois-tu au cœur du continent ?

– J'entrevois une mutation de l'Amour, comparable à celle d'un battement de tam-tam en poème symphonique ! Tu me trouves exaltée ? Attends la suite ! Nous savions ces choses, toi et moi, mais avant ce soir je ne m'étais jamais interrogée sur les raisons de cette malédiction qui frappe la sexualité humaine et qui l'empêche d'évoluer vers sa métamorphose.

– Et qu'est-ce que tu as découvert ?

– *Que Dieu n'aime pas être dérangé !*

Elle eut à nouveau ce rire silencieux, dont la propriété singulière était d'ajouter un grain de folie dans ses propos, sans rien soustraire de leur sérieux. Puis elle l'embrassa à pleine bouche avec une gourmandise provocante, vite récompensée. Elle se demandait s'il n'y avait pas mieux à faire que de poursuivre cette conversation en abordant le sujet d'une autre manière.

– Attends, dit-il, je veux savoir !

Elle se coucha sur le dos, gardant pour seul contact sa main dans la sienne, et il fut troublé autant par ce qu'elle lui disait que par les harmoniques de son chuchotement dans le noir. Il l'avait toujours soupçonnée de contrefaire ce timbre voilé et légèrement rauque et il pensait, déconcerté : « Elle a ôté son masque, elle a retiré ses vêtements et s'est donnée à moi, mais elle continue à me dissimuler sa voix. Pourquoi ? »

Elle lui demanda de l'accompagner, le détour en valait la peine. Après avoir mangé du fruit défendu, Adam et Ève avaient eu honte de leur nudité. Dieu les avait revêtus de peaux et chassés du jardin d'Éden en disant à la femme qu'elle enfanterait dorénavant dans la douleur. Pourquoi cette honte, et pourquoi cette punition ? Dieu voilait sa face à ses créatures, et en même temps discréditait leur sexualité. Simple coïncidence ? Depuis les origines de l'humanité, et dans la plupart des religions, la sexualité de l'homme et de la femme – de la femme surtout – était soumise à un carcan de normes et d'interdits qui n'avaient pas d'équivalents dans les autres activités de l'espèce. Les cérémonies initiatiques de la puberté, douloureuses et sanglantes, la circoncision et l'excision, les innombrables pratiques répressives et humiliantes – M. Léopold aurait pu en citer un plein catalogue ! La supériorité musculaire de l'homme suffisait-elle à expliquer l'asservissement de la femme au long des siècles, l'infériorité de sa condition dans toutes les cultures et sous tous les cieux ?

– Bien sûr que non ! dit Jacques. Je me suis souvent interrogé sur cette relation trouble entre violence et sexualité. Mais ce que j'ai du mal à saisir, c'est que ce discrédit dont tu parles a été jeté sur la fonction même dont dépend la reproduction de l'espèce... Sommes-nous à ce point suicidaires ?

Il se tut, stupéfait : ses paroles rejoignaient la question du Grand Déclin, par un chemin de traverse qu'il n'avait pas vu venir. Devait-il en conclure que sa rencontre avec Katja, leur intimité et les propos qu'ils échangeaient dans l'obscurité n'étaient pas fortuits, mais s'inscrivaient dans ce « grand dessein » de Jorge d'Aquino ?

– Je n'ai déjoué ce dilemme que ce soir, dit-elle, quand j'ai compris que la véritable raison d'être des tabous sexuels n'était pas d'empêcher l'accouplement, mais de contraindre le plaisir !

– Mais enfin, pourquoi ? C'est vraiment frustrant ! Je n'ai pas de peine à suivre ton raisonnement à mesure que tu le développes, mais je suis incapable d'en prévoir la prochaine étape... Je ne suis pas sûr d'être à la hauteur, Katja !

– Ne dis pas ça ! murmura-t-elle en lui serrant la main avec force. Si tu savais ! Ne le dis jamais plus ! Sinon, je vais me taire par peur de te perdre – et si je me tais, c'est moi que j'abandonne ! Et puis, la vraie force de l'intelligence n'est pas de comprendre les choses compliquées, mais de les dépouiller de ce qui les empêche d'être simples.

– Parle-moi encore de la contrainte du plaisir ! dit-il avec un sourire dans la voix.

– *Lip service only !* répliqua-t-elle sur le même ton. C'est une observation banale qui m'a mis la puce à l'oreille. De tout temps, les tabous sexuels ont été particulièrement rigides pour ceux qui côtoient de près le religieux et le divin. Je me suis souvenue des vestales qui entretenaient le feu sacré et devaient rester vierges sous peine d'être enterrées vivantes, j'ai pensé au vœu de chasteté des nonnes, au célibat des prêtres, à la mortification des mystiques, et j'en suis venue à me demander si quelque chose, dans la sexualité humaine, ne représentait pas une menace pour Dieu.

– Tu te rends compte que tu parles beaucoup de Dieu pour une agnostique ?

– Je parle de Lui en attendant de trouver mieux !

– Et quelle serait cette menace ? dit-il.

– As-tu déjà vu des photographies de ces temples hindous, avec leurs sculptures de couples enlacés dans mille et une postures érotiques ?

C'était l'explication : le but ultime de la jouissance amoureuse n'était pas la satisfaction charnelle, mais l'extase mystique ! Ce que l'accouplement réalisait au plan biologique par la procréation, pourquoi ne l'accomplirait-il pas au plan spirituel, par l'orgasme ? On voyait généralement la spiritualité comme une élévation de l'esprit affranchi de la matière. Et si elle était au contraire la fusion totale de l'esprit et de la chair ? Le mythe du paradis terrestre serait alors celui de l'achèvement de cette synergie amoureuse, qui permettait à Adam et à Eve de contempler la face de Dieu.

– Je veux bien, mais ils en ont été chassés ! dit Jacques. Pourquoi ? Et où est la menace ?

– Quand on aura trouvé la réponse, on connaîtra l'explication du Grand Déclin ! Ne me demande pas pourquoi, j'en ai l'intuition, c'est tout ! La sexualité humaine est à la fois la clé et le verrou, la voie royale et l'impasse... Par leur existence même, toutes les religions postulent que l'Être suprême approuve le culte que lui vouent ses créatures, et les efforts qu'elles font pour s'approcher de lui. Et si le contraire était vrai ? Dieu n'est peut-être pas intéressé à établir un contact avec nous ! Il nous confine au tam-tam sexuel pour nous tenir à distance...

– Katja !

– Oui ?

– Écoute...

Après une succession de bourrasques d'une violence extrême, qui avaient pris d'assaut le refuge des quatre côtés à la fois, s'infiltrant par les fissures avec des sifflements sinistres, le grand vent était brusquement tombé. Un silence irréel succéda à ses mugissements, qui étourdissait plus qu'il n'apaisait. Jacques pensa aux chiens qui hurlent à la mort avant un tremblement de terre, aux oiseaux qui cessent de chanter pendant l'éclipse de soleil, à une marée qui n'arrêterait plus de monter.

– J'ai la mauvaise habitude de trop parler, murmura Katja, mais c'est la première fois que tu es là pour t'en apercevoir. A présent que ma propre tourmente s'est apaisée, je me tais moi aussi.

Elle lui lâcha la main, se dématérialisa dans le noir, puis s'appesantit sur lui comme si elle avait le pouvoir de changer à volonté le poids de son corps. Elle laissa échapper un soupir qui n'en finissait pas. Il se demanda s'il fallait interpréter son abandon comme un refus réitéré de prendre l'initiative, mais elle le détrompa en lui prouvant ce qu'il savait depuis longtemps de sa faculté d'adaptation – il n'avait pas commencé son enseignement que déjà elle avait fini d'apprendre. Elle tint sa promesse de ne plus parler, mais trahit celle de se taire, sans plus se soucier de déranger les mystérieuses présences tapies dans les ténèbres environnantes. Il répondit à ses appels, les reins forts et le cœur chaviré, et l'accompagna au faîte de sa joie, toutes amarres larguées. Elle avait parlé de transe, de terreur, d'extase, de métamorphose, de voie royale et de symphonie. Dans la vaste pulsation de l'univers, leurs corps confondus rythmèrent les accents initiateurs du premier chant – l'hymne à la Création.

10

Sous un ciel uniformément gris, Jacques descendait le sentier escarpé qui longeait obliquement la formidable muraille de la Schönenberg, dernier contrefort du massif de la Walpurgis, dont il avait quitté le sommet peu après l'aube. Deux jours plus tôt, de la terrasse du Berghof, il avait suivi à travers la longue-vue installée par Sigmund la lente progression de Katja et de Jorge d'Aquino dans la montagne, et il se demanda si quelqu'un l'observait de la sorte à l'instant même. A tout hasard, il s'arrêta et agita la bras pour prouver qu'il n'ignorait rien de cette surveillance, puis il reprit sa marche, furieux contre lui-même. « Bel exemple de *wishful thinking !* pensa-t-il avec amertume. Personne ne s'inquiète de moi à l'heure qu'il est ! Bien sûr, on a dû évoquer hier soir mon exploit en deltaplane, et je gage que M. Shapiro a agrémenté le petit déjeuner de ses informations de première main sur ma nuit avec Katja ! »

Il fit halte à nouveau, cette fois sous le coup de la surprise. La Land Rover du Berghof était posée comme un jouet neuf sur l'alpage, au pied de l'immense paroi rocheuse, et le clignotement appliqué de ses feux de position rendait sa présence encore plus insolite dans ce décor de haute montagne. Près de la portière ouverte, une silhouette lui adressait de grands signes à l'aide d'un mouchoir blanc, auxquels il répondit avec la sensation troublante de répéter à contretemps un même geste, de réagir à nouveau à un signal qu'il voyait pourtant pour la première fois. Les pouvoirs occultes de Gertrude et de Katja étaient-ils donc contagieux ?

Après avoir quitté le refuge, il avait marché près de quatre heures d'affilée, et le souvenir de la blessure de d'Aquino l'avait déterminé à ne pas laisser son inquiétude et son ressentiment précipiter son pas. Il redoubla de prudence en descendant le sentier abrupt, car il ne sentait plus sa fatigue depuis qu'il savait qu'on était venu à sa rencontre et qu'il se retrouverait dans sa chambre au Berghof deux heures plus tôt que prévu. Il ne put se retenir toutefois de franchir à la course les derniers cent mètres qui le séparaient de Tadeus Bubenblick, mais tout de suite il fut alerté par la poignée de main qui accaparait son poignet et son coude, et par la discordance entre le sourire qui l'accueillait et le regard bleu qui l'évitait.

– Merci d'être venu, Tadeus ! dit-il en se demandant comment l'autre aurait réagi s'il avait cédé à son envie de lui donner l'accolade. C'est Katja qui vous a averti ?

– Pour ça non, c'est Mlle Gertrude, elle a fait une petite transe ce matin, répondit-il – et la paralysie de son sourire s'étendit au reste du visage alors qu'il ajoutait : Mlle Katja, je la croyais avec vous !

– Moi aussi, murmura Jacques, la gorge nouée. Gertrude n'a rien dit à son sujet ?

– Négatif ! Elle a conseillé seulement de venir vous attendre, à cause de votre tante, dit Tadeus en s'installant au volant. Voui voui, nous aussi on ne comprenait rien non plus, à cause que le téléphone est arrivé après.

– Le téléphone ? Vous voulez dire que ma tante a appelé ? demanda-t-il avec inquiétude, en prenant place à côté de lui.

– Vous y êtes, en plein dans le mille ! Elle voulait absolument vous parler, j'ai fait mon possible pour la calmer. Ayayayaïe ! A la fin, elle m'a donné le message que le papa il est à l'hôpital, et que vous devez prendre le premier avion pour le Canada.

– Comment ça, à l'hôpital ? Vous... Elle n'a pas donné d'autres détails ?

– Elle a répété trois fois, mais toujours la même chose... C'est une personne énergique, *nézebas* ? Elle a aussi insisté : vous devez rentrer seul et le *biditte vrairrr*, il reste à Stella Maris jusqu'à nouvel ordre. Avec le conseil de Frau Popesco qui pensait comme moi, j'ai réservé votre siège sur le vol Swissair un-trois-huit pour cet après-midi, on a juste le temps de faire un crochet au Berghof pour vos bagages rapides et le passeport, parce que j'aurais dû commencer par là, mais votre train part de Dorf à dix quatorze.

Il desserra le frein à main et, suivant sa technique, attendit que la voiture eût pris de la vitesse avant d'embrayer pour lancer le moteur. Ils descendirent alors l'alpage en diagonale, franchirent un torrent à gué en levant des gerbes d'eau dans un grand branle-bas d'amortisseurs et de tôles, puis dévalèrent une forêt de hauts sapins en zigzaguant dans les fougères entre les branches mortes et les éclats de rochers. Cramponné à son siège, Jacques observait Tadeus à la dérobée, surpris par la maestria désinvolte avec laquelle il se jouait des obstacles, et il se demanda si, de tous les personnages extravagants du *satanarium*, celui-ci n'avait pas réussi mieux que les autres à lui cacher son véritable caractère.

– Et quelles sont les nouvelles pour d'Aquino ? demanda-t-il en se penchant vers lui, criant pour couvrir le tintamarre de leur course.

– On ne se prononce pas encore ! Il a passé la nuit à Stella Maris, à la clinique des sœurs, Frau Popesco et Schwester Ursula se sont relayées à son chevet, voui ! La blessure à la jambe est vilaine, mais surtout il a eu deux défaillances cardiaques coup sur coup. Ayayayaïe !

Jacques souhaita pour une seconde que son compagnon plongeât droit vers la plaine au lieu de faire ces détours sinueux par monts et par vaux, car il aurait accueilli avec soulagement de nouvelles frayeurs comme substitut à l'angoisse qui le travaillait depuis son réveil, comme diversion aux questions sans réponses qui l'assaillaient sur plusieurs fronts à la fois. Pour quelle raison son père avait-il été hospitalisé ? Tante Mathilde attendait-elle qu'il fût à Montréal pour lui annoncer le pire ? Non, dans ce cas elle aurait aussi exigé le retour de Didier. Il imaginait la maison d'Outremont sans la présence d'Alexander, l'ambulance devant la porte, les infirmiers roulant une civière et les rideaux des maisons voisines qui s'écartaient sur des regards curieux – et voici qu'une seule pensée répondait à cette succession d'images : pourquoi Katja s'était-elle esquivée à l'aube en emportant son secret avec elle ? Il s'était endormi dans la nuit silencieuse en la tenant serrée contre lui et en se disant qu'il la verrait le lendemain dans la lumière chaude du grand soleil, mais il s'était réveillé sous la couverture de laine qu'elle avait étendue sur lui pendant son sommeil pour le protéger de la froidure des petites heures. Sans même se donner la peine de l'appeler, tant était forte son intuition qu'elle l'avait quitté aux premières lueurs du jour, il s'était préparé à la hâte et avait ouvert la porte du refuge sur un ciel de mauvaise mine et un petit vent aigrelet. Par terre, sur l'herbe rase, des cailloux avaient été disposés avec soin pour figurer un grand huit couché, dont les boucles entouraient les lettres J et K. « Elle me parle d'amour infini mais elle prend la fuite, avait-il pensé avec humeur. Pourquoi ne m'a-t-elle pas fait confiance jusqu'au bout ? »

La Land Rover s'était engagée sur le chemin de terre battue qui longeait en surplomb la Hohe Promenade et débouchait à l'arrière du Berghof.

– Descendez une fois ici pour gagner du temps, dit Tadeus après un coup de frein énergique. Je vous retrouve au pied de la terrasse avec vos affaires bouclées. Dix minutes maximum, voui ?

Jacques poussa le portail de bois, traversa le petit jardin potager et s'engagea dans la cour intérieure. Bertha Moll gardait l'entrée de l'ancienne buanderie, les poings sur les hanches, mais elle battit en retraite en l'apercevant. Plus loin, M. Hobayashi et le chef Koraman disputaient une partie d'échecs, assis à califourchon sur un banc, à ce point absorbés par leur jeu qu'ils ne lui accordèrent pas un regard. En revanche, Chouri fonça sur lui dans une formidable charge dandinée, assisté de Kugli qui le talonnait avec des jappements aigus. Jacques voulut passer outre, mais le gorille s'interposa avec un gémissement plaintif, et lui saisit la main pour la poser sur le dessus de son crâne plat. « C'est vrai qu'il a l'air déprimé, se dit-il en le flattant d'un geste un peu gauche. William Fowler prétend qu'il ne se pardonne pas d'avoir causé la mort de Betsy, mais j'ai du mal à croire qu'un animal puisse éprouver un sentiment de culpabilité de façon aussi prolongée. Je pense plutôt qu'il perçoit intuitivement notre réprobation pour l'acte qu'il a commis. » Il était troublé par le regard que le gorille levait vers lui, un regard qui soutenait le sien, empreint d'intelligence et de détresse. N'y avait-il donc personne pour lui guérir l'âme dans cet aréopage d'esprits supérieurs, personne pour lui pardonner dans ce havre de tolérance, où une femme condamnée pour le meurtre sadique de sa fillette avait trouvé gîte et salaire ?

– Je dois me dépêcher, murmura-t-il, avec l'impression d'atteindre au comble de la bouffonnerie en se justifiant de la sorte. Dis, tu as vu Katja ce matin ?

Il avait préparé la question pour Koraman et Ado Hobayashi, mais il l'avait gardée sur la langue et la posait machinalement, sans espoir de réponse. Chouri leva son bras velu et traça du doigt un cercle autour de son faciès d'ébène.

– C'est ça, Katja et son masque ! s'exclama-t-il. Elle est rentrée ce matin au Berghof, oui ?

Chouri secoua négativement la tête et composa une succession de signes en *ameslan*, pointant le sentier qui descendait du carrefour des Trois-Croix, puis le fond de la vallée. Renonçant à poursuivre cette discussion insensée, Jacques esquissa un geste qui pouvait passer pour un remerciement et entra précipitamment dans la maison. N'avait-il vraiment rien de mieux à faire que de cuisiner ce grand singe, avec cette impression débilitante de parler petit-nègre à un académicien ?

Il ne rencontra personne dans les corridors, ce qui était inhabituel à cette heure de la matinée, et retrouva sa chambre dans l'état où il l'avait laissée la veille, avec un effet de dépaysement qui lui confirma qu'une transformation profonde s'était opérée en lui au cours de la nuit. Il changea de vêtements après une toilette sommaire, sortit ses papiers et son argent du fond de la boîte de biscuits et boucla son sac de voyage en deux temps, trois mouvements.

En traversant le hall, il fit un détour par la cabine téléphonique et tenta de joindre Mathilde. Il était quatre heures du matin à Montréal, pourtant personne ne lui répondit. « Elle doit être à l'hôpital, pensa-t-il, le cœur serré. Au mieux, cela veut dire que mon père est encore vivant. »

Tadeus Bubenblick l'attendait en contrebas de la grande terrasse, debout sur le marchepied de la voiture, surveillant son poignet avec une mine d'arbitre.

– Douze minutes quarante secondes ! dit-il en prenant place au volant. Ça va être serré, voui ! Tout de même, j'ai eu le temps d'appeler la Villa Stella Maris et vous pouvez partir sur vos deux oreilles, Herr Carpentier ! Katja elle est arrivée *zinzézôve* là-bas pour voir le professeur, avec une heure d'avance sur nous ! Vous vous êtes disputés, ou quoi ?

– Non, dit Jacques. Pas encore.

Il bouclait machinalement sa ceinture de sécurité que déjà la voiture plongeait à tombeau ouvert dans les lacets de la route de Davos Dorf, mais il était trop bouleversé par les dernières paroles de Tadeus pour éprouver la moindre peur. Son soulagement de savoir que Katja était arrivée à bon port fut vite supplanté par son amertume de découvrir qu'elle ne s'était même pas donné la peine de lui laisser un mot d'explication, et n'avait rien eu de plus pressé que de se précipiter dans le giron de Jorge d'Aquino. « Je ne savais pas qu'on pouvait se faire si mal en tombant amoureux ! », se dit-il avec un ricanement triste au fond de la gorge.

Tadeus Bubenblick arrêta la voiture devant une construction de bois qui faisait office de gare en toute modestie, et porta la main à sa tempe pour un salut militaire.

– Six minutes trente avant l'heure H ! dit-il avec une fierté épanouie. Nous avons même le temps d'acheter votre billet au guichet.

– D'accord, mais je peux vous demander un service ? C'est de passer à Stella Maris pour avertir mon frère. Dites-lui que j'ai dû me rendre à Montréal pour des affaires de famille et que je lui téléphonerai dès que possible. Je ne veux pas l'inquiéter avant de savoir de quoi il retourne. S'il vous pose des questions, trouvez quelque chose pour le rassurer.

– Impossible, je ne peux pas ! dit Tadeus en lui offrant son regard intensément bleu. Le *biditte vrairrr* est encore un enfant, il a droit à la vérité.

– La vérité ? Mais je ne la connais pas ! A la réflexion, demandez plutôt à Élisabeth de lui parler, elle saura comment s'y prendre. Écoutez, Tadeus, je manque de temps pour vous dire à quel point je vous suis reconnaissant pour votre aide, mais je vous demande une dernière faveur : ne m'accompagnez pas au train. C'est difficile à expliquer, mais je n'aime pas les adieux ! Vous comprenez ?

– Je comprends, voui ! dit Bubenblick. Je comprends surtout que... Ayayayaïe !

Jacques lui serra chaleureusement la main, puis entra à la course dans la petite gare en se demandant s'il se faisait des idées, ou si le sourire panoramique du gérant du Berghof s'était effectivement transformé à la dernière seconde en un rictus de consternation. « Je l'ai peut-être offensé sans le vouloir ! », pensa-t-il avec embarras.

Il prit son billet à l'unique guichet et déboucha en trombe sur le quai, à l'instant même où le train arrivait en gare. Entraîné par son élan, il faillit entrer en collision avec un groupe d'une douzaine de personnes, dont les visages familiers lui souriaient avec retenue, trahissant çà et là des expressions de condoléances anticipées.

– Nous sommes venus vous souhaiter un bon voyage ! dit Dolorès Sistiega en se détachant du peloton. Enfin, je devrais plutôt dire : le meilleur voyage possible dans ces circonstances.

Elle leva le bras, ses doigts rencontrèrent sa poitrine puis s'envolèrent pour lui caresser le visage d'un geste fugitif. L'instant d'après, il était encerclé de toutes parts, donnait des poignées de main à gauche et à droite, hochait la tête aux propos incompréhensibles de Théodore Shapiro, souriait en réponse à un clin d'œil insolite de Serguei Tchakalov et se laissait enlever son sac de voyage par l'honorable Fowler, qui avait pris la direction des opérations et l'exhortait du geste à monter dans le train sans plus tarder. Alors qu'il se détournait, il sentit un frôlement contre sa hanche : Julie Brochet profitait de la bousculade pour lui bourrer les poches de friandises et, se voyant surprise, se hissa sur la pointe des pieds pour lui tendre la joue. Il l'embrassa et, dans le même mouvement, se pencha vers Teresa Vincenti, qui baissa la tête en rougissant. Il s'était toutefois trop avancé et lui effleura le front, en remarquant trop tard les pansements qui entouraient ses poignets, et le signe discret de dissuasion de M. Léopold. En se redressant, il vit avec saisissement que des gouttes de sang perlaient sur la peau diaphane, à l'emplacement où il avait posé ses lèvres.

Il monta dans le train, posa ses affaires sur une banquette et baissa la vitre pour se pencher vers ces gens qui lui étaient inconnus quelques semaines plus tôt et qui, en venant ainsi l'accompagner, lui disaient implicitement qu'il pouvait partir, mais non les quitter – qu'ils le considéraient comme un des leurs, même s'il ne détraquait pas les montres, ni ne récitait par cœur *Les Liaisons dangereuses*, ni ne présentait de stigmates tous les premiers vendredis du mois.

Le chef de gare claquait les dernières portières lorsqu'une pétarade éclata au bout du quai. Sigmund apparut sur son vélomoteur et, pressant la poire d'une trompe de laiton dénichée on ne sait où, longea le train à pleine vitesse pour s'arrêter pile devant le compartiment de Jacques, à la grande indignation de William Fowler, qui n'avait eu que le temps de s'écarter pour n'être pas pris en écharpe. En plus de sa crinière à la Mohican, de sa boucle d'oreille unique et de ses lunettes de soleil à effet miroir, l'adolescent portait une enveloppe cachetée en travers de la bouche, qu'il remit à son ami canadien avec un sourire satisfait, en se tenant d'une main à la vitre baissée pour pouvoir rester en selle.

– *Auf die Minute genau !** dit-il.

Jacques avait jeté un coup d'œil à la missive et s'efforçait de garder un visage impassible.

– Grâce à toi, mon voyage me semblera moins long ! dit-il en allemand, en se penchant pour n'être pas entendu des autres. Est-ce que Katja a dit quelque chose en te donnant la lettre ?

– Mais non, ça vient pas d'elle ! Je suis allé à Stella Maris pour le professeur, et je...

– Attention, le train part ! Ne fais pas l'acrobate, c'est dange-

* De justesse !

reux ! Pourquoi tu dis que ce n'est pas Katja qui te l'a remise ? Tiens, regarde mon nom sur l'enveloppe, c'est son écriture !

Sigmund esquissa un geste de dénégation, puis une stupéfaction sans borne se peignit sur son visage ingrat. Devinant qu'il voulait se faire tirer par le train jusqu'au bout du quai, Jacques le prit au poignet et l'obligea à lâcher prise. L'autre vacilla un instant sur son vélomoteur, puis mit pied à terre et leva vers le voyageur qui partait un regard intense, extraordinairement ambigu, où se mêlaient envie et réprobation, admiration et reproche. Jacques comprit que Chouri avait dit vrai : Katja s'était rendue directement à la Villa Stella Maris, sans faire halte au Berghof. Elle ne portait donc pas son masque quand elle avait demandé à Sigmund de livrer cette lettre avant le départ du train. Quel visage avait-il vu, qui ne l'avait pas surpris à l'instant même, mais le plongeait dans une telle stupeur maintenant qu'il mettait un nom sur ses traits ?

Après avoir répondu aux derniers signes d'adieu de la petite troupe massée sur le quai, Jacques remonta la vitre. Debout, les bras écartés, il regarda défiler le paysage avec la sensation d'émerger subitement d'un rêve incohérent, pour se retrouver dans une réalité dominée par des forces contraires à son véritable destin. Il vit disparaître le toit oblique de la gare du funiculaire de la Parsenn, puis le clocher de Dorf. Un soleil invisible étalait une nappe de clarté diffuse dans un ciel crayeux, le lac de Davos était étrangement hérissé de vagues courtes et agressives, dont l'origine ne pouvait venir que d'une agitation des profondeurs de l'eau, car il n'y avait dans l'air pas trace de vent. Dans le lointain, au premier balcon de la Schatzalp, le sanatorium international le Berghof dressait sa silhouette blanche, avec son architecture de début du siècle, sa tourelle carrée et son horloge aveugle qui s'obstinait à sonner un temps qui n'était plus – et ce dernier vestige de la Montagne magique disparut à son tour au tournant des gorges de la Streuss. « Quel paradoxe ! J'ai l'impression d'abandonner mon chez-moi en rentrant à la maison ! », pensa-t-il en s'asseyant sur la banquette, les jambes faibles.

Il décacheta l'enveloppe remise par Sigmund, qui était légèrement humide et portait encore l'empreinte de ses dents, et en tira deux feuillets couverts de cette écriture en caractères bâtons, qui n'était pas le moindre des déguisements de Katja.

Mon Amour, mon Ami, mon Ame,
My intimate Friend, my ultimate Lover !

Je ne t'ai pas quitté un instant depuis que je me suis absentée de nous. Je voulais que le jour me révèle à toi, que ta connaissance de moi pour moi soit une naissance ! Mais cette nuit pendant que tu dormais je veillais, au lieu de rêver j'ai pensé – et l'informe a pris forme ! J'ai percé le secret du Troisième Ordre ! Il suffisait de regarder vers l'infini avec humilité, vers le divin avec scepticisme, vers les origines avec l'intelligence de la fin ! O Jacques ! Un destin prodigieux nous attend, qui nous dépasse ! Dès que je l'ai compris, j'ai su que la liberté de ta décision était la condition première de notre réussite. Tu n'aurais pas été libre entièrement de nous choisir si je ne m'étais pas éloignée, si je ne t'avais laissé seul en ta compagnie. Et qui sait si ma fuite n'a pas été dictée aussi par la prémonition de ton départ ? A mon arrivée à Stella Maris, Élisabeth m'a rassurée en me disant que Tadeus était parti à ta rencontre, et inquiétée en m'apprenant les nouvelles de Montréal. Pourquoi sommes-nous contraints à nous attendre, sitôt après nous être trouvés ? J'ai pu parler quelques instants avec Jorge d'Aquino. Ce que tu m'avais dit hier de son accident m'a précipitée ce matin à son chevet, je craignais d'arriver trop tard, de ne pas obtenir sa confirmation de ce que j'avais découvert. Il était trop faible et confus pour soutenir une conversation, mais il m'a cité une phrase qui résumait ce que j'avais mis des semaines à comprendre : « L'invisible est réel. Les âmes ont leur monde. »

Il me faut abréger ce mot si je veux que Sigmund te le remette avant ton départ. Jacques, ma pensée t'accompagne et mon amour t'attend.

Deviens nous, reviens-moi !
J'ai le besoin de nous
Pour trouver la paix avec toi
La faire avec moi
En même temps que l'Amour.
Tu m'habites à jamais
Jamais je ne m'habituerai !

Katja.

Il plia la lettre et la glissa dans son sac de voyage, puis se leva brusquement pour baisser la vitre du compartiment et se pencher au-dehors. Fermant les yeux, il offrit son visage au souffle frais de l'air, les narines dilatées par des odeurs de sous-bois humide, de salpêtre, de résines âcres et de feux de broussailles éteints. Avec un déchirement douloureux, il sut qu'une période de sa vie venait de prendre fin, il voyait le rideau tomber sur le premier acte de son histoire et entendait un grand vacarme en son for intérieur – le remue-ménage des rêves inachevés. Il pensa à Katja, puis à son père, et, par un tour qui aurait réjoui M. Léopold, sa mémoire lui présenta des mots qu'il avait récités autrefois et depuis longtemps oubliés. *« On voudrait revenir à la page où l'on aime,* se murmura-t-il à lui-même, *et la page où l'on meurt est déjà sous nos doigts... »*

11

A l'aéroport de Mirabel, le carrousel des bagages tournait à vide et Jacques tuait l'attente en observant les silhouettes des gens entassés contre la vitre de la mezzanine, qui accueillaient le flot des voyageurs avec une gesticulation de cinéma muet, émouvante et ridicule. Il n'avait averti personne de son arrivée, ce qui ne l'empêcha pas de chercher un visage connu dans le lot, d'espérer secrètement que, parmi toutes ces mimiques de poissons d'aquarium, une au moins lui était destinée.

En sortant, il hésita à monter dans l'autobus pour Montréal, puis héla un taxi en se faisant accroire qu'il n'avait pas une minute à perdre. Il comprit, à son soulagement de se retrouver seul, qu'il s'était arrangé en fait pour ne pas avoir à passer une autre heure en compagnie d'un groupe de voyageurs dont les destinations, les destinées et les mobiles auraient été pour lui autant de petites énigmes accaparantes. « Je suis incapable d'être indifférent aux gens qui m'entourent, pensa-t-il, et ce qui pourrait passer pour de l'altruisme m'apparaît à moi comme une sorte d'infirmité. Les autres m'envahissent par leur seule présence, on dirait que, même quand ils m'ignorent, ils s'imposent à ma sensibilité. » Il finit par s'abandonner au confort de cette Oldsmobile qui sentait le neuf et, se calant contre le dossier de la large banquette où il avait enfin les coudées franches, promena son regard sur le paysage ennuagé. Sa nonchalance fut de courte durée. Il avait quitté le matin même un pays de hautes fortifications, où chaque aune de ciel était comptée, pour se retrouver quelques heures plus tard sur une plaine dénudée, où il n'avait pas besoin de lever les yeux pour trouver la ligne d'horizon – ici le trait sombre de la lisière d'une forêt, là les courtes vagues de collines arrondies et le mince renflement des hameaux et des bâtiments de ferme. Il contemplait cette étendue sans fin, compressée aux quatre points cardinaux par des rouleaux de nuages qui remblayaient le ciel au triple de sa capacité, et il se disait avec stupéfaction : « Je suis de retour au pays ! »

L'importance accordée aux manifestations et symboles nationaux en Suisse l'avait impressionné à maintes occasions et il s'était demandé si la tiédeur de son propre patriotisme pouvait s'expliquer par la géographie du pays qui l'avait vu naître. Il était si vaste qu'il le prenait pour acquis sans pouvoir seulement se le représenter. Lorsqu'il avait quitté ce continent au début de l'été, il se définissait comme un Québécois ; il revenait aujourd'hui au Canada et il se voyait comme un Nord-Américain. Il se remémora son arrivée au Berghof, la condition crépusculaire où l'avaient laissé sa nuit blanche et le trajet en train de Zurich à Davos. Quel contraste avec ce qu'il éprouvait à cette minute ! Il vivait un état de clairvoyance, de conscience aiguë qui atteignit à son paroxysme alors que le taxi entrait dans Montréal. Il observait chaque rue et chaque maison avec une attention quasi obsessionnelle, nul détail ne lui échappait, il se sentait extraordinairement présent et pénétré par la certitude d'aimer profondément cette ville disparate et sans grâce, d'être intimement lié à ce pays dont il ne se réclamait pas l'instant d'avant. Mais le paradoxe ne l'embarrassait pas, au contraire : il goûtait à cette liberté nouvelle de vivre une contradiction intérieure en toute légitimité, sans s'obliger à arbitrer entre sa raison et son cœur, sans avoir à trancher dans le tiraillement des hémisphères de son cerveau.

Il demanda au chauffeur de le déposer à l'angle de l'avenue du Mont-Royal et de la rue Courcelette.

– Comme vous voudrez. Vous avez pas peur de vous faire mouiller ?

– Non, ça me rafraîchira. J'ai besoin de marcher un peu...

Il régla la course, ajoutant un pourboire royal pour remercier l'homme de n'avoir pas ouvert la bouche depuis Mirabel. Puis, portant son sac de voyage en bandoulière, il avança dans cette rue à l'aspect si singulier et aux façades si familières, indifférent à la pluie qui tombait, fine et tiède. Pourquoi n'avait-il pas appelé Mathilde de l'aéroport, et pourquoi sur le point d'arriver avait-il ajouté ce dernier délai avant d'être fixé sur le sort de son père ? L'angoisse l'avait rongé pendant les sept heures de vol et il aurait tout donné pour qu'une nouvelle, même mauvaise, mît fin à son incertitude. Et voilà qu'il prolongeait ce tourment de son plein gré...

Il s'attendait à trouver la maison fermée, les rideaux tirés, à voir apparaître par-dessus la haie mitoyenne le parapluie de Léontine Thibodeau, qui se précipiterait vers lui avec une mine compassée. Mais personne ne se manifesta, les fenêtres étaient entrouvertes, les poubelles avaient été sorties pour la collecte du mercredi soir, et le garage à la porte levée était vide – sans doute Mathilde avait-elle pris la voiture pour se rendre à l'hôpital. Se refusant à entrer par la porte principale aux vantaux de chêne, il fit le tour de la maison pour passer par la véranda, afin de combattre cette sensation nauséeuse d'arriver en étranger dans sa propre demeure. Il s'immobilisa sur le patio et, par la porte-fenêtre du salon, aperçut son père assis derrière son bureau en bois de rose, amalgamé dans la vitre aux reflets des grands ormes du cimetière voisin. « C'est pas vrai ! murmura-t-il avec consternation. Qu'est-ce que ça veut dire ? Mathilde a perdu la tête, ou alors c'est Tadeus qui n'a rien compris ! » Depuis son départ de Davos, une double peur contradictoire l'avait hanté, celle d'arriver trop tard et de s'incliner devant un mort, et celle d'arriver à temps et de veiller un agonisant. Il avait passé en revue mille suppositions – la mille et unième était la bonne. Il aurait dû éprouver à l'instant même du soulagement et de la gratitude, au lieu de quoi il se battait avec une rage honteuse contre le sentiment d'avoir été floué, en découvrant son père en bonne santé, dans ces meubles qui se trouvaient autrefois dans son cabinet de la clinique Penfield et qui avaient été récupérés par Mathilde après qu'elle eut pris en main les affaires d'Alexander. C'était d'ailleurs la première fois depuis son attaque qu'il le voyait à sa table de travail, assis sur sa chaise de cuir à haut dossier – et peut-être avait-il toujours évité de s'y installer en comprenant, malgré la confusion de son esprit, qu'il n'y était plus à sa place.

Sans se soucier du filet de pluie qui coulait de sa nuque et qu'il sentait descendre le long de son dos, Jacques observa avec une attention douloureuse le manège du vieil homme, qui prenait l'un après l'autre chaque objet à portée de sa main, l'examinait sous toutes ses facettes, puis le posait successivement en plusieurs endroits de son bureau, comme s'il cherchait à rétablir une disposition depuis longtemps oubliée. Il tourna la tête en entendant tomber le sac de voyage sur les dalles de la véranda et se leva lentement, en prenant appui à deux mains sur les accoudoirs de son siège. La démarche mal assurée, il s'approcha du jeune homme qui s'était immobilisé au milieu de la pièce, les bras ballants, les oreilles bourdonnantes.

– Jacques ! *You w...ill ca...tch a cold !*

Il s'arrêtait au milieu de ses mots et, avec des rictus bizarres, ses lèvres hésitaient sur la façon d'en prononcer la suite. Il répondait toutefois sans équivoque à une question que Jacques se posait depuis douze ans avec une angoisse que le temps n'avait jamais conjurée, confirmant l'espoir éveillé l'autre jour quand ils s'étaient parlé au téléphone. « Le doute n'est plus permis, pensa-t-il, il sait qui je suis, il me reconnaît ! » Il lui posa en tremblant la main sur l'épaule, refrénant son envie de le prendre dans ses bras, de placer sa tête contre la sienne, d'embrasser ce visage prématurément vieilli, au regard gris papillotant et encore égaré. Il n'avait pas attendu ce jour pour se reprocher sa réticence à établir un contact physique avec son père, mais comprenait avec émotion que cette réserve n'avait été qu'un moyen maladroit de respecter sa dignité. Il l'étreignit enfin avec force en fermant les yeux et, comme s'il subissait à retardement la contagion de ce mutisme qui les avait tenus si longtemps distants l'un de l'autre, il se trouvait incapable de prononcer les mots qui lui montaient en désordre du cœur. Alexander se laissait faire sans partager ni repousser son étreinte, se contentant de tâter avec curiosité ses vêtements mouillés, avant de sortir un mouchoir de sa poche pour essuyer ses paumes humides avec une méticulosité qui était peut-être un dernier vestige de cette pratique médicale qui l'avait rendu célèbre.

– *Is it sum...mer to...day ?*

– *Yes, Father, it is summer all day,* répondit Jacques d'une voix étranglée. *Welcome back home !*

***

– Viens m'aider à rentrer l'épicerie ! dit Mathilde sur le ton péremptoire qui lui était habituel. La pluie a mouillé un des sacs et le fond a cédé... Quel gâchis !

Elle avait pris connaissance de l'arrivée de Jacques à son retour d'emplettes, en manquant de trébucher sur le bagage abandonné au milieu de la véranda, qu'elle avait poussé hors du chemin par une succession de petits coups de pied bien appliqués, ponctués d'autant de claquements de langue. Rendue dans le salon, elle s'était plantée devant son neveu et l'avait examiné des pieds à la tête en fronçant les sourcils, avant de déclarer que l'air de la montagne lui avait au moins donné des couleurs. « Cette bonne femme est toute en angles, au-dedans comme au-dehors ! », avait-il pensé, constatant avec surprise qu'il s'était attendu à la trouver changée, comme si les événements des vacances qui l'avaient lui-même si profondément transformé eussent dû exercer la même influence sur ses proches. Toutefois, lorsqu'ils furent seuls dans la cuisine, elle abandonna pour un moment ses manières autoritaires et, avec une expression tourmentée, s'approcha de lui pour arranger le col de sa chemise détrempée.

– Alors tu l'as vu ! dit-elle. Qu'est-ce que tu en penses ?

– Mais je n'en pense rien, je suis complètement bouleversé ! Enfin, ma tante, cette brusque amélioration, comme ça, après douze ans ! C'est extraordinaire, ça tient du prodige !

– Extraordinaire ? fit-elle avec un haut-le-corps. C'est très inquiétant, oui ! Tu n'étais pas là avant-hier soir, il a fait une crise terrible, je ne l'avais jamais vu dans un état pareil !

– Une crise de quoi ?

– Mais de panique, tu sais bien ! Le Dr Blumenkranz a dit que ses nerfs ont lâché. Tu aurais dû le voir, il tremblait comme s'il avait vu le diable en personne, il cherchait partout un endroit où se cacher. C'était horrible ! Il a fallu que je demande de l'aide, je n'arrivais plus à le contrôler. Le Dr Lester est en vacances pour trois semaines, c'est toujours la même chose quand on a besoin des gens ! Quoi qu'il en soit, ce Blumenkranz n'a pas l'air trop incompétent, il a fait admettre ton pauvre père d'urgence à l'Institut Penfield. Ils lui ont donné des calmants pour la nuit, et hier on lui a fait passer une série complète d'examens. On devrait connaître les résultats d'ici deux jours. J'ai hâte de savoir, et en même temps je ne suis pas certaine d'être intéressée à entendre leur diagnostic...

– Tout de même, ma tante, s'ils l'ont laissé rentrer, c'est bon signe ! D'ailleurs, ça fait longtemps que je ne l'ai pas vu en si grande forme !

Elle secoua farouchement la tête, ouvrit la bouche pour s'expliquer, mais elle se détourna sans dire un mot et sortit en coup de vent par la porte qui donnait sur l'allée du garage. Il resta un instant interdit avant de la suivre, se demandant si sa réaction trahissait de la colère ou du chagrin. Il comprenait toutefois que ses alarmes étaient sincères à défaut d'être fondées, et renonça à lui reprocher de l'avoir fait venir en catastrophe de Davos pour une urgence imaginaire.

Après l'avoir aidée à décharger la voiture, il monta à l'étage pour téléphoner à son frère. Il aurait pu se servir de l'appareil du vestibule, mais préférait faire l'appel à l'insu de sa tante pour éviter qu'elle ne parle à Didier et n'ajoute à la confusion des nouvelles.

Il eut un choc en entrant dans sa chambre, qui était plongée dans la pénombre et sentait le renfermé. Les rideaux étaient restés tirés et les fenêtres fermées pendant toute son absence, une fine couche de poussière voilait le dessus des meubles, l'affichage luminescent du réveille-matin clignotait avec insistance. Il ferma la porte derrière lui avec précaution, comme s'il craignait de déranger quelque présence invisible, et découvrit l'appareil photo qu'il avait suspendu à la poignée le jour de son départ, pour être certain de ne pas l'oublier.

L'accès à sa chambre avait fait l'objet de négociations territoriales pendant plusieurs années avec sa tante, qui s'était finalement résolue à lui reconnaître un statut de relative indépendance dans la maison familiale – et encore avait-il fallu installer un détecteur de fumée dans le couloir pour éviter que les illusions olfactives déclenchées par une crainte phobique des incendies ne fournissent à la vieille fille le prétexte de mettre le nez dans les affaires de son neveu. « Je devrais me réjouir de voir qu'elle a respecté notre entente, pensa-t-il. Mais on dirait que je me sens presque trahi en constatant qu'elle n'est même pas venue aérer ma chambre pendant toute mon absence ! » Et lui-même, qu'attendait-il pour le faire ? Il restait immobile à écouter la voix intérieure qui lui conseillait de ne rien brusquer, de ne pas dissiper par une agitation superficielle cette émotion fugitive qui tentait de lui révéler quelque chose, de donner à la partie de son esprit qui vagabondait encore entre ciel et terre le temps de le rejoindre dans sa maison. Il fit du regard le tour de ses possessions – son ordinateur, sa chaîne stéréo, sa collection de disques, son téléviseur miniature – et s'étonnait de les trouver si familiers, alors qu'en marchant dans la rue le décor du quartier lui avait paru si étrange. Il se rappela que l'amplificateur était défectueux, et que le grésillement des haut-parleurs quand il l'allumait le faisait grincer des dents. Or il savait que cette friture ne lui ferait ni chaud ni froid lorsqu'il s'en servirait la prochaine fois, et ce détachement des petites choses lui apparut comme une grande libération.

Il s'assit sur le lit, éprouvant dans ses épaules le poids de la fatigue accumulée au long du voyage. « Il est presque onze heures du soir là-bas, se dit-il en décrochant le téléphone, mais vu les circonstances... » Anna Welikanowicz répondit dès la première sonnerie, et coupa court à ses excuses.

– Au contraire, vous avez bien fait, dit-elle. Je suis restée au bureau pour attendre les nouvelles. A votre voix, je devine qu'elles sont bonnes... Voulez-vous attendre ? Je vais chercher Didier !

– Ce n'est pas nécessaire de le réveiller ! Je voulais seulement vous...

– J'ai promis de l'avertir. Il s'est couché à dix heures en même temps que les autres, mais il n'est pas encore endormi. Ce ne sera pas long !

Il entendit le heurt du combiné contre le plateau de la table, le déplacement d'une chaise, puis le martèlement décroissant des talons sur le sol. Par cette faculté de dédoublement qu'il s'était découverte au Berghof quand il avait téléphoné à Montréal, il se transporta à Stella Maris dans le hall circulaire aux plantes vertes et au miroir surmonté de la devise : *Liebe, wen du hier siehst !* Il ferma les yeux et vit s'éloigner la Petite Sœur de Treblinka à la stature de douairière et au regard velouté, et se demanda si l'évocation du décor suffisait à expliquer le pourquoi de cette vision saisissante de netteté, cette jupe plissée noire et ce chemisier saumon aux manches bouffantes, qui n'avaient rien de commun avec la robe fleurie de leur première rencontre. « Comment peut-elle affirmer avec certitude que Didier ne dort pas ? », pensait-il en écoutant la réverbération du silence dans la bâtisse ancienne, aux boiseries sombres et aux parquets cirés qui grinçaient sous les pas légers des *enfantômes.* Il entendit soudain le bruit d'une cavalcade dans l'escalier de bois, une série de claquements secs, puis la voix essoufflée de Didier :

– *Jack ? Gimme the bad news first !*

– *No bad news, sorry !* répondit Jacques en ouvrant les yeux, surpris de se retrouver dans sa chambre. Tante Mathilde s'est affolée pour pas grand-chose, tu la connais. Alexander a fait une crise l'autre soir, mais rien de plus grave que ses angoisses habituelles. Je... En fait de bonne nouvelle, sa condition s'est améliorée de façon assez inexplicable... Je t'en parlerai après avoir vu le médecin. Dis, tu ne t'es pas trop inquiété ? C'est Élisabeth qui t'a averti de ce qui est arrivé ?

– Ben non, c'est ta fiancée. Elle est venue visiter le vieux Pr Truc-Biduche à la clinique des Sœurs, tu vois, c'est juste à côté. D'abord je ne l'ai pas reconnue, à cause de son déguisement qu'elle avait ôté. Elle dit qu'elle en a plus besoin, grâce à toi.

Jacques ne répondit pas tout de suite, luttant contre son amertume de savoir que le secret de Katja était déjà connu de Sigmund et de Didier, et que probablement tous les pensionnaires du Berghof découvriraient avant lui la solution de cette énigme qui l'obsédait.

– C'est bien aimable à elle, dit-il enfin. Tu sais que je ne l'ai jamais vue sans son masque ?

– Oui, elle m'a tout expliqué pourquoi, c'est *génial !* Elle m'a fait promettre de pas vendre la mèche – c'est une expression.

– J'avais compris. On peut au moins savoir si elle est jolie ?

Il avait pris un ton faussement dégagé pour poser cette question qu'il regrettait déjà, mais qu'il aurait répétée si Didier ne l'avait pas saisie.

– Ben, évidemment qu'elle est jolie ! N'empêche que c'est une chance que tu l'aies pas vue avant de tomber en amour, sinon t'aurais pas pu.

– Pourquoi ça ?

– A cause de tes préjugés... Mais motus et couche-tout-nu ! Tu t'imagines peut-être que je te vois pas essayer de me tirer les vers du nez ? Tout ce que je peux te dire, mon petit vieux, c'est qu'en la voyant tu tomberas sur le cul !

– C'est elle qui t'a dit qu'elle était ma fiancée ?

– Non, j'y ai demandé et elle a ri, ça veut tout dire ! On a parlé ensemble pendant deux heures, c'est vraiment une grosse tête, sans blague ! Je lui ai présenté Granola et elle m'a félicité. Dis donc, Yak-yak, ça va te coûter une fortune, ce téléphone !

– Ça ne fait rien, je voulais que tu saches les nouvelles pour Papa.

Didier fit entendre une sorte de gargouillis au bout du fil :

– Pour économiser, t'avais juste qu'à l'appeler *Papa* au début, ça voulait tout dire ! Tu reviens quand ?

– Je ne le sais pas encore. Je vais rester ici jusqu'au début de la semaine prochaine, c'est sûr. De toute façon, je te tiens au courant. Écoute, Didi, pendant le voyage, j'ai beaucoup pensé à toi... Tu es devenu quelqu'un de très important pour moi.

Après un silence qui défiait les lois de la physique autant que l'avait fait la petite Rose-Marie avec son koala – Albert Einstein, pffuitt ! Arthur Stanley Eddington et Hendrick Lorentz, pffuitt, pffuitt ! – Didier, répondit avec une voix qui venait du futur et que Jacques lui entendait pour la première fois – la voix qu'il aurait à quinze ans, grave et vibrante :

– Moi aussi j'ai beaucoup pensé à moi, Jacques, je crois même que je deviens important pour moi, tu comprends ? Avant, j'avais une hâte pas possible d'être un adulte, mais Katja m'a tout dit pour le Grand Déclin, et j'ai décidé de pas nous laisser faire. Je veux grandir en dedans et devenir fort pour pas dégénérer après la puberté. Te sens pas visé ni rien, au contraire Katja dit que ton atavisme est un bon signe pour moi.

Après avoir raccroché, Jacques s'étendit tout habillé sur le lit, frissonnant d'émotion et d'épuisement. Depuis quand n'avait-il pas dormi ? Il poussa une exclamation et secoua la tête pour nier l'évidence, car l'idée qu'il se trouvait la nuit dernière au refuge de la Walpurgis dans les bras de Katja lui paraissait impossible. Dommage, il aurait dû demander à Didier la couleur du chemisier de Mme Welikanowicz. Si sa fiancée était jolie ? Évidemment qu'elle était jolie ! Des préjugés, lui ? Quels préjugés ? *Welcome back home, Father !* Les chiffres du réveil clignotaient, donc il y avait eu une panne d'électricité pendant son absence. Dans la maison seulement ou dans tout le quartier ? Votre train part de Dorf à dix quatorze, Herr Carpentier, *nézebas* ?

Les yeux encore entrouverts, un bras ballant, Jacques dormait.

A l'encontre des craintes de Mathilde, la santé d'Alexander continua de s'améliorer dans les jours qui suivirent, et Jacques observait avec une émotion incrédule le lent réveil de cet esprit autrefois si actif, son émergence graduelle hors de la confusion, ses efforts pathétiques pour renouer avec le réel et en apprivoiser les aspérités et les mystères. Il ne nourrissait pas d'illusion : l'intelligence de son père ne sortirait pas intacte de l'état d'hibernation où elle était restée plongée pendant plus de douze ans. Mais comment s'en attrister, quand les progrès dépassaient déjà tous les espoirs ?

Le lendemain de son arrivée, il avait rencontré le Dr Blumenkranz, qui n'était pas aussi incompétent que son visage poupin lui en donnait l'air, mais n'avait pas encore assez d'expérience pour renoncer aux circonlocutions alambiquées, et avouer en toute simplicité qu'il ne comprenait rien à l'amélioration de l'état de celui qui, vingt ans auparavant, avait été l'un des fondateurs de l'Institut Penfield. Il avait prescrit des sédatifs pour diminuer le risque de nouvelles crises, mais Jacques s'était promis de ne les administrer qu'en dernier recours et n'en avait soufflé mot à Mathilde, qui n'était que trop portée à maintenir son frère dans une relation de dépendance. « Il a végété pendant des années dans cette sorte de coma cérébral, pensa-t-il, ce serait bien le comble de lui donner des calmants alors qu'il cherche à en sortir ! » Il n'était pas autrement effrayé par ces périodes d'extrême agitation et, quand elles s'annonçaient, il se contentait de rester aux côtés de son père sans mot dire, l'accompagnant au besoin dans son exploration fébrile et minutieuse des diverses pièces de la maison, à la recherche de quelque chose ou de quelqu'un.

Jacques subissait la contagion de cette angoisse sourde, mais, loin de s'en défendre, il l'accueillait avec une complaisance morbide, car il y trouvait un terrain propice à l'investissement de ses propres alarmes. Brusquement soustrait à l'influence du Berghof, à son atmosphère, ses odeurs, ses discussions et sa routine, il se retrouvait dans la demeure familiale en état de manque, comme un drogué coupé de ses stupéfiants. Le matin, il se surprenait à tendre l'oreille pour savoir quelle musique baignait les corridors, à regarder sa montre en pensant à l'heure du dîner, et il lui arrivait d'interrompre ses occupations et de quitter sa chambre pour descendre sans raison au salon, dire quelques mots à son père et à Mathilde, puis tourner en rond, indisposé par l'absence de mouvement et de bruit. A plusieurs reprises, il se dirigea vers le téléphone pour appeler le Berghof, mais il changeait d'idée à la dernière seconde.

Il s'était réjoui à l'idée de retrouver ses amis québécois et d'aller visiter sa parenté, en particulier les Brisebois qui avaient élevé Didier, pourtant il ne contacta ni les uns ni les autres, et passa la plus grande partie du week-end à la maison, avec la prémonition que *quelque chose* allait se produire et qu'il devait se tenir disponible.

Il ne se trompait pas. L'événement fut intérieur, et d'une virulence qui le laissa pantois. Il était dans sa chambre, occupé à vider son sac de voyage ; il s'interrompit en pensant que la chose n'en valait pas la peine, puisqu'il devait repartir incessamment pour la Suisse. Il détacha une feuille de son bloc-notes et écrivit : « Réserver billet Swissair. Urgent ! » En épinglant ce pense-bête sur le chambranle de sa porte, le souffle lui manqua et il se laissa choir dans le fauteuil de cuir, où il resta près de deux heures à regarder devant lui, hypnotisé. Son séjour à Davos défila devant lui, du jour de son arrivée à celui de son départ ; le monde du Berghof se mit en place, avec sa galerie de personnages cocasses et singuliers ; il évoqua la menace du Grand Déclin, l'effervescence des discussions, l'anxiété croissante dans ce *satanarium* si bien nommé – et il se demanda comment il avait pu se laisser embarquer dans un tel bateau. Son expérience des dernières semaines lui apparut comme un corps étranger, greffé dans son cerveau, et ce qu'il éprouvait à l'instant était un phénomène de rejet massif. A l'université, il avait participé à une campagne d'information pour mettre les étudiants en garde contre l'emprise de certaines sectes pseudo-religieuses. Et voici qu'il se retrouvait comme un *moonie*, détenteur d'une vérité transcendantale, et prêt à annoncer la fin du monde ! Certes, Lars Frankenthal n'était pas un fumiste, et Jorge d'Aquino avait une personnalité hors du commun, mais le monde était plein de savants remarquables, et la supposition que le début de l'extinction de l'espèce humaine pouvait être passé inaperçu de tous était absurde et ridicule.

Jacques tourna et retourna ces pensées, et mille détails lui revenaient pour confirmer qu'il l'avait échappé belle, et qu'il pourrait dorénavant parler d'*hystérie collective* en connaissance de cause. Quand il se leva, ce fut pour ranger ses affaires et serrer son sac de voyage au fond de l'armoire. Non, il ne retournerait pas en Suisse, et il demanderait à Élisabeth d'accompagner Didier à Zurich, pour le mettre dans l'avion. Le plus tôt serait le mieux, d'ailleurs : il fallait soustraire son frère aux apôtres de la grande peur de l'an deux mille.

Et Katja ? Ce n'était quand même pas parce qu'il avait décidé de s'affranchir des doctrines de la Fondation Delphi qu'il devait se croire obligé de mettre leur relation en doute. L'allusion de Didier à « sa fiancée » lui avait déplu, certes, mais elle n'en était pas l'instigatrice. « Je vais lui écrire ce soir, décida-t-il, pour lui faire partager mes réflexions et lui dire où je me situe exactement. Elle a le droit de savoir ! »

***

Le samedi soir, Alexander eut une autre crise d'anxiété et descendit à la cave, après avoir regardé en tremblant sous tous les meubles de la salle à manger et du salon. Jacques le suivit et, l'aidant à se frayer un chemin dans le bric-à-brac épargné par la névrose d'ordre de Mathilde, tomba en arrêt devant un landau d'enfant rouillé et poussiéreux. Il se remémora aussitôt le cauchemar qu'il avait fait au cours de sa première nuit au Berghof et, se tournant vers son père, lui confia sans autre préambule qu'il comprenait sa frayeur.

– *Fright !* dit Alexander avec surprise, comme si le mot était pour lui une révélation. *Yes, in...deed, you are r...ight ! Good, Jac...ques, very good !*

Il posa la main sur le bras de son fils et, renonçant subitement à poursuivre ses mystérieuses recherches, l'entraîna vers l'escalier, visiblement rasséréné par la découverte que son comportement était inspiré par la peur. Dans le vestibule, il s'arrêta pour dévisager Jacques de son regard gris, où le désarroi cédait de jour en jour la place à une sorte de candeur grave et paisible, et demanda d'une voix égale :

– *To whom do you belong ?*

Jacques mit du temps à savoir s'il avait envie de revoir Christine, qui lui avait envoyé trois cartes postales à Davos, auxquelles il se reprochait de n'avoir pas répondu. Elle avait vingt-huit ans et habitait à quelques minutes de chez lui, dans le quartier Côte-des-Neiges, avec sa mère et sa sœur. Il l'avait connue en préparant un article à son sujet pour un journal étudiant, après qu'elle eut remporté un premier prix à une exposition internationale d'artisanat à Bruxelles, pour une série de douze châles en batik illustrant les mois de l'année. Il avait été séduit par son côté bohème et une sorte de nonchalance un peu irresponsable qui était à l'opposé de son propre caractère. Elle le recevait dans son atelier, qui ouvrait sur l'arrière de la maison, avec pour tout vêtement un tee-shirt de coton qu'elle avait choisi trop large, et l'entraînait vers un divan bancal encombré d'échantillons de tissus soyeux, où ils faisaient l'amour sans fioritures. Elle avait des fous rires chatouillés qu'il étouffait tant bien que mal de la main, quand il savait qu'ils n'étaient pas seuls dans la maison. Elle parlait beaucoup d'elle au passé, un peu de lui au présent, jamais d'eux au futur. Elle l'avait d'ailleurs prévenu que leur liaison était sans lendemain, qu'elle aimait les liens mais pas les attaches, en vertu de quoi ils se voyaient régulièrement depuis quinze mois. Elle avait de l'élasticité dans les idées.

Il appela chez elle le dimanche soir et parla à Brigitte, qui lui apprit que sa sœur avait rencontré des « gens formidables » sur la Côte d'Azur, et décidé de prolonger son séjour en Europe de trois semaines. « Elle va être désappointée d'apprendre que tu es rentré, ajouta-t-elle. Elle me disait justement hier au téléphone qu'elle irait peut-être finir ses vacances en Suisse. » Jacques raccrocha, déçu et soulagé. L'absence de Christine avait éveillé en lui un impérieux désir de la revoir, et lui avait confirmé en même temps un sentiment contradictoire : il n'était pas amoureux d'elle, il ne le serait jamais.

***

Il fut réveillé le lendemain par un bruit familier qui semblait venir du jardin, et finit par reconnaître le cliquetis de la vieille machine à écrire que Mathilde était seule à utiliser dans la maison, et qui se trouvait dans le petit bureau adjacent au salon, sur un guéridon bas devant la fenêtre entrouverte. Il se leva, intrigué par la cadence de la frappe, si différente de la mitraille de sa tante et de ses énergiques retours de chariot.

Il trouva Alexander assis devant le clavier aux touches rondes cerclées de métal, qui tapait à deux doigts avec une application d'écolier. Alors que depuis son attaque il ne portait que des vêtements d'intérieur, avec un sempiternel gilet de laine et des pantoufles de cuir souple, il avait enfilé ce matin une chemise blanche amidonnée et un complet trois pièces qui sentait la naphtaline. Ses souliers n'étaient pas lacés et il avait noué sa cravate à la manière d'un foulard apache, mais ces touches de maladresse ne faisaient que mieux ressortir ses progrès, et sa dignité retrouvée. L'émotion que Jacques avait éprouvée l'autre jour en l'entendant murmurer : *« Is it summer today ? »* lui semblait bien légère en comparaison du chavirement de son cœur à cette apparition du fantôme dégingandé du Dr Alexander W. Carpentier, titulaire de la chaire de neurochirurgie de l'université McGill, lauréat du Prix Jonas-Salk, compagnon de l'Ordre du Canada.

– *This is ex...tremely im...portant !* déclara-t-il avant de poursuivre sa dactylographie laborieuse.

Jacques n'osa lui faire remarquer qu'il avait oublié d'enfiler une feuille de papier dans la machine et, écartelé entre l'apitoiement et la frustration, il observa intensément la course des baguettes de métal qui venaient l'une après l'autre frapper leur lettre invisible sur le rouleau de caoutchouc. Passant vivement derrière son père, la main posée sur son épaule, il se pencha pour repérer les touches que les doigts hésitants enfonçaient l'une après l'autre. Il épela mentalement, avec l'impatience anxieuse du joueur guettant l'affichage des numéros gagnants : « *...f-o-r S-e-d-n-a t-o b-e a-p-p-e-a-s-e-d.* »

Alexander s'arrêta brusquement, tourna la tête et, avec son élocution syncopée, déclara qu'un garçon bien élevé ne devait pas lire par-dessus l'épaule de quelqu'un.

– *I am sorry, Father. But please tell me :* who is Sedna ?

Il regretta amèrement de lui avoir posé cette question en voyant son visage se décomposer et ses yeux clairs se brouiller à nouveau sous l'effet d'une inexplicable hantise.

– *Do not in...voke that name, Jacques. This is the ulti...mate danger !*

– *What danger ? Tell me ! Is it an organization ?*

Il comprit que son père ne lui en dirait pas davantage et l'observa avec inquiétude, car il s'était levé pour faire le tour du salon en poussant des gémissements angoissés, puis il se laissa tomber dans le fauteuil à bascule de la véranda et, se cachant le visage dans les mains, se mit à sangloter en s'efforçant de faire le moins de bruit possible, comme un enfant qui craindrait que ses pleurs ne lui attirent de nouvelles réprimandes. Jacques était bouleversé, mais il se retenait d'intervenir : il avait observé que les paroles apaisantes et les gestes de sollicitude ne faisaient qu'accroître son désarroi.

Il alla s'asseoir derrière le bureau ancien en bois de rose. En entrant plus tôt dans le salon, il s'était aperçu que les tiroirs en avaient été ouverts, et des liasses de lettres éparpillées sur le sous-main de cuir. Elles étaient toutes adressées au Dr Alexander Carpentier et leur oblitération remontait pour la plupart à dix ou douze ans. Aucune n'avait été décachetée, mais le fait ne l'étonna qu'à moitié, car Mathilde mettait tous les jours le courrier en attente sur le bahut du vestibule et, à l'heure du cérémonial du thé, le déposait à portée de la main de son frère, qui n'y touchait jamais, en disant : *« Some letters for you, Dear ! »* Elle faisait ultérieurement le tri de cette correspondance, assurant notamment le règlement des comptes et des factures, et Jacques avait présumé à tort qu'elle donnait suite d'une façon ou de l'autre aux lettres personnelles, de plus en plus rares, adressées à son père par des correspondants qui n'avaient pas été informés de son état.

Dans le lot, une enveloppe attira son attention, adressée au Sunset Sheraton Hotel de San Francisco, qui l'avait fait suivre à Montréal. Le nom et l'adresse de l'expéditeur piquèrent sa curiosité : *Révérend Jean-Baptiste LaRocque Prévost, Akuliarmiut, NWT.* Il voulut demander la permission de l'ouvrir, mais son père s'était endormi dans son fauteuil, le buste droit, le visage à nouveau empreint de sérénité.

La lettre était écrite en français dans une calligraphie ample et soignée qui ajoutait à l'aura de la signature à particule. LaRocque Prévost débutait par des remerciements pour la façon dont il avait été accueilli au Bateson Institute, puis faisait allusion à « cette discussion fascinante » au sujet de la communication que le Dr Carpentier préparait en vue de la session inaugurale du premier congrès de psychosynergie. *« Je ne suis certes pas en mesure de prendre parti dans la controverse qui vous oppose à Jorge d'Aquino,* écrivait-il, *d'autant moins qu'après vous avoir quitté j'ai eu l'intuition rétrospective que, pour des raisons que je respecte et devine en partie, vous vous étiez abstenu de développer devant moi certains des aspects les plus troublants de la théorie du Troisième Ordre. Ce que vous avez eu la confiance de m'en dire me conduit toutefois à rejeter l'explication trop simpliste du conflit de personnalités. Ce qui vous oppose au professeur est d'ordre philosophique et renvoie à l'une des questions les plus fondamentales de la déontologie scientifique. Je suis moi-même douloureusement partagé face à ce dilemme. Comment ne pas adhérer, au plan des principes, à votre refus d'exercer une quelconque censure sur les extraordinaires résultats de vos derniers travaux ? La preuve documentée que vous apportez de l'existence d'une activité électrique autonome des cerveaux profonds ouvre de nouveaux horizons, plus vastes encore que ceux qui avaient été dévoilés par la théorie de la spécialisation fonctionnelle des hémisphères cérébraux. Comme vous le savez, mon intérêt pour la psychosynergie est au mieux celui d'un dilettante éclairé, et remonte à l'époque de ma contribution aux recherches de Jorge d'Aquino sur le concept de l'*ihuma *chez les Netsiliks. Je ne vous cache pas qu'à mon retour de Berkeley je me suis posé bien des questions sur la nature de la distinction fondamentale entre le Deuxième et le Troisième Ordre. Nous en parlerons en octobre, si vous le voulez bien. Cette parenthèse fermée, comment ne pas comprendre la position de Jorge d'Aquino, et notamment sa peur que des instances sans scrupules n'utilisent votre découverte à des fins militaires ? Les physiciens du projet Manhattan n'ont-ils pas porté jusqu'à la fin de leur vie le far-*

deau de cette question peut-être insoluble ? Je me permets d'ajouter ceci, tout en sachant que l'argument vous est déjà évident : les engins thermonucléaires sont d'une puissance effroyable, et force nous est de concéder que l'espèce humaine doit probablement le sursis de son existence à l'excès même de cette puissance. En revanche, l'arme qui pourrait être tirée de vos travaux serait infiniment plus dangereuse que toutes les bombes, en ce qu'elle détruirait en l'homme l'essence même de son humanité, et permettrait à ceux qui la détiennent de gagner une guerre avant même que leurs adversaires ne prennent conscience d'être la cible d'une attaque. »

La lettre se terminait par la promesse de donner rapidement suite à une requête d'Alexander sur certains aspects de la mythologie esquimaude chez les Netsiliks, notamment sur la légende de Sedna. « *Sedna*, encore ! pensa Jacques, troublé. Je ne m'attendais pas à ça ! Qu'est-ce qu'une légende esquimaude vient faire dans cette histoire ? Gertrude Glück a dit ce nom dans l'*hacienda*, et Élisabeth en était toute chavirée. C'est peut-être un code pour désigner cette arme terrifiante dont parle ce LaRocque Prévost... Décidément, je ne suis pas au bout de mes peines ! » Il se rendait compte avec irritation de l'impossibilité de faire une coupure nette entre son séjour en Suisse et sa recherche sur le passé de son père. Il aurait été tellement plus simple de pouvoir tourner la page, d'effacer tout ce qu'il avait vu et entendu là-bas ! Dieu merci, il avait compris à temps que le prétendu Grand Déclin était une hypothèse fondée sur des manipulations statistiques, s'ajoutant à une longue liste de prédictions apocalyptiques, dont aucune n'avait jamais empêché la Terre de tourner ! Mais il devait faire la part des choses : ce n'était pas parce que Jorge d'Aquino et ses collaborateurs s'étaient fourvoyés sur une fausse piste qu'il fallait rejeter en bloc tout le reste du travail qui se faisait au Berghof.

Il consacra une partie de la matinée à chercher des renseignements sur le révérend LaRocque Prévost. Une assistante bibliothécaire de l'université McGill l'informa au téléphone que leur catalogue comportait plusieurs titres sous le nom de cet auteur, ainsi que les références d'articles publiés dans des revues spécialisées d'histoire et d'ethnographie.

– Pourquoi ne consultes-tu pas le *Canadian Who's Who* ? Tu le trouveras sur le troisième rayon à côté des encyclopédies, suggéra Mathilde en posant devant lui un verre de jus d'oranges fraîchement pressées. Si tu m'avais dit ce que tu cherchais, j'aurais pu t'éviter de mettre la pagaille dans les affaires de ton père.

Depuis un quart d'heure, elle s'activait à ranger le salon, c'est-à-dire à créer une perturbation temporaire entre deux états d'ordre également rigoureux. Jacques aurait juré qu'elle ne portait pas la moindre attention à ses appels téléphoniques.

– C'est une excellente idée, dit-il avec sincérité, mais j'aurais besoin de la dernière édition. Je cherche une adresse récente, et depuis le temps que...

Elle l'interrompit d'un claquement de langue et déclara avec une fierté un peu revêche qu'elle avait écrit l'an dernier à McMillan and Hunter pour leur signaler qu'ils consacraient seize lignes à Alexander Carpentier, contre vingt-quatre à Ann Murray.

– J'ai également exigé la mention du décès de Cécile, ajouta-t-elle. Bien sûr, j'ai vérifié la nouvelle version dès qu'elle nous est arrivée. Et tu ne sais pas quoi ? Ils se sont contentés d'ajouter une croix romaine devant le nom de ta pauvre mère. Nous sommes décidément peu de chose !

Il émit une diphtongue ascendante d'une parfaite neutralité, peu intéressé à percer les contradictions de sa tante, qui tenait à jour la bibliothèque d'Alexander comme si elle n'avait jamais douté qu'il serait à nouveau capable de s'y référer, mais se refusait depuis cinq jours à reconnaître l'amélioration de son état. Il abandonnait également à la psychanalyse le soin d'expliquer la récente démarche qu'elle avait faite pour défendre les intérêts nécrologiques de sa belle-sœur Cécile, qui de son vivant lui avait toujours battu froid.

– A propos de téléphone, reprit-elle comme à contrecœur, cette femme ne s'est pas gênée pour appeler ici hier soir pendant ton absence.

– Quelle femme, ma tante ?

– Mais la Roumaine, tu sais bien, avec son accent bolchevique ! Elle a demandé que tu la rappelles.

– Elle n'a rien dit d'autre ?

– Seulement que c'était plutôt urgent. Elle était *très* insistante, tu vois le genre. Je voulais te laisser un message, mais ça n'aurait rien changé au décalage horaire.

Il se plongea dans la consultation du *Who's Who* afin de ne pas laisser paraître sa mauvaise humeur. Pour le joindre ici dans la soirée, Élisabeth avait dû téléphoner au milieu de la nuit, et sans doute avait-elle attendu sa réponse jusqu'au petit matin. Comment Mathilde avait-elle pu croire que le délai du message était sans importance ? Il se dit qu'il devrait appeler immédiatement le Berghof pour en savoir plus long sur ce « *plutôt urgent* » qui lui serrait la gorge, puis il pensa : « Tout à l'heure quand je serai seul ! Je ne supporte pas d'être épié. » En réalité, il retardait le moment pénible d'annoncer à Élisabeth qu'il ne retournerait pas en Suisse.

La notice biographique de LaRocque Prévost, Jean-Baptiste, Emmanuel, Paul, Rev., MA, D.Theol., Ph.D. Soc., OC, FASA, FRGS, était impressionnante. A quarante ans, il était l'un des spécialistes chevronnés de l'ethnographie des peuples du Grand Nord. Pasteur d'obédience presbytérienne, il avait exercé son ministère pendant cinq ans à Rankin Inlet, puis à Akuliarmiut, dans les territoires du Nord-Ouest, où il avait épousé Ouvilou Itukusuk. Boursier du conseil des Arts du Canada, des fondations américaines Carnegie et Ford, il avait publié une demi-douzaine d'ouvrages, dont *L'Horizon de Silajjuaq*, qui lui avait valu le prix Pulitzer. Il était depuis deux ans le directeur du prestigieux Museum of North American Native Civilizations, à Vancouver. « Et dire que je n'ai jamais entendu parler de lui, pensa Jacques. Je suis peut-être imbattable au Trivial Pursuit, mais finalement mon bagage de connaissances se limite au champ de mes études et aux banalités que tout le monde rabâche ! Bon, à présent je dois calculer les fuseaux horaires dans l'autre sens et attendre l'heure du déjeuner pour parler à cette éminence ! »

De plus en plus irrité par le va-et-vient incessant de sa tante, il se leva pour aller se réfugier dans sa chambre, quand il rencontra le regard attentif de son père.

– *Hello, Father ! Do you feel better ?*

– *I feel all...right, Jacques. Let's go out for a w...alk.*

Il accepta avec surprise. A l'exception de quelques rares déplacements en voiture, il ne se rappelait pas s'être jamais promené avec son père depuis son attaque. Alors qu'il s'agenouillait devant son fauteuil pour nouer les lacets de ses chaussures, une pensée singulière le frappa de plein fouet : « Je m'incline devant cet homme, qui est mon père. » Il se redressa en détournant la tête par crainte que Mathilde ne s'aperçût de son trouble.

Dehors, le jour était radieux, et quelque chose dans le fond de l'air laissait présager le lent glissement de l'été vers l'automne. Ils marchèrent sans se presser sur le trottoir de la rue paisible, à l'ombre des arbres, avançant sagement sans autre but que d'être ensemble. Jacques, qui avait pris son père par le bras, se disait que des voisins les regardaient peut-être passer de derrière leurs fenêtres, et cette supposition l'emplissait de fierté. Ils débouchèrent sur une place circulaire devant l'entrée du cimetière du Mont-Royal, gardée par une petite conciergerie victorienne aux volets clos. Alexander s'arrêta, la respiration oppressée.

– *Ter...ra incog...nita !* murmura-t-il en esquissant un geste tremblant de la main.

Jacques le dévisagea, intrigué. Que voulait-il dire ? Était-il effrayé de s'éloigner de la façade des maisons et d'avancer dans cet espace dégagé, ou faisait-il allusion au cimetière et à ses monuments funéraires de fin de siècle ?

– *Tell me!* reprit Alexander. *Is Ma...thilde Cécile's sister or mine ?*

– *But... She's* your *sister.*

– *Never...theless, she is impossible.*

Ils poursuivirent leur promenade dans la partie la plus ancienne du cimetière, qui se présentait comme un vaste parc vallonné, agrémenté de massifs d'ormes et de chênes séculaires, avec des taillis d'où surgissaient un paon, des pintades, des écureuils et des lapins de garenne. Alors qu'ils revenaient sur leurs pas, Alexander demanda, du ton uni et neutre dont il usait indistinctement pour tous ses propos :

– *Cécile is dead, isn't she ?*

– *Yes, Father. She died eleven years ago.*

– *I thought so. Here she is !*

Jacques observa le regard circulaire que son père portait sur les pierres tombales, à demi dissimulées dans les buissons et les bosquets de lilas. Se méprenant sur le sens de ses paroles, il lui expliqua que sa mère ne reposait pas ici, mais à Saint-Georges-de-Beauce, dans le caveau familial des Demontigny. Alexander n'eut pas l'air de l'entendre et, s'arrêtant de marcher, ferma les yeux et leva une main tremblante, comme pour l'inviter à écouter le bruissement du vent dans les branches. Il murmura :

– *Listen to Sedna !*

Impressionné par sa lecture de la notice biographique du *Canadian Who's Who*, Jacques s'attendait à passer par plusieurs intermédiaires, et à faire œuvre de persuasion avant de parler à Jean-Baptiste LaRocque Prévost en personne. Or la standardiste du

Museum of North American Native Civilizations passa la communication sans même le prier de s'identifier.

– LaRocque, fit une voix de baryton.

– Je m'appelle Jacques Carpentier, dit-il après s'être demandé en quelle langue il devait s'exprimer. Je crois que vous connaissez mon père, le Dr Alexander Carpentier. Vous vous êtes rencontrés autrefois au Bateson Institute, et...

– Jacques ! Grande surprise ! Justement, il y a quelques mois, je me demandais si ton père... Comment se porte-t-il ?

– Eh bien... pour tout dire son état s'est subitement amélioré, répondit-il, pris au dépourvu par le tutoiement. Je... Vous me connaissez ?

– Si je te connais ? Sûr que je te connais ! Nous nous sommes rencontrés au Bateson Institute, tu ne te souviens pas ? Tu m'as appris à jouer au Master Mind, même que je me suis fait battre à plate couture. Tu m'appelais le capitaine Haddock, à cause de ma barbe !

En dépit de sa nervosité, Jacques sourit en pensant que la voix rocailleuse correspondait en effet à celle qu'il aurait imaginée à un personnage de bande dessinée. Son accent brassait vigoureusement plusieurs terroirs, et ses inflexions anglo-saxonnes surprenaient, car son patronyme à rallonges et le style de sa lettre à Alexander laissaient présager plus de solvant dans le débit, et moins de colle dans la diction.

– Je ne me rappelle pas bien cette époque, dit-il avec embarras. Tout de même, cette histoire de Master Mind réveille en moi un souvenir... Je vous appelle pour une raison précise : serait-il possible d'avoir un entretien privé avec vous ?

– Oui, *définitivement !* dit LaRocque Prévost sans hésiter. Je dois me rendre à Montréal dans la deuxième quinzaine de septembre. Nous pourrions nous voir à cette occasion. Si ton père est assez bien, je serai très...

– Excusez-moi, mais je ne peux pas attendre si longtemps ! interrompit Jacques, surpris par sa propre insistance. Je sais que votre temps est compté, mais cette entrevue est très importante pour moi ! J'aimerais mieux en discuter en personne...

LaRocque Prévost prit du temps pour répondre et, quand il le fit, sa voix ronde avait une sorte de résonance, comme un écho intérieur :

– Je vais te faire un aveu, Jacques. Je me suis préparé à cette minute pendant des années. Bonté ! Depuis l'affaire de San Francisco, j'attends quelque chose qui ressemblerait à ton appel... J'ignorais que la nouvelle viendrait de toi, ni sous quelle forme, mais ça y est, nous y sommes ! Qu'est-ce que tu proposes ?

– Je peux prendre le prochain avion pour Vancouver, si vous êtes d'accord...

– Il y a un vol d'Air Canada, qui arrive en fin d'après-midi. Seulement, aujourd'hui, j'ai un conseil d'administration qui... Impossible de venir t'attendre, mais ça n'a pas d'importance ! En arrivant, tu sautes dans un taxi, le musée est à mi-chemin entre l'aéroport et le centre-ville. Vu ?

Jacques avertit Mathilde qu'il s'absentait pour vingt-quatre heures. Elle se cabra en lui faisant remarquer qu'il venait à peine d'arriver et que, depuis le temps, il aurait pu se souvenir que Mme Padapoulos venait le mardi, si au moins il avait eu la présence d'esprit d'avertir au début de la matinée, elle se serait arrangée pour porter ses chemises chez Betty Brite, leur « spécial 60 minutes » coûtait les yeux de la tête, mais enfin c'était mieux que de porter du linge de bohémien, *isn't it, Dear ?* Voyant poindre la scène de reproches, il expliqua que ce voyage était imprévu et, pour faire bon poids, demanda si elle pouvait lui avancer quelques dollars pour les dépenses qu'il ne pourrait régler avec sa carte de crédit. En vérité, il avait en poche tout le liquide nécessaire, mais il savait que l'humeur de sa tante s'adoucirait dès l'instant qu'elle aurait l'impression que le voyage projeté ne pouvait se faire sans son aide.

Il trouva son père en contemplation devant la bibliothèque murale, qui occupait à pleine largeur une paroi du bureau, et dut le prendre par le bras pour le tirer de sa rêverie.

– *Tell me, Jacques, did I r...ead all of them ?*

– *I don't know, Father. Most of them are reference books anyway.*

Alexander hocha la tête d'un air absent et, levant le bras, promena ses doigts sur le dos des livres reliés, comme s'il était incapable d'en déchiffrer les titres autrement que par le toucher. Il tira un volume hors du rayon et le tendit à Jacques sans un mot. Celui-ci l'examina distraitement, tant il lui semblait évident que le choix avait été fait au hasard : Émile Durkheim, *Œuvres choisies.* Il en fut moins certain après l'avoir ouvert, en découvrant l'abondance des annotations manuscrites dans les marges et au bas des pages. « Quelle coïncidence ! pensa-t-il, mal à l'aise. A Davos, j'ai eu entre les mains l'exemplaire du *Traité de psychosynergie* de Lars

Frankenthal, où il avait consigné des commentaires en suédois qui m'étaient incompréhensibles. Et maintenant mon père me remet ce livre, qui a dû être important pour lui, mais je n'arrive pas à déchiffrer ses pattes de mouche ! Et lui, en serait-il capable aujourd'hui ? »

Ses yeux tombèrent sur un passage souligné, dans une étude sociologique du suicide : *« C'est la constitution morale de la société qui fixe à chaque instant le contingent des morts volontaires. Il existe donc pour chaque peuple une force collective, d'une énergie déterminée, qui pousse les hommes à se tuer ».* Il tressaillit et revint aux mots « force collective ». Et si le Grand Déclin était une forme de suicide collectif ? se demanda-t-il, stupéfait de se poser une telle question, alors qu'il avait définitivement réglé son compte à cette absurdité. Plus avant, il trouva une autre phrase, encadrée celle-ci au crayon rouge : « *L'ensemble des croyances et des sentiments communs à la moyenne des membres d'une même société forme un système déterminé qui a sa vie propre ; on peut l'appeler* la conscience collective. »

Il referma le livre en frissonnant et informa son père de la visite qu'il allait rendre à son ami LaRocque Prévost, mais il n'obtint pour toute réaction qu'un vague hochement de tête. Manifestement, il ne se souvenait pas de lui. Comprenait-il seulement que Vancouver était à l'autre bout du pays, et que son fils serait là-bas presque aussi loin de la maison qu'il l'avait été à Davos ?

Ce départ précipité, annoncé à Mathilde d'un ton détaché, causait à Jacques une sorte de vertige, et il se demanda anxieusement s'il n'allait pas chercher au diable vauvert des informations qui étaient à portée de sa main. Pourquoi avait-il prétendu qu'il ne pouvait en dire davantage au téléphone ? Qui sait si un quart d'heure de discussion n'aurait pas suffi à désamorcer cette « arme plus dangereuse que toutes les bombes » ? Craignait-il que sa ligne ne fût branchée sur une table d'écoute, comme dans les films d'espionnage ? Assez, c'était grotesque.

Il commanda un taxi par téléphone, puis aida sa tante à déménager la console en marbre de la salle à manger au salon – « J'aurais bien demandé à Mme Padapoulos, mais, depuis sa double phlébite, la pauvre n'en mène pas large, et, comme elle travaille au noir, les assurances ne couvrent rien » –, ensuite du salon à la véranda – « On ne peut pas se rendre compte sans voir, tu vois, mais ici c'est hors de question, ça fait *nouveau riche* » –, enfin de la véranda à la salle à manger – « Décidément oui, c'est ce que j'ai toujours pensé, c'est finalement la meilleure place. Si tu veux me donner un dernier coup de main pour l'éloigner un peu du mur, pas trop, ça la met en valeur, *don't you think so, Dear ?* »

Deux petits coups de klaxon répondirent à Mathilde. Par la fenêtre, Jacques aperçut son taxi qui s'arrêtait au bout de l'allée. Son père l'accompagna sur le perron.

– *Go now !* dit Alexander, alors que l'ombre de son premier sourire depuis douze ans se dessinait sur sa physionomie. *Jean-Baptiste is a holy man !*

En route pour l'aéroport, Jacques ouvrit son portefeuille de voyage pour vérifier s'il avait bien emporté son chéquier et ses cartes de crédit. Il trouva la lettre que Katja lui avait fait remettre au train par Sigmund, et il s'obligea à la relire, même si ses mains n'avaient qu'un réflexe : la replier et la glisser au plus profond d'une poche. Il n'avait pas donné suite à son projet d'écrire à Katja, et il avait même réussi ce tour de force de ne pas penser à elle, sinon à deux ou trois reprises, et à des heures où le décalage horaire aurait rendu peu acceptable un appel au Berghof. Il fut assailli par un remords brutal, qui le frappa au creux de l'estomac. Si seulement il avait pu mettre en doute la vérité des sentiments éprouvés au refuge de la Walpurgis, les choses auraient été plus simples ! Mais il n'en était rien : la passion qu'il avait tant enviée à Fitzcarraldo et à Hans Castorp, il l'avait vécue cette nuit-là, elle l'avait submergé, dépossédé, libéré de l'hésitation et de la demi-mesure, elle lui avait ouvert les yeux en l'aveuglant ! Il avait attendu ce moment si longtemps, et chaque fibre de son être aurait voulu le prolonger, en faire un état permanent. Cette lettre où Katja lui disait : « Tu m'habites à jamais, jamais je ne m'habituerai ! » aurait dû le transporter, comme à la première lecture. Fermant les yeux, il fit défiler une succession de séquences du Berghof, où elle jouait le premier rôle. Mais il ne ressentait rien qu'un grand vide, et le chagrin indicible de trouver son cœur silencieux et froid.

satin à manger. » Décidément oui, c'est ce que j'ai toujours pensé : c'est finalement la meilleure place. Si on veut que [illegible] un dernier [illegible] pour [illegible] un [illegible] pas trop [illegible] la mettre en valeur [illegible]

Deux petits cousins de [illegible] apparurent à [illegible]. Par la fenêtre, Jacques aperçut son taxi qui s'arrêtait au bout de l'allée. Son père l'accompagna sur le perron.

— [illegible] alors que l'ombre de son premier sourire depuis douze ans se dessinait sur sa physionomie. [illegible]

En route pour l'aéroport, Jacques ouvrit son porte-feuille de voyage pour vérifier s'il avait bien emporté son chéquier et ses cartes de crédit. Il trouva la lettre que [illegible] avait fait remettre [illegible] par [illegible]. Il s'obligea à la relire, même si ses mains n'avaient qu'une envie : la replier et la glisser au plus profond d'une poche. Il n'avait pas donné suite à son projet d'écrire à [illegible]. Il avait même [illegible] de penser à elle, entre deux [illegible], et à des heures où le décalage horaire aurait rendu peu commode un appel au téléphone. Il fut assailli par un [illegible] brutal, par le [illegible]. Si seulement il avait pu mettre en doute la vérité des sentiments éprouvés au [illegible], les choses auraient été plus simples. Mais il n'en était rien. [illegible] Il l'avait [illegible] cette nuit-là, elle l'avait subitement dépossédé de toute résignation et de la demi-mesure. Elle lui avait ouvert les yeux en l'exigeant. Il avait attendu ce moment si longtemps, et chaque [illegible] de sa vie aurait voulu le prolonger [illegible] maintenant [illegible] Katarina lui disait [illegible] jamais [illegible] ne m'habituerai [illegible] supporter, comme à la première lecture. Fermant les yeux, il fut [illegible] une succession de séquences [illegible] où elle jouait le premier rôle. Mais il ne ressentait [illegible] vide, et [illegible] de trouver son cœur silencieux et froid.

12

Le taxi avait quitté l'autoroute plombée de soleil et roulait à vitesse réduite dans une banlieue aux villas cossues, en partie dissimulées par la verdure abondante de grands jardins bien entretenus. Jacques avait retenu de ses leçons de géographie que la région de Vancouver baignait dans un microclimat remarquablement clément, par l'effet combiné des alizés du Pacifique et de la formidable barrière des Rocheuses, mais ce souvenir ne retranchait rien de sa surprise à découvrir des arbres majestueux, d'espèces inconnues, des rocailles aux plantes grasses et aux fleurs exotiques qui lui rappelaient son lointain séjour en Californie, des architectures audacieuses qui s'intégraient à la nature sans avoir à tenir compte des rigueurs hivernales propres à l'Est canadien.

Son état d'esprit ressemblait à celui de son arrivée en Suisse – la pesanteur de l'anonymat, ce paradoxe d'étanchéité et de vulnérabilité, une attente sans objet –, à cette différence qu'il analysait ses impressions à la lumière de ce qu'il avait appris au Berghof. De la même façon qu'il se serait pris le pouls, il sondait sa conscience. Il éprouvait un sentiment complexe, un précipité d'émotions provoqué par la mise en présence de son intelligence et d'une masse d'informations provenant de la réalité extérieure. Ses yeux voyaient ce paysage pour la première fois, et il notait dans l'air des lumières nouvelles, différentes de celles de Davos et de Montréal. Ses oreilles captaient des sons, ses narines filtraient des odeurs qu'il aurait été en peine de nommer, car il ne percevait qu'une part du témoignage que ses sens envoyaient à son esprit. A l'état de veille comme pendant son sommeil, son cerveau recevait des informations qui déclenchaient une réaction moléculaire en chaîne, des combinaisons électriques et chimiques donnant naissance à de véritables pensées, et illuminant dans sa mémoire les hologrammes du souvenir, comme disait M. Léopold. Sous l'effet de cette double stimulation, celle de l'extérieur, transmise de la périphérie de son corps, et celle de l'intérieur, produite par la réflexion et la mémoire, les deux hémisphères de son cerveau se consultaient, négociaient et réagissaient en envoyant des signaux aux zones associatives de son cortex, à son grand sympathique, à son système endocrinien. « Ma pensée quitte mon esprit pour devenir émotion dans mon corps, se disait-il, elle n'est plus seulement un frémissement de mes synapses et de mes neurones, elle passe dans mon sang, dans mes glandes, mes muscles, ma peau. »

Cette belle explication était incomplète, et il le savait. Après ce qu'il avait vu dans le laboratoire d'Élisabeth, comment aurait-il pu nier que son cerveau était aussi influencé par des intelligences extérieures ? Ces mystérieuses correspondances ne passaient pas par l'intermédiaire de ses sens, et il n'en percevait l'action qu'à travers une modification de son humeur. Son dépaysement provenait moins de cette métropole qui se profilait à l'horizon que des vibrations occultes que cette hommilière commençait à exercer sur lui. Il se souvenait de vacances au bord de l'océan, des premières nuits troublées par le grondement du ressac, il pensait aussi à Davos, quand il se dressait dans son lit pour écouter avec angoisse l'ample silence de la montagne. De la même façon, son esprit devait aujourd'hui s'accoutumer au bruit de fond psychique de ces lieux qu'il visitait pour la première fois.

Il sortit de sa poche l'article de journal qu'il avait découpé dans l'avion, et le relut pour l'énième fois. Son cœur se mit à battre la chamade, et ses tympans à bourdonner. Il était arrivé à bon port, après cinq mille kilomètres de fausse route.

Le Museum of North American Native Civilizations était situé au centre d'un jardin botanique, en bordure de la baie de Vancouver. Le taxi avait docilement suivi les lacets d'une allée asphaltée, qui serpentait comme à plaisir dans la végétation luxuriante, où des essaims de petites pancartes jaune vif identifiaient en latin toutes choses émergeant du sol, jusqu'à l'insignifiante *filicaria vulgaris*. Jacques descendit devant l'entrée principale d'un imposant bâtiment en béton granuleux et en verre teinté. Les grandes portes de bronze en étaient closes, mais une note avait été scotchée contre la vitre : *J. Carpenter – Please use side door to the left.* « Bien aimable d'avoir pensé à me prévenir. Dommage qu'ils en aient profité pour estropier mon nom ! »

Il longea l'édifice, entra par une porte marquée *Museum Staff Only*, et traversa un long vestibule désert. Il déboucha enfin dans une vaste salle où veillaient une lignée de majestueux totems, certains de dimensions colossales. Les animaux légendaires au formidable faciès, sculptés dans une position hiératique, surveillaient par de larges baies le panorama du détroit de Georgia et, au loin, la chaîne des Coast Mountains. Les vitres étaient teintées, le musée climatisé, et Jacques eut l'impression poignante de se trouver dans un observatoire retranché du temps.

A quelques pas, assise sur un banc, une femme tout en rondeurs l'observait avec un sourire à multiples fossettes, figée dans une immobilité troublante. Ses yeux étaient bridés, ses pommettes hautes et colorées, ses cheveux de jais noués en deux tresses brillantes terminées par des lacets de cuir. Elle se leva, alors qu'il approchait, hésitant. Elle portait une robe brodée, longue et ample.

– Bienvenue sur la côte du Pacifique, Jacques ! dit-elle en anglais, d'une voix chantante, au timbre singulièrement grave. Je suis Ouvilou. Jean-Baptiste m'a demandé de vous attendre. Je vous aurais reconnu même s'il y avait eu foule, grâce à notre ami Jorge.

– Jorge d'Aquino ? Que voulez-vous dire ?

– Vous êtes pénétré de son esprit... Une forte personnalité est comme un parfum tenace, elle nous imprègne.

– Je ne savais pas que vous le connaissiez...

Une absence passa dans ses yeux noirs – elle contemplait les images d'un temps qui n'était plus. A l'époque, Jorge d'Aquino avait séjourné cinq mois à Akuliarmiut, chez le révérend LaRocque Prévost. Les grands postulats de la psychosynergie n'étaient connus que de quelques spécialistes et, bien que le *Traité* fût entièrement rédigé, d'Aquino se refusait à le publier avant d'avoir vérifié ses hypothèses sur l'hypertrophie fonctionnelle de l'hémisphère gauche chez les peuples occidentaux. Il avait choisi pour groupe de contrôle les Netsiliks, une des dernières peuplades inuit à avoir été préservée de contacts suivis avec la « civilisation ». L'étude devait durer douze semaines, mais le professeur s'était pris d'une telle passion pour la culture des Netsiliks, leur mode de pensée et leur conception du monde visible et invisible qu'il avait prolongé son séjour de deux mois.

– Nous l'avons appelé *Umatirpak*, ce qui veut dire « l'homme-aux-trois-cœurs », poursuivit-elle. Les Anciens lui ont enseigné à reconnaître l'*ihuma*, qui représente pour nous la plénitude de la raison, et qui intègre dans un seul concept les fonctions cérébrales que vous distinguez par des noms différents : l'esprit, la pensée, la conscience, la mémoire, le jugement, les sens, les émotions, la volonté... Nous ne savions pas que l'*ihuma* allait obliger Jorge à remettre en question sa théorie des « cerveaux stratifiés » – deux ans de travail emportés par les grands vents du Nord !

Jacques écoutait Ouvilou en affichant un air d'intense concentration, pour être sûr de ne pas trahir son étonnement. Lui qui dénonçait les préjugés plus souvent qu'à son tour, il se rendait compte avec dépit qu'il s'était laissé influencer par les apparences. Aurait-il été étonné d'entendre Élisabeth discourir de « cerveaux stratifiés » ? Alors pourquoi ces mêmes propos lui paraissaient-ils déplacés dans la bouche d'une Esquimaude ? Elle l'avait décontenancé par sa façon d'établir le contact avec lui, en négligeant les banalités d'usage – s'il avait fait bon voyage et venait à Vancouver pour la première fois. « Elle me parle comme si elle aussi m'avait rencontré quand j'étais enfant », pensa-t-il. Il percevait en elle des instances contradictoires – un amalgame de familiarité et de réserve, de franchise et de pudeur, d'abandon et de retenue – qui mettaient son esprit en alerte et son cœur en confiance.

Elle le prit par le bras en disant que la réunion de Jean-Baptiste devait tirer à sa fin, et ils traversèrent sans se presser trois salles en enfilade : masques de bois peint, sculptures d'animaux stylisés, parures de cérémonie, objets de culte, berceaux, monuments funéraires.

– Vous la connaissez ? demanda-t-elle en le retenant devant un buste de femme sculpté dans un bloc de stéatite noire, exposé solitairement dans une vitrine murale.

Il s'approcha pour distinguer les traits du visage, et tressaillit. Cette physionomie lui était inconnue, mais pas son expression : il l'avait vue à l'infirmerie du Berghof, reflétée sur la face lunaire de Gertrude Glück, le jour où Schwester Ursula avait proposé de lui laisser voir le visage de Katja. Il se pencha pour lire la notice au bas de la vitrine, puis demanda à Ouvilou d'une voix émue :

– Qui est Sedna ? Pourquoi devrais-je la reconnaître ?

Elle ne répondit pas tout de suite et reprit sa marche, bifurquant vers la galerie centrale.

– Sedna est l'Être suprême des Inuit, dit-elle enfin de sa voix de contralto. C'est une divinité protectrice, la source des nourritures de l'âme et du corps. Sa légende ne vous laisserait pas indifférent, Jacques.

Elle devait en être convaincue car, sans lui laisser le temps de la relancer, elle raconta que Sedna était une jeune fille esquimaude d'une rare beauté, courtisée dans sa tribu par les hommes en âge de se marier, mais qui avait préféré se donner à un jeune chasseur étranger, séduite par la promesse d'aller vivre au Pays des Oiseaux, où la faim était inconnue, et où elle reposerait sur de douces fourrures, sous l'éclairage d'une lampe toujours remplie d'huile. Après s'être laissé entraîner dans le kayak de son amant, l'infortunée Sedna découvrit avec horreur que ce dernier n'était pas un homme, mais le fantôme d'un grand oiseau. Retenue prisonnière dans une région éloignée, elle passait ses journées en pleurs. Un jour que la créature s'était absentée, le père de Sedna vint chercher sa fille pour la ramener au pays natal. Sur le chemin du retour, une violente tempête s'éleva sur la mer, alors que des cris mystérieux portés par le vent réclamaient le retour de l'épouse. Le pauvre navigateur, convaincu d'avoir offensé les puissances de l'air et de l'eau, résolut d'accomplir un sacrifice pour se concilier les éléments. D'une forte poussée, il précipita sa fille dans les flots en furie. Le visage blême de Sedna apparut à la surface des vagues, tandis que ses mains s'accrochaient désespérément à l'embarcation. Le père affolé saisit une hache et trancha les doigts crispés de la malheureuse, qui se métamorphosèrent en phoques. A trois reprises, la jeune femme tenta ainsi d'échapper à la mort, et à chaque fois son père mutila ses mains. Les deuxièmes phalanges donnèrent naissance aux marsouins, les troisièmes aux morses et le reste aux baleines. Depuis ce jour funeste, la divinité Sedna habitait dans les grands fonds de l'océan, où elle exerçait un pouvoir redoutable sur les animaux marins, tout en entretenant des relations ambiguës avec l'espèce humaine. Selon la coutume, un Inuit qui traversait une crise importante se rendait chez le chaman de sa tribu pour lui demander d'intercéder auprès de Sedna, afin de connaître son conseil et s'assurer sa protection. Le chaman exigeait un présent pour amadouer l'humeur redoutable de la divinité et, la nuit suivante, entrait dans un sommeil profond pendant lequel une partie de son esprit, l'*angakok*, se détachait de son corps, gagnait la rive de l'océan et s'enfonçait dans les flots. Arrivé en présence de Sedna, il découvrait une créature malpropre aux cheveux emmêlés d'algues et de boue. Avant toute autre chose, il devait prêter son concours à la toilette de la divinité, laver son visage et brosser longuement sa chevelure. Il lui remettait ensuite le cadeau dont il était porteur, et recevait en échange les sentences avisées de Sedna. Le lendemain matin, à son réveil, le chaman répétait au principal intéressé les propos que son *angakok* lui avait rapportés de son expédition nocturne.

Jacques avait écouté la narration de son guide sans l'interrompre. Il ne savait que dire, craignant d'offusquer sa compagne en lui avouant que cette légende le mettait mal à l'aise. Il y voyait des aspects morbides et une cruauté froide, incompatibles avec la représentation qu'il se faisait d'un « Être suprême ».

– J'ai entendu le nom de Sedna à plusieurs reprises dernièrement, dit-il enfin. Il ne s'agissait pas de la divinité dont vous venez de parler, mais de quelque chose qui est relié à la psychosynergie... Je n'en sais pas beaucoup plus.

Ouvilou l'avait précédé dans le secrétariat du musée et, sans autre explication, elle s'assit derrière un bureau et pianota avec dextérité sur le clavier d'un terminal.

– Nous sommes reliés à l'ordinateur central de l'université de la Colombie britannique, expliqua-t-elle de sa voix chantante, et de là nous pouvons accéder aux banques de données des grandes bibliothèques américaines. J'ai demandé pour vous la liste des publications qui traitent de ces mots clés : *psychosynergy*, *native peoples* et *mythology*.

Il émit un petit grognement approbateur pour signifier que la procédure lui était familière, et regarda l'écran par-dessus sa tête ronde, dont les cheveux lustrés étaient séparés par un sillon de peau claire au tracé appliqué. Une pensée le frappa de plein fouet : Ouvilou ne l'avait pas attendu dans le musée par simple politesse. Elle était là pour lui faire comprendre quelque chose, d'abord en lui parlant du séjour de d'Aquino chez les Netsiliks, puis en le conduisant devant cette sculpture de Sedna. Il n'y avait rien de spontané ni de fortuit dans sa démarche ! Et maintenant cette recherche bibliographique, comme s'il n'avait jamais vu fonctionner un ordinateur ! Pourquoi ne disait-elle pas clairement ce qu'elle avait en tête ?

– Neuf entrées à la première récolte, annonça-t-elle posément, avant de donner une commande au système.

Sur la table voisine, une imprimante se mit en marche. Jacques s'approcha pour suivre des yeux la course frénétique de la tête matricielle, qui dévidait les lignes de gauche et de droite comme une navette folle de métier à tisser. Cette annonce des « neuf entrées » le tarabustait, réveillant ses doutes sur le sérieux des précautions observées par les initiés du Berghof concernant le Troisième Ordre. Si le secret de Sedna était si bien gardé, comment se faisait-il que les relations entre la psychosynergie et la mythologie des peuples esquimaux eussent déjà fourni la matière de neuf publications ? Le nom de Lars Frankenthal lui sauta aux yeux dans la liste qui finissait de s'imprimer, en référence à un de ses articles publié dans la revue britannique *The Lancet*, intitulé : *« Natural contraception and the Netsiliks : myth or reality ? »*

– Il faut restreindre le champ, dit-il en se tournant vers Ouvilou. Pourquoi ne pas essayer *Sedna* et *psychosynergy* ?

Elle se leva et lui fit face avec un sourire qui en savait long :

– Je l'ai fait avant votre arrivée ! Rien encore n'a été publié sur le sujet. *On vous attendait.*

Elle avait appuyé sa dernière phrase par une intonation particulière. Fallait-il y entendre de l'ironie, ou de l'émotion ? Il décida que le temps des charades était révolu, mais il n'eut pas le temps de l'interroger. La porte du bureau du *Rev. Dr. J.B. LaRocque Prévost, Director General* s'était ouverte en provoquant un courant d'air qui feuilleta l'agenda de la secrétaire jusqu'à la fin de l'automne.

– Jacques, enfin ! Bon voyage ? Tant mieux ! Désolé pour le contretemps. Tu as eu le temps de jeter un coup d'œil à nos collections ? Bonté ! Je crois revoir Alexander, son portrait tout craché ! Et toi, tu ne me replaces pas ?

LaRocque Prévost s'était emparé de la main du jeune homme et l'avait vigoureusement secouée jusqu'à la fin de sa tirade. Non, Jacques ne se souvenait pas de lui, et pourtant son apparence n'était pas de celles qu'on oublie facilement : une chevelure bouclée et une barbe frisée d'un roux flamboyant entouraient son visage épanoui, où brillaient deux petits yeux d'un brun très clair et deux pommettes d'un rouge très foncé. Il portait une chemise hawaïenne, des bermudas kaki, et il était nu-pieds dans ses sandales de cuir. « A-t-il vraiment assisté à son conseil d'administration dans cet accoutrement ? », se demanda Jacques avec incrédulité.

LaRocque Prévost chaussa des lunettes rondes à monture d'acier, qui auraient fait bonne figure dans une des vitrines du musée, et se pencha à son tour vers l'écran du terminal.

– Je vois qu'Ouvilou a joué les prêtresses d'Apollon ! poursuivit-il, s'exprimant à présent en anglais. Nous nous sommes récemment convertis à l'informatique, et il faut reconnaître que cette nouvelle liturgie fait des miracles ! On dit que les Japonais travaillent actuellement à des mémoires semi-biologiques ? Le savoir emmagasiné dans de la matière vivante... Perspective inconfortable ! Assez de philosophie, tu dois être mort de faim ! Allons-y !

Ils sortirent par la porte latérale et, ignorant les voitures stationnées devant le bâtiment, prirent à la suite l'un de l'autre un étroit sentier qui montait en pente douce au milieu d'une rocaille abondamment fleurie, agrémentée de pièces d'eau où flottaient des nénuphars et des plantes aquatiques aux formes étranges. En rejoignant Ouvilou au sommet du promontoire, Jacques découvrit que le jardin botanique couvrait la pointe d'une presqu'île, et finissait abruptement par des falaises broussailleuses et des criques en demi-lunes, où des baigneurs s'offraient nus au soleil déclinant. Le voisinage de l'océan n'aurait pas dû le surprendre, pas plus que le souffle du vent chargé d'embruns, pourtant il fut envahi par l'émotion. Il avait atteint la rive d'un continent qu'il croyait sans fin, il touchait au terme de sa quête : avant la tombée du jour, il connaîtrait le secret du Troisième Ordre.

Le sentier rejoignait une construction massive en béton, une façon de bunker dont l'architecture rappelait celle du musée. Jacques lui trouva un abord austère, en contraste avec la personnalité colorée et chaleureuse de ses hôtes. Il changea d'avis sitôt entré. L'intérieur était vaste et harmonieux, les murs blanchis d'un crépi granuleux, les plafonds lambrissés de bois clair, et le sol recouvert d'une épaisse moquette en laine bouclée. La façade entièrement vitrée ouvrait sur une terrasse en cèdre à deux niveaux, et la vue embrassait deux cent cinquante degrés de littoral, du port de Vancouver à la baie de Tsawwassen.

Dans le vestibule, Jean-Baptiste et Ouvilou se déchaussèrent d'un geste machinal ; il les imita après avoir attendu en vain une directive ou une explication.

– Qajo ne sera malheureusement pas des nôtres ce soir, dit LaRocque Prévost. Répétition générale ! Un talent remarquable, le fiston ! Tu le verras au petit déjeuner. Je parle de Qajorànguaq, bien entendu ! Seize ans la semaine prochaine, et il entre en septembre à l'École nationale de ballet, à Toronto. Ouvilou est très fière, quinze candidats reçus sur cent vingt-cinq. Bonté !

Jacques s'avança pieds nus sur l'épais tapis du living-room, avec la sensation troublante que cette demeure avait entendu parler de lui et attendait sa visite, recueillie et bienveillante. Une grande cheminée en pierre meulière occupait le fond de la pièce, sa large tablette de granite encombrée d'une profusion de statuettes en stéatite, en ivoire et en os, de fers de lance et de harpons, d'une impressionnante paire de défenses de morse, de coquillages aux couleurs pastel, de bois d'épave sculptés, de paniers tressés et autres objets d'artisanat, confondus dans le plus sympathique des bric-à-brac. Les murs étaient couverts d'une collection éclectique de tableaux et d'eaux-fortes, de gravures inuit et d'affiches, ainsi que d'une variété de photographies encadrées, prises pour la plupart dans les régions arctiques. La silhouette de Jorge d'Aquino se reconnaissait sur plusieurs d'entre elles, agenouillé ici au milieu d'un groupe d'enfants attentifs, engoncé là dans un parka au col de fourrure, en compagnie d'Ouvilou qu'il dépassait de trois têtes. « Comme sa physionomie est sévère ! pensa Jacques, qui s'était approché. Il avait cet air-là au Bateson, et pourtant je n'ai jamais eu peur de lui... Avec le temps, son expression s'est adoucie. Anna Welikanowicz avait raison de dire que les photographies nous délivrent des messages par-delà l'espace et le temps. » Il n'avait pas prêté suffisamment d'attention à Élisabeth quand elle lui avait parlé de la triple personnalité de d'Aquino. Jorge lui apparaissait ici tragiquement seul, alors que l'homme blessé auprès duquel il s'était agenouillé à Davos, près de la chapelle en ruine, celui-là était *multiple*, une trinité incarnée : *Umatirpak, l'homme-aux-trois-cœurs !*

Un long canapé semi-circulaire et une table basse au lourd plateau de basalte rugueux faisaient face à la baie vitrée. Il s'assit à côté de LaRocque Prévost, et la conversation roula sur les mérites comparés des bières européennes et de la bière locale, qu'Ouvilou leur avait servie dans des verres à vin rouge, ainsi que sur les similitudes entre certains plats inuit et les mets japonais qu'elle déposait devant eux. « Du poisson cru, je ne suis pas sûr de pouvoir l'avaler, pensait Jacques. De toute façon, je ne suis pas venu de Montréal pour discuter gastronomie ! » Alors qu'Ouvilou finissait d'énumérer les variétés de *sushi*, il rencontra le regard attentif de Jean-Baptiste. Aucune question ne lui serait posée sur les motifs de sa visite s'il n'abordait pas lui-même le sujet.

– J'ai trouvé dans les affaires de mon père une lettre que vous lui aviez envoyée à San Francisco. Elle n'avait jamais été ouverte.

– Oh, je vois ! C'est donc ça qui t'a mis sur ma trace ! Et as-tu trouvé le texte de la communication qu'il devait présenter à la session inaugurale ?

– Je ne l'ai pas cherché. D'Aquino l'aura probablement pris avant de renvoyer ses affaires à Montréal.

– Probable, oui ! Mais, si tu tries ses notes, tu finiras bien par mettre les morceaux ensemble.

– Vous disiez que ses travaux pouvaient être détournés à des fins militaires...

– J'ai écrit ça ? Sacrée imprudence ! Mettons cartes sur table, Jacques. Après ton appel, j'ai téléphoné en Suisse pour parler à Jorge, sans rien savoir de son accident. Ce n'est pas un reproche ! J'ai eu notre amie Bogdan-Popesco au bout du fil.

– Vous lui avez dit que je venais vous voir ?

– Parbleu, j'appelais pour ça ! Tu n'es pas ici pour discuter d'ethnographie, mais je voulais savoir ce que je pouvais révéler au fils d'Alexander Carpentier. Élisabeth m'a donné le feu vert. Quelle femme !

– Elle ne vous a pas semblé... J'aurais dû lui téléphoner de Montréal, mais finalement j'ai bien fait d'attendre ! Elle n'était pas fâchée contre moi ?

– Pas que je sache ! Elle a dit que tu n'avais pas perdu ton temps et que « tu méritais de savoir ». Ses propres mots !

Il se tourna vers sa femme, qui s'était assise à sa gauche, et lui prit la main en l'interrogeant du regard, comme pour s'assurer qu'elle partageait son opinion sur Élisabeth. Un soleil crépusculaire inondait le living-room – des lames horizontales de cuivre en fusion. Le visage d'Ouvilou apparaissait aussi buriné et enluminé que certains masques du musée, et un feu de broussailles crépitait dans les cheveux et la barbe de Jean-Baptiste.

– J'ai rencontré ton père au Bateson Institute, à l'occasion d'un séminaire sur un ouvrage que je venais de publier. Invitation personnelle de Jorge d'Aquino ! Mais j'ai senti tout de suite qu'on n'était pas intéressé à entendre parler du silajjuaq. Grande excitation dans l'air, conciliabules dans les coins, ça sentait le grand coup, seulement personne ne voulait rien dire, les consignes étaient formelles ! Je me suis lié d'amitié avec Alexander, qui commençait à prendre ses distances du grand patron. On a parlé de rivalité professionnelle et amoureuse, n'importe quoi ! En vérité, deux fortes personnalités s'affrontant sur un dilemme vieux comme le monde : la propriété du savoir ! A cette époque, Alexander venait d'opérer une femme dans la quarantaine, une paysanne alsacienne qui était venue le trouver en Californie grâce à l'argent récolté par les gens de son village.

– Gertrude Glück ! murmura Jacques.

– J'ignorais son nom ! Contrairement à ce qu'on m'a dit au téléphone, tu as l'air d'en savoir plus long que moi !

– Pas du tout ! Certains détails me sont connus, mais vous m'aidez à mettre les morceaux ensemble.

– Tant mieux ! Que ça ne t'empêche pas de te servir, même si notre discussion n'est pas faite pour aiguiser l'appétit ! Vois-tu, certains patients de ton père avaient présenté des troubles neurologiques inexplicables après l'opération. Pour comprendre ce qui se passait, on avait profité des dernières interventions pour implanter des microsondes dans les régions profondes du cerveau. La procédure était sans danger pour le malade, mais pas sans risque pour l'humanité !

LaRocque Prévost se frotta les mains, visiblement satisfait de sa formule, et se pencha sur la table basse pour examiner l'assortiment des plats avec un sourire d'anticipation gourmande. Comme le soleil l'obligeait à cligner des yeux, il sortit d'une poche de sa chemise bariolée des lunettes noires, fermées sur les côtés par des œillères de cuir, qui mirent une ultime touche de folie à l'excentricité de son personnage.

– Et qu'est-ce que les sondes ont enregistré ? demanda Jacques, trop intrigué par cette énigme pour décider s'il aimait le goût du petit roulé réséda choisi dans un plat en toute ignorance de cause.

– Au début, trois fois rien, un bruit de fond organique proprement indéchiffrable, au grand dam des collaborateurs de Jorge qui espéraient trouver enfin l'« onde porteuse » du Deuxième Ordre de la psychosynergie.

– Je sais, oui ! murmura Jacques en se remémorant avec émotion l'image de la petite Rose-Marie figée sur le moniteur vidéo.

– Au début, l'enregistrement des données a été fait dans le laboratoire d'Alexander, reprit LaRocque Prévost. On y amenait cette femme dans une chaise roulante – comment l'as-tu appelée ? Gertrude Glück, oui ! A sa troisième visite, elle est tombée endormie pendant les examens. Incident banal, mais quelles conséquences ! Bonté ! Elle avait à peine fermé les yeux que les oscillographes se mirent à tracer les courbes d'une activité intense en provenance du rhinencéphale.

– Le rhinencéphale ?

– Pas évident pour un profane, accordé ! Ouvilou va venir à ma rescousse, la théorie des « trois cerveaux » de MacLean n'a pas de secret pour elle !

– Mon homme l'expliquerait aussi bien que moi, dit-elle de sa voix singulière, alors que des fossettes supplémentaires se creusaient dans son visage rond. Mais il a faim, et il ne peut manger et parler en même temps ! L'idée générale est celle-ci : dans l'évolution des espèces vivantes, tous les acquis biologiques des stades antérieurs subsistent comme autant d'éléments intégrants du nouvel état. C'est ainsi que MacLean a distingué dans le cerveau humain trois couches superposées. Au centre, la formation réticulaire, qui serait le vestige du cerveau olfactif des reptiliens, entouré par la circonvolution limbique, qui représente le cerveau des vieux mammifères. Quant à l'enveloppe du cortex, son développement serait beaucoup plus récent – quelque cinquante mille ans ! Dites-moi, Jacques, avez-vous parfois l'impression que vos émotions et votre intelligence ne font pas bon ménage ?

– Oh si, plus souvent qu'à mon tour !

– C'est le destin tragique de la civilisation de l'homme blanc. Vous n'avez pas su protéger l'unicité de votre *ihuma*, et il s'est fragmenté au détriment de l'harmonie de votre âme. Ne cherchez pas ailleurs la cause de vos souffrances !

Elle retrouva son sourire et secoua la tête, comme pour se reprocher la gravité de ses paroles. Puis elle poursuivit en disant que le concept des cerveaux stratifiés ne proposait pas pour autant une compartimentation de l'intelligence. C'était là que résidait le grand mystère ! Même si le rhinencéphale était le moteur des pulsions émotives élémentaires, le système limbique le gardien des apprentissages, et le cortex le siège des processus rationnels, la pensée humaine se formulait toujours comme un phénomène de synthèse. Ce n'était qu'*a posteriori* qu'on pouvait en dissocier les composantes ! La découverte par Alexander Carpentier d'une activité électrique dans les régions primitives du cerveau n'était pas surprenante en soi ; en revanche, le fait que sa manifestation n'apparût qu'en période de sommeil était tout à fait déroutant.

– Les rêves ? hasarda Jacques.

– Probablement, mais ce n'est pas si simple ! répondit-elle. Le rêve est une activité du cortex, et pendant la période qu'on appelle le sommeil paradoxal, qui est en fait le sommeil le plus profond, l'activité de l'encéphale donne un tracé similaire à celui de l'état de veille. Par contre, les courbes relevées dans le rhinencéphale ne ressemblaient à rien de ce qui avait jamais été enregistré. Alexander Carpentier a relevé deux nouveaux rythmes jusqu'alors inconnus, qu'il a désignés, faute de mieux, par *epson* et *epsilon*, l'un de haute intensité et l'autre, plus faible, qui ressemblait à un écho du premier. La synchronicité des...

– Je peux intervenir ? demanda LaRocque Prévost, la bouche pleine. Je crains que notre invité ne trouve tes explications un peu indigestes ! La première découverte de ton père, Jacques, c'est que notre cerveau fait des choses particulières pendant que nous dormons, et cesse de les faire lorsque nous sommes éveillés. *Beau dommage !* me diras-tu. C'est vrai, ça n'a l'air de rien à première vue, mais ça veut dire que le sommeil est un refuge clandestin où notre cerveau se livre à des activités qui ne supportent pas le grand jour. Gérard de Nerval disait n'avoir jamais éprouvé que le sommeil fût un repos. « Quand je dors, une vie nouvelle commence... » Si les chercheurs lisaient davantage de poésie, la science ferait de sacrés bonds en avant !

– La preuve est faite, dit Ouvilou. Mon homme maîtrise mieux que moi l'art de simplifier !

– Ton père a utilisé à l'époque une image frappante, poursuivit LaRocque Prévost sans relever l'interruption. Il disait que notre cerveau fait des *long distance calls* dès que notre conscience a le dos tourné. Les rêves ont fait l'objet de diverses théories scientifiques, qui s'accordent en général à les considérer comme un phénomène psychique indépendant de la volonté et circonscrit à l'activité cérébrale autonome du rêveur. La découverte de ton père pointait vers une définition élargie, en postulant que les rêves étaient aussi, et peut-être surtout, une *activité de communication.* Par ailleurs, on a établi que les rêves ont une influence déterminante sur notre équilibre mental. Sais-tu ce qui se passe quand on empêche quelqu'un de rêver, en le réveillant systématiquement dès que...

– Oui, je le sais ! s'écria-t-il en pensant aux gémissements lugubres de Serguei Tchakalov. J'ai vu au Berghof un malheureux qui avait perdu sa faculté de rêver. C'était horrible ! Je comprends pourquoi vous avez parlé à mon père d'une arme plus dangereuse que tous les engins thermonucléaires !

LaRocque Prévost fourragea dans sa barbe rousse d'un air faussement embarrassé et protesta qu'il ne se rappelait pas avoir tenu des propos aussi mélodramatiques. Il n'avait jamais pris au sérieux les fables sur le « cambriolage des cerveaux », dont une certaine presse s'était gargarisée après la publication du *Traité de psychosynergie*, et il croyait que la nature de cette « onde porteuse » qui assurait la transmission des pensées et des émotions entre les êtres humains était l'un des secrets les mieux gardés de l'univers.

– Veux-tu savoir ce qui me faisait peur ? reprit-il. Laisse-moi te raconter un souvenir de collège. Nous avions pris en grippe un surveillant, M. Schreiber, dont la chambre était attenante à notre dortoir. Il avait une passion cachée, le jeu ! Or nous avions découvert que le rasoir électrique de notre camarade Berthiaume possédait la propriété intéressante, quand on le branchait, de produire des parasites abominables, qui empêchaient M. Schreiber d'écouter les résultat des courses à la radio ! Aucun de nous n'aurait pu donner une définition des ondes hertziennes, pourtant notre ignorance ne nous a pas empêchés de trouver un moyen de brouiller la réception du signal. Fin de l'analogie ! A mon retour du Bateson, j'étais sous le choc de la découverte de ton père sur les « rêves communicants », et j'ai jonglé avec l'idée que, si la science n'était pas près d'expliquer la nature de ce dialogue, en revanche la technologie était peut-être capable d'en perturber la transmission. J'ai vu dans un cauchemar des apprentis sorciers empêchant des populations entières de rêver, avec l'équivalent d'un bricolage de rasoir électrique ! Avec le temps, je me suis dit que le véritable danger viendrait d'ailleurs... Pour être tout à fait franc, j'étais surtout préoccupé par ce qui est arrivé à l'autre patient de ton père.

– Quel autre patient ?

LaRocque Prévost prit le temps d'engouffrer trois beignets de crevettes et de finir sa bière, puis répondit qu'un violoniste coréen de grand talent avait été opéré peu après Gertrude Glück. Son état s'était rapidement détérioré, en raison de complications post-opératoires sans rapport direct avec la commissurotomie. L'équipement du laboratoire avait été transporté dans la chambre du malade, qui était resté dans le coma pendant quarante-huit heures avant de succomber à une embolie pulmonaire. Alexander, qui avait été mandé d'urgence, fut alors témoin d'un événement inconcevable. Bien que le cœur du patient eût cessé de battre et que son tracé électro-encéphalographique fût rigoureusement nul, une activité prodigieusement intense des profondeurs du rhinencéphale se produisit pendant cinquante-trois minutes sur le rythme *epsilon* qui, selon les hypothèses de l'équipe de recherche, représentait la fonction émettrice de cette mystérieuse communication du Troisième Ordre.

– J'ai rencontré ton père trois jours plus tard, Jacques. Bonté ! Il était tellement ébranlé qu'il ne tenait plus en place pendant qu'il me disait ce qu'il avait vécu au chevet de son patient. Selon les définitions de la médecine telle qu'on la lui avait enseignée, l'homme étendu devant lui était mort. Tous les signes vitaux étaient interrompus et, comme son cerveau avait cessé d'être irrigué, l'anoxie avait fait son œuvre fatale en moins de cinq minutes. Et malgré ça, pendant près d'une heure, les aiguilles de l'oscillographe ont continué de s'agiter. Et il est resté à les regarder sans rien faire, pétrifié. Il m'a dit : « J'avais l'impression de voir un cerveau se vider de son contenu, transmettre tout son savoir dans un ultime cri silencieux, ses souvenirs et ses émotions – mais à qui ? *A qui* les confiait-il ? Et pour quoi faire ? » Ce sont ses paroles textuelles. Surprenant langage pour un scientifique ! Remarque que je ne me fie pas seulement à ma mémoire, j'ai pris des notes le soir même !

Jacques voulut répliquer que les paroles citées ne lui paraissaient pas déplacées dans la bouche de son père, mais il se tut sous l'empire d'un bouleversement inattendu. Incapable dans l'instant de faire preuve d'analyse et de rigueur, il réagissait intuitivement à ce qu'il venait d'apprendre, en pressentait l'envergure et les conséquences. « Je commence à saisir pourquoi d'Aquino s'est opposé à la divulgation de ce secret, pensa-t-il. J'imagine les réactions provoquées par l'annonce du Troisième Ordre, les remises en question, les interminables polémiques... Car enfin, on n'apporte pas sans risque la preuve de l'existence de l'âme ! »

– J'ai rencontré au Berghof...

Les mots ne passaient pas. Il aurait voulu citer les propos de M. Léopold sur « l'incapacité d'oublier », et faire le lien avec ce que LaRocque Prévost venait de lui révéler. Il se racla la gorge et s'essaya à nouveau, sans plus de succès. Sentant ses yeux s'embuer, il se leva pour s'approcher de la baie vitrée et regarder le soleil se coucher sur un lit de nuages écarlates, dans un panorama qui se désagrégeait en poudre d'or. « Qu'est-ce qui m'arrive ? se demanda-t-il en réprimant tant bien que mal ses sanglots. Je ne vais pas perdre le contrôle, il ne manquerait plus que ça ! » Dans le reflet de la vitre, il aperçut Ouvilou qui se levait à son tour et s'avançait derrière lui. Il tressaillit quand elle le prit aux épaules et s'appuya contre son dos, en posant sa tête de côté comme pour écouter dans sa poitrine des rumeurs qu'elle seule pouvait interpréter, grâce à un don mystérieux que les femmes de sa race se transmettaient de génération en génération. « J'invente n'importe quoi ! pensa-t-il en s'essuyant les joues d'un revers de manche. Elle me manifeste simplement sa sympathie d'une manière inhabituelle, voilà tout ! » Il fut pourtant contraint de reconnaître que la sensation d'apaisement qui l'envahissait était bien réelle, qu'elle fût causée par son imagination ou par le contact de cet étrange chaman.

Il attendit d'avoir repris contenance pour se retourner. Jean-Baptiste s'était approché silencieusement en tenant la main d'Ouvilou. Existait-il sur terre un couple plus mal assorti, et plus radieux ? Toutes les probabilités étaient contre eux, et l'amour avait joué gagnant.

– J'aimerais tirer quelque chose au clair, dit-il. Depuis mon arrivée, j'ai l'impression que vous essayez de me faire comprendre quelque chose. Vous m'avez parlé des travaux de mon père, mais je sens qu'il y a une suite... Pourquoi ne pas me la dire, tout simplement ?

– Pour gagner du temps ! dit LaRocque Prévost en le prenant par le bras. Viens, nous avons besoin de grand air...

Ils sortirent tous deux sur la terrasse et allèrent s'accouder à la balustrade. Cent mètres plus bas, la mer ourlait de courtes vagues sur une plage de galets blancs. Jacques sentait sous ses pieds nus les planches de cèdre encore chaudes de soleil.

– A Davos, le crépuscule est très court, dit-il en se remémorant avec un souffle au cœur son arrivée en deltaplane sur la Walpurgis. Ici, la transition n'en finit pas, les couleurs passent par toute la gamme des demi-teintes... Je dois découvrir la vérité sur Sedna par moi-même, c'est bien ça ?

LaRocque Prévost ne répondit pas, le regard perdu à l'horizon. Comprenant qu'il n'en tirerait rien, Jacques se tut et laissa vagabonder sa pensée. Il se souvint de la peur d'Élisabeth après la réunion à l'*hacienda*, de l'épouvante de Katja après sa transe dans le refuge, des paroles de son père dans le cimetière du Mont-Royal : *« Listen to Sedna ! »* Il n'eut pas à chercher longtemps. Son esprit avait accompli un long travail inconscient pendant les semaines écoulées, et c'était l'intuition de toucher au but qui avait libéré ses sanglots. Maintenant qu'il savait, il n'éprouvait aucune surprise ni crainte, mais une sensation stupéfiée d'écrasement, d'insignifiance, de solitude absolue – un trou noir, intemporel et glacé.

– *Sedna existe !* dit-il. Ce n'est pas une métaphore, ni un mythe ! C'est une réalité vivante et agissante !

Il observa LaRocque Prévost à la dérobée, encore éberlué par le kaléidoscope extravagant de sa mise. Il se sentait en confiance, comme son père avait dû l'être autrefois – sinon, pourquoi se serait-il confié à lui ? Puis il pensa : « Depuis mon enfance, on m'a habitué à diviser l'univers en deux, les choses de la matière d'un côté, et les choses de l'esprit. Aujourd'hui encore, j'hésite à abattre la cloison, comme si j'enfreignais un tabou ! Mon corps est matière, alors que ma pensée est immatérielle. Mais l'est-elle vraiment ? » Il comprenait mieux ce que M. Léopold avait voulu dire en parlant de la « réalité de la mémoire ». Une idée, un souvenir étaient des produits matériels du cerveau, le résultat concret de réactions chimiques et de courants électriques, *the wet and the dry.* Parce qu'on ne savait pratiquement rien de sa genèse, on trouvait plus confortable d'imaginer la pensée comme une chose abstraite...

– Sedna est une sorte... de conscience collective, murmura-t-il.

– Tu peux le dire, oui ! affirma Jean-Baptiste avec force. Sedna est la conscience collective de l'humanité.

Jacques objecta que cette conscience ne pouvait exister sans un substrat matériel, qu'elle devait être physiquement quelque part... Sinon, c'était une entité spirituelle, un pur esprit – et ils n'avaient pas besoin de Jorge d'Aquino ni d'Alexander Carpentier pour tenir ce discours-là, qui était celui de la foi.

LaRocque Prévost s'arracha à la contemplation de l'océan, couvert d'une brume lumineuse ; se redressant, il posa ses mains jointes sur l'extrémité de son nez :

– C'est un sujet qui prête à tous les malentendus, Jacques. Je fais partie de la chorale de l'université de la Colombie britannique, et nous préparons pour Noël *Le Messie* de Haendel, avec l'Ensemble baroque de Vancouver. A notre dernière répétition, alors que nous chantions l'aria *« For unto us a Child is born »*, nous avons tous été saisis par une émotion intense, pour une raison inexpliquée. Quand nous nous sommes tus, la plupart d'entre nous avions les larmes aux yeux. Physiquement, notre chant était le produit de la fusion de nos voix individuelles, mais quelque chose s'y est ajouté ce soir-là, qui l'a rendu unique ! Et soixante-quinze personnes seraient prêtes à affirmer que l'émotion *collectivement* ressentie était bien réelle, elle aussi ! Dans notre organisme, elle s'est traduite par des phénomènes endocriniens qui n'ont rien de mystique. Mais comment l'avons-nous perçue ? On peut l'imaginer comme une vibration psychique captée par un sixième sens, aussi réelle que la vibration de l'air produite par nos cordes vocales et captée par nos tympans. Et si une personne sourde et aveugle avait été dans la salle, aurait-elle partagé notre émotion ? Elle ne nous aurait pas vus ni entendus chanter notre hymne, mais son épiderme en aurait perçu les vibrations acoustiques, à défaut d'en comprendre les mots ! Tout ça pour te dire que ton père n'a jamais vu ni entendu Sedna, pas plus qu'il n'a découvert le substrat matériel de la conscience collective. Par contre, il a capté quelque chose dans les profondeurs du cerveau humain, une intense activité de communication ouvrant sur des perspectives vertigineuses !

Selon la théorie du Troisième Ordre, le cerveau humain accomplissait en dormant deux activités complémentaires. Il contribuait à l'existence de Sedna en lui fournissant son énergie vitale, sous la forme d'un influx psychique, comparable à une onde porteuse combinant simultanément énergie et informations. Cette contribution individuelle était infime, mais, comme tous les êtres humains passaient chaque nuit plusieurs heures à dormir, l'accumulation énergétique devait être colossale, surtout si le mode de transmission défiait les lois de la physique, comme la petite Rose-Marie avec son koala. Toutefois, cette communication n'était pas à sens unique. Au contact de Sedna, le dormeur accédait à la totalité du savoir humain, accumulé depuis la nuit des temps, il consultait la somme infinie des expériences individuelles, que la conscience de l'espèce avait collectées sitôt après la mort de chaque être, des plus insignifiants aux plus illustres. Cette consultation l'aidait à trouver la réponse à ses problèmes, à éclairer sa conduite, à rétablir au besoin son équilibre intérieur. En cela, le rêve était la guérison nocturne de l'âme, écorchée par la réalité du quotidien. Les Anciens l'avaient compris et étaient à l'écoute des songes, alors que l'homme moderne au cerveau gauche hypertrophié avait pris ses distances, en considérant que les interprétations oniriques manquaient de sérieux. Mais les « jeux de mots à tiroirs » dont parlait Jung, la désarticulation du verbe, les symboles archaïques se comprenaient mieux quand on considérait que le travail de l'inconscient était de faire la traduction entre la langue maternelle du rêveur et le langage universel de Sedna.

Le souffle suspendu, Jacques écoutait son hôte avec une exaltation grandissante. On lui proposait enfin une explication cohérente !

– Qui a eu l'idée d'appeler cette conscience collective du nom de Sedna ?

– Tu le demandes, ce n'est pas trop tôt ! s'écria LaRocque Prévost avec un rire franc. J'étais le parrain à ce baptême ! Quand ton père m'a fait part de sa théorie, je lui ai raconté la légende de Sedna. Je le revois, il prenait des notes à toute vitesse, en poussant des exclamations de surprise ! Très gratifiant pour moi !

– C'est stupéfiant, en effet ! s'écria Jacques. Apprendre comme ça qu'une ancienne légende confirme vos hypothèses, quel choc ! Car enfin, tout y est, point par point : le rêve, l'*angakok*, l'offrande, l'oracle ! Je n'en reviens pas !

Un afflux d'idées nouvelles le submergeaient, s'enchaînaient les unes aux autres, se télescopaient avec des étincelles. Il pressentait que tout n'avait pas été dit, que des pans entiers du formidable édifice intellectuel érigé par Jorge d'Aquino et Alexander Carpentier lui échappaient encore, qu'il n'avait pas fait sept fois le tour de ses nouvelles certitudes. Son esprit se révoltait contre l'idée que cette conscience collective démasquée par son père existait bel et bien, aussi réelle que ce souffle tiède qui lui venait à l'instant du grand large, imprégné de senteurs marines.

– Je viens vous aider à apprivoiser le crépuscule, dit la voix masculine d'Ouvilou dans leur dos.

Elle leur tendit à chacun une tasse de tisane tiède, à l'arôme pénétrant, puis s'accota à la balustrade, à la droite de son mari. « Je ne l'ai pas entendue approcher, se dit Jacques, pourtant le plancher de la terrasse craque de partout... Quelle femme étonnante ! »

– Vous m'avez expliqué le Troisième Ordre, reprit Jacques, mais je ne sais pas ce que vous en pensez... Vous-même, vous croyez à la réalité de Sedna ?

– Je crois qu'elle existe et qu'elle en a conscience, oui ! répondit calmement LaRocque Prévost. C'est une entité vivante, immensément intelligente, qui vit en symbiose avec l'humanité depuis les origines, qui se développe avec elle ! Ou, si tu préfères, c'est la forme suprême de psychosynergie : le capital de l'énergie psychique de tous les êtres humains, ceux qui vivent autant que ceux qui ont vécu. Et, comme pour la synergie des hémisphères du cerveau à l'échelle de la personne, l'intelligence collective de l'espèce est infiniment plus grande que la somme de ses parties !

– Vous en parlez comme si elle était présente autour de nous, dit Jacques en baissant la voix malgré lui, comme si elle pouvait nous entendre parler d'elle...

– Vous exprimez une frayeur de nature religieuse, dit Ouvilou. Or Sedna n'est pas une créature divine. Nous craignons une divinité parce que nous supposons qu'elle peut influencer notre destinée. Mais Sedna est impuissante à punir l'homme comme à le récompenser. Elle dépend de nous tous, mais elle n'a besoin de personne en particulier. Vous-même, que savez-vous de l'activité de cette zone de votre cerveau qui s'appelle le *locus niger* ? Vous ne vous en souciez pas, bien que son travail soit indispensable au fonctionnement de votre pensée.

– Un instant ! s'écria-t-il. Vous dites que Sedna est incapable d'agir sur une personne en particulier ?

– Je sais ce qui motive ta question, dit LaRocque Prévost avec une tension subite dans la voix. Tu penses à l'attaque cérébrale de ton père, le jour où il devait révéler l'existence du Troisième Ordre. Coïncidence troublante ! Mais, si Sedna avait eu ce pouvoir d'influencer les bâtisseurs d'empire, les chefs d'État, les savants et les grands inventeurs, le monde serait-il aujourd'hui dans un tel marasme ? Tu vois, Jacques, l'existence de cette supra-intelligence est liée à la survie de l'humanité. Le gui meurt avec le chêne, non ? Si Sedna avait son mot à dire dans la conduite de nos affaires, comment comprendre les guerres et les massacres, comment expliquer les haines grégaires et les fanatismes religieux, qui font à la longue plus de victimes que la violence délibérée ?

– Jean-Baptiste, laisse parler notre ami ! dit Ouvilou avec douceur. Il ne croit pas à la neutralité de Sedna.

– C'est vrai, Jacques ? Élisabeth Popesco m'a averti ce matin au téléphone que tu étais « un messager porteur de tempête et de nuit ». Textuel !

– Ce que j'ai à vous révéler n'est pas facile, ni à dire, ni à croire. J'ai même fait une sorte d'indigestion psychique en arrivant à Montréal ! Je portais un secret si terrible que, lorsque je me suis retrouvé seul, loin de ceux qui le partageaient avec moi, je l'ai nié par peur d'être anéanti. Mais, cet après-midi dans l'avion, j'ai trouvé ceci...

Il tendit la coupure de presse à LaRocque Prévost, qui la lut attentivement, puis la passa à Ouvilou. La nouvelle faisait état d'une diminution notable du nombre d'avortements dans cinq grands hôpitaux de New York. L'organisation ProLife pavoisait, en attribuant ce déclin à sa dernière croisade nationale, mais les autorités médicales ne partageaient pas cette interprétation et avaient demandé la convocation d'une conférence d'experts pour étudier ce phénomène, que le porte-parole du Great Metropolitan Hospital avait qualifié d'« extrêmement préoccupant ».

– Nous t'écoutons ! dit LaRocque Prévost.

Jacques fit le récit circonstancié de la visite de Lars Frankenthal au Berghof, et des révélations qui avaient suivi sur le Grand Déclin. Tout en parlant, il se préparait à répondre aux questions de ses hôtes, mais la seule réaction d'Ouvilou fut de se détourner en frissonnant et de plonger le nez dans les fleurs de la chemise hawaïenne de celui qu'elle appelait « son homme ».

– Tu as dit sept ans ? murmura LaRocque Prévost en français, comme s'il voulait éviter que sa femme ne le comprît. Bonté ! C'est si court !

– Ce sont les conclusions du Dr Frankenthal, dit Jacques. Les données statistiques doivent encore être...

– Sept ans, est-ce possible ? répétait LaRocque Prévost sans l'écouter. Et nous qui espérions fêter les vingt ans de Qajo dans le siècle de la réconciliation. Sept ans ! Le début de la panique est pour demain !

Sans répondre, Jacques se détourna vers le gouffre de l'océan. Pourquoi ces gens qui l'avaient accueilli avec tant de confiance ne lui reprochaient-ils pas son imposture ? Pourquoi ne leur venait-il pas à l'esprit qu'il avait pu déformer les informations glanées au Berghof, ou même forgé cette histoire de toutes pièces ? Il leur annonçait l'extinction de l'espèce humaine, et ils prenaient ses paroles pour de l'argent comptant. C'était insensé !

– Comptes-tu retourner en Suisse, Jacques ? demanda LaRocque Prévost, le regard ailleurs.

– Je n'en étais pas certain en arrivant à Vancouver, même après avoir lu cet article. A présent, je me sens solidaire, mes liens avec ceux qui partagent le secret du Troisième Ordre se sont comme resserrés. Jorge d'Aquino attend quelque chose de moi, je ne sais pas encore quoi, mais je ne peux pas le laisser tomber...

– Ton père t'accompagne ?

– Oh non, c'est impossible, malheureusement !

– Pourquoi ?

Jacques entreprit d'énumérer les raisons qui s'opposaient à un tel voyage, mais il se tut. LaRocque Prévost ne l'écoutait plus et contemplait la voûte du ciel, où perçaient les premières étoiles.

– *L'humanité est-elle devenue un cancer pour Sedna ?* demanda-t-il d'une voix étranglée.

Un coin lecture avait été aménagé à l'extrémité de la mezzanine, qui ouvrait sur toute la longueur du living-room. Encastré entre des étagères où s'empilaient des livres et des magazines d'ethnographie, de sociologie, de géographie et d'histoire, un canapé avait été déplié en un confortable lit. Jacques s'y était endormi à peine couché, terrassé par une torpeur où entrait autant de fatigue que d'aspiration au néant. Au milieu de la nuit, une pensée le réveilla en sursaut : il avait laissé passer l'heure de son départ pour l'aéroport. L'obscurité environnante le rassura, avant de servir de ferment à de nouvelles angoisses. Les yeux grands ouverts, sentant avec dépit le sommeil le fuir, il entreprit de passer au crible les révélations de la soirée. Un bruit de porte qui se ferme et des craquements dans le noir le firent tressaillir. On alluma dans le vestibule d'entrée, qui était en contrebas de l'étage principal. Le living-room fut éclairé au ras du sol, des ombres aux formes étranges s'étirèrent devant les meubles, trappes insondables ouvertes dans l'épaisseur du tapis. Qajo apparut au bas de l'escalier et se dirigea vers l'étagère, où il passa rapidement en revue une impressionnante collection d'enregistrements musicaux. Il portait un survêtement de coton gris ouaté, des bas de laine lilas roulés aux chevilles, des baskets blanches flambant neuves, des écouteurs miniatures et un walkman, attaché à son biceps. Il le sortit de son étui et en changea la cassette avec dextérité, puis il se déchaussa, fit demi-tour et attendit, immobile, le visage levé.

La première réaction de LaRocque Prévost en rencontrant Jacques avait été de s'étonner de sa ressemblance avec son père, comme Élisabeth et d'Aquino l'avaient fait avant lui – cette ressemblance qu'on évitait de mentionner chez les Demontigny, où le mariage de Cécile avec un anglophone protestant n'avait jamais été digéré, alors qu'on ne manquait pas de souligner que Didier était le « portrait craché de sa pauvre mère ». Dans le cas de Qajorànguaq, le destin avait choisi de diviser en parts égales l'héritage génétique de Jean-Baptiste et d'Ouvilou, et l'amalgame obtenu était proprement stupéfiant : une tignasse fauve à grandes boucles, des yeux de velours sombre bridés par les pommettes hautes, une bouche aux lèvres pleines qui semblaient sans cesse retenir un sourire. Toutefois, ce métissage frappait surtout par son résultat esthétique : la beauté violente, quasi insolente de cet adolescent de seize ans, qui habitait son corps souple et fougueux avec une rare aisance.

« Quand je pense à ce grand escogriffe de Sigmund, qui ne sait jamais que faire de ses mains pleines de doigts, quel contraste ! », se dit Jacques, en découvrant avec surprise qu'il se réjouissait de revoir celui qu'il avait surnommé son *one member fan club.*

LaRocque Prévost avait parlé plus tôt de son « fiston » avec une fierté touchante, et mentionné quelque chose au sujet d'une école de ballet. Comme s'il voulait illustrer ses propos, Qajo s'avança dans l'espace découvert entre la cheminée et le sofa, puis s'élança dans une succession de pirouettes aériennes, suivies d'un pas de danse étourdissant. Visiblement, il improvisait sur une musique qu'il était seul à entendre, avec une créativité jaillissante, une maîtrise de son corps libérée de tout académisme, une vitalité joyeuse et funambulesque alternant avec des langueurs et de sublimes nonchalances. Sans doute l'idée de cette chorégraphie lui était-elle venue en rentrant à la maison, et il s'était dépêché de l'écrire dans l'espace avant d'aller se coucher. De son balcon, Jacques suivait ses évolutions étrangement silencieuses avec fascination, et la certitude qu'une carrière fulgurante attendait cet adolescent marqué par la grâce.

Qajo termina son éblouissante démonstration à genoux, le torse offert aux dieux, la nuque renversée, le visage épanoui par un sourire de triomphe – un grand éclair blanc dans une grêle de taches de rousseur. Jacques le vit à regret se lever et disparaître dans sa chambre.

L'angoisse revint lui tenir compagnie. Il se remémora les paroles énigmatiques d'Ouvilou, lorsqu'elle lui avait souhaité bonne nuit :

– Ne tardez pas à retourner en Suisse, Jacques. Vous condamnez à l'attente des gens qui vous aiment.

– Didier, oui, je sais ! A moins que vous ne parliez d'Élisabeth... Je vais lui téléphoner demain matin.

– Je pense à l'autre, celle dont vous évitez de dire le nom.

– Mais comment... Élisabeth vous a dit quelque chose ?

– Non. Je le sais à cause du frémissement de la lumière bleue autour de vous.

Sans savoir ce qui le poussait aux confidences, il lui avait parlé de Katja, et de la prise de conscience douloureuse qu'il avait faite à Montréal. Son engagement amoureux de la nuit de la Walpurgis n'avait pas résisté à l'épreuve de l'éloignement. A sa surprise, Ouvilou lui avait posé une main sur la joue en murmurant :

– Il faut lui avouer la vérité de vos sentiments. Ne le faites pas à distance, attendez d'être de retour là-bas. Elle mérite la clarté de votre regard.

– Sans doute, mais le temps passe... Elle continue d'espérer malgré mon silence, ou à cause de lui. Vous ne la connaissez pas !

– Je la connais pour être sa sœur, et pour savoir que sa souffrance lui appartient.

Étendu dans la pénombre, Jacques sentait encore contre sa joue la chaleur tiède de la main d'Ouvilou. Il se rappela son regard singulier, où il avait cru apercevoir un éclat d'ironie amusée, en même temps qu'un peu inquiète. Pourquoi lui avait-elle parlé de Katja comme de sa sœur ? Il était rendu à un point où les plus folles suppositions lui paraissaient plausibles. « N'empêche qu'elle cherchait à me mettre en garde, pensa-t-il, à m'avertir d'un événement qui va bouleverser mon existence, plus encore que ceux des dernières semaines. »

Il se redressa en entendant à nouveau un bruit de pas, et il se prépara à descendre pour aller saluer Qajo. Il s'immobilisa au sommet de l'escalier. Il avait une vue plongeante sur la cuisine de style californien, intégrée au living par un large comptoir, avec des chaises cannées de part et d'autre, hautes comme des tabourets de bar. Qajo était nu devant le réfrigérateur ouvert, qu'il inventoriait d'un regard perplexe. Il sortit une pinte de lait, du pain tranché et un pot de confiture. Puis, avec du beurre d'arachides et une banane débitée en rondelles, il se confectionna en un tournemain un monstrueux sandwich qu'il engloutit avec voracité. Jacques salivait sur les hauteurs de son observatoire, en regrettant qu'Ouvilou eût mis les petits plats japonais dans les grands en l'honneur de sa visite. Il se serait volontiers joint à cette collation nocturne, mais craignait d'embarrasser l'adolescent. Bien que lui-même ne fût pas prude, il se découvrait dans une position ambiguë, à l'observer qui débarrassait le comptoir, sans pouvoir détacher les yeux des courbes et des contrastes de son corps d'androgyne, aux épaules charpentées et aux bras délicats, aux fesses nerveuses et aux hanches indolentes, au ventre plat de jeune fille et aux cuisses musclées de maître nageur. Sa nudité ne le troublait pas tant que l'agression équivoque de sa beauté et de sa grâce. Il l'observa alors qu'il traversait le living-room pour regagner sa chambre, et tressaillit en reconnaissant tout à coup cette démarche fluide qui se jouait des lois de la gravitation, cette glissade piaffante et contrôlée qui ne déplaçait pas d'air. Sous le coup de l'émotion, il recula dans les profondeurs de la pénombre et se plongea le visage dans les mains, comme s'il refusait de regarder en face quelque scandaleuse révélation. Puis il se dirigea sans bruit vers la salle de bains de la mezzanine et, après avoir tâtonné dans l'obscurité, ouvrit le robinet d'eau froide pour se bassiner les paupières et le front. En se redressant, il aperçut sa silhouette sombre dans le miroir, mais il se garda d'allumer la lumière, car l'expression de son visage était bien la dernière chose qu'il eût envie de voir, maintenant qu'il savait ce que dissimulait le masque de Katja.

13

Jacques avait attendu d'être seul avec son père pour lui demander s'il voulait l'accompagner en Suisse.

– Didier n'est pas malade, au moins ? Il me manque.

– Malade, lui ? Il est en pleine forme ! Moi aussi, je me réjouis de le revoir ! Alors, tu te sens prêt à faire ce voyage ?

– Je m'ennuie de ses caresses.

Jacques détourna les yeux avec gêne. Il avait toujours secrètement envié la facilité avec laquelle Didier manifestait son affection à son père, s'asseyant sur l'accoudoir de son fauteuil et jouant avec ses longues mèches argentées, tout en lui racontant ses derniers exploits sportifs, ou ce tour pendable qu'il avait joué à Mme Dutil, la psychologue scolaire. Il lui parlait longuement, sans paraître découragé de ne recevoir que des balbutiements indistincts en réponse à ses confidences. Alexander en saisissait-il davantage qu'on ne le croyait ? Il était maintenant évident qu'il n'avait pas été insensible à la tendresse de Didier... « Je l'ai peut-être fait souffrir en le traitant comme un infirme, pensa Jacques, mais comment savoir ce qui se passait dans sa tête ? »

L'absence de retenue avec laquelle son père avouait qu'il s'ennuyait des caresses de Didier l'obligea à corriger l'image qu'il avait gardée de lui, celle d'un homme réservé dans ses paroles et peu enclin à extérioriser ses sentiments. Que s'était-il passé au long de cette nuit de douze ans, qui lui avait restitué la spontanéité que son éducation bien-pensante avait tôt mis sous le boisseau ?

– Le Pr d'Aquino est à Davos, dit-il en revenant à la charge. Tu te souviens de lui ? Aurais-tu des objections à le revoir ?

– Jorge est un ami. *I am proud of him.*

Jacques ne s'était pas rendu compte avant cet instant qu'il avait engagé la conversation en français, ni que son père lui avait répondu dans cette langue. « Il n'a presque pas d'accent, se dit-il. Dans mes souvenirs, je l'imagine toujours s'adressant à moi en anglais, mais ma mère ne l'aurait jamais laissé faire ! »

– Et Élisabeth Bogdan-Popesco ? demanda-t-il d'une voix neutre. Tu te souviens d'elle aussi ?

– Non, je ne la connais pas. Qui est-ce ? Elle est bien élevée ?

Il sourit intérieurement de l'ingénuité de la question, à laquelle il aurait été d'ailleurs en peine de répondre. Élisabeth, bien élevée ? Il songea à son amitié amoureuse avec Katja, en se demandant comment leur relation avait évolué depuis son départ de Davos. Perdu dans ses pensées, il regardait distraitement son père assis au salon, qui feuilletait le *New York Review of Books* qu'il avait acheté à l'aéroport de Vancouver pour son voyage de retour.

– Veux-tu savoir ? dit soudain Alexander en levant la tête. Je peux lire les titres, mais pas les petits caractères. *Might I need glasses ?*

Jacques s'approcha pour lui poser la main sur l'épaule, une fois de plus stupéfait et ému par la rapidité de ses progrès. « Il met cette veste d'intérieur depuis des années, pensa-t-il, le col est tout élimé, ça ne vaudrait même pas la peine de le faire réparer. Et il ne portait pas de lunettes autrefois, mais il a vieilli et sa vue a dû baisser. Je vais prendre rendez-vous chez un oculiste. »

– C'est une excellente suggestion, déclara son père en lui prenant la main. Je suis d'accord.

– Mais de quoi donc ? dit-il, saisi par cet acquiescement à une pensée qu'il n'avait pas encore formulée.

– Tu me proposes de t'accompagner en Suisse, et moi je te réponds que c'est une excellente suggestion.

– J'en suis très heureux, *Dad !* Et tu as raison, je manque de suite dans les idées.

Mathilde l'attaqua de front le lendemain matin, alors qu'il prenait un bol de Frosted Flakes sur le coin du comptoir de la cuisine, en guise de petit déjeuner.

– Ton père va de plus en plus mal, déclara-t-elle sans ambages. Imagine-toi qu'il s'est mis en tête de t'accompagner en Suisse !

– Et alors ? De toute façon, le projet ne vient pas de lui, mais de moi. Vous ne pensez pas que c'est une bonne idée ?

Elle le toisa, les narines pincées, faisant provision d'air et de patience :

– Mais enfin, Jacques, vas-tu un jour te décider à te conduire en adulte ? Le faire voyager, dans l'état où il se trouve ! Tu n'y penses pas sérieusement !

– Mais si, ma tante ! Je ne partage pas vos inquiétudes, voilà tout ! Pourquoi ne pas appeler le Dr Blumenkranz pour lui demander son opinion ?

– Inutile de l'appeler, Alexander a justement rendez-vous aujourd'hui à l'Institut Penfield pour un *check-up*. Je poserai la question pour le voyage par acquis de conscience, même si je connais d'avance la réponse. Heureusement, ce Dr Blumenkranz a la tête bien plantée sur les épaules, lui ! Je suis sans inquiétude.

Contrairement à sa déclaration, elle ne semblait nullement rassurée et entreprit de laver les feuilles des plantes vertes du salon, occupation d'apparence anodine, mais qui marquait généralement le prélude d'une crise domestique. Jacques l'observa à la dérobée, avec un secret apitoiement. Elle ne se doutait pas qu'il avait eu ce matin une longue discussion au téléphone avec Saul Blumenkranz. A son soulagement, il avait trouvé un allié, et il avait suggéré à Mathilde de l'appeler en sachant déjà qu'un avis favorable lui serait donné sur ce projet de voyage.

Son bichonnage horticole terminé, Mathilde contempla d'un air penché la *Petite Fille au manchon gris* de Lemieux, s'approcha pour en redresser le cadre, qui était droit, puis fit le tour du salon et de la salle à manger pour se planter devant chaque tableau et chaque gravure, et vérifier si quelque tremblement de terre nocturne ne les avait pas mis de guingois.

Jacques décida d'ignorer son manège et se réfugia dans la véranda, après avoir tiré des rayons de la bibliothèque une demi-douzaine d'ouvrages susceptibles de le renseigner sur le concept de *conscience collective*. En feuilletant un livre de Carl Jung, il tomba sur une citation que son père avait autrefois soulignée, et qui le laissa frissonnant d'angoisse : « Nous consultons dans notre sommeil l'*Homo sapiens* vieux de deux millions d'années, dont chacun d'entre nous porte l'empreinte en soi. C'est en se ressourçant à cet inconscient collectif, réservoir de mythes, de symboles et de fantasmes, que la personne souffrante trouve la voie de sa guérison. »

Au début de l'après-midi, il se rendit à l'agence de voyages pour réserver deux places sur le vol de la Swissair qui partait le lendemain soir pour Zurich.

– Vos passeports sont en ordre ? demanda distraitement l'employée en pianotant sur son terminal.

Il serra les poings de dépit, furieux de n'avoir pas prévu la question, et comprenant que son projet était en fin de compte plus compliqué qu'il ne l'avait cru. On lui remit un formulaire en double exemplaire, en l'assurant que, si le Dr Carpentier se rendait en personne au bureau régional du secrétariat d'État, un passeport d'une durée limitée lui serait délivré dans les quarante-huit heures. Sur la foi de cette information, il se donna une marge de trois jours et fit les réservations pour le samedi soir.

De retour chez lui, il trouva son père au jardin, assis sur un banc ; il tenait un bloc-notes sur ses genoux et essayait d'écrire, sans produire autre chose qu'un gribouillage illisible.

– Mathilde est allée faire des courses. Je ne l'ai pas accompagnée parce qu'elle se rendait malheureuse.

– Que veux-tu dire ? demanda Jacques.

– Notre visite à l'Institut Penfield l'a mise de mauvaise humeur. J'ai vu mon ancien bureau.

– Ah bon ! Et comment s'est passée ta rencontre avec le Dr Blumenkranz ? Il t'inspire confiance ?

– C'est une demeure historique, Jacques, construite en 1872 par Mortimer McDonald. Pourquoi ont-ils cloué du tapis partout ? Les planchers sont en lattes de chêne de cinq pouces, on n'en fait plus de semblables depuis belle lurette. Il faut bien les cirer, et ils prennent la couleur du miel. Le bois est un matériau vivant qui a besoin de respirer comme toi et moi. J'ai eu le sentiment que ma visite l'embarrassait.

– Blumenkranz était embarrassé de te voir ? demanda Jacques qui avait appris que les enchaînements de son père n'étaient pas toujours cousus de logique. Et pourquoi donc ?

– C'est un médecin consciencieux, il en sait long sur les maladies, mais il ne comprend pas grand-chose à la santé. Mon cas le dérange, pourtant il en parle avec beaucoup d'assurance – mais comment pourrait-il inspirer la confiance quand lui-même est en état de manque ? Il s'est montré amical et encourageant à mon égard, mais il avait hâte de me voir partir. Je l'ai troublé en lui parlant du passé.

– Tu le connaissais d'avant ?

– Il a été un de mes étudiants, oui. Il n'avait pas du tout envie d'en parler.

Il reprit avec application ses exercices de calligraphie, mais son stylo, qui paraissait animé d'une volonté propre, refusait de s'en tenir aux panses, aux hampes et aux jambages des lettres et s'évadait dans des fioritures vaporeuses et des entrelacs byzantins. Alors que Jacques lui suggérait d'utiliser la main droite, il releva la tête et sa physionomie impassible fut traversée d'une fugitive expression de fierté :

– J'ai répondu au téléphone.

– Vraiment ? Je... C'est un grand pas ! Félicitations !

– Je n'ai pas eu peur. L'appel était pour toi, un monsieur de Davos avec un accent pour dire qu'une dame était morte.

Jacques ne put lui en soutirer davantage. Le cœur étreint d'angoisse, il rentra précipitamment dans la maison pour téléphoner au Berghof. Pendant que la sonnerie grelottait dans le bureau de Tadeus Bubenblick, il se demandait avec une panique croissante : « Qui ? Mais *qui* ? Katja ? Ce n'est pas possible ! Élisabeth ? Oh non ! *Non !* Mais pourquoi m'aurait-on appelé pour quelqu'un d'autre ? »

On décrocha à l'autre bout, et une voix acariâtre aboya quelques mots en allemand. Quelle que fût la tragédie qui endeuillait le Berghof, Bertha Moll n'en était pas la victime, et il y vit la confirmation réitérée de l'aveuglement de la Providence. Surmontant son aversion à lui parler, il s'annonça et lui demanda si quelqu'un à sa connaissance avait tenté de le joindre à Montréal. Pour toute réponse, il entendit le glapissement de la Mollosse dans l'interphone relié aux haut-parleurs des couloirs du Berghof : *« Frau Popesco, telefon ! »* Il pensa aussitôt : « Alors c'est Katja, j'en étais sûr ! » Un voile rouge passa devant ses yeux et il s'assit sur le bahut du vestibule, luttant contre l'étourdissement. La voix chaude et pleine d'Élisabeth, qui triplait les *r* et escamotait les diphtongues, résonnait dans l'écouteur.

– Petit Prince, c'est toi ?

– Mais oui, qu'est-ce qui se passe ? On a téléphoné ici en mon absence...

– C'est Tadeus, il ne savait pas s'il devait t'appeler, et moi j'ai refusé d'influencer sa décision. Depuis, il n'arrête pas de me faire des sourires crocodiles, tu vois le genre ! Il voulait t'annoncer que Gertrude est morte ce matin.

– Gertrude Glück ? Mais pourquoi ? Enfin je veux dire, comment est-ce arrivé ?

– Non, tu as raison, c'est *pourquoi* qu'il faut demander. Parce qu'elle l'a décidé, tu comprends ?

– Pas très bien, non ! avoua-t-il, reprenant son souffle et s'étonnant de l'entendre parler de façon si dégagée. Elle a *décidé* de mourir ?

– Oui, mais ce n'est pas un suicide, ne comprends pas de travers ! Le suicide est une défaite, or elle s'est laissée partir parce qu'elle avait trouvé sa voie. C'est difficile à expliquer comme ça au téléphone, mais sa sérénité a été contagieuse, sauf pour M. Léopold, qui reste inconsolable. Elle lui a confié plusieurs messages avant de mourir, il y en a un à ton intention. Et toi, tu as vu LaRocque Prévost ? Alors pourquoi tu ne m'as pas appelée ?

– Je t'expliquerai. Comme tu t'en doutes, il m'a raconté les circonstances de la découverte du Troisième Ordre, et révélé l'existence de Sedna.

– *Tais-toi !* Mes os se glacent rien qu'à entendre son nom. Après ce qu'elle a fait à ton père ! Oui, je sais, Jorge est convaincu lui aussi qu'elle ne peut pas entrer en contact avec une personne en particulier. Mais ça m'est égal ! C'est dans mon caractère, Petit Prince ! J'aime mieux avoir un ennemi et me battre que d'invoquer le hasard et me sentir impuissante.

– A propos de Jorge, quelles sont les nouvelles ?

– Je ne sais pas, Jacques, je ne sais plus ! Les médecins disent qu'il va mieux – on a même fait venir un spécialiste de Zurich –, mais moi je le trouve changé. Il m'a dit hier qu'il m'aimait bien, ce n'est pas bon signe. Sa colère s'apaise, tu comprends, c'est comme s'il voulait se réconcilier avec l'existence. Ça me fait peur ! Si seulement je pouvais parler à Doña Isabel, entre femmes ! Mais toi tu m'écoutes et tu ne dis rien. Parle-moi d'Alex ! Sa sœur n'était pas loquace l'autre jour, mais j'ai quand même compris que la situation n'était pas brillante...

– Mon père va bien, Mathilde dit n'importe quoi ! s'exclama-t-il, mais il renonça à expliquer le comportement de sa tante, décidant du même coup de taire son projet d'emmener son père en Suisse. Après un silence, il ajouta d'une voix altérée : Et Katja, comment va-t-elle ?

– Comment veux-tu qu'elle aille avec tout ce que tu lui fais souffrir ? Oh, Jacques, je suis inquiète ! Elle rend visite à Jorge tous les jours à la clinique, et ils ont recommencé leurs expériences sans me le dire. Tu sais de quoi je parle ! Mais c'est dangereux, terriblement ! Tu aurais dû la voir ce matin, elle était dans un état ! Pourtant, Jorge est un homme profondément bon, le cynisme est à la surface seulement. Alors, pourquoi prend-il des risques pareils, c'est insensé ! Katja ne tiendra pas le coup !

La crampe qui s'était nouée dans la poitrine de Jacques resserra son étau.

– Écoute, Élisabeth, dans quatre jours je suis à Davos ! Dis-lui que je lui parlerai dès mon arrivée. Je ne veux pas le faire au téléphone... Pour l'instant, il faut la convaincre de m'attendre avant de... Bref, essaie de l'empêcher de voir d'Aquino !

– Tu en as de bonnes, toi ! Elle ne m'écoute plus, elle n'écoute personne, toi seul pourrais lui faire entendre raison ! Mais pourquoi quatre jours encore ? Sais-tu que tu arriveras le lendemain de la conférence de presse de Lars Frankenthal ? Oui, il a décidé d'annoncer publiquement le Grand Déclin, en compagnie de deux autres prix Nobel, pour faire le poids... Ils ne vont pas tout dire, bien sûr, surtout pas les véritables échéances, mais ça ne fait rien, leurs révélations auront l'effet d'un cataclysme... On ne sait pas comment les gens vont réagir, ton voyage pourrait être compromis...

La maîtrise qu'elle affichait au début s'était effritée, sa voix trahissait à présent une tension extrême, et Jacques se sentait malgré lui gagné par sa fébrilité et son angoisse.

– J'ai de bonnes raisons pour retarder mon départ ! plaida-t-il. Tu sais, j'aimerais beaucoup que tu sois avec Didier à la gare pour... pour m'attendre. (Il avait failli dire « *nous* attendre ».) J'appellerai de Zurich pour te confirmer l'heure de mon arrivée.

– Si ça peut te faire plaisir ! Mais viens vite, Petit Prince, tu as déjà trop tardé ! Nous devons être unis pour affronter les événements qui se préparent.

– Mais que crains-tu, au juste ?

Elle répondit qu'elle avait demandé à Lars Frankenthal de ne pas faire mention de son récent voyage en Suisse dans sa conférence de presse. Il fallait à tout prix éviter que le Berghof ne fût assiégé par une meute de journalistes chronophages, qui auraient tôt fait d'imaginer une sombre machination psychogénétique, en rappelant les propos que Jorge d'Aquino avait tenus autrefois dans une des rares entrevues accordées aux médias, alors qu'il avait souhaité « le dénouement rapide de cette farce absurde et sanglante que jouait l'espèce humaine, sur la scène d'une planète dévastée par son irresponsabilité et ses excès ».

– Je comprends mieux tes appréhensions, dit Jacques, mal à l'aise. Si tu vois Didier, peux-tu lui dire que tout va bien à la maison, et que je lui amène une surprise ?

– Il vient déjeuner demain en compagnie de Granola, répondit-elle avec un sourire dans la voix. Pourquoi tu n'es pas aussi spontané que lui, Petit Prince ? Ta vie serait moins tourmentée ! Teresa Vincenti l'appelle son *Sonnenstrahl**, c'est bien trouvé ! Katja et lui sont devenus grands copains !

– Ça ne m'étonne pas. Elle porte encore son masque ?

Il y eut un silence sur la ligne.

– Pourquoi cette question ? Tu sais ?

– Oui, je sais. Je ne comprends pas pourquoi je ne l'ai pas deviné plus tôt.

– Parce qu'elle a un double masque, celui qu'elle met et celui que tu lui vois ! Console-toi, tu n'es pas seul à réagir ainsi. Le soir de ton départ, elle s'est présentée à la salle à manger le visage à découvert. Quelle commotion !

Cette conversation laissa Jacques sur le qui-vive. Il monta dans sa chambre, en ressortit sans savoir ce qu'il était venu y faire, et se retrouva au milieu de l'escalier, paralysé par des impulsions contradictoires. Pourquoi ne rappellerait-il pas immédiatement le Berghof, pour parler à Katja et la supplier de renoncer à ses expériences occultes de communication avec Sedna ? Non, le ton de sa voix le trahirait, il ne pourrait se dérober à ses questions, ni feindre à son égard des sentiments qu'il n'éprouvait plus. Il voulut évoquer la nuit passée au refuge de la Walpurgis, mais sa mémoire, privée d'images visuelles, mettait sournoisement en doute le témoignage de ses autres sens. Et que voulait dire ce regard ambigu d'Ouvilou, quand il lui avait parlé de Katja ? « Je déteste cette impression de ne pas voir des vérités à mon sujet qui sont aveuglantes aux autres ! pensa-t-il en serrant les poings. Bon, voilà Mathilde ! Je reconnaîtrais son pas entre mille ! Je me demande si, une seule fois dans son existence, elle est allée quelque part sans avoir un but précis. Elle n'arrête jamais ! Mais où trouve-t-elle son énergie ? »

Il rejoignit sa tante à la cuisine, où elle s'affairait déjà à ranger ses achats dans le réfrigérateur et les placards, en vérifiant le prix de chaque article sur le long ruban de caisse de Provigo.

– Je peux vous aider ? demanda-t-il en guise d'entrée en matière, tout en sachant qu'elle refuserait sous prétexte qu'il ne mettait

* Rayon de soleil.

jamais les choses à la bonne place. Comment s'est passée la visite à l'Institut Penfield ?

– Je présume que tu as déjà questionné ton père, dit-elle sèchement. Ce Blumenkranz fait son possible, mais il a encore beaucoup à apprendre. Il se laisse impressionner par certains progrès d'Alexander, qui s'exprime en effet avec un peu plus de facilité depuis quelques jours, mais son diagnostic serait moins assuré s'il l'avait vu se promener dans la maison à trois heures du matin comme une âme en peine !

– Je comprends... Et quelle est son opinion pour le voyage en Suisse ?

– Il n'a pas eu l'air autrement surpris par cette extravagance, et j'ai eu la vague impression que vous aviez accordé vos violons derrière mon dos... Les vieilles filles nourrissent ce genre d'idées, c'est connu ! Quoi qu'il en soit, il ne voit pas de contre-indication à ce projet.

– Tant mieux ! Ça me soulage, vraiment ! Mais on ne pourra pas partir avant samedi. Le passeport d'Alexander doit être renouvelé et j'ai besoin de son certificat de naissance. Je suppose qu'il est dans le coffre à la banque.

Elle l'écoutait, mais n'avait pas jugé bon d'interrompre son travail de rangement.

– Ses papiers sont là, c'est exact, répondit-elle sur le même ton qu'elle aurait pris pour confirmer que le bocal de cornichons se trouvait dans le réfrigérateur. Et je compte bien qu'ils y restent, tant qu'on n'en aura pas besoin pour un motif valable.

Il avait suffisamment pratiqué sa tante pour savoir qu'une attaque frontale était le plus sûr moyen de la braquer, mais il ne put se résoudre cette fois à lui emprunter de l'argent pour acheter ses bonnes grâces.

– Vous me refusez l'accès au coffre ?

– Je t'ai déjà dit ce que je pense de ton idée, et je n'ai pas changé d'avis. Je m'occupe d'Alexander depuis le départ de Cécile, et si quelqu'un mérite des reproches, ce n'est certes pas moi ! Tu sembles t'intéresser davantage à ton père depuis quelque temps et je m'en réjouis, mais ce n'est pas une raison pour tout vouloir régenter. Et ces deux dollars soixante-quinze, veux-tu bien me dire à quoi ils correspondent ? Les cantaloups étaient à quatre-vingt-dix-neuf cents la pièce, le compte n'y est pas !

Sans même réfléchir, il fit trois pas vers elle, lui prit les melons des mains et les déposa avec fermeté sur le comptoir. Elle le regarda la bouche ouverte, interloquée par son geste autant que par sa pâleur.

– J'en ai assez de votre aveuglement ! s'écria-t-il, la voix faussée par l'exaspération. Vous refusez d'accepter la guérison de mon père parce que vous avez peur de le perdre ! Personne ne doute de votre dévouement, mais ce n'est pas parce que vous êtes sa sœur que vous avez un droit de propriété sur lui !

Elle l'avait écouté avec un visage muré, les mains jointes sous le menton, ses phalanges blanchissant à vue d'œil.

– Alexander ne partira pas avec toi, un point c'est tout ! dit-elle en martelant ses mots. Tes insinuations sournoises ne font que raffermir ma décision, car j'y retrouve la jolie influence de tes fréquentations – ce danseur de tango et sa Roumaine, qui ont dû s'exiler en Suisse après le désastre que tu sais ! Je n'attends aucune gratitude de ta part, tu peux oublier ce que j'ai fait pour toi, mais tu pourrais au moins avoir la décence de considérer que j'ai sacrifié douze ans de ma vie à prendre soin de ton pauvre père. A présent, file dans ta chambre, je ne te laisserai pas me parler sur ce ton plus longtemps !

– Vous n'avez encore rien entendu ! cria-t-il, incapable de dominer sa colère. Vous n'aviez rien ni personne à sacrifier, alors vous avez reporté sur mon père un amour de vieille fille inassouvie. Vous ne voulez pas le retenir ici pour son bien, mais pour l'empêcher de revoir une femme qu'il a aimée. Et il ne se souvient même plus d'elle ! Vous ne vous rendez pas compte que votre jalousie maladive a fini par l'isoler, vous n'avez même pas eu la prévenance de répondre aux lettres de ses amis... Avec le temps, vous êtes devenue possessive et tyrannique, et...

Il fut contraint d'interrompre sa diatribe car, sans lui accorder un regard, elle quittait la cuisine d'un pas d'automate et il l'entendit monter et s'enfermer dans sa chambre.

Elle ne se montra pas à l'heure du dîner. Mal à l'aise et vaguement inquiet (il aurait préféré un nouvel affrontement à cette retraite qui n'était pas dans son caractère), il monta frapper à sa porte sans obtenir de réponse. Il prépara alors une omelette au fromage et aux champignons, accompagnée d'une salade frisée, qu'il servit sur la table basse du salon, avec un verre de vin. Son père parut apprécier ce changement à la routine et demanda même une tranche de pain pour finir son assiette, alors qu'à l'accoutumée il ne prenait que quelques bouchées des plats qui lui étaient servis.

– *Father ?* J'aimerais te poser une question. Tu crois que Sedna pourrait faire du mal à quelqu'un ?

Alexander leva la tête et porta sur lui ce regard qui semblait de jour en jour plus averti, et parfois même traversé d'un éclair d'ironie.

– Il faut apaiser Sedna, dit-il d'un ton neutre. C'est une nature inquiète.

– Ce n'est pas ce que je te demande. Je veux savoir si, à ton avis, Sedna peut identifier un individu dans la multitude, le prendre pour cible et s'attaquer à lui personnellement.

– Pourquoi ferait-elle une chose pareille ? dit-il en haussant les épaules. J'ai entendu le bruit d'une dispute dans la cuisine. Mathilde ne manque pas de caractère, n'est-ce pas ? Elle se bat avec acharnement depuis quelques jours.

– Elle veut m'empêcher de t'emmener en Suisse. Comme les délais sont très courts, mon projet risque effectivement de tomber à l'eau. Elle a réussi à me mettre hors de moi !

– Tu te trompes, Jacques, elle ne se bat pas contre toi, mais contre les ombres qui l'habitent. Si elle ne voulait pas que je t'accompagne, elle me l'aurait dit, non ? Tu as bien fait de laisser sortir ta colère. Mais pourquoi tu ne m'as pas dit que Didier était amoureux ?

– Mais je... Tu veux parler de Granola ? Oh, ce n'est pas très sérieux comme fréquentation ! Ils ont à peine douze ans.

– *So what ?* dit-il en lui lançant un regard grave. Il n'y a pas de terre infertile pour l'amour. Elle ne s'appelle pas Granola, mais Tabaski.

– Tabaski ? Didier ne me l'a jamais dit ! Et toi, comment le sais-tu ?

Alexander leva son verre de vin et, après l'avoir considéré avec curiosité (Mathilde refusait de lui servir une seule goutte d'alcool), en avala le contenu d'un trait.

– Ce sont des choses qui se sentent, répondit-il en fermant les yeux.

***

Le lendemain, en descendant pour le petit déjeuner, Jacques était déterminé à provoquer une explication avec Mathilde. Il s'excuserait de la virulence de son attaque et du choix de ses mots, tout en maintenant qu'elle s'arrogeait des droits sur son frère qui ne se justifiaient plus dans les circonstances. Il trouva un mot sur la table de la cuisine : *Merci de m'avoir informée du rendez-vous que tu as pris pour Alexander chez le Dr Doucet. Comme tu sembles vouloir faire la grasse matinée, je l'accompagnerai moi-même. Nous ne serons pas à la maison pour le lunch.* Il froissa rageusement la note et la jeta aux déchets, puis la reprit pour la glisser dans sa poche. Comme ça, c'était la guerre ! Le rendez-vous chez l'oculiste était à onze heures, et *on* avait pris une confortable avance sur l'horaire en présumant qu'il ferait la grasse matinée. De mieux en mieux ! *On* semblait toutefois admettre que son père pouvait avoir besoin de lunettes – c'était toujours ça de gagné !

Vers le milieu de l'après-midi, Jacques partit faire une promenade dans Outremont, attentif à la douceur de l'été déclinant, à l'indolence des Montréalais qui prenaient le frais sur leur balcon et dont il se sentait proche, même s'ils ne disaient pas « *Gruëtzi* » lorsque leurs regards se rencontraient. Il croisa un groupe de jeunes Juifs hassidiques, au visage lunaire encadré de longues rouflaquettes tirebouchonnées, qui devaient avoir son âge sous leurs chapeaux sévères et la serge lustrée de leurs redingotes noires. Il eut envie d'aller leur tendre la main et leur parler de fraternité humaine.

Il poursuivit à pied jusqu'à la rue Saint-Denis, éprouvant un besoin intense d'être entouré de monde, et craignant en même temps de reconnaître des visages dans la foule, d'entendre une voix amie crier son nom. Tout à l'heure, alors qu'il s'apprêtait à quitter la maison, son père l'avait retenu sur le pas de la porte en lui posant pour la seconde fois cette question singulière : *« To whom do you belong ? »* S'asseyant à une terrasse de bistrot, il pensa : « Je ne m'appartiens plus ! » Autour de lui, des gens palabraient et riaient, il les observait, en proie à un silencieux tumulte d'amitié et de solitude. Comment pourrait-il leur expliquer que s'il ne s'appartenait plus, c'était parce que, sans l'avoir cherché, il était le dépositaire d'un secret qui les concernait tous et les unissait à leur insu dans une même fatalité ?

A Davos déjà, il ne s'était trouvé aucun mérite pour justifier sa présence dans ce cercle restreint de personnes auxquelles Lars Frankenthal avait révélé le phénomène du Grand Déclin. Mais, là-bas, il n'était pas seul à faire face à l'incommensurable, alors qu'ici, au cœur de Montréal, son sentiment d'usurpation atteignait à son paroxysme. Il résistait de toutes ses forces à la tentation de donner raison à l'ignorance de la multitude contre la connaissance d'un seul. Et, soudain, la réponse à la question de son père lui apparut dans son évidence : *il appartenait à l'espèce humaine.* L'humanité était devenue sa cause, depuis qu'il la savait condamnée – sa finalité, depuis qu'il la savait mortelle. Il eut un petit rire silencieux et triste, sans se soucier des regards obliques des autres consommateurs. Quelle tête feraient-ils s'il se levait pour leur dire : « J'appartiens à l'espèce humaine ! » ? Ils lui conseilleraient de se calmer, de leur « sacrer patience », d'aller cuver sa drogue ailleurs. Il se rendait compte que sa réflexion avait abouti à une évidence d'une grande banalité. Qu'importe ! Il y voyait une conclusion vitale pour lui, qui orienterait dorénavant ses choix fondamentaux. Il ne se faisait pas d'illusion : le chemin tracé était celui de la compassion et de la tolérance, et il avait encore des provisions à faire de l'une et de l'autre.

Mathilde s'était à nouveau absentée, mais, contrairement à la veille, elle avait préparé un souper froid et dressé la table pour deux couverts. Alexander se trouvait au jardin, assis tête nue au soleil sur une marche d'escalier devant la véranda, à côté du massif de roses qui faisait l'orgueil de sa sœur. Il avait son bloc de feuilles quadrillées sur les genoux et un crayon à la main.

– Tu dessines ? demanda Jacques avec surprise.

– J'essaie, mon garçon, mais c'est difficile. La rose change si vite dans la tête et si lentement dans la réalité. *The challenge is to find the right rhythm.*

Jacques examina le croquis que son père lui avait tendu, avec une hésitation pudique qui l'émut. Le dessin avait la gaucherie apparente d'un labeur d'écolier, mais un second examen révélait que les fleurs avaient été tracées d'un trait ininterrompu, sans que le crayon eût quitté le papier, et que les pétales stylisés étaient en réalité une série de cœurs imbriqués les uns dans les autres, à la manière de Maurits Escher.

– « Les paysages du cœur changent si vite... », dit Jacques. Ta rose me fait penser à une femme qui m'appelle *Petit Prince.* Tu as lu Saint-Exupéry ?

– Je ne m'en souviens pas, mais c'est un beau nom qui mérite d'être porté. Cette femme, l'aimes-tu ?

– Je ne crois pas, non – c'est-à-dire que je l'aime beaucoup. Ma vie sentimentale n'a pas été simple ces derniers temps.

– Tu as de la chance. Je souhaite moi aussi que la mienne se complique... J'ai accompagné Mathilde dans les magasins, elle était impatiente avec les vendeurs. Comme je vais avoir bientôt des lunettes, je lui ai expliqué que des pensées me travaillaient au corps depuis quelques jours et je lui ai demandé de m'acheter une revue de dames nues. Elle n'en a pas trouvé.

– Oh, *Dad*, tu aurais dû m'en parler à moi ! Tu penses à un magazine comme *Playboy*, c'est ça ? Mais pourquoi ?

Il était décontenancé et regretta sa question sitôt après l'avoir posée.

– Je n'ai pas de raison précise, répondit son père sans rien perdre de sa placidité. Je me suis dit que des images suggestives me feraient du bien, pour mettre de l'ordre dans mon esprit. Sais-tu où t'en procurer ? Tu pourras les regarder toi aussi, si elles ne sont pas vulgaires.

– Tu choisiras pour moi, répondit Jacques en masquant de la main le sourire qu'il sentait frémir dans les muscles de ses joues, à la pensée que Didier aurait pu assister à cette discussion.

Ils dînèrent en tête à tête dans un échange de silences éloquents et de brèves paroles, heureux d'être ensemble et se souriant avec complicité chaque fois que leurs regards se croisaient. Ils prirent le café au salon, mais Alexander refusa d'occuper son fauteuil habituel et s'assit sur le canapé, le buste droit, tenant sa tasse à hauteur de poitrine d'un geste un peu guindé, comme s'il était en visite dans sa propre maison.

– Que se passe-t-il ? demanda-t-il soudain.

Jacques commença par répondre qu'il ne se passait rien de particulier, puis se ravisa en constatant qu'il se sentait oppressé.

– Je croyais que tu avais peur, reprit Alexander.

– Peur ? De quoi ? A la réflexion, oui ! Je suis angoissé par une nouvelle qui doit être rendue publique sous peu. Je me demande comment les gens vont réagir... Tu veux que je t'en parle ?

– Pas ce soir, non. Je suis fatigué, mon garçon, et nous partons demain en voyage.

– C'est-à-dire que... Je voulais faire une dernière tentative auprès de Mathilde, mais je ne l'ai pas vue de la journée. De toute façon, c'est trop tard, même si elle changeait d'avis. Tu ne peux pas m'accompagner sans passeport, tu comprends ?

– Un passeport, pourquoi faire ? Y a-t-il des conflits entre le Canada et la Suisse ?

– Non, non ! Seulement, il y a eu beaucoup de terrorisme ces derniers temps, et les hostilités du Farghestan contre la principauté d'Orsenna ont déclenché une réaction en chaîne, qui risque de mettre la région des Syrtes à feu et à sang. Tout ça pour te dire que la situation internationale est très tendue et qu'on ne te laissera pas voyager sans passeport. Tu n'as pas une seule pièce d'identité en règle !

Alexander porta sa tasse à ses lèvres, puis en regarda le contenu comme s'il y trouvait un arrière-goût amer. Une surprise douloureuse passa dans ses yeux clairs :

– J'ignorais que la Troisième Guerre mondiale avait déjà commencé. Pourquoi ne m'en as-tu rien dit ?

Jacques se récria contre cette conclusion, mais son père se leva sans l'écouter, déclarant qu'il allait dans sa chambre préparer sa valise ; en passant près de lui, il se pencha pour l'embrasser sur le front.

***

Jacques se réveilla le lendemain avec une douleur musculaire dans les tempes, qu'il reconnut sans peine : il avait dormi toute la nuit les mâchoires serrées. En se couchant la veille avec le dernier roman de Manuel Puig, il s'était promis de ne pas céder au sommeil avant le retour de Mathilde, car il voulait mettre un terme au jeu de cache-cache puéril où elle se complaisait depuis leur altercation. Il s'était endormi sans s'en rendre compte. Mais alors, qui avait éteint la lumière ? Mathilde n'était quand même pas entrée dans sa chambre, ce serait bien le comble ! Et, naturellement, il avait oublié de régler son réveil... Oh, les nouvelles ! Il se leva d'un bond et ouvrit la radio à l'instant même où débutait l'indicatif musical des informations de neuf heures. Ce n'était pas une coïncidence : au plus profond de son sommeil, son esprit avait tenu la mesure du temps avec la rigueur d'un métronome.

A sa surprise, la première nouvelle confirmait une crise grave au Vatican, dont la rumeur couvait depuis deux jours. Les médias avaient d'abord parlé d'une détérioration subite de l'état de santé du Saint-Père, puis de la menace d'un schisme au sein du Sacré Collège, après la publication du manifeste dit des « trente-trois évêques » sur le rôle de l'Église catholique en Amérique latine. Or on annonçait ce matin que la curie romaine avait convoqué ses membres en séance extraordinaire, fait sans précédent dans l'histoire de la papauté. « Et après ? Je n'ai rien à faire de leurs magouilles de bénitier ! se dit-il avec une hostilité anxieuse. Est-ce que j'ai mal compris ce qu'Élisabeth m'a dit au téléphone ? Non, il a dû se passer quelque chose, les dernières statistiques de Lars Frankenthal ont peut-être montré un redressement de la courbe démographique ! » Que le Grand Déclin se révélât n'être en fin de compte qu'un phénomène passager aurait dû le réjouir, or il se sentait déçu et trompé à l'idée que l'extinction de l'espèce humaine pouvait être une fausse nouvelle. Était-il un monstre ?

Il tressaillit à la présentation de la nouvelle suivante, et dut se faire violence pour en saisir la signification. Il n'entendait encore que des mots isolés : *Stockholm... trois lauréats du prix Nobel de médecine... convocation urgente d'une conférence internationale... menace grave pour l'humanité.* Il passa nerveusement sa langue sur ses lèvres sèches, un peu humilié du tapage que menait son cœur dans sa poitrine. N'avait-il pas fait dans ses cours en communication une analyse critique du traitement de l'information par les médias ? Alors pourquoi, en recevant cette nouvelle sur le Grand Déclin, ne pouvait-il s'empêcher de penser : « Ainsi donc, c'est bien vrai ! », comme si le fait que la découverte de Lars Frankenthal fût communiquée à des centaines de milliers d'auditeurs lui conférait plus de véracité qu'elle n'en avait lorsqu'elle n'était connue que d'un petit nombre d'initiés ? La déclaration commune des trois savants se limitait à annoncer qu'un accroissement anormal des cas d'infertilité avait été observé simultanément dans la population de plusieurs pays, et que des mesures devaient être prises d'urgence pour déterminer l'ampleur exacte du phénomène, en comprendre les causes et trouver les moyens pour remédier à la situation. Une demande officielle avait été adressée à cet effet à l'Organisation mondiale de la santé, à Genève.

« Bien joué ! pensa Jacques en faisant sa toilette. Ils n'en ont pas trop dit pour éviter de provoquer la panique dans le public, mais suffisamment pour alerter la communauté scientifique. On connaîtra ce soir les réactions à ce cri d'alarme, et je ne serais pas surpris que Radio-Canada diffuse une émission spéciale. » Il se coupa en se rasant, en proie à une nervosité intérieure plus grande qu'il ne voulait se l'avouer.

Un mot de Mathilde l'attendait en bas, posé en évidence sur la table de la cuisine : *Je descends en ville pour faire des courses. Ton père m'accompagne, il a besoin de se changer les idées. Nous devons aussi passer chez l'opticien pour prendre ses lunettes et les faire ajuster. Ne nous attends pas, nous ne serons pas de retour avant ton départ. Bon voyage !* Il relut la note, les oreilles bourdonnantes, refusant d'admettre que sa tante eût été capable d'une action aussi perfide. Il se rendit à l'évidence et, avec un grondement de rage, saisit à deux mains du centre de la table le grand compotier de grès plein de raisins verts, de pêches, de poires et de prunes, le brandit au-dessus de sa tête et le projeta de toutes ses forces sur le sol dallé, où il se fracassa avec un bruit d'explosion. Puis il se précipita et fit en trombe le tour du salon et de la salle à manger, monta à la chambre d'Alexander et se retrouva finalement dans le jardin, devant la véranda, où il s'assit à bout de souffle sur l'escalier de pierre. « La maudite vache ! murmura-t-il entre ses dents. Elle avait tellement peur que j'emmène mon père en Suisse qu'elle l'a kidnappé pour la journée. Je vais partir sans lui dire au revoir, c'est dégueulasse ! Cette fois, elle est allée trop loin, tant pis pour elle ! » Un contentement secret modérait le fond de sa colère. Oui, il était pleinement justifié de recourir à des mesures qu'il avait écartées jusqu'à présent, dans l'espoir que le bon sens de sa tante finirait par l'emporter.

Il passa un long moment au téléphone avec Me Langford, qui s'était occupé quelques années plus tôt des dispositions légales relatives à la gestion des affaires d'Alexander ; puis, donnant suite aux conseils reçus, il consacra le reste de la matinée à rédiger une demande officielle de révision de la mise sous tutelle de son père. Il écrivit ensuite au Dr Blumenkranz pour requérir une expertise médicale de l'état mental de celui qui avait été autrefois son professeur et l'un des fondateurs de l'Institut Penfield. Ces activités l'absorbèrent à un point tel qu'il laissa passer le bulletin de nouvelles de treize heures. Tant pis, il lirait les journaux à l'aéroport.

Il rassembla ses affaires à la fin de l'après-midi, en constatant que les effets qui lui paraissaient indispensables diminuaient en nombre à chaque nouveau départ. Puis il fit le tour de la maison, descendant à la cave sans même savoir ce qu'il allait y chercher, comme s'il avait du temps à tuer avant d'appeler le taxi pour Mirabel, alors qu'il voulait encore passer à l'université pour faire des photocopies de ses lettres, avant de les mettre à la poste. Il avait l'impression de prendre congé de cette demeure comme s'il ne devait jamais la revoir, alors qu'il avait au contraire l'intention d'écourter son séjour en Suisse, pour revenir au plus vite défendre les intérêts de son père contre le pouvoir tyrannique que Mathilde s'était arrogé sur lui. Il croyait avoir réussi à conjurer son pressentiment mais, à la dernière minute, son sac de voyage à la main, il s'arrêta dans la pénombre du vestibule d'entrée, associée depuis toujours au tic-tac poussif qui battait dans le haut cercueil d'acajou de la vieille horloge, et il regarda la perspective ouverte sur le salon, le petit bureau et la véranda, dans la lumière douce d'un soleil oblique. Il vit les meubles familiers disposés autour de la table basse pour des visiteurs qui ne venaient plus depuis longtemps, les rayons de la bibliothèque murale chargés de livres savants aux tranches poussiéreuses, le tapis dont il n'avait jamais remarqué le degré d'usure avant cet instant, le piano demi-queue dont les cordes n'avaient plus vibré depuis la mort de sa mère, et dont le couvercle rabattu servait de support et de noir miroir aux photographies familiales et, seul mouvement dans ce décor où le temps s'était figé en plein vol, les vagues indolentes des rideaux de tulle gonflés par la brise qui coulissait de l'entrebâillement des hautes fenêtres. Et il fondit en larmes.

Après avoir satisfait aux formalités d'enregistrement, Jacques s'attabla à la cafétéria de l'aéroport devant un sandwich et une bière et se plongea dans la lecture des journaux. Le « scandale du Vatican » accaparait les manchettes et les articles de première page, auxquels il n'accorda qu'un coup d'œil irrité. L'affaire concernait la découverte de la mallette que le financier Roberto Calvi avait emportée avec lui dans son mystérieux voyage en Autriche et en Angleterre, au lendemain de la crise de liquidités de la Banco Ambrosiano, et à la veille de son prétendu suicide sous un pont de la Tamise. Les dessous de l'affaire Calvi n'avaient jamais été éclaircis, mais le scandale s'était progressivement résorbé, faute d'éléments nouveaux. Or le *Corriere della Sera* venait de relancer le débat en publiant les fac-similés de documents incriminant des personnalités de premier plan du Saint-Siège, ainsi que des dirigeants de l'Istituto per le Opere di Religione, connu sous le vocable de la

« Banque de Dieu ». Ces pièces compromettantes provenaient des papiers personnels de Roberto Calvi, et la rédaction du journal promettait d'autres révélations, en particulier la publication d'un échange de correspondance établissant que la papauté, informée de l'implication du Vatican dans les opérations financières de compagnies fantômes appartenant à la mafia, s'était abstenue de porter l'affaire à la connaissance de la justice. La curie romaine siégeait sans interruption depuis plus de quarante-huit heures, et les rumeurs les plus extravagantes circulaient à Rome sur les décisions en voie d'être prises pour juguler cette crise sans précédent dans l'histoire de l'Église.

Avec un ricanement de dépit, Jacques se dit que le pape avait volé la vedette à Lars Frankenthal. Et Élisabeth qui craignait que l'annonce du Grand Déclin n'entraîne une commotion planétaire suffisante pour retarder son retour en Suisse ! Quelle dérision ! Mais, aussi, pourquoi Lars Frankenthal n'avait-il pas attendu que les démographes annoncent le premier fléchissement de la courbe des naissances ? Ses prédictions seraient apparues plus crédibles. Non, ce raisonnement était stupide ! Le médecin suédois croyait qu'il n'y avait pas une minute à perdre, et il avait eu raison !

Poursuivant le dépouillement des journaux, Jacques constata que la conférence de presse de Stockholm avait néanmoins reçu une couverture équitable, compte tenu des circonstances. Le seul fait que trois lauréats du prix Nobel de médecine l'eussent convoquée conjointement était déjà en soi un événement exceptionnel. De toute évidence, des spécialistes aussi prestigieux n'auraient pas risqué leur réputation à lancer un tel avertissement sans être convaincus de leurs informations. Le rappel détaillé de leurs travaux compensait la maigreur des informations qu'ils avaient données sur ce mystérieux phénomène « susceptible d'enrayer à la longue le processus de reproduction de l'espèce humaine ».

Jacques fut tiré de sa lecture par l'impression d'avoir entendu son nom dans les haut-parleurs de l'aéroport, et la répétition du message lui confirma qu'il était attendu au guichet d'informations de la Swissair. Il s'y rendit à la hâte, un peu inquiet, et reconnut immédiatement la silhouette de Mathilde, prolongée de son inséparable parapluie. Elle lui tournait le dos et, le doigt levé, racontait à une employée de la compagnie l'histoire de ses deux valises égarées quinze ans plus tôt par « les gangsters de la Sabena ».

– *After all, we are leaving together*, dit la voix d'Alexander.

Le souffle coupé, Jacques dévisagea avec stupeur le personnage qui lui faisait face et que sa raison hésitait à reconnaître, tant la métamorphose était totale. Alexander était en effet passé chez le coiffeur, dont le coup de ciseaux l'avait rajeuni de dix ans ; chez l'opticien, qui lui avait rendu son air de grand patron avec des lunettes à double foyer cerclées d'or ; le bijoutier, pour un chronomètre Patek Philippe et le maroquinier, pour un porte-documents en cuir gaufré ; chez le tailleur enfin, qui l'avait habillé d'un costume trois pièces prince-de-galles, de souliers de daim gris, d'une chemise bleu clair à col blanc et d'un nœud papillon, qui parachevait sa silhouette d'une touche rétro au charme irrésistible. Derrière chacune de ces transformations, Jacques reconnaissait la main de sa tante et, au remue-ménage de ses émotions, il ajouta une pensée compatissante pour les commerçants qui s'étaient frottés à elle au cours des derniers jours.

– Ah quand même, te voilà ! dit-elle en se retournant. Donne-moi ta carte d'embarquement, Mlle Gauthier en a besoin pour faire les changements. J'ai pensé que tu n'aurais pas d'objection à accompagner ton père en première classe. Je ne veux pas faire la difficile, mais en économique on est entassés comme des sardines, sans compter que vous avez tous deux de longues jambes. Et prends le siège près de la fenêtre, veux-tu, ton père est sujet au vertige. Tiens, je vous ai acheté du chewing-gum pour le décollage, les oreilles se bouchent et c'est très désagréable.

– *You worry too much, Mathilde,* dit Alexander. *Everything will be fine.*

Elle toisa son frère avec surprise, comme si elle-même ne pouvait s'habituer à sa transformation. Puis, alors qu'ils se rendaient ensemble à l'aire d'embarquement, elle donna à Jacques une petite boîte en fer-blanc contenant des carrés de sucre à la crème pour Didier, puis lui remit le passeport flambant neuf de son père en expliquant avec un ton de revanche satisfaite qu'elle s'était rendue à Ottawa en personne pour chauffer les oreilles de certains fonctionnaires bornés, avant de frapper aux échelons hiérarchiques supérieurs, et obtenir gain de cause grâce à l'attestation du Dr Blumenkranz, qui avait certifié qu'Alexander Carpentier devait se rendre en Suisse de toute urgence pour consulter le Pr d'Aquino, question de vie ou de mort. (Elle n'avait pas précisé à ses interlocuteurs que, dans son esprit, cette dernière menace les visait personnellement.)

Ils étaient arrivés devant la barrière des dispositifs de sécurité et Alexander, qui les précédait, se trouva séparé d'eux par un groupe de touristes japonais aux sourires volubiles, et s'engagea dans leur foulée sous le portique de détection électronique.

– Attendez-moi un instant, ma tante, je vais le chercher ! Il ne s'est pas rendu compte que vous ne pouviez pas nous accompagner de l'autre côté.

– Non, laisse ! dit-elle en le retenant fermement par le bras. Tu lui diras au revoir de ma part, c'est mieux ainsi. Sinon, je risquerais de manifester une émotion en public, imagine-toi ! Les gens pourraient penser que j'ai un cœur dans la poitrine.

L'ironie du ton se fêla sur les derniers mots, et Jacques se mordit les lèvres en pensant au compotier en morceaux et aux fruits éclatés sur le carrelage de la cuisine.

– Je vous dois des excuses, dit-il. La colère m'a fait prononcer des paroles que j'ai vite regrettées. C'est ce que je voulais vous dire quand j'ai frappé à votre porte...

– J'accepte tes excuses pour le vocabulaire choquant que tu as utilisé à cette occasion, dit-elle abruptement. Mais, sur le fond, nous savons tous les deux que tu avais raison et qu'il était temps que je me réveille. Vois-tu, Jacques, les gens ont vite fait de me cataloguer comme une vieille fille victorienne, frustrée et frigide – et l'image que tu as de moi doit être de la même facture, n'est-il pas vrai ? Sans doute ne m'as-tu jamais vue donner de l'argent à un inconnu sous une porte cochère, mais il n'empêche que ma vie sentimentale a été plus mouvementée que tu ne pourrais l'imaginer. Seulement, ton père m'a donné quelque chose qu'aucun autre homme ne m'avait jamais offert, *la certitude d'être indispensable.* Va le rejoindre à présent, il doit se demander où tu es passé ! Je suis rassurée de le savoir avec toi : en fin de compte, il n'est pas en si mauvaise compagnie.

– Dans la famille, la branche des Carpentier n'est pas douée pour les démonstrations, dit-il en soutenant son regard sévère. On pourrait faire une exception et s'embrasser ?

Pour toute réponse, elle le saisit aux coudes d'une poigne ferme et l'attira contre sa poitrine osseuse. L'effusion avait autant de tendresse qu'une accolade militaire à une remise de décoration, et il regrettait déjà son initiative lorsqu'il entendit tout contre son oreille, montant du fond de la gorge de sa tante, un bruit qui ressemblait à un sanglot. Elle se détacha de lui avec des yeux trop brillants et des joues écarlates. De toutes les choses surprenantes qu'il avait vues depuis le début de l'été, les larmes de Mathilde comptaient parmi les plus invraisemblables.

– Cette femme qui l'attend en Suisse, tu la connais, alors dis-moi : aura-t-elle la patience ?

– Elle ne l'attend pas, répondit-il, elle ignore même que je ne viens pas seul. Et, de toute façon, il ne se souvient pas d'elle.

– Pourvu que moi, je ne sois pas son prochain oubli, c'est tout ce que je demande, dit-elle en se raidissant. Quand tu verras Didier, rappelle-moi aussi à son bon souvenir.

– Ce ne sera pas nécessaire, ma tante. Avec votre permission, je lui dirai de votre part que vous l'aimez.

– Cette conversation devient franchement larmoyante, déclara-t-elle, alors qu'une ombre de sourire adoucissait les angles de son visage. D'accord, tu peux le lui dire parce que c'est la vérité, encore que ce ne soit pas une raison pour nous conduire comme dans un opéra italien.

Elle avait retrouvé sa maîtrise d'elle-même et redressait fièrement ses barricades. Sans ajouter un mot, elle tourna les talons et, avec des claquements de langue et un ferraillage de parapluie, fendit la petite foule amassée devant la salle d'embarquement. Jacques la suivit des yeux, sachant qu'elle ne se retournerait pas. Il pensa avec une constriction douloureuse dans la poitrine qu'il avait eu raison de juger qu'elle était insupportable, intransigeante, autoritaire et entêtée, et que ses névroses n'étaient pas piquées des vers. Son tort avait été d'oublier que cette vieille fille était aussi une grande dame.

14

A partir du changement de train à Landquart, les souvenirs de Jacques gagnèrent en netteté. Il retrouva intacte cette impression d'écrasement progressif, de fatalisme, de solitude désarmée qu'il avait éprouvée deux mois plus tôt en passant des ondulations douces de la plaine aux murailles abruptes des gorges de la Reuss, puis aux paysages de montagne qui se révélaient par à-coups : au détour d'une forêt, c'était un pré fleuri coupé d'un torrent ; au sortir d'un tunnel, une vue plongeante sur un hameau, où d'imperceptibles immobilités annonçaient le ralentissement du temps, et de subtils aménagements, le rétrécissement de l'espace. « Plus je reconnais l'endroit, et plus je mesure à quel point j'ai changé ! se dit-il. J'éprouve les mêmes sensations, mais elles ne trouvent pas en moi le même écho. »

L'avion avait atterri le matin même à Kloten sous une pluie serrée, qui avait cessé durant la matinée, laissant le temps maussade et le ciel uniformément gris. A la gare de Zurich, Jacques avait fait provision de journaux suisses et étrangers pour connaître les derniers développements du Grand Déclin, et il observait en face de lui son père plongé dans le *Neue Zürcher Zeitung*, frais et dispos pour avoir dormi paisiblement pendant les sept heures de vol, alors qu'il n'avait lui-même pas fermé l'œil de la nuit. « Il a fière allure dans son nouveau complet ! pensa-t-il. Je craignais hier que la chaleur ne l'incommode, mais finalement l'air est plutôt vif et sa tenue se révèle tout à fait appropriée. C'est irritant, j'ai toujours peur que les gens se moquent de lui. »

– Je ne savais pas que tu lisais l'allemand.

– Ah, c'est donc cela ! répondit Alexander en baissant son journal. Je me disais aussi que je n'y comprenais rien. As-tu remarqué que les voyageurs ne sont pas nombreux dans ce train ? L'exploitation de cette ligne est sans doute déficitaire, mais la compagnie doit réaliser des bénéfices dans d'autres secteurs, sinon elle ferait faillite. A moins bien sûr qu'elle ne soit subventionnée par le gouvernement.

Jacques répondit que la remarque lui paraissait en effet judicieuse, et il détourna les yeux du regard serein de son père en pensant : « Il faut que j'arrête de m'émerveiller chaque fois qu'il poursuit un raisonnement auquel je ne m'attends pas. Il n'a pas recouvré toutes ses facultés, mais ses progrès sont constants. Il se retrouve en fin de compte avec une personnalité très différente de l'ancienne... Non, à la réflexion, je crois plutôt qu'il en développe des aspects qui ne sont pas nouveaux, mais qu'il avait laissés en friche dans sa vie antérieure – c'est comme s'il permettait au petit garçon qu'on avait fait grandir trop vite de prendre sa revanche ! »

Alexander s'était replongé dans ce journal auquel il ne comprenait goutte, selon son propre aveu, et désigna du doigt la photographie du Saint-Père, puis celle de Lars Frankenthal, qui figuraient côte à côte sur la première page.

– Ce sont des gens célèbres, déclara-t-il posément. J'étais moi-même quelqu'un d'important, n'est-ce pas ?

– Oh oui ! Tu étais ce qu'on appelle une sommité dans ta spécialité, la neurochirurgie, répondit Jacques, troublé par la convergence de la question et du fil de ses pensées. D'ailleurs, tu es toujours quelqu'un d'important.

Alexander haussa les épaules et, avec cette absence de retenue qui était le trait le plus frappant de la transformation de son caractère, répondit qu'il se sentait aujourd'hui trop en paix avec son cœur pour désirer être quelqu'un d'important.

– Le passé me revient par bribes, *I let it be !* ajouta-t-il. Il ne faut pas forcer la mémoire, sinon les souvenirs sont déformés et en disent moins sur la réalité et davantage sur le désir. Nous sommes passés dans un tunnel tout à l'heure.

– Oui, et il y en a encore quelques-uns avant d'arriver à Davos.

– Je suis resté plusieurs années dans l'obscurité, j'ai apprivoisé l'idée de la mort, qui m'effrayait tant autrefois. Comment ai-je pu exercer la médecine sans avoir compris que la maladie et la mort sont deux états en irréductible opposition ? L'une est douleur et dégradation, l'autre est quiétude et ressourcement.

– Il faudra qu'on en discute, car je ne suis pas certain de te suivre. Mais d'abord je veux te poser une question qui me préoccupe depuis plusieurs jours : comment envisages-tu l'avenir ? As-tu des projets, veux-tu entreprendre quelque chose en particulier ? J'aimerais t'aider, mais je ne sais pas comment.

– En vérité, je suis désemparé, mon garçon. Mes yeux ont de la peine à s'habituer à la lumière du présent. Tu m'as dit par exemple que la Troisième Guerre mondiale n'a pas été déclarée, mais alors comment expliques-tu que ces titres aient l'air si agressifs ?

Il montrait le journal et ses manchettes en caractères gras. Jacques s'appliqua à lui démontrer qu'il n'y était pas question d'hostilités militaires, mais de la découverte d'un phénomène auquel Sedna n'était sans doute pas étrangère, et il entreprit de lui donner une description simplifiée du Grand Déclin.

– Et que pense mon ami Jorge des travaux de ce Dr Frankenthal ? demanda Alexander, qui avait écouté ses explications sans l'interrompre.

– D'Aquino ? Il les prend très au sérieux, et il n'est pas le seul ! Hier, la nouvelle est tombée plutôt à plat et j'étais certain que la presse n'en parlerait pas ce matin, mais une trentaine de personnalités scientifiques des États-Unis ont appuyé la décision des Suédois de tenir une conférence internationale sur le Grand Déclin. C'est d'ailleurs la première fois à ma connaissance que l'expression a été publiquement utilisée.

– Et quelle a été la réaction du pape ?

– Je l'ignore, et de toute façon le pauvre homme a d'autres chats à fouetter ! On lui a fait les honneurs de la une à cause d'un énorme scandale au Vatican, mais les deux histoires n'ont aucun rapport.

– Comment peux-tu l'affirmer avec tant d'assurance ? demanda Alexander en fronçant les sourcils. Si j'ai bien saisi tes explications, le Grand Déclin pourrait entraîner à brève échéance la disparition de l'espèce humaine. Les gens vont réagir à cette menace, n'est-ce pas ? Un grand nombre d'entre eux se tourneront vers la religion en quête de réconfort et de clarté.

– C'est probable, oui, mais la logique de ton raisonnement m'échappe. Pourquoi l'intégrité de l'Église serait-elle justement mise en cause, à une époque où son secours devient si nécessaire ?

– Toutes les Églises sont des prisons pour Dieu. Il est normal qu'Il s'en évade quand les humains ont besoin de Lui.

– Tu parles de Dieu comme si tu étais croyant, dit Jacques avec surprise. Des gens ont prétendu autrefois que ton désaccord avec

Jorge d'Aquino provenait d'une interprétation mystique que tu aurais donnée au Troisième Ordre, et je n'ai jamais accepté ce point de vue. Je me suis trompé ? J'ai toujours cru que vous étiez d'accord sur le fond, et que votre querelle portait sur la pertinence d'une divulgation publique de l'existence de Sedna. Tu penses que Dieu et Sedna sont une seule et même entité sous des noms différents, c'est bien ça ?

– Une même entité ? Non, je ne le crois pas. Pourquoi aurais-je un avis à ce sujet ? Tout le monde sait que Sedna est la partie et Dieu le tout, et, si des gens interprètent différemment le Troisième Ordre, il est de ton devoir de leur signaler leur erreur. Quant à moi, qui n'ai jamais eu la foi, comment aurais-je pu tenir un langage mystique ?

Une expression de surprise passa dans ses yeux gris, comme si la contradiction de ses propos le frappait à retardement, et il parut ne pas entendre la suite des questions qui lui étaient posées. Jacques se tut, le laissant à ses réflexions. « Nous ne sommes plus loin de Klosters, se dit-il, dans une demi-heure nous serons arrivés à destination. » Élisabeth et Katja avaient sans doute déjà quitté le Berghof pour passer prendre Didier à Stella Maris. Ils seraient bientôt tous réunis... Pourquoi ? Quelle était la signification de cet événement si important et si anodin ? Des astrologues affirmaient que l'alignement des planètes du système solaire, qui ne se produit qu'une fois tous les mille ans, exerçait une influence déterminante sur l'histoire de l'humanité. Jacques n'en croyait rien, et en même temps il était convaincu que le cours de chaque destin, pourtant moins prévisible que l'orbite d'un corps céleste, était marqué par des conjonctions qui ne devaient rien au hasard, d'inéluctables rencontres qui brisaient la ligne droite reliant l'avenir au présent.

Le train avait bifurqué vers la gauche après avoir longé une route où les rares automobiles le gagnaient de vitesse, et entreprit une montée solitaire au long de pentes raides couvertes d'une végétation dense, aux ombres impénétrables. Le jour avait baissé et plus haut, les cimes noires des sapins se dissolvaient dans de longues traînées de brume. Jacques ferma les yeux sous le coup d'une émotion et, sans raison particulière, se prit à penser à Mathilde ; il la *vit*, dans la demeure familiale, où elle avait ouvert toutes les fenêtres du rez-de-chaussée. C'était le matin. Équipée de gants de latex jaune, d'un sarrau vert-de-gris à encolure étroite et d'une résille de nylon sur la tête, elle s'était militairement lancée dans une opération de grand ménage et, suspendant momentanément l'offensive de l'Électrolux dont le moteur surchauffait, pressait sans merci sur la gâchette d'un vaporisateur, pour déposer une rosée insecticide sur les plantes vertes du salon et de la véranda. Par ces grandes manœuvres domestiques, ces déménagements de meubles et ces vrombissements d'aspirateur, elle tentait de mettre un semblant de vie dans une maison qu'elle avait trouvée bien vide, à son réveil. Mais déjà la silhouette de Mathilde s'effaçait, et Jacques se retrouvait à Vancouver chez les LaRocque Prévost, dans la pénombre de la mezzanine, observant avec une émotion trouble les pirouettes aériennes de Qajorànguaq, nerveux androgyne habité par la grâce. Il voulut poursuivre cette pensée agréable, mais en fut empêché par un autre souvenir, datant celui-là de son premier voyage à Davos, et qui s'imposait à lui avec l'intensité occulte d'une vision : Gertrude Glück était assise en face de lui, à la droite d'Alexander, et l'observait avec cette expression si troublante, où il apprendrait bientôt à reconnaître le reflet de ses propres sentiments. Deux jours auparavant, Élisabeth lui avait annoncé le décès de cette femme dont le cerveau avait jadis révélé à son père l'existence des rythmes *epson* et *epsilon* – la communication des profondeurs de l'encéphale avec Sedna. La nouvelle l'avait certes affecté, et il se l'était remémorée à quelques reprises en s'interrogeant sur la teneur du message que la vieille demoiselle avait confié à son intention à la mémoire infaillible de M. Léopold. Pourtant, il ne s'en souciait plus à l'instant même, car il était tout à coup en proie à un chagrin qu'il n'avait pas vu venir, causé par une évidence : Gertrude ne se présenterait pas à la salle à manger du Berghof ce soir pour le dîner. Il avait été informé de sa mort, mais il ne s'était pas préparé à son absence.

Depuis un moment, il observait de biais un voyageur solitaire, petit quinquagénaire replet et chauve qui avait pris place plus loin de l'autre côté du couloir, et qui tenait à deux mains sur ses genoux une mallette en aluminium. Que contenait-elle de si précieux qu'il n'osât la déposer sur le porte-bagage au-dessus de sa tête, ou à côté de lui sur la banquette ?

Jacques ferma les paupières en se disant que, s'il continuait à se faire du cinéma, il verrait bientôt se profiler des agents du Spectror derrière les plus inoffensifs voyageurs de commerce. Il s'efforça alors de reprendre le fil interrompu de sa réflexion sur Qajorànguaq, mais le couple Tchakalov, Ado Hobayashi, Bertha Moll, Julie

Brochet, Chouri, le chef Koraman et Théodore Shapiro s'interposèrent aussitôt pour défiler devant ses yeux dans une sarabande colorée et narquoise. « Quel phénomène surprenant ! se dit-il. A mesure que je me rapproche de Davos, mon esprit soustrait du champ de ma conscience les pensées et les images qui se rapportent à mon séjour au Canada, et ressort de ses tiroirs les souvenirs dont je vais avoir besoin là-haut. »

Le convoi fit une halte de quelques minutes à la gare de Klosters, dans une brume opaline dont la luminosité était aussi aveuglante qu'un franc rayon de soleil, et qui avait la propriété singulière d'assourdir les sons : le roulement des chariots à bagages, un air lointain d'accordéon, des appels de voix gutturales, un pleur d'enfant, le claquement des portières, qui semblaient tous venir d'une autre réalité, décalques sonores aux couleurs affadies. Jacques regardait distraitement par la fenêtre et vit sur le quai, émergeant de la clarté laiteuse à trois pas de lui, une silhouette gesticulante, des cheveux ébouriffés, des yeux écarquillés, des dents qui étincelaient dans un grand éclat de rire. L'apparition fit un salut de mousquetaire, avec panache et ronds de jambes, puis disparut dans une audacieuse pirouette. Quelques instants après, la porte de la voiture s'ouvrait brusquement, un bruit de course ébranlait l'allée et Didier surgissait dans une pose théâtrale.

– Ta-ta-ta-tâ ! claironna-t-il sur l'air de la *Cinquième*.

Il se précipita pour embrasser son père sur les deux joues, puis se laissa tomber comme un sac sur la banquette à son côté, lui prit la main et toisa Jacques d'un air triomphant :

– Qu'est-ce que tu penses de ça, Coco ? Ça te coupe le sifflet, comme dirait le chef de gare ! Je vous ai bien eus !

Ses effusions avaient failli déloger de leur perchoir les lunettes neuves d'Alexander et, comme celui-ci semblait abasourdi au point de ne pouvoir faire un geste, Jacques se pencha pour les remettre d'aplomb, en se demandant s'il devait lui confirmer que l'adolescent qui venait de faire une entrée si exubérante était bel et bien son fils Didier, qui avait gagné une demi-tête en deux mois.

– Tante Mathilde exagère comme toujours, je t'aurais reconnu à tous les coups ! déclara Didier d'une voix essoufflée, en dévisageant son père avec une stupéfaction qui contredisait ses paroles. Non mais sans blague, t'as un *look* terrible ! Avec tes cheveux coupés en quatre, tu ressembles à Spencer Tracy, tu sais : *The Return of Dr Jekyll*. Non, c'est un vieux film, tu peux pas te souvenir. Je dis pas ça pour te faire plaisir, mais je suis é-pous-tou-flé !

– Et toi, tu es si beau, mon garçon, dit Alexander en le dévisageant avec gravité. Je suis fier de constater que tu te ressembles de plus en plus.

Didier ouvrit la bouche, la referma sans émettre un son et lança un regard interloqué à son frère, qui attendait sa réaction avec un demi-sourire.

– T'as vu, il parle, c'est pas des farces ! finit-il par murmurer, avec une grimace qui aurait été désopilante en toute autre occasion.

– Si je comprends bien, Mathilde t'a prévenu de notre arrivée, dit Jacques en secouant la tête. J'aurais dû y penser ! Et comment Élisabeth a réagi en apprenant que je n'arrivais pas seul ?

– Elle a rien pu dire, parce que j'ai même pas eu le temps de la voir. Tante Mathilde m'a téléphoné à Stella Maris au début de l'après-midi et, quand j'ai su que Papa venait avec toi, j'ai calculé que j'avais juste le temps de vous rejoindre à Klosters. Seulement j'avais pas pensé au brouillard, et je l'ai fait *in extremis*. Ah, bouge pas, j'ai quelque chose pour mon frère préféré.

Il explora ses poches avec circonspection, comme si elles contenaient de mystérieuses bestioles prêtes à lui mordre le bout des doigts, et exhiba bientôt une page de cahier d'écolier pliée en huit.

– De la part de Katja van Katwijk, *via* Didi Express ! dit-il avec un frémissement à la surface de son visage limpide.

Jacques déplia la feuille de papier en hésitant à poser la question qui lui brûlait les lèvres, mais y renonça en découvrant que le billet ne contenait que quelques mots, écrits par une main qui tremblait : *Je t'attends dans ta chambre, j'y suis à l'instant où je t'écris. Je sais que tu sais. K.*

Didier racontait à son père les péripéties de sa descente à travers les bois et les prés, de Davos à Klosters, dans une mer de brouillard où il avait failli vingt fois s'égarer, et il avoua que Mme Welikanowicz l'avait laissé partir en croyant qu'il se rendait à la gare de Dorf en compagnie d'Élisabeth.

– Tu as pris des risques, constata Alexander d'une voix égale.

– Je dis pas le contraire, mais les sentiers sont vachement bien marqués et ça descend tout le temps, une chance, sinon salut le Petit Poucet ! N'empêche que j'ai jamais vécu une expérience aussi *charismatique*.

Jacques salua d'un sourire l'entrée en scène du nouveau qualificatif, sachant déjà que, pour les semaines à venir, l'univers de son frère serait peuplé de personnages, d'événements et d'objets tous plus charismatiques les uns que les autres. En l'occurrence, le terme n'était pas si mal choisi, car une émotion sincère passait dans la voix de Didier, qui avait été visiblement ébranlé par cette course solitaire, décidée à l'insu de tous. Il avait commencé son récit dans une vive exaltation, puis baissé progressivement le ton. « Jusqu'à présent, il était absorbé par son aventure et le bon tour qu'il nous a joué, pensa Jacques, mais il commence à se rendre compte à quel point son père a changé. Et moi, en le regardant, je mesure à mon tour combien je suis attaché à lui. Dire qu'au début des vacances il me portait franchement sur les nerfs ! Je n'irai pas jusqu'à prétendre qu'il est beau, mais il a un charme fou ! J'ai bien hâte de connaître les derniers épisodes de son idylle avec Granola ! »

– Tu sais pas quoi ? dit Didier. Ton copain Sigmund s'est taillé du Berghof à cause de votre cuisinier turc qui pète à tire-larigot, et il travaille maintenant à Stella Maris. Non, mais tu devrais le voir !

– Oh, j'imagine ! Les bonnes sœurs doivent être en état de choc !

– Pas du tout, c'est là que tu te trompes ! Attends juste de voir.

Dehors, la brume s'était métamorphosée en une gaze incandescente, qui se dissipa comme par enchantement, et ils émergèrent de la mer de brouillard dans un paysage ensoleillé que Jacques reconnut avec une émotion douce et triste. Savait-il avant cet instant combien ce coin de pays lui était devenu cher ? Alexander s'était levé et, se tenant à deux mains aux poignées de la fenêtre, contemplait le panorama avec un air approbateur et bienveillant, comme si ce décor grandiose était tel qu'il se l'était figuré. Les yeux levés vers lui, Didier demanda à quel âge on cessait de grandir.

– Extérieurement ou intérieurement ? répondit Jacques. Donne-moi un coup de main pour les bagages.

Il eut l'impression, alors que le train s'arrêtait avec des cliquetis et des grincements d'essieux d'une autre époque, que la gare de Davos Dorf avait profité de son absence pour rétrécir encore davantage, dans le dessein inavoué d'être admise un jour au royaume des jouets. Didier descendit de la voiture le premier et, en claudiquant pour avoir choisi de porter la valise la plus lourde, se dirigea vers Élisabeth qui l'attendait de pied ferme sur le quai, les bras croisés pour contenir son indignation.

– Ah oui, tu peux bien rire, c'est malin ! s'écria-t-elle d'une voix où se mêlaient colère et soulagement. Sais-tu qu'on te cherche partout depuis bientôt trois heures ! Tadeus voulait alerter les gendarmes, heureusement que j'ai pensé que tu étais assez écervelé pour descendre seul à Klosters ! Et toi, Petit Prince, te voilà enfin ! Tu as maigri.

Elle avait posé ses mains à plat contre la poitrine de Jacques, comme pour l'empêcher d'avancer et se donner le temps de le dévisager. Puis elle l'étreignit avec force en lui murmurant à l'oreille :

– Tu en as mis du temps à rentrer ! Ta place est ici, pas ailleurs ! Nous avons besoin de toi, je t'expliquerai. Sais-tu que Jorge ne va pas bien du tout ? Je suis morte d'inquiétude.

Il la sentit se raidir contre lui, et l'entendit pousser un gémissement sourd. Par-dessus son épaule, elle venait d'apercevoir Alexander descendant du train. Tenant la rampe d'une main et son porte-documents en cuir gaufré de l'autre, il s'était immobilisé à mi-hauteur du marchepied et la regardait avec une fixité inquiétante. Jacques s'écarta pour la laisser passer, mais elle était pétrifiée et une pâleur subite avait envahi son visage, aussi leva-t-il instinctivement le bras pour l'empêcher de perdre l'équilibre. Le chef de train, qui claquait les portières, arrivait à leur hauteur et s'apprêtait à intervenir, mais il hésita au dernier instant car, sans rien savoir de ce qui se passait, il fut saisi malgré lui par l'extraordinaire intensité de cette rencontre immobile et silencieuse.

– OK, Papa, faut descendre maintenant ! dit Didier d'une voix rauque, en venant le tirer par la manche. Je connais cette bonne femme, t'as pas besoin d'avoir peur.

Alexander obtempéra et, quittant le marchepied, s'approcha d'Élisabeth avec un déplacement d'automate.

– Liz ! murmura-t-il.

Sur le quai, les derniers voyageurs à gagner la sortie les regardaient en ralentissant le pas. Cruellement conscient que son père se donnait en spectacle, Jacques fit diversion en rassemblant les valises et en demandant à Didier de l'aider à les charger à l'arrière de la Land Rover, stationnée à côté de la gare. Le mouvement reprit alors autour d'eux, les regards obliques se détournèrent, le chef de train donna le signal de départ. Quand les deux frères revinrent de la voiture, les mains vides, ils trouvèrent le Dr Alexander Carpentier et Élisabeth Bogdan-Popesco, étroitement enlacés et s'embrassant, les yeux clos. Ils s'approchèrent d'un pas de plus en plus hésitant, puis s'arrêtèrent pour les observer à distance, les bras ballants. Jusqu'à cet instant, Didier avait paru beaucoup moins surpris par la métamorphose de son père que Jacques ne s'y attendait, mais il était visiblement dépassé par la scène qui se déroulait sous ses yeux.

– Abracadabrant ! dit-il d'une voix blanche, avec une intonation appropriée qui n'était pas feinte. Je savais même pas qu'ils se connaissaient ! Non, mais on se dirait dans un film, regarde, ça arrête pas de durer. Ils respirent par le nez, forcément ! (Il tourna les yeux vers son frère et son visage bronzé se contracta comiquement.) Mais qu'est-ce qui te prend, Jacquot ? Tu vas quand même pas te mettre à chialer.

La requête était sincère, mais tardive, car sous les feux du soleil les joues de Jacques étaient sillonnées de rigoles étincelantes.

– Tu veux la boucler une minute, oui ? dit-il d'une voix qui faussait. Je ne pensais pas que ça arriverait un jour, mais ça y est : Daddy vient de sortir de son tunnel.

– Alors si maintenant tu l'appelles *Daddy*, moi je craque.

Didier fit entendre un curieux son de glotte et, sans autre avertissement, éclata en sanglots en se cachant le visage contre la poitrine de son frère. Celui-ci lui mit le bras autour des épaules, et le tumulte de ses sentiments, douleur et joie mêlées, ne l'empêcha pas de penser au tableau que devaient offrir ces deux couples incongrus, enlacés à cinq pas l'un de l'autre sur le quai désert de la gare miniature de Davos Dorf, dans le soleil bourdonnant d'une fin d'après-midi d'été.

Devant la porte, Jacques hésita à frapper. Mais depuis quand devait-il demander la permission d'entrer dans sa propre chambre ? Le billet de Katja l'avait mis sur la défensive, en lui laissant entendre qu'elle n'avait pas tiré de son silence les conclusions qui s'imposaient, et il n'était pas loin de lui reprocher intérieurement d'avoir fait la sourde oreille à des paroles qu'il n'avait pas osé lui dire. N'obtenant pas de réponse à son grattement contre la porte, il entra. La pièce était dans l'état où il l'avait laissée trois semaines plus tôt : sa valise entrouverte juchée sur le dessus de l'armoire, la reproduction de *La Tour de Babel* épinglée au-dessus du lit, ses livres empilés sur la commode à côté du « sonambule » (un mot-valise inventé par Didier, comme traduction de *walkman*) et, sur la table de chevet, un paquet entamé de biscuits Nüsstella, fourrés à la crème de noisettes, et les lunettes de soleil qu'il était certain d'avoir oubliées chez les LaRocque Prévost, à Vancouver. Rien n'avait été déplacé et cependant, par d'imperceptibles indices, il savait que la chambre n'était pas restée inhabitée en son absence, qu'une présence l'avait visitée régulièrement, s'était assise dans le fauteuil et couchée sur le lit, sans laisser un faux pli.

Katja se tenait debout devant la fenêtre ouverte et, pendant quelques secondes, ébloui, Jacques se demanda si elle lui faisait face, car sa silhouette se détachait en ombre chinoise sur l'embrasement du store orange de la loggia, qui avait été descendu au plus bas contre les rayons du soleil couchant. Non, elle lui tournait le dos, la taille cambrée et la tête droite, avec une auréole vaporeuse à la frange de sa chevelure aux lourdes boucles cendrées – et son immobilité était sa façon de lui dire qu'elle l'avait entendu entrer, qu'elle le sentait approcher et lui laissait l'initiative.

– Ne te retourne pas ! dit-il à voix basse. Je veux te parler avant de te voir. Comme ça, tu sauras que mes paroles ne sont pas influencées par ton apparence.

Il la prit aux épaules et, bien qu'il se fût préparé depuis plusieurs jours à cette explication, il hésitait encore sur le choix des mots, tout en sachant que même les plus délicats l'atteindraient au vif. Il percevait sous ses doigts ce mystérieux tremblement dont il avait déjà subi la contagion, un soir sur la grande terrasse – cette vibration où confluaient les frissons de la surface et l'ébranlement des profondeurs. Les paroles d'Ouvilou lui revinrent en mémoire, comme pour l'encourager à aller au bout de la tâche difficile qu'il s'était assignée : « Il faut lui avouer la vérité de vos sentiments, lui avait-elle dit, mais attendez d'être près d'elle : elle mérite la clarté de votre regard. »

– J'écoute ! fit Katja, essoufflée.

Il tressaillit, alerté par un phénomène qui contrariait ses plans : l'onde recueillie par ses mains se propageait dans ses bras, puis dans ses épaules et sa poitrine, pour envahir son cœur, courir dans ses veines et se répandre dans son cerveau comme un fluide qui prenait possession de lui, l'enivrait, drainait ses doutes et ses peurs. L'envers de son décor intérieur lui apparut subitement, avec sa machinerie de scène, complexe et dérisoire. L'émotion ressentie était si violente qu'il entendait son sang battre à ses oreilles. Il avait la sensation d'être à l'étroit dans son corps, une vérité explosait en lui, une certitude dévastatrice et bienfaisante. Entourant Katja de ses bras, il posa ses mains sur les siennes dans le creux de sa poitrine et baigna son visage dans la cascade claire de ses cheveux, où il retrouvait la gamme nocturne des parfums de la Walpurgis.

– J'étais venu te dire que je ne t'aimais pas, murmura-t-il, et la vérité est que je t'aime. Je voulais te fuir, et la vérité est que je te veux. J'avais l'intention de rompre, et la vérité est que je veux vivre avec toi.

Elle se retourna en étouffant un cri.

– *Oh God!* gémit-il.

Il connaissait bien ces yeux liquides, et leur regard tour à tour illuminé par l'intelligence ou assombri par la passion, mais il voyait pour la première fois le visage ovale qu'elle cachait auparavant sous son masque, le front haut et lisse, le nez aux ailes frémissantes, cette bouche dont le pli espiègle était à demi corrigé par l'effort qu'elle faisait pour contenir un sanglot, les joues lumineuses où le creux des fossettes annonçait que le sourire ne s'était pas absenté pour longtemps. Depuis qu'il avait vu son expression reflétée sur les traits mobiles de Gertrude Glück à l'infirmerie, il avait su d'instinct que Katja n'était pas laide, mais il n'avait pu se retenir de demander à Didier au téléphone si elle était jolie, et de fait il en doutait, peut-être influencé à son insu par un mot de Baudelaire, cité par M. Léopold : « L'intelligence détruit fatalement l'harmonie d'un visage. » Pourtant, il savait déjà qu'il lui faudrait du temps pour s'habituer à la beauté de Katja, pour regarder son visage en face et dénoncer à chaque fois le mensonge des apparences.

Elle se déroba au regard qui l'examinait en cherchant un coin d'épaule où cacher son trop-plein de larmes, et il ne comprit rien aux mots qu'elle balbutiait. Il sut qu'il ne fallait rien brusquer, qu'elle espérait un appui plutôt qu'une étreinte, et une complicité mieux qu'une consolation. Ils restèrent ainsi l'un contre l'autre, bougeant à peine, attentifs à ne rien vouloir d'autre que d'être ensemble, à partager sans diviser, à occuper le même espace dans un univers infini, à ne faire qu'un en restant deux. Le temps passait et les rapprochait, un quart d'heure déjà, peut-être le double, dans le grand silence des cœurs battants.

– Quand as-tu deviné ? demanda-t-elle en relevant la tête. (Il tressaillit, car elle s'était départie de ce demi-chuchotement un peu rauque qui complétait son déguisement, et lui parlait pour la première fois de sa véritable voix.) Je savais que mon secret ne tiendrait pas longtemps, si je n'étais pas là pour sauver la mise. Tu as vu clair dès que j'ai cessé de t'éblouir !

– C'est arrivé pendant la nuit que j'ai passée à Vancouver, dit-il. J'étais sur une mezzanine et j'observais un adolescent : il a esquissé quelques pas de danse, puis il a traversé le living-room. Quelque chose dans sa démarche m'a fait penser à toi. Quel âge as-tu, Katja ?

– Treize ans et des siècles, dit-elle.

Il ne put retenir un mouvement de surprise, car il lui en aurait donné quinze, en espérant l'entendre répondre seize ou dix-sept. Elle en eut conscience, et la douleur qui passa dans ses yeux n'avait pas d'âge.

– Si tu préfères, disons que j'ai cent soixante-deux mois depuis une éternité, reprit-elle en changeant de ton. Tu le sais depuis une semaine et tu n'as rien fait ! C'est facile maintenant de dire que tu m'aimes, mais ça ne t'a pas empêché de vivre sans moi, comme si je n'existais pas ! Je t'en veux !

Elle s'était détachée de lui et s'adossa en se cambrant contre la porte vitrée de la loggia, le regard étincelant de colère.

– Je t'ai blessée, dit Jacques, désemparé par son éclat. En arrivant à Montréal, j'ai vécu une sorte de crise... Je ne savais plus où j'en étais.

– Tu m'as fait si mal ! s'écria-t-elle. Tu n'as pas le droit de me faire mal ! Cette femme, tu l'as revue ?

– Christine ? Non, je ne l'ai pas revue. De toute façon, mon désarroi n'avait rien à voir avec elle ! C'est à notre sujet que je me suis posé des questions, et au tien ! Tu es devenue comme insaisissable dans mon esprit... Je me demande encore pourquoi tu t'es intéressée à moi, avant même de m'avoir rencontré !

– Tu oublies la photographie, celle où tu es avec ton père, en Californie. J'ai su que tu étais mon frère d'armes – d'âme et de larmes ! – rien qu'en voyant tes yeux. Alors je t'ai attendu avec l'impatience de la Princesse captive dans sa tour d'ivoire ! Ce n'était qu'une rêverie romantique, bien sûr, et puis tu es arrivé... Seulement, je ne pouvais pas me montrer à toi sans mon masque, sinon tu n'aurais vu qu'une gamine à tenir à distance, au mieux une petite sœur à adopter. Dis le contraire !

– Je ne t'aurais pas approchée de la même façon, c'est vrai ! avoua-t-il. Et qu'est-ce qu'il y avait dans mes yeux ?

L'expression de Katja se radoucit, mais elle garda ses mains cachées dans son dos, comme pour lui faire comprendre qu'elle ne voulait pas être touchée.

– Un appel au secours ! Je reconnais d'instinct quelqu'un qui ne se sent pas comme les autres... Oh Jacques, comprends-moi ! Je n'ai jamais cherché à te tromper. J'étais au bout du rouleau quand j'ai consulté d'Aquino, il a même fallu que je rate un suicide pour qu'on se décide à m'amener au Berghof. Je viens d'une famille bourgeoise de Rotterdam, mon père est dans l'import-export, il m'aime beaucoup, mais il aurait préféré avoir une petite fille qui joue à la poupée, au lieu d'un phénomène qui lit Stephen Hawking à sept ans, et correspond avec Noam Chomsky et Julian Jaynes. Quant à Maman, c'est la meilleure des femmes, mais elle a été vite dépassée par les événements, surtout que ma précocité n'est pas seulement intellectuelle : j'ai eu mes premières menstruations à neuf ans et demi...

– C'est vrai, tu as tenté de te suicider ? demanda Jacques, la bouche sèche.

– Oui, mais je ne veux plus y penser... Tu vois, on s'occupe beaucoup des déficients mentaux, mais qu'est-ce qu'on fait pour les enfants surdoués ? On réduit le problème à sa dimension scolaire, alors que tout le monde sait que l'école est un cancer pour l'intelligence ! J'ai changé de classe tous les six mois, à dix ans je suis entrée au collège avec des adolescents de quinze et seize ans – mais là encore j'étais la première, ce qui ne plaisait pas à tout le monde ! Bien sûr, on reconnaissait ma qualité d'enfant prodige, on admirait l'étendue de mes connaissances, ma maîtrise des langues étrangères et des mathématiques, mais on s'arrêtait toujours à l'érudition et à la performance, et on ne considérait jamais *at face value* mes opinions ni mon jugement. Les grandes personnes s'abaissaient vers moi pour me dire que j'étais supérieurement douée, mais elles me remettaient gentiment à ma place quand j'intervenais dans leurs conversations. Ma place, c'est-à-dire nulle part ! Personne ne me traitait sur un pied d'égalité, *personne*, comprends-tu ? Ni les autres enfants qui ne se reconnaissaient pas en moi, ni les adultes qui ne me reconnaissaient pas en eux. Et, plus le temps a passé, plus je me suis sentie exclue, rejetée, bannie – jusqu'au jour où j'ai commencé à faire des erreurs délibérées dans mes travaux scolaires pour me rapprocher du peloton en reculant, où je me suis mise à jouer les idiotes pour me faire accepter des autres. Le grand plongeon ! Je te déçois ?

– Tu me bouleverses... Je comprends si bien ce que tu dis ! Et tu as vu juste, j'ai été un enfant marginal, moi aussi.

Il lui tendit la main et l'entraîna dans la loggia, que le store du balcon et les cloisons latérales en verre dépoli fermaient comme une boîte. Il s'assit sur la chaise longue en se poussant pour lui faire de la place, mais elle préféra s'accroupir à terre et accoter sa tête contre sa cuisse. « La pensée qu'elle est à peine plus âgée que Didier me donne le vertige, songea-t-il. Je sais maintenant pourquoi d'Aquino lui a dit qu'il l'écoutait mieux les yeux fermés ! »

– Encore fâchée ?

Elle réfléchit, et parut étonnée par la réponse qu'elle trouvait en elle-même :

– Oui, malgré moi. Mieux vaut te l'avouer, je suis orgueilleuse ! Mais ne t'inquiète pas : notre amour n'est pas menacé quand je suis en colère contre toi. Seulement, il me fait souffrir au lieu de me rendre heureuse.

Il ne répondit pas et la dévisagea en cherchant à comprendre ce qui, soudain, le mettait mal à l'aise. Non, ce n'était plus son âge, mais cette angoisse dans son regard, quand elle disait éprouver de la colère.

– Il y a autre chose, Katja.

– C'est vrai, murmura-t-elle en détournant les yeux. Mais ça, je ne veux pas le dire, pas tout de suite...

Elle se mordit les lèvres, hésitante, et poursuivit sur un ton qui donna à Jacques l'impression qu'elle cherchait à le mettre sur la piste de cette peur qu'elle taisait.

– A ma première entrevue avec Jorge d'Aquino, je lui ai dit que j'étais un monstre. Il a haussé les épaules et m'a répondu par une dissertation philosophique, comme si j'étais capable de le suivre – et bien sûr que je l'étais ! Il m'a expliqué qu'une des lois premières de la vie est que tout organisme tend vers sa plénitude, et l'atteint dans un environnement favorable à sa croissance. Comprends-tu ? C'est le fonctionnement optimal d'un organe qui fonde le critère de sa normalité. J'avais voulu m'ôter la vie pour résoudre une contradiction : mon entourage s'opposait à la plénitude de ma croissance au nom même de la *normalité !* Jorge m'a alors demandé de l'aider à comprendre pourquoi le cerveau humain est le seul organe de la création à déroger à cette loi fondamentale. Mes prouesses intellectuelles ne l'intéressaient pas particulièrement ; ce qu'il voulait découvrir, c'est la raison pour laquelle l'ensemble des êtres humains n'utilisent pas aussi bien que moi toutes les ressources de leur intelligence – l'intégralité des neurones et des synapses dont ils disposent en venant au monde. Oh, Jacques, tu n'imagines pas le bien que ces paroles m'ont fait ! J'ai su ce jour-là que j'avais un *destin*, et que ma vie n'était pas inutile. J'ai eu ma leçon d'humilité aussi, en me rendant compte que j'étais moi-même loin d'utiliser mon cerveau à son plein rendement. Par exemple, pourquoi n'ai-je pas l'entière disposition de ma mémoire, comme M. Léopold ?

Avec une vivacité qui montrait à quel point le sujet lui tenait à cœur, elle ajouta que, depuis des années, Jorge d'Aquino tentait de déterminer si cette dégénérescence de l'intelligence humaine était une tare congénitale, ou au contraire le résultat d'une atrophie précoce des facultés mentales, acquise au sortir de la petite enfance et influencée par le milieu. Comment expliquer par exemple que l'enfant de cinq ans pouvait assimiler sans peine trois ou quatre langues différentes, alors que l'homme de trente ans devait fournir un effort démesuré pour en apprendre une seule ? Le phénomène n'était incompréhensible que parce qu'on se refusait à l'étudier avec un regard neuf.

– Ne crois pas que je m'en glorifie, se récria-t-elle, mais je n'avais pas huit ans que je me révoltais déjà contre l'aveuglement des scientifiques et des philosophes envers la condition de l'enfant. Mis à part les considérations morales, les banalités affectives et les sottises des pédagogues, c'est le grand silence de la conjuration ! On dirait que les adultes craignent par-dessus tout de découvrir qu'ils sont les mutants abâtardis d'une race royale !

Dressée sur ses genoux, elle regardait Jacques sans le voir, les yeux noyés de larmes. « C'est une écorchée vive, pensa-t-il en avançant une main hésitante pour lui effleurer la joue. Vais-je être capable de l'apprivoiser, de la rassurer ? Mon silence l'a fait souffrir, pourtant quel désastre si je lui avais écrit que je ne l'aimais pas ! Comment ai-je pu être aussi aveugle ? » Il éprouvait encore au creux de la poitrine le choc brutal de la révélation de ses véritables sentiments pour elle, et cet événement qui bouleversait son existence était déjà loin, on n'en parlait plus, on ne l'avait même pas célébré par des caresses et des baisers. Au lieu de quoi, ils se retrouvaient tous deux sur le balcon de sa chambre – de leur chambre – à deviser de l'intelligence humaine, qui était la chose la plus répandue au monde et la moins utilisée. Qu'est-ce que tout cela voulait dire ?

– Jacques, tes yeux sont tristes ! C'est la crainte qui me fait parler, tant je veux te montrer le dedans pour te faire oublier le dehors ! Au début de mon séjour au Berghof, personne ne savait qui j'étais et je ne disais pas un mot. Puis j'ai commencé à participer aux conversations, en parlant avec ce timbre qui m'écorchait la gorge. Ce fut l'expérience de ma vie : les gens m'écoutaient comme si ce que je disais avait du sens, et ils me répondaient comme s'ils me croyaient capable de soutenir une discussion. Trois semaines plus tard, on venait me consulter, on sollicitait mon opinion, j'étais devenue la coqueluche du Berghof. Pourquoi souris-tu ?

– Je me demandais dans quelle langue te dire de te taire.

– Tu n'as que l'embarras du choix ! répondit-elle en se cabrant, avant que son regard ne chavire. Je parle couramment sept langues, mais il n'y en a qu'une pour me faire comprendre de toi.

Elle lui jeta les bras autour du cou et prit sa bouche avec fougue. Un moment passa avant qu'il ne retrouvât son souffle, et il en usa pour faire des déclarations dépourvues d'originalité, auxquelles elle répondit par des serments banals, et leur dialogue était entrecoupé de gestes et de baisers qu'un tiers aurait jugés répétitifs et conventionnels. Pourtant, s'il fallait se fier à l'expression de leur physionomie, à l'éclat de leur regard, aux inflexions de leur voix et au rythme de leur respiration, ce qu'ils échangeaient était à leurs yeux d'une nouveauté absolue, comme si l'amour avait ouvert leur intelligence aux significations secrètes de clichés éternellement ressassés.

– Tu m'as abandonnée si longtemps que j'ai contracté une seconde virginité, murmura-t-elle. Ai-je droit à une nouvelle première fois ?

Ils regagnèrent la chambre et Jacques alla fermer la porte au verrou, car il craignait que Didier, quelque part dans les corridors du Berghof, ne fût en train de leur préparer une entrée théâtrale de son cru. Puis il s'assit sur le lit, mais attendit avant de s'étendre auprès de Katja. Il voulait lui annoncer qu'il n'était pas rentré bredouille du Canada ; que, malgré son handicap intellectuel congénital, il avait fait là-bas une découverte qui ne pouvait manquer de l'impressionner.

– Je sais qui est Sedna, dit-il.

– Moi aussi ! répliqua-t-elle. Je lui ai parlé.

*
* *

Ils avaient hésité avant de répondre à l'appel du gong pour le dîner. En sortant de la chambre, ils trouvèrent Kugli qui les attendait dans le corridor, le poil soyeux et la queue frétillante, ne tirant apparemment aucune vanité d'avoir doublé de volume en l'espace de trois semaines.

– D'habitude, il ne se gêne pas pour gratter à la porte, remarqua Katja en se penchant pour lui caresser la tête. Son instinct lui a conseillé aujourd'hui de ne pas nous déranger ! « N'éveillez pas, ne réveillez pas l'amour avant qu'elle le veuille ! » Oh, mais pardon, c'est que la fête n'est pas pour moi !

Avec force cabrioles, virevoltes et jappements, le chiot manifestait en effet sa joie de retrouver Jacques, qui s'efforça de surmonter le malaise que lui causaient les coups de langue débordant de salive, et le piochage des petites pattes nerveuses sur ses cuisses. Katja s'aperçut de sa crainte et s'interposa pour modérer les transports de l'animal.

– Tes cicatrices, c'était donc ça ! murmura-t-elle avec un frisson. Tu as été mordu...

– Oui, quand j'avais quatre ans. Et moi qui croyais tout à l'heure que tu avais les yeux fermés !

Ils avancèrent dans le corridor sous une fine grêle de notes de musique, un brin acidulées.

– Vivaldi...

– Scarlatti, répliqua-t-elle. Notre première vraie dispute, enfin !

Sur le palier de l'étage, ils rencontrèrent M. Léopold qui montait à sa chambre ; il les toisa pendant quelques secondes comme s'il cherchait à se rappeler où il les avait déjà vus ; puis son expression s'anima, sans que s'efface toutefois l'ombre soucieuse qui creusait ses traits.

– Jacques, ce n'est pas trop tôt ! dit-il de son ton de proviseur, comme si un pensum était à la clé de cette arrivée tardive. Savez-vous que je viens justement d'être présenté à monsieur votre père, c'est une personnalité hors du commun, sans l'ombre d'un doute, et son rétablissement prouve que les pouvoirs régénérateurs du corps et de l'esprit sont plus étendus qu'on ne l'imagine. Il nous reste à souhaiter que l'état de santé du Pr d'Aquino connaisse une semblable amélioration, mais pour l'heure les nouvelles ne sont guère encourageantes. J'ignore si notre Katja vous l'a mentionné, mais nous n'avons pas révélé toute la gravité de sa condition aux autres collaborateurs de la Fondation, et cela à la demande même du principal intéressé.

– Vous pouvez compter sur ma discrétion. A propos, je n'ai pas eu l'occasion de vous dire ma sympathie pour la perte de votre amie Gertrude.

Les yeux de M. Léopold s'agrandirent de surprise, puis s'embrumèrent.

– Votre sensibilité me touche, et ce n'est pas d'aujourd'hui que j'en observe les manifestations. Tout le monde au Berghof a été affecté par le départ de Mlle Glück, mais vous êtes le seul à m'avoir présenté vos sympathies, et de votre part j'entends l'expression dans son étymologie : *sum pathos,* avec douleur. Gertrude était pour moi une amie de longue date, et son absence est une douleur, en effet. On vous l'a peut-être dit, elle a laissé un message personnel à l'intention de chacun de nous. La plupart sont d'une grande simplicité, en tout cas dans leur formulation, mais celui qu'elle vous a destiné est différent des autres, et directement inspiré du Nouveau Testament : « Un homme nommé Jean est venu attester la lumière. Il n'était pas la lumière, mais le témoin de la lumière. La lumière est venue dans le monde et le monde a existé par elle. » Oh, je craignais de vous causer une déception, mais je vois à votre physionomie que cette citation a pour vous une signification particulière...

– C'est vrai, reconnut-il avec émotion, elle répond à une question que je me pose depuis des mois. Vous ne venez pas dîner ?

– Si, mais je descendrai plus tard. Il y a trop d'effervescence en bas à mon goût. A tout à l'heure !

Katja retint Jacques, après que M. Léopold se fut éloigné :

– On peut savoir ?

– Officiellement, je m'appelle Jean Carpentier – Jacques n'est que mon second prénom. Le frère de ma mère, Jean Demontigny, était parrain à mon baptême, mais il a été impliqué peu après dans une sordide affaire d'attentat à la pudeur – je crois même qu'il a fait de la prison, c'est un sujet tabou dans la famille ! Bref, on a décidé que seul mon autre prénom serait utilisé, et d'ailleurs je n'ai appris l'existence du premier que lorsque j'ai demandé mon certificat de naissance pour faire établir mon passeport.

– Comme ça, Gertrude t'a révélé ta vocation d'apôtre...

– Tu veux dire ma vocation de témoin ! En arrivant à Davos, je me suis découvert des affinités secrètes avec Hans Castorp. Mon prénom caché est la traduction du sien et j'ai joué avec l'idée que j'étais sa réincarnation ! Comme lui en son temps, je me suis demandé ce que je faisais au Berghof. Je le sais à présent : je suis ici pour écrire, rapporter ce que j'ai vu et entendu, révéler à tous l'existence de Sedna, avec des mots simples... Je n'ai encore que des fragments de la vérité, mais je pressens que, si une issue existe au

Grand Déclin, elle est au cœur de l'humain, pas dans le laboratoire de Lars Frankenthal. Tu me trouves exalté ?

– Oui, dit-elle. Enfin !

Dans la spirale du grand escalier, que Kugli devant eux avait eu le temps de dévaler et de gravir plusieurs fois comme un yo-yo échevelé, Jacques eut un étourdissement et s'arrêta, les oreilles bouchées de la même façon que lorsque l'avion avait amorcé ce matin sa descente vers Kloten. « Les émotions de la journée ont anesthésié ma fatigue, pensa-t-il, mais je la sens qui se réveille ! »

Il avait espéré que leur arrivée à la salle à manger se ferait dans une relative discrétion, et voilà que, contrairement aux habitudes de la maison, les pensionnaires s'étaient rassemblés dans le grand hall, pour ce qui avait toutes les apparences d'un cocktail improvisé.

– Tu n'as pas l'air dans ton assiette, murmura Katja en l'observant. Écoute, on n'est pas obligés d'y aller !

– Je ne sais plus où donner du cœur, répondit-il, essoufflé. C'est la première fois que je me sens plus amoureux après l'amour qu'avant ! Viens, je ne veux pas que tu sois la dernière à faire la connaissance de mon père.

Il nota pendant leur descente circulaire que deux ampoules du plafonnier étaient grillées, que le brouhaha des conversations venait de changer d'octave, qu'une nouvelle feuille avait poussé au faîte du caoutchouc géant dressé dans le puits de l'escalier, et il se fit la réflexion que les animaux et les plantes n'étaient pas affectés par le Grand Déclin et reprendraient vite possession des territoires que l'espèce humaine leur avait disputés au cours des millénaires. Il sentit tressaillir la main de Katja dans la sienne et devina ce qu'elle éprouvait à l'instant, alors que les regards des pensionnaires se tournaient vers eux – c'était une fierté épanouie, défiante, possessive, avec un tremblement de bonheur incrédule. Il affermit l'étreinte de ses doigts pour lui faire savoir qu'il ne la laisserait pas s'avancer seule, mais il était assez lucide en son tumulte intérieur pour s'avouer sa réticence à afficher ses sentiments pour cette enfant-femme dont les traits étaient si lisses mais l'expression si intense, les yeux si limpides mais le regard si brûlant. Que lui importait après tout, le petit monde du Berghof ne l'avait pas attendu pour faire face au mystère révélé de Katja, on savait à quoi s'en tenir, on était allés voir avant lui au-delà des apparences.

Tadeus Bubenblick les rejoignit au pied de l'escalier après avoir fait du slalom entre les groupes avec une coupe de champagne dans chaque main, qu'il leur tendit en claquant des talons, sa brosse drue en oblique et son regard bleu à l'horizontale.

– *Bitte schön !* Je vous en prie, il fallait arroser ça au pied élevé, voui ! L'arrivée du papa et les grandes retrouvailles, voui voui ! Si seulement le professeur était en santé avec nous, le bonheur serait complet. *Wie so wie,* je suis sûr qu'il approuvera la réjouissance pour son ami Alexander. Voyez alors, c'est comme dans les films de Charlot, on ne sait plus si on rit ou si on pleure !

Son sourire hilare semblait indiquer qu'il avait personnellement résolu ce dilemme, mais Jacques eut la vague impression que quelque chose était apparu dans sa physionomie, qui ne s'y trouvait pas quinze jours auparavant, quand ils s'étaient séparés à la gare de Dorf. Il trinqua avec Katja, dont les yeux brillaient autant que si elle avait déjà vidé trois fois sa coupe, puis remercia le gérant du Berghof, en l'assurant qu'il avait pensé à lui à plusieurs reprises pendant son séjour au Canada.

– Vous dites une fois ça pour me faire plaisir ! s'exclama l'autre en rougissant, avant de se pencher pour lui souffler dans l'oreille que « gombliment en retour d'azenzœur », il lui offrait ses « vélitzitations pour la chôlie vianzée. Ayayayaïe ! ».

Mais déjà Mlle Brochet venait prendre par le bras son « grand ami québécois de six pieds » pour l'attirer dans un cercle animé, où Dolorès Sistiega, Teresa Vincenti et Théodore Shapiro commentaient les manchettes d'un quotidien français, qu'on faisait circuler avec des exclamations de surprise.

– Monsieur Jacques, enfin de retour ! dit Dolorès en levant sa main dans le vide. Laissez-moi vous regarder, que je sache si les grands espaces du Nouveau Monde ne vous ont pas trop éparpillé !

Il lui prit délicatement le poignet et se pencha pour offrir son visage à l'effleurement de ses doigts aériens, en se demandant comment elle avait réagi en explorant de la sorte les traits de Katja. Du coin de l'œil, il nota que Mlle Vincenti chaussait de larges pantoufles d'homme, en raison des bandages qui entouraient ses pieds jusqu'aux chevilles, et que le cadran de toutes les montres disposées le long des deux bras de Julie Brochet était maintenant dissimulé sous les petites housses de velours.

– Dieu me pardonne, je ne manque pas une occasion ! dit Dolorès en retirant sa main avec une moue de coquetterie qui frôlait la grimace. Pour dire vrai, je vous ai entendu venir avant tout le monde à cause de Kugli, qui jappe pour vous de façon différente que pour nous autres. Il vous a adopté pour son maître, le saviez-vous ?

– Mon ami Lars s'est enfin décidé à manger le morceau ! dit M. Shapiro en montrant à Jacques la photographie du Dr Frankenthal sur le journal. J'espère sincèrement que vous ne me tenez pas rigueur de mes faux-fuyants lors de notre fameuse discussion à ce sujet, mais le professeur avait insisté pour que cette affaire demeure strictement confidentielle.

– Vous n'en saviez pas plus long que nous tous, Théodore ! dit Teresa Vincenti avec douceur et fermeté. Je ne cherche pas à vous offenser par une contradiction, mais la vérité a ses droits. Et si quelqu'un ici a le mérite de la discrétion, c'est bien notre jeune ami M. Carpentier.

– Objection, mademoiselle sainte nitouche ! Je ne vous demande pas de me croire sur parole, mais j'ai ici la preuve écrite que...

Katja vint délivrer Jacques d'une controverse qui s'annonçait vivace et futile et, le prenant par la main, l'entraîna du côté de la cabine téléphonique. Il mit quelques secondes à reconnaître l'adolescent qui les attendait, les mains cachées dans le dos.

– Sigmund ! s'exclama-t-il.

La métamorphose était spectaculaire. Les cheveux, qui étaient auparavant verdâtres avec des mèches orangées, avaient retrouvé leur teinte naturelle, qui tirait sur l'auburn, et un coiffeur vindicatif mais compétent les avait égalisés au centimètre, donnant à sa tête un profil de bagnard et une face de moine. Les boucles d'oreille, les chromes, les clous et les cuirs avaient disparu, et jusqu'aux boutons d'acné qui paraissaient s'être transformés en taches de rousseur. Toutefois, le singulier mélange de droiture fuyante et de timidité effrontée n'avait pas changé, et des éclats moqueurs continuaient à briller au fond des prunelles, quand les yeux oubliaient de regarder ailleurs.

– *Ich wusste, das du zurückkommst !* dit l'adolescent. *Wie findest du mich ?**

– *Du hast es wie Katja gemacht, du hast deine Maske abgelebt,* répondit Jacques. *Didier hat mir gesagt, du arbeitest jetzt im Stella Maris. Für mich ist das grosse Neuigkeit !***

* Je savais que tu reviendrais ! Comment tu me trouves ?

** Tu as fait comme Katja, tu as ôté ton masque. Didier m'a dit que tu travailles maintenant à Stella Maris. Pour moi, c'est ça la grande nouvelle !

– *Das Schlimmste ist, weisst du, dass mich diese Bengel interessieren !**

Sur cet aveu, Sigmund sortit le bouquet de fleurs alpestres qu'il dissimulait derrière son dos et le tendit à Jacques avec un sourire désarmant de candeur qui s'effaça aussitôt apparu, et il précisa que « c'était aussi pour la bonne amie », comme s'il n'avait pas noté que celle-ci se trouvait à côté d'eux. Didier les rejoignit sur ces entrefaites et, sans s'en douter, renversa la situation en appliquant deux baisers sonores sur les joues de Katja, tout en évitant d'accorder le moindre regard à son frère.

– Alors, ce pari, je l'ai gagné, oui ou zut ? s'écria-t-il. Jacquot s'est pas dégonflé, je te l'avais bien dit ! On est des durs-à-cuire dans la famille, comme disait l'anthropophage. Ça fait qu'avec tout ça, ma vieille, tu peux toujours dire bonsoir à ton microscope ! Désolé !

– Il est à toi ! acquiesça-t-elle en riant. Mais, sans lui, comment je vais faire pour te retrouver ?

– Drôle ! Amusant ! Comique ! Je me déride, je pouffe, je ris, je m'esclaffe, je me désopile ! persifla Didier, qui alignait des mots pour se donner le temps de trouver une repartie qui ne venait pas. Bon, blague à part, Élisabeth veut que je vous dise qu'elle a réservé une table à la salle à manger pour qu'on se retrouve ensemble, comme qui dirait en famille. Ro-cam-bo-lesque !

– É-pous-tou-flant ! renchérit Katja.

Jacques assistait à leur échange, la bouche entrouverte sur un sourire coincé dans les muscles de ses joues. A Vancouver, il avait deviné le secret de Katja et sa raison s'était rebellée ; tout à l'heure, dans la chambre, il avait découvert son visage, et son souffle s'était suspendu ; à présent, il observait son comportement et son cœur chavirait : elle traitait Didier sur un pied d'égalité, elle entrait sans effort dans ses jeux, participant pleinement à cette taquinerie pétillante qui était une façon détournée de se dire le plaisir qu'on avait d'être ensemble. Élisabeth lui avait pourtant confié au téléphone qu'ils étaient devenus amis, mais c'était une chose que de savoir qu'ils s'entendaient bien, et une autre que de les découvrir si proches l'un de l'autre.

Sigmund avait observé la discussion sans en saisir manifestement plus de trois ou quatre mots ; néanmoins, il lança à Jacques un rapide regard qui n'était pas dénué de compréhension, avant d'es-

* Le pire, tu vois, c'est que ces mômes m'intéressent !

quisser un signe de la main et de s'éloigner en rasant les murs. Didier se décida alors à prendre acte de la présence de son frère et son attitude se modifia, comme s'il avait intégré par osmose les manières de l'adolescent qui venait de les quitter. Il se balançait d'un pied sur l'autre et sa physionomie enjouée se plissa sous l'effet d'une gêne inhabituelle chez lui, qu'il tenta vainement de masquer par un air crâne.

– Ça fait rien, expliqua-t-il d'une voix étranglée, mais j'ai dit à Tabaski qu'elle pouvait rester avec nous pour le souper. Élisabeth est d'accord, tu vois, et elle s'est comme arrangée avec M. Bubenblick pour la facture qu'ils vont faire semblant d'oublier. C'est elle, d'abord.

Il se tourna vers une fillette qui attendait en retrait, immobile et grave, et il lui fit signe d'approcher avec un mouvement d'épaule qui avait toute la délicatesse d'une invite de cow-boy à une *square dance*. Jacques se préoccupa aussitôt de contrôler l'expression de son visage, car on guettait sa réaction du coin de l'œil avec une anxiété touchante. On lui avait parlé de « cette nana pas possible » qu'on surnommait Granola, qui était végétarienne et qui savait marcher sur les mains, on lui avait confié qu'on n'avait pas ensemble une puberté synchronisée mais que ça n'empêchait pas de commencer à s'aimer pour toujours, et, sans autre raison, il s'était fait d'elle la vague image d'un garçon manqué, maigre comme un échalas, aux manières délurées. Elle lui tendit la main et un croissant d'une blancheur éclatante s'ouvrit dans l'ébène de son visage rond. Elle avait l'air de sortir d'un livre de catéchisme de missionnaire, avec sa robe bleu ciel à frisons, ses sandales et socquettes blanches, ses *rastas* terminées par des perles de couleur et ses petits bracelets d'argent aux poignets, encore que son regard eût une vivacité et ses traits une expression dégourdie qui invitaient à ne pas lui donner le Bon Dieu sans confession. En réponse à ses questions, elle lui apprit qu'elle venait du Cameroun, que son père était secrétaire d'ambassade à Berne, et que son séjour à Stella Maris avait été prolongé jusqu'à la fin de l'été en raison des menaces de guerre dans la région des Syrtes.

Jacques la regardait parler, en constatant avec émotion que Didier n'avait jamais fait allusion à la couleur de sa peau. « Et moi qui me prétends affranchi de cette sorte de préjugé, pensa-t-il, aurais-je passé ce " détail insignifiant " sous silence ? Quand je vois la façon dont ces deux mômes se comportent l'un envers l'autre, je me dis que l'humanité a quand même fait certains progrès... Sedna n'a-t-elle pas été trop hâtive ? Nous méritons peut-être une dernière chance. »

– Je crois que quelqu'un essaie d'attirer ton attention, dit Katja à voix basse.

Il suivit son regard et vit Serguei Tchakalov, adossé contre une colonne du hall à l'écart des autres pensionnaires, qui l'invitait d'un index discret à venir le rejoindre.

– Je vais aller le saluer, murmura-t-il, et je vous rejoins à table.

En s'éloignant, il fit un signe de tête encourageant à Didier et lui lança qu'il avait bien fait d'inviter Granola, mais sa remarque provoqua chez son frère une brusque dilatation des pupilles, et une non moins brusque contraction des mâchoires. « Oups, j'ai mis les pieds dans le plat ! pensa Jacques. Mais en quoi ? »

L'ex-cosmonaute l'accueillit avec un grondement de satisfaction et le prit cavalièrement par le bras pour l'entraîner vers le salon de musique, tout en lui parlant avec une excitation sourde, martelant et répétant ses mots avec un désir si manifeste d'être bien compris que Jacques, consterné, ne savait comment l'interrompre pour lui rappeler qu'il n'entendait pas un mot de russe. Au bout du corridor, Tchakalov jeta un coup d'œil par-dessus son épaule pour s'assurer que personne ne les avait suivis et sortit de sa poche trois photographies en couleurs de la Terre, prises de toute évidence par le hublot d'une navette spatiale. Il pointa sur l'une d'elles l'arc sombre du cosmos, au-dessus des couches bleutées de l'atmosphère et de la courbure du globe, en expliquant avec des accents de détresse ce qu'il fallait y voir, mais Jacques avait beau se pencher, il ne distinguait aucune anomalie qui justifiât une telle agitation. Ils firent demi-tour et revinrent sur leurs pas en silence. Soudain, le jeune homme sentit qu'on glissait un petit objet dans sa main avec une pression sur ses doigts pour lui recommander de faire comme si de rien n'était, et on prit congé de lui avec une prière douloureuse dans le regard, en lui répétant deux fois : *« Stishovitch ! Vernitié iévo bogam ! »*

La plupart des pensionnaires étaient passés dans la salle à manger. Élisabeth se tenait immobile devant la porte à vitrail, dont les pièces de verre biseauté tressautaient avec un fracas de vaisselle brisée chaque fois qu'on la fermait.

– Je t'attendais, Petit Prince ! dit-elle avec une émotion grave, en lui prenant les deux mains pour les porter à ses lèvres, comme si elle lui demandait de ne pas écouter seulement ses paroles, mais d'en capter aussi les vibrations du bout des doigts. Sais-tu seulement ce que tu as fait à ma vie en revenant avec ton père ? Il faudrait que je te dise ma gratitude en roumain, la langue française est trop limitée ! Et puis j'ai vu l'expression de Katja tout à l'heure à votre spectaculaire arrivée ! Alors, tu ne m'en veux pas d'avoir eu raison comme d'habitude ? !

– Je t'en voudrais d'avoir eu tort ! Dis, Élisabeth, j'ai une question à te poser avant que ma mémoire ne flanche. Tu comprends le russe, n'est-ce pas ? Que signifie *« Stishovitch ! Vernitié iévo bogam ! » ?*

– Ne me dis pas que Serguei t'a fait des confidences ! Tu es le seul à qui il ait jamais parlé au Berghof – à part Jorge, bien entendu, et encore là par l'intermédiaire de sa matriochka. *Stishovitch ?* Non, je ne vois pas. Quant à la suite, on pourrait la traduire par : « Rendez-la aux dieux ! » Je ne savais pas que notre cosmonaute donne dans le mysticisme !

– En tout cas, il a l'air remarquablement en forme ! dit-il en laissant tomber au fond de sa poche le mystérieux cadeau qu'il n'avait pas encore regardé, mais dont le poids et la consistance l'intriguaient.

– Dis plutôt qu'il est guéri ! C'est Gertrude qui nous a donné la solution, en laissant un message à son intention. Elle a dit qu'il fallait chercher une berceuse pour apaiser le petit garçon qui a peur de s'endormir. Tu ne vois pas ? Je n'ai pas compris moi non plus, mais Jorge a trouvé la clé du premier coup. L'œuf de Colomb !

Elle expliqua d'une voix vibrante que la Fondation Delphi avait obtenu la collaboration de l'Observatoire national suisse et que, depuis une semaine, les fréquences captées dans le cosmos par le radiotélescope de la Weissfluhjoch étaient relayées au Berghof par fibre optique. Chaque nuit, Serguei Tchakalov dormait avec des écouteurs, bercé par le chant des étoiles.

– Ça a l'air trop beau pour être vrai ! s'exclama Jacques. N'empêche que c'est toute une installation ! Vous auriez pu aussi bien lui faire entendre l'enregistrement de la constellation du Cygne, celui qui...

– Qu'est-ce que tu crois ! dit-elle vivement. On a essayé, mais ça n'a rien donné. Tu te souviens de la communication entre la petite Rose-Marie et sa mère Gisella ? Le même phénomène s'est produit : *la musique des sphères* n'exerce son pouvoir que si la transmission est en direct ! C'est quelque chose, non ? !

Les yeux brillants, elle s'apprêtait à en dire davantage, mais la porte de la salle à manger s'entrebâilla et la tête de Didier surgit, comme propulsée par un ressort.

– Vous venez ou quoi, à la fin ? dit-il. On n'attend que vous pour commencer, surtout qu'y a des ramequins au fromage, y risque de plus en rester !

Malgré l'urgence, il s'arrangea pour retenir Jacques, après s'être effacé avec une courbette de majordome devant Élisabeth, qui l'ébouriffa au passage d'une main légère.

– Toi et ta grande trappe, j'te jure ! murmura-t-il à l'oreille de son frère avec une indignation qui n'était pas entièrement feinte. T'as pas compris que « Granola », c'était juste un code entre nous ? Elle était pas dans le coup, alors j'ai été forcé de dire que c'était rien qu'un surnom en iroquois pour dire « La-fleur-qui-éclot-dans-mon-cœur ». Fallait faire poétique pour se racheter, tu vois. A présent, fais attention de pas vendre la mèche !

– Promis ! dit Jacques. Remarque que tu ne m'as toujours pas demandé ce que je pense d'elle.

– OK, *boss, shoot* ! De toute façon, ma décision est irrécupérable.

– Mon opinion sincère ? *She is absolutely smashing !*

– Quand même, t'exagères ! murmura Didier en rentrant la tête dans les épaules et en virant au cramoisi.

Ils gagnèrent la table qu'Élisabeth avait choisie devant la baie vitrée, où la nappe, les serviettes, les vêtements et les visages reflétaient les teintes ocrées du crépuscule. Katja était assise à la droite d'Alexander et lui parlait avec une retenue qui surprenait chez elle. Tabaski, pour sa part, visiblement charmée, écoutait les propos d'un invité que Jacques hésita à reconnaître, non parce qu'il le voyait de dos, mais parce que sa présence lui semblait défier les lois physiques de l'espace et du temps.

– Jacques ! Bonté, ne fais pas cette tête, on va s'imaginer que tu n'es pas content de me revoir !

Jean-Baptiste LaRocque Prévost avait troqué sa chemise hawaïenne et ses bermudas pour un chandail marine à col roulé et un costume en velours vert bouteille qui paraissait flambant neuf, mais datait visiblement d'une époque où son propriétaire comptait dix kilos de moins. Il s'était levé pour donner l'accolade au jeune homme, avec de vigoureuses tapes dans le dos comme pour l'empêcher de s'étouffer de surprise. Puis, reprenant sa place à table et lorgnant le plat de ramequins que Greta venait d'apporter, il expliqua qu'il était venu d'urgence en Suisse à la demande du Pr d'Aquino.

Jacques s'assit à côté de Katja et voulut lui prendre la main, mais elle la retira doucement et il sentit à une pression contre sa cuisse qu'on préférait lui donner rendez-vous sous la table. Il comprit qu'elle était impressionnée par l'attention que leur portait son père, par l'insistance tranquille et pénétrante de ce regard gris qui posait tant de questions, mais n'attendait aucune réponse.

– Vous m'avez parlé l'autre jour au Bateson de vos recherches sur les origines de Sedna, dit Alexander, qui cessa de dévisager les jeunes gens pour se tourner vers LaRocque Prévost. Jorge vous a-t-il demandé de le voir à ce sujet ?

– En quelque sorte, oui. Je... Vous me prenez au dépourvu, car vous faites allusion à une discussion qui remonte à treize ou quatorze ans ! Paradoxe étonnant !

– Racontez-nous la naissance de Sedna.

LaRocque Prévost fourragea dans sa barbe flamboyante en dévisageant Alexander avec perplexité, puis éclata d'un rire franc.

– Rien de moins ! Je ne veux pas me dérober, mais mes explications risquent de changer cet agréable repas en une conférence fastidieuse, surtout pour nos jeunes amis.

L'air bonhomme, il regarda successivement Tabaski, Didier et Katja. Jacques voulut intervenir, mais un clin d'œil ironique d'Élisabeth l'en dissuada.

– Vous raisonnez à rebours du bon sens, Jean-Baptiste, déclara posément Alexander. L'humanité affronte aujourd'hui sa plus grande épreuve, parce qu'elle est en guerre contre son âme. Votre mission est de faire connaître Sedna à ceux qui possèdent assez d'innocence pour négocier la paix avec elle. Nous sommes trop sages, vous et moi, notre expérience est déjà une capitulation.

Un silence s'ensuivit, et Jacques eut l'impression que, par un singulier phénomène de réverbération, le bruit des conversations aux autres tables diminuait d'intensité.

– Faut manger, sinon ça sera tout froid, dit Tabaski.

LaRocque Prévost examina avec surprise le contenu de son assiette et approuva le conseil en engloutissant ses deux feuilletés au gruyère avec un grognement de satisfaction, et une absence d'étiquette qui parut faire sur Didier l'impression la plus favorable. Il trouva même le moyen de prendre la parole en mastiquant sa dernière bouchée :

– Le cerveau d'une abeille pèse une fraction de milligramme et ne contient que des poussières de savoir. En comparaison, la ruche possède une intelligence collective très développée, qui gouverne sa destinée et assigne des tâches spécialisées aux divers groupes de la communauté. Nous avons là un exemple élémentaire de psychosynergie : le savoir de la ruche est plus grand que la somme des connaissances de chaque abeille.

– Monsieur, on a eu la même explication avec des fourmis, dit Tabaski d'un ton appliqué. Notre intelligence collective à nous s'appelle Sedna.

– Notre *conscience* collective, corrigea aussitôt Didier.

– Bonté ! Je ne m'attendais pas à rencontrer des experts ! Tant mieux, on avancera plus vite – le plus court chemin passant par la préhistoire ! Aux origines de notre espèce, l'instinct et l'intelligence se confondaient en une fonction unique de survie et de reproduction, et chaque génération répétait invariablement les mêmes comportements innés. La mutation a commencé du jour où le savoir acquis a été transmis aux générations suivantes, où les connaissances nouvelles d'une tribu ont été partagées avec les tribus voisines. Cette transmission a exigé une forme de langage, et la Bible nous dit que le premier souci de Dieu, après avoir insufflé l'esprit dans la narine de sa créature, a été de lui présenter « tous les animaux des champs et tous les oiseaux des cieux, afin que tout être vivant portât le nom que lui donnerait l'homme ». L'acquisition du langage a précipité la dissociation de l'intelligence et de l'instinct ; elle a permis à l'esprit de se tourner vers lui-même pour observer son fonctionnement. La conscience était née ! Cela dit, je crois que la conscience de l'homme préhistorique a été longtemps collective avant d'être individuelle. La compréhension qu'il avait de sa réalité était fondée non pas sur ce qui le différenciait des autres, mais sur ce qu'il avait en commun avec eux : une sorte de magma psychique, embryonnaire et diffus, qui a pris des millénaires pour se développer et se structurer. Au risque de passer pour iconoclaste, je prétends que l'Éden n'était pas peuplé d'un seul homme, mais de plusieurs hominiens partageant une seule et unique conscience – une entité qu'on a pu nommer *Iahvé*, ce qui signifie littéralement : « Je Suis », et qui est à Sedna ce que l'anthropopithèque de Cro-Magnon est à l'homme actuel. Bonté ! Je vous ai prévenus que le voyage n'est pas de tout repos !

Il se frotta les mains et fit des yeux le tour de son auditoire, guettant des signes de lassitude pour débarquer de ce train d'idées en provenance du plus lointain des passés, afin de poursuivre à pied une conversation d'ordre météorologique. Décontenancé par le résultat de son examen, il fronça ses sourcils broussailleux, comme s'il se demandait ce qu'il avait pu dire qui lui valût une telle attention. Katja profita de l'interruption pour se pencher vers Jacques.

– Crois-tu que j'ai fait une bonne impression sur ton père ? chuchota-t-elle. Regarde ! Ils n'ont pas perdu leur temps, eux non plus !

Il tourna la tête et surprit le regard qu'Élisabeth et Alexander échangeaient à l'instant – un arc-en-ciel de complicité, aux teintes chaudes et impudiques. Il se remémora les confidences reçues le soir de son arrivée au Berghof, et son embarras quand on lui avait affirmé tout de go que son père avait été « un merveilleux amant ».

– Je n'ai pas eu le privilège d'entendre l'exposé de notre invité depuis le début, dit M. Léopold, qui s'était assis sans bruit derrière Jacques, en retrait de la table, son assiette de *manicotti al forno* posée en équilibre sur ses genoux. Avez-vous déjà expliqué pourquoi ce contact permanent de nos ancêtres avec Sedna a été interrompu ?

– Non, l'explication est en train de mijoter ! répondit LaRocque Prévost en se versant un verre de vin, avec un clin d'œil à Tabaski. Je ne fais pas durer le suspense par plaisir, je cherche juste une façon de simplifier sans être simpliste ! Avez-vous déjà observé que le petit enfant commence par parler de lui à la troisième personne, avant d'utiliser le pronom « je » ? En fait, il ne prend conscience de son individualité que progressivement, par l'action conjuguée de son développement cérébro-moteur et des stimulations affectives et intellectuelles de son milieu familial. Les premiers hominiens n'avaient pas d'identité personnelle, eux non plus, et ils vivaient en relation de symbiose avec l'ancêtre de Sedna : les influences s'exerçaient dans les deux sens ! Pour sa part, l'intelligence collective s'est développée et complexifiée, car elle était la dépositaire des acquis de tous et chacun, et puisait à la mémoire cumulative des générations précédentes. Réciproquement, l'intelligence individuelle a évolué à son contact, et pris lentement conscience d'elle-même et de son unicité. Cette émancipation était inévitable, et pourtant Sedna y a vu une menace à son intégrité et à son autonomie.

– L'arbre de la connaissance du bien et du mal, murmura Katja avec un hochement de tête admiratif. Le fruit défendu par Sedna était la conscience individuelle – le libre arbitre de l'homme. Et, dès les origines, il a fallu qu'une femme en soit l'initiatrice ! Dans *L'Horizon de Silajuaq*, au chapitre consacré à la cosmogonie des

Netsiliks, vous évoquez ce rôle à propos de la légende d'Anirnik, la troisième sœur de la Lune.

Élisabeth fit mine de soupeser ce commentaire en plongeant le bas de son visage dans sa main, mais le pétillement de ses yeux dénonçait son sourire. Quant à LaRocque Prévost, il avait ouvert la bouche pour répondre, mais s'était ravisé pour faire le plein d'air, et le regard qu'il lança à Katja confirmait de façon saisissante ce qu'elle avait confié à Jacques sur la réaction des adultes à sa phénoménale intelligence : un mélange de stupeur et d'admiration, mais aussi, comme en sourdine, une manière de suspicion et de malaise.

– Des fois elle est dure à suivre, remarqua Didier d'un ton compatissant. Mais elle le fait pas exprès, c'est de naissance !

– Continuez, Jean-Baptiste ! dit Alexander, sans paraître impressionné par la remarque de Katja. Pourquoi Sedna s'est-elle sentie menacée par l'humanité ?

– Ne voyez pas en moi l'homme d'un seul livre ! répondit-il. Toutefois, lorsqu'on me dit que Iahvé a chassé Adam et Ève du paradis terrestre parce qu'ils étaient devenus « semblables à des dieux grâce à la science du bien et du mal », et qu'il fallait les bannir avant qu'ils n'acquièrent l'immortalité, j'en déduis que la conscience collective a voulu se protéger contre l'influence des consciences individuelles, défendre son territoire psychique contre l'envahissement ! Sedna n'a pas rompu le contact avec l'humanité – et comment l'aurait-elle pu sans entraîner sa propre perte ? –, mais elle a modifié les termes de l'alliance originelle, de façon à se soustraire aux volontés de l'homme. A Akuliarmiut, j'ai eu des discussions fascinantes avec Jorge d'Aquino sur la nature de cette nouvelle alliance. Plus tard, il m'a écrit pour me suggérer de vous rencontrer au Bateson Institute, où vous m'avez démontré que notre relation avec Sedna avait été transférée dans l'inconscient, et s'établissait chaque nuit pendant la période dite du sommeil paradoxal. Paradoxal, certes ! La volonté du dormeur est suspendue, mais son cerveau continue de fonctionner : Sedna communique avec nous quand nous sommes le plus impuissants à la contrôler ! Les auteurs de la Genèse l'ont compris, avec cette sensibilité propre aux grands poètes, et ils nous l'expliquent sans périphrase : pour maintenir le contact avec ses créatures, après les avoir chassées du Jardin d'Éden, Iahvé a choisi de leur apparaître en rêve, dans des visions et des songes prophétiques.

– C'est vachement bien combiné, remarqua Didier d'un ton appréciatif.

Tabaski approuva, tout en continuant à loucher vers son voisin avec réprobation. N'y tenant plus, elle prit sa propre assiette, qu'elle venait de terminer, et la retourna pour la poser sur celle de Jean-Baptiste, afin de tenir au chaud sa portion de manicotti. Il la dévisagea en penchant la tête sur le côté, surpris par sa prévenance, et un frémissement d'émotion courait dans sa voix quand il reprit la parole :

– Chacun de nous porte dans le secret de son âme le regret poignant de cette période de la vie antérieure à la naissance, dans l'absolue dépendance et protection du sein maternel. Depuis des temps immémoriaux, l'humanité éprouve un regret semblable, la nostalgie de cette époque où le cordon ombilical avec Sedna n'était pas rompu. Et de toujours nous avons tenté de renouer ce contact, de communiquer directement avec notre conscience collective, par des états de transe et d'extase, et les pratiques occultes de la magie et de la sorcellerie... Quant aux travaux scientifiques que nous poursuivons depuis des années sur le Troisième Ordre, les vôtres, Élisabeth, comme ceux du professeur ou les miens, ne sont-ils pas eux aussi une tentative d'établir le dialogue avec l'au-delà – ou pour mieux dire, avec l'en-deçà ?

– Jorge a des comptes à régler avec Sedna, déclara Alexander. En Californie, je lui ai reproché d'utiliser mes travaux pour des fins qui n'étaient pas scientifiques. J'ai eu tort : il y avait davantage d'humanité dans sa colère que dans mes scrupules. Jorge voulait affronter Sedna, pour l'accuser de n'avoir pas respecté l'alliance originelle. Il nous expliquera avant de mourir pourquoi elle a choisi d'intervenir sur notre destinée au moyen du Grand Déclin.

– Alex ! s'écria Élisabeth sur un ton de reproche.

– Ne sommes-nous pas tous réunis pour l'accompagner à sa mort ? demanda-t-il avec simplicité, alors que son regard gris faisait sans ciller le tour de la table.

– Cha-ris-ma-tique ! murmura Didier en posant comme par inadvertance sa main sur le poignet de Tabaski.

Un silence consterné implosa dans la salle à manger.

*
* *

Dans le grand hall, Jacques annonça qu'il n'accompagnerait pas les autres à la salle de lecture pour le café : il avait peine à garder les yeux ouverts et montait se coucher.

– Sage décision, Petit Prince ! approuva Élisabeth. Nous sommes attendus demain à dix heures à Stella Maris, mieux vaut être en forme. Je crois que ton père a raison : Jorge a des révélations à nous faire sur le Grand Déclin.

– Quelque chose te préoccupe...

– Comment le sais-tu ? Schwester Ursula m'a téléphoné tout à l'heure, Jorge veut que Bertha Moll assiste à cette réunion. Pourquoi nous impose-t-il cette chipie ? C'est insupportable !

LaRocque Prévost s'était approché d'eux et s'appliqua une claque sonore sur le front en remarquant que Jacques et Katja se tenaient par la main.

– Bonté ! Comment ai-je pu être aussi obtus ? s'exclama-t-il, et il ajouta à l'intention de la jeune fille : Ouvilou m'a pourtant recommandé d'ouvrir l'œil, en me parlant de vous comme d'une amie de longue date !

– Elle ne vous a pas accompagné ?

– Non, elle a jugé que sa place était chez les siens, à Akuliarmiut. Il faut dire que les Netsiliks ont été atterrés par la menace du Grand Déclin. Paradoxal pour un peuple en voie d'extinction ! Ils connaissent la nouvelle depuis plusieurs semaines, pas besoin de journaux ! Nous en reparlerons si vous voulez, pour l'heure mon ami Jacques dort debout !

Alexander les attendait au bas de l'escalier circulaire et offrit à Katja un bras chevaleresque, qu'elle accepta après un imperceptible recul. Ils montèrent au deuxième étage sans échanger une parole, et Jacques les dépassa dans le corridor pour leur ouvrir la porte de sa chambre. Son père s'arrêta sur le seuil en faisant signe qu'il ne voulait pas entrer, puis il se tourna pour dévisager Katja, comme s'il voulait faire plus tard son portrait de mémoire.

– Vous passez la nuit avec Jacques, dit-il d'un ton si neutre qu'on ne pouvait savoir s'il posait une question ou faisait un constat.

– Oui, répondit-elle en le toisant avec une pointe de défi.

– Si vous restez avec lui, vous choisissez la vie. Pour vous, c'est un grand renoncement, et je vous y encourage.

– Je reste avec Jacques parce que je l'aime, s'écria-t-elle avec impatience. C'est une raison suffisante, et je ne renonce à rien, au contraire !

– Ce n'est pas une raison, c'est un projet, répliqua-t-il d'un ton approbateur, sans apparemment se rendre compte qu'il la contredisait. Pour l'accomplir, il faut vous détourner de Sedna.

Elle tressaillit et une pâleur inquiétante envahit son visage. Elle lança un regard courroucé à Jacques, qui fit un signe de dénégation.

– Qui vous en a parlé ? dit-elle vivement. Pourquoi vous ne me dites pas le fond de votre pensée, au lieu de me traiter comme une fillette attardée ?

– Vous avez l'âge de vous donner à l'amour, répondit Alexander, mais vous êtes trop jeune pour l'immortalité. N'oubliez pas non plus votre promesse de veiller sur Karen Nanf, et de l'accompagner au royaume de Népenthès.

Il lui prit la main et la plaça dans celle de Jacques. Reculant d'un pas, il les regarda en clignant des yeux, comme s'il voyait briller autour d'eux des feux éblouissants, puis disparut dans le couloir en refermant silencieusement la porte derrière lui.

Katja poussa un gémissement et se précipita dans les bras de Jacques, croisant ses mains contre sa poitrine comme si elle avait à se défendre contre lui, en même temps qu'elle lui demandait refuge.

– Ton père me fait peur, murmura-t-elle, je n'y peux rien !

– Il me déroute parfois, moi aussi ! Mais ne lui prête pas de mauvaises intentions : il fait comme ça des allusions qui nous échappent sur le moment, mais qui...

– Ses allusions sont transparentes, au contraire ! s'écria-t-elle. Je ne voulais pas t'en parler tout de suite, mais, tant pis, je n'ai plus le choix ! Non, laisse-moi : si tu me gardes dans tes bras, le courage va me manquer !

Elle s'écarta pour prendre appui contre la commode, les bras dans le dos, et il s'assit sur le lit, en proie à un léger vertige.

– Tu m'inquiètes, dit-il.

– J'étais désespérée par ton abandon, et humiliée par ma douleur. Je m'en voulais de t'avoir accordé le pouvoir de me faire mal ! J'ai cherché à me fuir – et je savais vers quel oubli aller, depuis le voyage intérieur où Jorge d'Aquino m'avait entraînée, là-haut, sur la Walpurgis ! Mais il m'avait avertie qu'il ne reprendrait jamais l'expérience avec moi, parce que je l'avais trop bien réussie ! Alors je suis allé voir Gertrude...

Son visage se contracta et elle parut soudain à court de souffle. Jacques se retint de poser les questions qui lui brûlaient les lèvres.

– La rencontre avec Sedna est une expérience indescriptible ! reprit-elle en contenant son émoi. Rappelle-toi, je t'ai raconté dans le refuge la peine que j'avais eue à me reconstruire mentalement après ma transe, à rassembler les éléments de ma personnalité qui étaient devenus comme indépendants les uns des autres, mais je n'ai pas osé t'avouer pourquoi Jorge avait eu tant de mal à me convaincre de reprendre mes esprits. La vérité, Jacques, c'est que je ne voulais plus revenir parce que c'était trop bon ! C'est si difficile à expliquer ! Tu vois, on associe habituellement la terreur avec quelque chose d'horrible, avec le mal et la laideur. Alors que j'étais épouvantée par une révélation d'une beauté infinie, d'une puissance et d'une envergure telles que j'ai été saisie, stupéfiée, dépossédée de moi-même... Imagine que tu puisses contempler tous les corps célestes, toutes les étoiles de toutes les galaxies en une vision unique, instantanée, fulgurante – le big bang de la conscience ! J'étais simultanément au centre et à la périphérie d'un ouragan dévastateur, d'un monumental tintamarre psychique, où tout était discordant, informe, chaotique, inachevé. Et pourtant cette prodigieuse cacophonie à laquelle je n'entendais rien m'a emplie d'une joie indicible, d'un bonheur absolu – chaque fibre de mon esprit était sollicitée à ses limites, et j'accomplissais d'un seul élan l'achèvement suprême de mon être, l'extase, le nirvana !

Katja grelottait d'un froid qui ne venait pas de la fenêtre entrouverte, mais des mystérieux abîmes où elle avait failli se perdre. Jacques se leva et s'approcha d'elle.

– Non ! fit-elle en levant la main. Le plus difficile n'est pas dit ! Gertrude était un médium extraordinaire : elle ne m'a pas seulement aidée à atteindre un état second, elle m'a *accompagnée* à ce qu'elle appelait « la grande réunion ». Nos esprits ont fusionné pour se joindre à la conscience universelle... Seulement, ce que je n'avais pas prévu, c'est l'impulsion que mon intelligence donnerait à l'extase de Gertrude. Quand je lui ai rendu visite le lendemain à l'infirmerie, elle n'était plus que l'ombre d'elle-même. Le Dr von Haller avait demandé son transfert d'urgence à l'hôpital de Coire, mais l'ambulance est arrivée trop tard... Gertrude s'est laissée mourir, comprends-tu ? Non parce qu'elle ne voulait plus vivre, mais parce qu'elle voulait vivre dans une autre réalité, en communion permanente avec Sedna. J'étais là et je n'ai rien fait pour la retenir ! Rien !

Elle étouffa un cri et fit un pas en avant, acceptant enfin de se blottir dans les bras de Jacques.

– Aurais-tu réussi à la convaincre ? demanda-t-il.

– Non, je ne crois pas ! Et de toute façon, comment aurais-je trouvé les mots, moi qui comprenais si bien sa décision ?

Elle ajouta quelque chose dans un murmure balbutié, et Jacques, épouvanté, n'osa lui demander de répéter, car il avait cru entendre : « Je l'envie ! » Il comprit alors le sens de l'objurgation singulière de son père, quand il avait dit à Katja de choisir entre l'amour et l'immortalité.

Elle devina sans doute sa pensée, car elle croisa les mains derrière sa nuque pour l'attirer avec force.

– Je te veux ! dit-elle.

Il répondit de son mieux à son étreinte et à la morsure de son baiser, le cœur en retard d'un essoufflement : il s'affligeait encore de l'épreuve qu'elle avait traversée pendant son absence, alors qu'elle n'y pensait déjà plus, éperdue de passion comme elle l'avait été de détresse quelques instants plus tôt.

– Attends ! souffla-t-il. Laisse-moi te retrouver.

Après une longue étreinte dont les vagues les firent dériver vers le lit, Katja, dont les mains n'étaient pas restées inactives, sortit de la poche de Jacques une pierre ovale de la taille d'une noix, à la surface pareillement ridée mais de couleur anthracite.

– Qu'est-ce que c'est ? dit-elle.

Il lui rapporta la demande impérative dont Serguei Tchakalov avait assorti cet étrange cadeau. Comme elle l'examinait, il chantonna :

– *« Une noix, qu'y a-t-il à l'intérieur d'une noix ? Qu'est-ce qu'on y voit, quand elle est fermée ? »*

– Je ne comprends pas, dit-elle en posant la pierre sur la table de chevet.

– *« On y voit mille soleils, tous à tes yeux bleus pareils ! »* C'est une chanson que ma mère me chantait quand j'étais petit.

Elle s'étendit sur le lit, et lui fit signe de la rejoindre. Dehors, la nuit montante gagnait du terrain.

– Tu ne parles jamais de ta mère, murmura-t-elle.

– Un jour, peut-être... Qui est Karen ?

– Karen Nanf ! Au début, c'était une poupée, ensuite elle est devenue une amie imaginaire qui a grandi en même temps que moi. Il m'arrive encore de lui faire des confidences avant de m'endormir ! Son nom est l'anagramme d'Anne Frank, à qui je me suis identifiée très jeune, de façon quasi mystique. Comment ton père l'a-t-il su ? Je n'en ai jamais parlé à personne, même pas à Élisabeth... Je ne voulais pas te blesser tantôt en te disant qu'il me fait peur. C'est sa façon de me regarder, comme si j'étais transparente... Je n'aime pas ça ! Je suis sûre que, pour lui, les sentiments de Tabaski pour Didier sont aussi importants que ceux que j'éprouve pour toi !

Elle roula sur lui et l'étreignit avec fougue, comme pour lui prouver l'absurdité de la comparer à cette gamine qui, tout bien compté, avait dix-huit mois de moins qu'elle.

– Et la fameuse noix ? dit-elle. Qu'est-ce qu'on y voit quand elle est ouverte ?

– Je savais que tu finirais par me le demander ! *« On n'a pas le temps d'y voir, on la croque et puis bonsoir, les découvertes ! »*

D'une poussée lente et insistante du front, elle se fraya un chemin dans le creux de son cou.

– Croque-moi, souffla-t-elle, et bonjour les révélations !

Elle disait vrai.

Quand Jacques s'éveilla aux premières lueurs de l'aube, il aperçut Katja dans la pénombre de la chambre, recroquevillée dans le fauteuil, serrant ses genoux à deux bras contre sa poitrine, étouffant ses sanglots tant bien que mal. « Elle ne m'a pas tout dit ! », pensa-t-il, le cœur en déroute.

15

Katja avait proposé à Jacques de passer au laboratoire de Jorge d'Aquino avant le petit déjeuner, car elle voulait lui faire entendre quelque chose qui « risquait de l'intéresser ». Il l'avait accompagnée à l'entresol en passant par un labyrinthe d'escaliers et de couloirs mal éclairés, dont il ne soupçonnait même pas l'existence. Elle s'était vantée en riant de connaître la topographie du Berghof mieux que Tadeus Bubenblick, et de s'être maintes fois aventurée hors de sa chambre sans son masque, pour quitter l'établissement par une porte dérobée qui donnait sur la forêt. Alors qu'ils passaient par une salle que le cuisinier Koraman utilisait comme garde-manger pour ses fruits et légumes, Jacques profita de la pénombre et d'une odeur composite de pommes, de melons et de poireaux pour embrasser Katja avec la fougue des préliminaires, même s'ils venaient de faire l'amour là-haut dans sa chambre. Elle lui répondit avec une telle ferveur qu'il n'eut pas le cœur de lui demander pourquoi elle avait passé la fin de la nuit à sangloter en cachette.

Une ombre glissa près de leur tête entre les claies de bois et, par un des soupiraux qui donnaient sur le chemin de terre à l'arrière des cuisines, ils virent passer le bas d'un chandail et la pleine longueur d'un pantalon vert bouteille.

– Ton ami le drôle de révérend, murmura Katja essoufflée. S'il voyait dans quel état tu as mis la gamine !

Ils regardèrent vers l'autre soupirail, guettant machinalement la suite de la promenade de LaRocque Prévost.

– Qu'est-ce qu'il attend ? murmura Jacques en s'approchant sans bruit de l'ouverture. Oh, mais ça m'a tout l'air d'un rendez-vous !

– J'adore les mystères, souffla Katja. Soulève-moi !

Elle n'avait qu'une demi-tête de moins que lui, mais il aurait dû savoir qu'elle ne laisserait pas passer une aussi belle occasion. Ils aperçurent Jean-Baptiste en conversation avec le petit homme chauve qui se trouvait la veille dans le train, avec une mallette d'aluminium sur les genoux. Un portefeuille volumineux fut tiré d'une poche, des billets de banque changèrent de mains, un rapide conciliabule, et déjà on se séparait avec des mines entendues.

– Tu parles d'un micmac ! dit Jacques en reposant Katja à terre.

– J'étais bien, dit-elle, et la preuve est faite que je ne suis pas à la hauteur sans toi ! Allons-y, sinon on n'aura pas le temps d'écouter la voix de Sedna...

Ils débouchèrent dans la partie de l'entresol qui servait de cabinet de psychanalyse au Dr Krokovski, à l'époque de *La Montagne magique*, et qui était aujourd'hui utilisée pour les cures d'isolation sensorielle, avec cet extraordinaire caisson ovoïde rempli de solution saline, où Serguei Tchakalov retrouvait l'état d'apesanteur et le silence du cosmos, au grand scandale de Théodore Shapiro. Le bureau où Bertha Moll exerçait hargneusement ses talents de cerbère était désert, et la porte du laboratoire de Jorge d'Aquino affichait, sur une pancarte qu'on avait apparemment oublié de retirer : *Session in progress – Do not disturb.*

Jacques y entra à la suite de Katja, mais une scène étonnante les cloua sur le palier. Chouri était assis sur un haut tabouret de bois, la tête couronnée d'un volumineux casque d'écoute, en compagnie d'Ado Hobayashi qui plaçait une bobine sur le magnétophone dont Jorge d'Aquino s'était servi pour démontrer à Jacques que « l'univers était baigné par la pensée comme la terre par la pluie ». Leur surprise fut accentuée par l'aspect insolite du laboratoire, mis en ordre et astiqué avec un zèle qui était plutôt déplaisant, car on pouvait y voir une manière de *De profundis* prématuré. Hobayashi avait interrompu son occupation pour foncer vers les intrus. Il s'arrêta pile à distance respectable et les salua d'une inclinaison du torse, qui avait autant d'affabilité que la salutation rituelle avant un assaut de karaté.

– Vous avez vu l'écriteau sur la porte, s'écria-t-il en anglais, je l'ai accroché avec l'autorisation expresse du professeur. M. Bubenblick pourra confirmer. On ne doit pas me déranger, mon travail est très important.

Il débitait sa mitraille de syllabes d'une voix qui ne savait plus où se percher, et faisait mouche sur tout ce qui ressemblait à un signe de ponctuation.

– On s'excuse, dit Jacques en reculant vers la porte. Nous étions sûrs qu'il n'y avait personne.

Chouri avait retiré ses écouteurs et, de son dandinement massif et véloce, était venu se planter devant les visiteurs. Il les dévisagea avec intensité, en remuant silencieusement ses lèvres noires, comme s'il essayait tout à la fois de sourire et d'articuler des mots de bienvenue. Jacques tressaillit en rencontrant son regard brun, dont l'intelligence offrait un tel contraste avec le museau aux formidables mâchoires et aux narines épatées. Il retrouvait cette angoisse que Katja lui avait fait vivre si souvent, l'impression de regarder quelqu'un qui se cache derrière un masque ! Chouri le reconnaissait, et son retour lui causait de l'émotion, il le sentait ! Mais quelle différence entre son attitude et l'agitation désordonnée de Kugli !

Il s'arracha à ce singulier face-à-face et se détourna pour sortir, en prenant Katja par l'épaule. Hobayashi s'interposa vivement et, avec une nouvelle courbette, accompagnée cette fois d'un sourire qui changea la configuration de ses rides sans rien atténuer de l'irascibilité de ses manières, il les pria d'assister à la reprise d'une expérience qui lui avait été suggérée par le professeur, quelques jours avant son accident. Jetant nerveusement des coups d'œil par-dessus son épaule pour s'assurer qu'on le suivait, il les précéda jusqu'à l'ancien appareil de radioscopie aux cadrans de cuivre et aux manettes de porcelaine, et expliqua que les résultats des recherches de Mme Bogdan-Popesco sur l'activité cérébrale avaient été traduits sous forme de fréquences sonores. Katja interrompit l'éboulement de son exposé en l'assurant qu'ils avaient déjà entendu les enregistrements réalisés par Élisabeth.

– Chouri les écoute depuis deux semaines, répliqua-t-il sèchement. Vous et moi ne percevons que du bruit, mais lui capte autre chose, je ne sais pas quoi, il fait la mauvaise tête et prétend qu'il ne peut pas m'expliquer. Je l'ai averti que ma patience a des limites !

Le grand singe ne paraissait pas impressionné par la menace, et son attitude laissait même transpirer un rien de goguenard. Il avait coiffé les écouteurs sans se faire prier, et attendit avec une impatience manifeste la reprise de l'expérience.

– Mme Popesco m'a permis d'utiliser l'enregistrement de son propre cerveau, poursuit Hobayashi en réglant le magnétophone. Vous pouvez vérifier !

– Voulez-vous dire que Chouri peut faire la distinction entre les enregistrements de personnes différentes ? demanda Katja.

Le Japonais répondit par un haussement d'épaules excédé, puis pressa sur une touche. L'étrange *musique des sphères* s'éleva dans le laboratoire, avec ses modulations imprévisibles, ses sifflements graves et cet inquiétant ressac d'un océan aux dimensions cosmiques. La réaction de Chouri fut si surprenante que Katja vint instinctivement se blottir contre Jacques, avec une exclamation sourde. L'énorme bête s'était mise à danser sur place, avec lenteur et concentration, et ses bras démesurés, qui lui donnaient d'habitude un air balourd et caricatural, se déployaient maintenant avec grâce dans l'espace, pour y dessiner des arabesques de ballet aquatique, alors que son corps velu oscillait en un mouvement latéral, comme dans les chorégraphies modernes. Subjugué, Jacques se remémorait les images des premiers astronautes sur la Lune, engoncés dans leurs scaphandres blancs, et leur démarche aérienne de funambules libérés des contraintes de la pesanteur. Hobayashi donna une tape punitive à la touche de connexion des haut-parleurs, pour interrompre cette cacophonie qui lui portait visiblement sur les nerfs. La pantomime de Chouri, dont le casque d'écoute était resté branché, n'en parut que plus extraordinaire après la brusque implosion de silence dans le laboratoire.

– D'après M. Shapiro, le professeur aurait prévu le Grand Déclin depuis longtemps, dit Jacques. Son intérêt pour les grands singes serait dicté par un dessein caché : préparer la relève de l'espèce humaine ! Notre ami Théodore est capable d'inventer n'importe quoi, mais j'avoue que les progrès de Chouri m'ébranlent : je lui trouve un air plus humain à chaque nouvelle rencontre...

– *Nonsense ! Utter nonsense !* s'écria Hobayashi en interrompant avec colère le défilement de la bande et en retirant vivement les écouteurs au gorille, pour les jeter sans ménagement sur la console de marbre. Venez ici, vous, j'ai deux mots à vous dire !

Le bras tendu, époussetant l'air de sa main tournée vers le bas, il enjoignit Jacques de l'accompagner au fond du laboratoire, où il l'apostropha vertement, sans paraître se soucier d'avoir une tête de moins que lui.

– Où prenez-vous cette idée que ce primate devient de plus en plus humain ? demanda-t-il, en réussissant à baisser la voix sans modérer le ton. Si c'est un compliment, c'est manqué ! Vous croyez que l'homme est un modèle acceptable pour une autre espèce animale, *sérieusement ?* Ce primate a fait des bonds en avant depuis quelques semaines, exact ! Mais vous ne voyez pas que plus il évolue, et plus il se différencie de l'homme ?

– Tout de même, si vous lui faites entendre ce qui se passe dans le cerveau humain pour l'aider à progresser, c'est bien parce que vous jugez que...

– Non et non ! Prémisses boiteuses, conclusion bancale. Chouri ne devient pas un sous-homme, mais un supersinge ! Si notre espèce entrait en contact avec des intelligences supérieures, le résultat net serait de nous rendre plus humains, pas de faire de nous des extraterrestres !

Jacques observa le petit personnage grimaçant et survolté, au débit syncopé, et il s'efforça de ne pas sourire à la pensée qu'il suffirait d'une touche de maquillage verdâtre pour en faire un Martien tout à fait convaincant. Il détourna les yeux pour observer Katja, qui profitait de leur aparté pour changer la bobine du magnétophone.

– Chouri a-t-il droit à la vérité ? demanda abruptement Hobayashi. Réfléchissez avant de répondre !

Jacques fut pris au dépourvu. Mentir à un animal lui paraissait absurde. Le mensonge n'était-il pas un privilège exclusif aux relations humaines ? Mais fallait-il encore considérer Chouri comme un animal ? Il était peut-être le premier maillon d'une nouvelle race d'êtres intelligents, dont le développement pourrait être radicalement différent de celui de l'*Homo sapiens*...

– Excusez-moi, dit-il en voyant que le Japonais piaffait d'impatience. Oui, je crois qu'il a droit à la vérité !

Sa réponse produisit un effet imprévu sur Ado Hobayashi, qui se figea, comme si un court-circuit majeur avait eu raison de son système nerveux. Pourtant, ses yeux bridés continuèrent d'étinceler en observant le jeune homme avec une compassion douloureuse et inquiète, que son agitation avait dissimulée avant cet instant.

– Chouri nous admire et nous aime, affirma-t-il après un silence, avec autant d'embarras que s'il avait tenu des propos inconvenants. Qu'on le prive de cette admiration et de cet amour, et il se retrouvera dans une solitude mortelle ! Demandez donc à Mlle Katja de vous dire comment un singe de génie serait traité par ses congénères ! Si vous êtes sûr qu'il continuera de nous admirer en connaissant la vérité à notre sujet, pourquoi vous ne lui parlez pas de Bertha Moll ?

– Expliquez-vous ! dit Jacques en frissonnant.

Hobayashi révéla que Chouri avait fait une dépression après la mort de Betsy, et, non, il ne riait pas. Le Pr d'Aquino l'avait pris en psychothérapie pour l'aider à surmonter son sentiment de culpabilité, et il avait jugé que ce nouveau patient était assez fort pour surmonter son remords, mais trop vulnérable pour affronter une trahison. Sérieusement ! Il l'avait soigné pour un acte qu'il n'avait pas commis, plutôt que de lui révéler le nom de la coupable.

– Vous voulez dire que c'est Bertha Moll qui a tué Betsy ? s'exclama Jacques. Mais pourquoi ?

– Elle était jalouse de l'affection que Chouri lui portait ! C'est une femme dangereuse, le professeur m'a conseillé de fermer ma porte à clé la nuit. Demandez-le-lui, si vous ne me croyez pas !

– Je vous crois. Mais vous êtes absolument sûr pour Betsy ? Ce n'est quand même pas la Mollosse qui vous l'a avoué !

– Non, c'est Kugli. Il était là, il a tout vu !

Jacques pensa au message posthume de Gertrude Glück, et comprit que sa vocation de témoin ne serait pas de tout repos. Comment s'y prendrait-il pour parler du témoignage d'un chiot, consigné par un savant japonais, et incriminant une femme monstrueuse qui avait autrefois martyrisé sa fillette, et qui était la prétendue secrétaire particulière du célèbre Jorge d'Aquino, et plus ou moins sa gouvernante ? Qui le croirait, qui n'aurait vu au préalable Ado Hobayashi parler aux biches dans les bois de la Schatzalp, se faire obéir des écureuils et des lièvres, et donner à manger dans sa main aux chardonnerets et aux mésanges bleues ?

– Depuis quand d'Aquino sait-il que...

Il ne put terminer sa question, car un grondement de tremblement de terre se répercutait contre les murs du laboratoire, avec des bouillonnements de lave en éruption et des sifflements aigus de geysers qui faisaient trembler les vitres. Il regarda vers Katja en s'attendant à la voir sourire du tour qu'elle leur jouait, mais elle se tenait debout devant une table basse et avait laissé choir le livre qu'elle consultait, alors qu'une expression de frayeur envahissait ses traits et que ses yeux l'appelaient à la rescousse. Chouri s'était éloigné d'un bond du magnétophone qu'il venait de mettre en marche et, après être resté quelques secondes pétrifié comme s'il refusait de croire à la réalité du cataclysme qu'il avait déclenché, il poussa un hurlement de souffrance et se mit à courir dans la salle en renversant meubles et étagères, ses longs bras noués au-dessus de sa tête pour se protéger contre l'effondrement de l'univers. Katja se précipita pour mettre fin au vacarme, mais elle mit du temps à enjamber les monceaux de livres éparpillés par terre. Incapable d'en supporter davantage, le gorille fonça de toute sa masse contre la porte qui donnait sur la cour intérieure. Sous le choc, le battant de bois massif vola en éclats avec un formidable craquement, aussi puissant qu'une explosion. Jacques avait entendu à plusieurs reprises Mlle Brochet s'inquiéter de la trop grande liberté accordée à ce singulier collaborateur de Jorge d'Aquino, et elle tenait en réserve diverses anecdotes sur les gorilles, qu'elle racontait avec une émotion psychanalytiquement suspecte, mais il n'avait jamais soupçonné que la timidité de Chouri dissimulât une force aussi phénoménale. Glapissant d'indignation, M. Hobayashi se précipita à la poursuite de son protégé et, dans le grand silence retrouvé, Katja regardait Jacques fixement, mais semblait incapable de faire un pas dans sa direction.

– C'était la voix de Sedna, n'est-ce pas ? dit-il en la rejoignant près du magnétophone.

– C'est plutôt l'écho de sa voix dans ma tête ! répondit-elle, le visage exsangue. Jorge a enregistré mes flux synaptiques pendant ma première transe, celle que j'ai eue avec l'aide de Gertrude, la veille de notre montée à la Walpurgis. Élisabeth n'en a rien su, on a profité de son absence pour utiliser l'équipement de son laboratoire.

– Elle a mille fois raison de s'opposer à ces expériences ! s'écria-t-il. Tu as vu la réaction de Chouri ? De l'épouvante à l'état pur ! Depuis que j'ai entendu à Vancouver la légende de Sedna, je me demande si ce n'est pas une entité malveillante et cruelle, qui...

– Non, Jacques, oh non ! Tu as déjà oublié ce que j'ai dit hier soir ? Sedna est l'absolu mystère, parce qu'elle est l'absolue clarté ! La terreur qu'elle nous inspire ne vient pas d'elle, mais de nous, de notre aveuglement. Tu connais ce phénomène qu'on appelle l'œil du cyclone ? Au centre de la tourmente et de la dévastation, on trouve... Oh ! Mon amour !

Elle avait crié avec une passion émerveillée ces mots qu'elle ne lui avait jamais dits, même à voix basse. Elle se jeta dans ses bras en grelottant.

– Katja ! Tu ne te sens pas bien ?

– J'ai froid et j'étouffe ! Je viens de comprendre ce que Jorge veut nous dire ce matin !

– C'est donc si terrible ?

– Oh oui, c'est terrible ! Et si extraordinairement beau !

***

Jacques, Katja, Alexander et Jean-Baptiste avaient pris le petit déjeuner ensemble, sans échanger plus de dix mots. Chacun se préparait à la rencontre avec Jorge d'Aquino, pressentant sans oser le dire qu'elle serait la dernière. Koraman avait fait une de ses rares apparitions à la salle à manger pour leur transmettre un message de Tadeus Bubenblick *soi-même*, qui était allé à l'aérodrome de Davos pour accueillir un visiteur étranger, et qui les priait en conséquence de se rendre à Stella Maris en taxi ; la course leur serait remboursée sur présentation d'un reçu dûment établi, dont le montant pouvait inclure un pourboire de quinze pour cent, ou moins. D'un commun accord, ils avaient toutefois décidé de se rendre à pied à leur rendez-vous, malgré le ciel menaçant, et ils se retrouvèrent dans le grand hall du Berghof, devant la minuscule loge appelée pompeusement *Anmeldungbüro*. M. Léopold s'y trouvait à l'instant, occupé à passer en revue une liasse volumineuse de courrier, en faisant défiler lentement chaque enveloppe à quelques centimètres de ses lunettes. Apercevant LaRocque Prévost, il lui fit signe d'approcher et lui tendit le télégramme qu'il avait mis à l'écart à son intention.

– Vous nous accompagnez ? demanda Jacques.

– Avec plaisir. Cet exercice de tri postal n'est pas vraiment dans mes cordes, mais je prête main-forte à notre gérant Bubenblick, qui ne suffit plus à la tâche depuis quelques jours.

Il leva le panneau mobile pour s'extraire de la loge. En reculant pour le laisser passer, Jacques nota que LaRocque Prévost avait décacheté son télégramme, et secouait la tête en le lisant, avec autant d'incrédulité que de chagrin.

– D'Aquino reçoit toujours autant de lettres ? demanda Jacques en montrant la pile qui lui était destinée.

– Un tel déluge épistolaire est exceptionnel, concéda M. Léopold. A n'en pas douter, il a été provoqué par les événements de ces derniers jours – et croyez-moi, ce n'est qu'un début !

– Mais comment ces gens ont pu faire le lien entre le Grand Déclin et Jorge d'Aquino ? A ma connaissance, la presse n'a pas parlé du séjour du Dr Frankenthal au Berghof...

Ils sortirent sur la grande terrasse, descendirent l'escalier latéral, puis s'engagèrent sur le chemin de terre battue qui rejoignait plus bas la Hohe Promenade.

– Par bonheur, notre société compte encore un certain nombre de personnes capables de se forger une opinion indépendante, expliquait M. Léopold. La Fondation Delphi maintient un réseau de collaborateurs actifs dans une vingtaine de pays – des gens influents et respectables qui militent pour l'avancement de la psychosynergie, c'est-à-dire pour un humanisme fondé sur une nouvelle définition de l'intelligence humaine. En cette période de crise, il fallait s'attendre à ce que plusieurs d'entre eux se tournent vers le professeur pour solliciter son conseil.

– A propos, quelles sont les dernières nouvelles ? demanda LaRocque Prévost, qui avait suivi l'explication avec intérêt, mais sans avoir retrouvé sa jovialité. J'ai cherché en vain un téléviseur dans la maison. Quant à l'appareil de radio de la salle de musique, il doit dater des années cinquante et ne diffuse que des concerts de parasites !

– A leur premier séjour au Berghof, la plupart des pensionnaires font le même genre de remarque, dit M. Léopold, et quelques-uns ont de la peine à s'y faire, je pense notamment à notre ami Fowler. Des esprits mal intentionnés n'ont pas hésité à parler de censure, alors que nous sommes abonnés à une quinzaine de journaux quotidiens et à quelque vingt-cinq magazines, qui sont disponibles en tout temps à la salle de lecture. Cela dit, je puis répondre de suite à votre question, car je suis descendu ce matin à Dorf à sept heures et demie, comme tous les jours de la semaine – Frau Zimmermann, la propriétaire du kiosque de la gare, m'assure qu'elle règle sa montre sur mon passage. Disons en résumé que la presse écrite s'est réveillée, et même si le Saint-Père n'est pas sorti de l'auberge, c'est à présent le Grand Déclin qui fait la une. Les hommes politiques noient le poisson comme d'habitude, et, à Genève, l'Organisation mondiale de la santé a fait savoir que la requête des trois sages de Stockholm était considérée avec la plus grande attention, mais qu'il fallait se garder de toute conclusion prématurée. Bref, le seul fait que cette hypothèse n'ait pas entraîné de démentis catégoriques a suffi à convaincre les médias qu'il y avait anguille sous roche. Les manchettes sont impressionnantes, d'autant que les journalistes n'avaient pas grand-chose de neuf à se mettre sous la dent. L'art d'accommoder les restes !

Une discussion s'ensuivit sur la responsabilité des médias dans une conjoncture de crise planétaire, et les moyens de résoudre le dilemme entre le droit du public à l'information et l'obligation des gouvernements à prévenir une panique collective. Katja marchait seule à quinze pas devant les autres, et Jacques la soupçonna de se tenir délibérément à l'écart de son père : il avait surpris plus tôt le regard méfiant qu'elle lui avait lancé, alors qu'elle ne se savait pas observée. Pourquoi ?

Depuis un moment, le silence de la montagne était troublé par un vrombissement sourd, qui prit subitement de l'ampleur alors qu'un hélicoptère surgissait dans le vide au tournant d'une pente boisée. L'appareil survola la vallée en suivant la ligne oblique du sentier, comme pour faire un brin de conduite à la petite troupe – et Jacques eut l'impression qu'une silhouette leur adressait des signes de la main de derrière la vitre bombée de la cabine. Mais déjà l'engin plongeait vers Davos, et les pales horizontales qui avaient sabré l'air avec un clappement assourdissant se changèrent avec l'éloignement en une roulette irisée et chuintante.

Les cinq promeneurs avaient rejoint le ruban asphalté de la Hohe Promenade, qui passait sous le viaduc du funiculaire. Alexander fit halte sous la grande arche de pierre et, se retournant, attendit Jacques et ses deux compagnons pour leur demander qui était cette personne corpulente qui les suivait depuis leur départ du Berghof.

– Vous faites sans doute allusion à Bertha Moll, répondit M. Léopold. J'ignorais qu'elle était sur nos talons, mais je n'en suis guère surpris. J'ai peu de sympathie pour cette femme, je l'avoue, et franchement je ne connais personne au Berghof qui lui porte la plus petite parcelle d'amitié, à l'exception de Chouri peut-être, et encore M. Hobayashi fait-il son possible pour limiter leurs contacts. Cela dit, je constate sans nulle satisfaction que cette animosité générale ne s'est jamais manifestée aussi ouvertement et durement que depuis l'éloignement du grand patron.

– Ne comptez pas sur moi pour la plaindre, dit Jacques en scrutant par-dessus son épaule le trajet sinueux qu'ils venaient de parcourir. Où est-elle ? Je ne la vois pas.

– On ne peut pas la voir, dit Alexander en se détournant pour reprendre sa marche. Elle se cache dans les taillis.

D'un geste discret, M. Léopold invita LaRocque Prévost à les précéder sur le chemin, et il s'arrangea pour fermer la marche avec Jacques.

– Nous savons vous et moi à quoi nous en tenir au sujet de Berthe Molinard, dit-il à voix basse. Puis-je incidemment vous féliciter de votre discrétion, qui me confirme à nouveau cette maturité peu commune chez un jeune homme, et m'encourage à vous confier une petite découverte que j'ai faite récemment au hasard d'une discussion avec M. Bubenblick. Comme vous le savez, les jours les plus radieux de ma vie ont baigné dans la musique et le chant, et je me targue d'avoir développé une certaine oreille au contact de Norma. J'ai donc félicité notre gérant de la qualité des miniconcerts qui nous sont offerts chaque jour au Berghof, et je lui ai fait part de mon étonnement de n'avoir jamais entendu jouer deux fois le même morceau. Il s'est récrié qu'il n'était que le modeste opérateur du service, dont la programmation est assurée depuis quelque cinq ans par nulle autre que Bertha Moll. La chose m'a décontenancé, je l'avoue, et une petite investigation m'a révélé un détail supplémentaire : en moyenne, cette employée a acheté deux disques compacts par semaine, sans jamais nous demander le moindre remboursement. Bref, elle nous a régalé de chefs-d'œuvre pendant un lustre, dans le mécénat le plus exemplaire.

– Qu'elle aime la musique ne la rend pas moins monstrueuse, dit Jacques, secrètement assombri par cette révélation.

– Certes ! Ce que je ne m'explique pas toutefois, c'est pourquoi la musique qu'elle aime me semble moins belle à présent.

Ils avaient franchi le portail rustique de Stella Maris et parcoururent en silence l'allée de gravier qui montait à la grande maison, dont la vétusté était accentuée aujourd'hui par la grisaille du temps. Postée sous l'auvent du porche aux tuiles moussues, Élisabeth observait leur approche avec autant de soulagement que si elle les avait attendus pendant des heures, alors même qu'ils arrivaient avec vingt minutes d'avance. Elle interrogeait Alexander du regard, et ce qu'elle voyait semblait répondre à ses questions muettes : « Est-ce bien toi ? Es-tu réellement là, avec les autres ? »

Plus loin, à l'extrémité de la galerie, une jeune femme aux cheveux bouclés observait l'arrivée des visiteurs. Son regard s'attardait à dévisager Jacques, avec une curiosité insistante. « Qui est-elle ? se demanda-t-il, intrigué. Son visage m'est familier, pourtant je suis sûr de ne l'avoir jamais rencontrée... Ça y est, j'y suis ! C'est Gisella, je l'ai vue à la télévision dans le laboratoire d'Élisabeth, quand elle parlait à sa petite fille depuis le Bateson. Je ne savais pas qu'elle travaillait à Stella Maris... Mais pourquoi me regarde-t-elle comme si elle aussi me reconnaissait ? »

Sur ces entrefaites, la Land Rover déboucha dans la propriété et s'arrêta devant le perron dans un glissement de grande limousine.

Tadeus Bubenblick sauta prestement de son siège et se hâta de faire le tour du véhicule pour ouvrir la portière à son illustre passager, mais celui-ci ne l'avait pas attendu pour descendre et, debout au pied de l'escalier de bois, tendait la main à Élisabeth qui s'était précipitée à sa rencontre.

– Docteur Frankenthal, vous l'avez fait ! s'exclama-t-elle. Même après votre coup de fil, je n'arrivais pas à y croire !

Elle hésita un instant avant de l'embrasser sur les deux joues, puis le prit par le bras et l'amena sur la galerie pour le présenter à Alexander et à Jean-Baptiste. Il échangea quelques mots avec eux, en secouant son petit doigt dans le creux de son oreille, comme pour en déloger un reste de vrombissement d'hélicoptère.

– Et reconnaissez-vous Katja ? demanda-t-elle en lui désignant la jeune fille.

– Mais oui, bien sûr, dit-il en la saluant avec un sourire évasif qui contredisait ses paroles, mais qui s'élargit quand il se tourna vers Jacques et M. Léopold.

Les visiteurs furent invités à passer dans le petit hall aux boiseries laquées et au guichet vitré, où Anna Welikanowicz, en tailleur gris brodé de passementerie, les accueillit avec une suite de banalités, contredites par son regard inquisiteur, où palpitaient encore les feux obscurs de Treblinka. Elle leur annonça qu'une brève visite de l'établissement avait été prévue à leur intention, sur l'insistance de Jorge d'Aquino. Katja avait rejoint Jacques et, discrètement, lui fit signe de regarder par la fenêtre. Tadeus était en discussion devant le porche avec le petit homme chauve du train. La mallette d'aluminium qu'on surveillait la veille avec tant d'attention changea de mains aussi rapidement que ce matin les billets de banque, et fut déposée avec précaution sur le siège arrière de la Land Rover. S'apercevant qu'ils n'étaient pas seuls à observer la scène, Jacques se pencha vers LaRocque Prévost pour lui demander à mi-voix, en jouant l'innocence :

– Vous connaissez ce type ? Il me semble l'avoir aperçu hier à la gare de Dorf...

– Je ne l'ai jamais vu avant ce matin, affirma Jean-Baptiste sans sourciller.

Du pouce et de l'index, Katja massa délicatement l'extrémité de son nez, comme pour marquer son appréciation de l'habileté avec laquelle « le drôle de révérend » s'était tiré d'affaire, et peut-être aussi lui rappeler de façon subliminale la mésaventure de Pinocchio.

– Jamais vu *moi aussi*, renchérit-elle.

LaRocque Prévost lui lança un regard vif, une esquisse de sourire frémit dans sa barbe rousse fraîchement taillée, et il se détourna sans rien ajouter. Anna Welikanowicz avait ouvert la porte de la salle commune, où Jacques s'était déjà trouvé nez à nez avec les deux fillettes asiatiques bariolées de gouache, et il ne fut pas moins surpris d'y voir aujourd'hui une quinzaine d'enfants étrangement silencieux, assis par terre en cercle, à l'exception d'un garçonnet de cinq ou six ans qui était debout, les yeux bandés par un grand foulard rouge, et se déplaçait lentement dans un parcours semé d'embûches. Ses camarades lui montraient du doigt la direction à prendre, comme s'ils croyaient pouvoir l'influencer malgré son handicap. Ils n'avaient peut-être pas tort, car le petit bifurqua vers la droite pour éviter une seille de bois placée en travers de son chemin.

Élisabeth s'interposa pour retenir Alexander d'entrer dans la salle avec le reste du groupe.

– Si tu n'y vois pas d'inconvénient, dit-elle, Schwester Ursula va te conduire tout de suite auprès de Jorge. Il a demandé à te voir en tête à tête avant les autres.

– Je suis d'accord de le rencontrer seul, répondit-il, pourvu que Jacques m'accompagne.

Élisabeth ne s'était pas encore faite à la singulière logique d'Alexander et le dévisagea avec perplexité, puis haussa les épaules avec un sourire qui rendait les armes.

– Le professeur n'y verra pas d'objections, en voilà des histoires ! dit une voix de crécelle dans leur dos. Seulement on se dépêche à présent, il faut économiser le temps quand le Bon Dieu fait ses comptes !

Schwester Ursula s'encadrait dans l'ouverture sombre du couloir à l'autre bout du hall, et Jacques se hâta d'aller lui donner la main, en lui disant avec spontanéité combien il était heureux de la revoir.

– Il a perdu ses couleurs dans les pays plats et il débite des sornettes ! s'exclama-t-elle, son visage de pomme reinette grimaçant d'indignation. Heureusement qu'il s'est fait accompagner du papa ! Mon petit doigt me dit que quelqu'une ici ne s'en plaint pas, et que les cœurs sont à la belle ouvrage ! Hû-hû-hû ! Le printemps au début de l'automne ! Hû-hû-hû ! Allez, je passe devant, comme ça on ne m'oubliera pas.

La naine pirouetta avec un effet de cape sous le pivot de sa cornette amidonnée, et Jacques et Alexander lui emboîtèrent le pas au ratio d'une enjambée contre trois. Ils gravirent à sa suite l'escalier à verrière, aux marches encombrées de plantes vertes, puis sortirent au premier étage sur le large balcon aux balustres de bois. Ils longèrent la grande bâtisse de l'extérieur, pour gagner la façade exposée au levant, où donnaient les hauts vitraux de la chapelle.

– Tu as salué cette personne avec amitié, dit Alexander à voix basse en montrant du regard Schwester Ursula, qui tanguait devant eux sur ses bottines vernies, aux talons biseautés par l'usure. Elle a eu l'air offusquée, mais en réalité elle a été touchée par tes paroles. Elle te porte une grande affection.

– C'est réciproque, même si elle s'obstine à me parler à la troisième personne ! dit Jacques en souriant. Je te remercie d'avoir demandé que j'assiste à ta rencontre avec d'Aquino.

– Ta présence me réconforte, mon garçon. Les événements se précipitent, et je ne serais pas surpris qu'il se mette à pleuvoir tout à l'heure... Sais-tu, il m'arrive de penser à notre maison d'Outremont et à mon fauteuil au salon. Le bonheur est un état difficile dans un monde où se préparent de grandes souffrances, et ce M. Léopold a du mérite de lire tous ces journaux qu'il ne peut pas oublier. As-tu acheté ce magazine comme je te l'avais demandé ?

– Quel magazine ? Oh, tu veux parler du *Playboy* ? Excuse-moi, ça m'est complètement sorti de la tête.

– Tant mieux, parce que je n'en ai plus besoin. Tout s'est bien passé avec Élisabeth, mais j'avais oublié que le coït était une activité aussi agréable.

Schwester Ursula s'était arrêtée devant une porte étroite et, alors qu'elle se retournait pour les attendre, Jacques se demanda si elle avait eu l'oreille assez fine pour suivre leur conversation. Elle leur expliqua que le professeur avait été transporté ce matin dans la chapelle, sa chambre étant trop exiguë pour recevoir douze personnes. Elle poussa alors le battant et s'effaça en disant qu'elle leur avait fait faire ce faux détour pour gagner du temps, et qu'elle les rejoindrait tout à l'heure avec le reste du groupe, en passant cette fois par la grande entrée.

– Il n'empêche qu'une porte de service est la voie la plus sûre pour pénétrer dans la maison du Bon Dieu, croassa-t-elle, ajoutant en aparté à l'intention de Jacques : Et la petite Katja, le plus sûr chemin pour le paradis. Hû-hû-hû !

Au cœur de cette vaste maison construite à la fin du XIXe siècle, et qui accusait son âge avec moins d'élégance que le Berghof, la petite chapelle semblait avoir vieilli plus vite que le reste du bâtiment, mais on l'avait astiquée avec un tel soin qu'il était difficile de déterminer ce qui, de l'usage ou de l'entretien, avait causé le plus d'usure à ses bancs de noyer et au parquet à l'anglaise. Une couche de dorure avait été appliquée dans le chanfrein des poutres et des solives du haut plafond, dont les teintures d'origine s'étaient estompées avec le temps, laissant transparaître les veinures du bois. La lumière du jour entrait par les six fenêtres en ogive et, traversant les lourds vitraux aux scènes bibliques d'un symbolisme naïf et appuyé, se décomposait en un kaléidoscope de couleurs vives, où dominaient les bleus de cobalt et les carmins.

Jacques et Alexander s'étaient retrouvés derrière un grand orgue en bois, enveloppés par le souffle d'une puissante musique. Les craquements intempestifs des lattes du plancher, alors qu'ils contournaient l'instrument, donnèrent à Jacques l'envie de se déchausser. Une religieuse décatie et voûtée était assise au clavier, les yeux clos ; et on avait peine à croire que le travail laborieux de ses mains aux jointures déformées eût un rapport avec les voix et les soupirs célestes libérés par le double éventail des tuyaux. Gardant l'entrée du chœur, un cierge massif brûlait solitairement dans un haut chandelier de bronze et plus loin, sur l'autel, une croix de même métal aux incrustations byzantines veillait sur un tabernacle en marqueterie. Des lunettes ovales aux branches dépliées étaient encartées dans le pli médian d'une bible volumineuse ouverte sur un lutrin, comme si la vue qu'elles corrigeaient était dévolue à cette unique lecture.

L'allée centrale portait dans le reflet de son encaustique une quadruple empreinte de rails, qui se croisaient et se chevauchaient avant de rejoindre dans le dégagement du chœur les roues caoutchoutées d'un lit d'hôpital de modèle ancien, dont la présence était insolite et vaguement sacrilège en ce lieu de prière. Une religieuse s'affairait alentour, aussi âgée que l'autre, mais droite comme un piquet. Elle renonça à combattre les faux plis d'une couverture dès qu'elle aperçut les visiteurs et, après une imperceptible inclinaison de cornette à leur endroit, trottina vers sa consœur musicienne pour l'alerter de l'invasion. Toutes deux s'éclipsèrent de la chapelle sans toucher le sol, ou à peine.

Même alité, Jorge d'Aquino imposait son ascendant sur tout ce qui l'entourait, moins par une volonté délibérée que par le magnétisme de sa seule présence. Son torse massif était soutenu à l'oblique par un traversin triangulaire, et sa tête de patriarche reposait sur deux oreillers de crin, qui bruissaient à chaque mouvement. Jacques fut atterré par sa métamorphose. Son visage avait continué de se creuser en s'émaciant, son teint basané tirait sur le gris terreux, un liséré blanc marquait la commissure des lèvres sèches, et le soufflet rouillé de sa respiration travaillait à perte dans les profondeurs de sa poitrine. Ses paupières envahies d'ombre s'étaient ouvertes à l'arrêt de la musique : ses yeux luisaient de fièvre, mais le regard tourné vers les visiteurs n'avait rien perdu de son autorité, ni de sa pénétration.

– Carpentier ! murmura-t-il sans desserrer les dents, comme si ce nom était à lui seul une plainte qu'il n'avait pu retenir.

– *Jorge ! Long forgotten friend !*

Depuis la veille, Jacques s'interrogeait sur la tournure que prendrait la rencontre de ces deux hommes : ils s'étaient jadis affrontés avec tant de force ! Il savait que son père n'éprouvait pas de rancœur envers celui qui l'avait désavoué – et se souvenait-il seulement de leur ultime altercation à San Francisco ? Mais d'Aquino, lui, comment réagirait-il ? Que fallait-il penser de cette expression de bonheur qui avait adouci pour un fugitif instant l'austérité de ses traits ?

– Ainsi, les âmes mortes vous ont relâché, libérant le meilleur et gardant en otage votre ombre et sa vanité ! proféra-t-il en anglais. Nous avons marché dix ans dans le sens des jours, et vous nous avez rejoint d'un seul bond ! Route longue, chemin ardu, impasse, délivrance ! *Rrrâh !*

– J'ai craint d'arriver trop tard, répondit Alexander sans s'émouvoir. Vous avez des choses à nous dire, qui sont essentielles, et la mort approche. Qu'attendez-vous pour parler ?

Jacques eut un haut-le-corps et, bien qu'il se tînt en retrait du lit, sa consternation n'échappa pas à d'Aquino, qui hocha la tête pour montrer qu'il approuvait ce diagnostic implacable, et prenait acte du même coup de la présence du jeune homme, apparemment plus ému de le revoir que de se savoir condamné. Puis il se tourna à nouveau vers Alexander et l'observa un long moment sans rien dire, mais en produisant du fond de la gorge une sorte de feulement assourdi.

– *¡ El hombre ha cambiado, el amigo es el mismo !** murmura-t-il enfin. Vous souvenez-vous de notre passé ?

– Je ne me reconnais pas dans celui qui se rappelle. Je poursuivais une brillante carrière, n'est-ce pas ? Cependant, quelle était ma mission ?

– Nous allions déjeuner ensemble le dimanche matin au Potemkine, continua d'Aquino sans répondre. Comment s'appelaient ces vol-au-vent, parfumés de feuilles d'aneth, que nous prenions en sirotant de la vodka rose ? Bogdan-Popesco ne s'en souvient pas... Nous avions hâte de vous consulter à ce sujet.

– Votre mémoire vous joue des tours, dit Alexander avec gravité. Chacun de nous commandait une spécialité différente, je vous l'affirme sans la moindre hésitation.

Ils se lancèrent dans une discussion serrée sur les *pirojki* et le *koulibiak*, et sur la liste exhaustive des ingrédients qui entraient dans la farce de ces petits pâtés en croûte que Matrone Mikhaïlovna gardait sous le comptoir à l'intention des habitués. On tomba d'accord sur le saumon, les champignons et le riz, à la rigueur sur la sauge, mais certes pas sur les clous de girofle. Jacques assistait à leur échange, abasourdi. N'avaient-ils vraiment rien de plus important à se dire ? Il remarqua que d'Aquino avait dans les mains une grande enveloppe brune, qui ne s'y trouvait pas quelques instants plus tôt. Il la soupesait d'un air absent, puis la remit à Alexander.

– Votre conférence inaugurale au congrès de San Francisco, dit-il avec un enrouement suspect dans sa voix de baryton. Nous l'avons relue tout à l'heure, en vous attendant. Texte remarquable. Clarté, rigueur, concision, vision ! Avons-nous eu tort de nous objecter à la divulgation du Troisième Ordre ? Et vous, Lazare, avez-vous été rappelé d'entre les morts pour continuer l'œuvre de la parole ?

Alexander consultait avec détachement la liasse de feuillets manuscrits qu'il avait sortie de l'enveloppe.

– La calligraphie est modeste, mais l'introduction me semble pompeuse, dit-il.

La porte à doubles vantaux s'ouvrit au fond de la chapelle et Anna Welikanowicz entra, suivie de la procession des visiteurs, que Schwester Ursula fermait en vaillante petite lanterne bleue. On entoura le malade en silence. Bubenblick, LaRocque Prévost et M. Léopold se placèrent à sa droite, Lars Frankenthal au pied du lit, dont il saisit le montant à deux mains comme s'il avait besoin

* L'homme a changé, l'ami est demeuré le même !

d'une barre d'appui, et Katja se mit à la droite de Jacques. Élisabeth restait à l'écart, regardant autour d'elle d'un air désapprobateur. Elle demanda à voix basse à la naine de lui expliquer pourquoi on avait décidé de tenir cette réunion dans la chapelle. Stella Maris ne manquait pas de salles disponibles, et franchement ce décor était déplacé dans ces circonstances. Jorge d'Aquino intervint aussitôt, et Jacques s'étonna qu'il ait eu l'oreille assez fine pour déchiffrer ce chuchotement.

– Le choix a été le nôtre, caprice de vieillard ! dit-il. Nous voulions entendre cet orgue avant de rejoindre le grand silence. La soufflerie en a été restaurée, mais, pour le reste, il est dans sa condition d'origine, entièrement chevillé, sans une pièce de métal ! Les Carpentier l'ont entendu jouer tout à l'heure, le souffle de Dieu dans une flûte de Pan ! *Rrrâh !* (Il haussa le ton en tournant la tête vers l'instrument.) Moll ! Vous dansez derrière un buffet vide... le chant s'est tu, l'âme s'en est allée... Sortez de votre cachette et venez rejoindre les autres !

L'objurgation déclencha une suite de craquements plaintifs dans ce coin de la chapelle, puis la Mollosse fit son apparition, la bouche mauvaise et le regard sournois. Elle s'approcha du lit à contrecœur, mais bifurqua soudain pour aller s'asseoir tant bien que mal sur la première rangée des bancs. Jacques eut l'impression qu'elle avait encore gagné du poids – mais comment l'affirmer devant un tel débordement ? Le regard de d'Aquino se détacha d'elle pour faire le tour des personnes présentes et, se déplaçant sans hâte d'un visage à l'autre, paraissait aller chercher en chacun quelque chose de différent. Tadeus se mit au garde-à-vous, Katja fit un pas en avant et M. Léopold croisa les bras avec une impatience hautaine pour dissimuler son émotion.

– Frankenthal ! Nous avons des excuses à vous faire, dit enfin d'Aquino, dans ce murmure tonitruant qui était sa marque. Bogdan-Popesco nous a informé des événements. Notoriété, branlebas, effervescence ! Les chronophages à vos trousses, les politiciens à votre porte, les faux amis à vos pieds ! Et vous trouvez le temps de répondre à l'invitation d'un homme qui a ri, alors que vous étiez venu le consulter de si loin !

Le médecin suédois avait écouté ces paroles en inclinant son nez d'aigle et son front dégarni, avec cette expression chagrine et un peu absente dont il se départait rarement.

– Que de fois ai-je envié votre rire ! dit-il en anglais. Mais je n'ai pas votre sagesse ni votre détachement, et l'ironie de la situation continue de me faire grincer des dents, de miner ma confiance dans notre aptitude collective à sortir de cette impasse. Ce sont là des propos qui me sont inhabituels, et c'est tant mieux – je ne vois pas l'utilité de rendre publics mes états d'âme.

– Parlez à cœur ouvert, ordonna d'Aquino. La réponse que vous cherchez passe par les sentiments, non par les idées.

– Les sentiments ? reprit l'autre avec une sorte de réserve, comme si le terme lui était vaguement suspect. Peu de gens semblent avoir compris que ce prix Nobel qui les impressionne tant n'a pas couronné la réussite de mes travaux, mais leur échec. Nous sommes capables mieux que jamais de reproduire les conditions de l'infertilité, mais nous sommes toujours aussi impuissants à la combattre. Ce n'est pas un moindre paradoxe que de récompenser un homme qui a trouvé une façon nouvelle d'empêcher la vie, quand son but premier était de la faire éclore.

Sa voix d'habitude calme et posée s'était altérée sous l'empire de l'émotion, et d'Aquino vint à sa rescousse en enchaînant dans un murmure enroué :

– Syndrome d'usurpation, théâtre du faire-semblant, honneurs empoisonnés, solitude des hauts sommets, abîmes de vanité, vertige de l'âme ! *Rrrâh !*

Le médecin tressaillit et leva les yeux en secouant la tête, comme si chaque mot de cette énumération syncopée avait trouvé en lui une résonance particulière. Il reprit alors sur un registre plus bas :

– J'ai quitté un univers ordonné, méticuleux, aseptisé, et je me suis réveillé dans le tintamarre d'un cirque ! A mon corps défendant, je suis devenu ce qu'on appelle un « personnage médiatique », le prophète de service annonçant la fin du monde ! J'étais hier à Berlin, pour une émission de télévision, où j'ai annoncé que la totalité des implantations d'ovules fertilisés avaient échoué au cours des dernières semaines, ce qui signifie que le Grand Déclin ne s'attaque pas seulement à la fécondation, mais aussi à la gestation. Et, alors que je parlais, j'ai pris conscience que personne parmi les journalistes présents, les cameramen ou les ingénieurs du son ne se sentait directement concerné par mes déclarations. J'ai eu l'impression de faire un numéro d'acteur, à tel point que j'ai apostrophé la journaliste qui m'interviewait pour lui demander si elle comprenait que sa propre existence allait être bouleversée par ce phénomène, et je me suis fait répondre qu'il ne fallait pas dramatiser. Le soir même, à l'aéroport, une dame m'a reconnu et s'est précipitée pour éloigner sa fillette de moi, en me lançant un regard haineux. Cet incident m'a profondément blessé, je ne vous le cache pas. Mais qu'importe ! Vous vous souviendrez de la circonspection avec laquelle j'ai accueilli le mois dernier l'hypothèse du Grand Déclin. De retour à Stockholm, j'ai préparé avec mon équipe un dossier irréfutable sur la réalité du phénomène et son envergure, en joignant à nos données statistiques celles de nos confrères américains. Nous avons fait parvenir ce document aux têtes dirigeantes d'une centaine de gouvernements et d'organismes internationaux, en leur révélant l'échéance prévue du Grand Déclin, que nous avons passée sous silence dans notre conférence de presse.

– Vous avez prouvé aux grands de ce monde que la farce de l'humanité prendra fin dans sept ans, résuma d'Aquino, et ils vous ont éconduit.

Lars Frankenthal secoua la tête, le front soucieux. Il n'avait pas été éconduit, mais on ne l'avait pas écouté non plus, et son désarroi était à la mesure de sa candeur. Il s'était imaginé que l'extinction de l'espèce humaine serait reconnue comme la menace suprême, la crise des crises, que toutes les portes s'ouvriraient devant ce sésame apocalyptique, que les gouvernements consacreraient du jour au lendemain des ressources quasi illimitées pour résoudre le problème de l'infertilité universelle ! Qu'ils n'eussent d'autre choix dans les années à venir, il n'en doutait pas, mais ses observations des dernières semaines l'avaient atterré – il voulait parler de ses rencontres avec des hommes politiques, des dignitaires religieux, des hauts fonctionnaires, des autorités scientifiques de premier plan, et également de ses contacts avec des organisations internationales et des mouvements humanitaires. Il était allé chercher chez tous du courage, de la conscience, une vision, et il avait trouvé de la diplomatie, des dogmes, des ambitions. A son grand scandale, la fin de l'espèce humaine faisait d'ores et déjà l'objet de manipulations bureaucratiques, de susceptibilités protocolaires et d'intrigues entre des administrations concurrentes. Elle représentait un tremplin pour les *prime donne* du monde médical, un champ d'intervention pour les affairistes du développement international, un alibi pour les sectaires et les fanatiques ! Bref, il savait aujourd'hui que le Grand Déclin ferait sourdre le pire de la société, avant de solliciter le meilleur de l'homme.

Un lourd silence succéda aux propos de Lars Frankenthal.

M. Léopold avait déchaussé ses lunettes pour les essuyer avec un soin méticuleux, Tadeus montrait ses dents sans rire et Anna Welikanowicz s'était figée dans une posture défiante, la taille cambrée et le menton fier, comme si elle se sentait personnellement offensée par l'accueil réservé aux démarches du médecin suédois. Les paupières closes de Jorge d'Aquino propageaient leur ombre lente au reste de son visage, et sa poitrine laissait échapper un double râle avec une régularité de machine. Dormait-il ?

LaRocque Prévost surprit tout le monde en prenant la parole – il avait paru jusqu'alors s'intéresser davantage aux vitraux de la vieille chapelle qu'à la discussion en cours.

– Cette échéance fatidique de sept ans est une extrapolation statistique, oui ? demanda-t-il en tâtant sa barbe rousse comme s'il craignait de l'avoir taillée trop courte. Et qu'arriverait-il si le dernier enfant avait été conçu la nuit dernière, à la nouvelle lune ?

Jacques sentit les ongles de Katja s'enfoncer dans la paume de sa main.

– Le télégramme, c'était ça ? s'exclama-t-elle avec effroi. Si c'est vrai, la grande crise éclatera dans six mois, sans nous laisser le temps de nous retourner. Mais le temps est notre unique chance ! Sedna a-t-elle perdu la raison ? Pourquoi nous refuse-t-elle ce sursis ?

Le Dr Frankenthal poussa une exclamation sourde et dévisagea la jeune fille avec stupeur. « Ça y est, il vient de la reconnaître ! pensa Jacques. Il n'a pas fait le rapprochement quand Élisabeth l'a présentée tout à l'heure, et même à présent il a de la peine à concilier ce qu'il a compris avec ce qu'il voit ! »

– Votre émotion est compréhensible, mais elle est prématurée, dit M. Léopold à Katja. Notre révérend ami nous a présenté ici une pure spéculation, pour un motif que nous n'allons pas tarder à connaître.

LaRocque Prévost approuva d'un sourire sans gaieté :

– Ma femme Ouvilou se trouve à Akuliarmiut, chez les siens. Elle m'a envoyé hier un télégramme pour m'annoncer que « la nuit de la néoménie serait la dernière où le plaisir porterait fruit ». La tournure est elliptique et l'affirmation ne repose sur aucune donnée vérifiable, mais elle nous vient des Netsiliks – cette source à laquelle le Dr Frankenthal a puisé autrefois pour énoncer son théorème de la contraception naturelle...

– Une stérilité universelle quasi instantanée ! interrompit le médecin. Toute ma formation scientifique se rebelle contre une telle supposition. Mais comment pourrais-je oublier qu'il y a seulement deux mois je refusais le concept même du Grand Déclin ! (Il se tourna vers Élisabeth.) J'ai lu avec attention votre lettre sur une supposée conscience collective, que vous désignez du nom de Sedna. Nous entrons ici dans un domaine où je ne me reconnais aucune compétence, mais le simple bon sens m'inspire la même réaction qu'à Katja. D'après vos explications, Sedna existerait grâce à la mise en réseau du cerveau des êtres humains pendant leur sommeil. En ce cas, l'extinction de notre espèce entraînerait du même coup sa disparition. Comment expliquez-vous cette contradiction ?

Jorge d'Aquino avait ouvert les yeux et prouva qu'il n'avait pas perdu un mot de la discussion en répondant à la question posée, d'une voix qui évoquait le grondement assourdi d'un lointain orage :

– En la contestant ! Un homme atteint du mal de vivre décide de se soustraire à la fatalité de sa condition. Ses yeux ont vu trop d'horreurs, ses oreilles ont entendu trop de cris, sa chair a connu trop de souffrances ! *Rrrâh !* Il refuse de s'ôter la vie, car cette fuite le rendrait semblable à ceux qu'il dénonce. Aussi engage-t-il à prix d'or des chirurgiens habiles, qui ouvrent sa boîte crânienne et mettent son cerveau à nu. Ils commencent par sectionner les nerfs optiques – le voilà aveugle ; puis les nerfs auditifs – le voilà sourd ; ils procèdent ensuite à la neutralisation des nerfs gustatifs et du bulbe olfactif – le goût et l'odorat sont supprimés. Enfin, ils isolent à la base du cerveau toutes les connexions sensorielles afférentes – voici notre homme délivré de son corps. Il ne sentira dorénavant ni le froid, ni la faim, ni la douleur, ni le désir – jamais plus !

Un gémissement rageur fit tourner les têtes. Bertha Moll, assise les jambes écartées sur le banc trop étroit pour elle, brandissait le poing en direction de Jorge d'Aquino, son visage déformé par une expression de vindicte et de peur.

– Qu'advient-il de ce cerveau, maintenant que ses amarres ont été rompues avec le monde extérieur ? poursuivit d'Aquino, indifférent à l'inexplicable colère de la Mollosse. Il vogue au gré de son inspiration, maître incontesté d'un espace intérieur immense, mais à jamais clos ! Pensées, souvenirs, fantasmes, rêves ! *Rrrâh !* Dans sa nuit, il a perdu la notion de l'écoulement du temps. Son activité dépend de l'irrigation de ses vaisseaux sanguins, mais il ne perçoit plus les battements de ce cœur qui le fait vivre. Par contre, il a connaissance des perturbations causées à son fonctionnement par des toxines ou des hormones, et se défendra en libérant dans le sang, par l'hypothalamus ou l'hypophyse, des agents chimiques qui déclencheront une action secondaire dans cet organisme sur lequel il n'a plus aucun contrôle direct. *Telle est la condition de Sedna, dans ses rapports avec l'humanité !*

– L'afflux psychique que nous transmettons à la conscience collective... ce rythme *epsilon* qui est à son existence ce que le sang est au cerveau : une source énergétique... l'aurions-nous contaminé par nos propres maux ? murmura LaRocque Prévost, qui réfléchissait tout en parlant. L'espèce humaine se serait-elle dégradée au point d'infecter ce qu'elle a d'immortel ? Pourquoi avoir attendu...

Jorge d'Aquino l'interrompit en levant le bras :

– Avant de vous répondre, disposons d'une ambiguité : Sedna n'a qu'indifférence et mépris pour les balbutiements de notre intellect ! Les pensées et les opinions de l'homme, qui s'en soucie, hormis lui-même ? Futilité, arrogance, complaisance, mensonge ! *Rrrâh !* Nous influençons Sedna non par nos idées, mais par nos émotions ! Non par notre sottise, mais par nos peurs ! Non par notre génie, mais par notre désespoir ! Ce que nous savons ne peut l'atteindre, ce que nous ignorons la menace !

Le grondement rauque de Jorge d'Aquino continua de meubler le silence de la chapelle longtemps après qu'il se fut tu. Le cœur de Jacques se serra quand il aperçut l'expression transfigurée de Schwester Ursula, et le naufrage incongru de sa face de myrmidone dans un trop-plein de larmes – et plus encore, quand il remarqua que sa main potelée s'agrippait à un pli de la jupe d'Anna Welikanowicz, dans un geste de petite fille apeurée.

– Pourquoi sommes-nous ici ? demanda Alexander d'une voix calme. Vous devriez mieux expliquer, Jorge, les autres n'ont pas compris.

– *¿ Estamos seguro de haberlo comprendido nosotros ?** Nous avons demandé à vous voir pour deux raisons. Comme vous tous, nous avons vu dans le Grand Déclin une agression de Sedna, un châtiment, une vengeance insensée et suicidaire ! Considérons l'envers de cette supposition. Demandons-nous si le phénomène qui ébranle le monde ne pourrait être dicté par une motivation supérieure, essentiellement positive !

Katja lâcha le bras de Jacques pour s'asseoir sur le lit face au

* Sommes-nous certain de l'avoir compris nous-même ?

malade, et lui prendre une main qu'elle emprisonna fermement entre les siennes. Dans ce décor austère, au côté de ce géant tragique qui atteignait au terme de sa vie, elle irradiait une aura puissante, et la contradiction entre son extrême jeunesse et la gravité de sa physionomie était aussi saisissante pour Lars Frankenthal, qui la voyait pour la première fois, que pour Élisabeth, qui détourna la tête en clignant des yeux, comme éblouie.

– Si nous avons contaminé Sedna, dit-elle à d'Aquino d'une voix tendue, à l'inverse nous pouvons la guérir par notre sérénité. Il suffirait de presque rien : remplacer la synergie de nos peurs et de notre désarroi par un courant universel d'espoir et de fraternité... C'est bien ce que vous vouliez dire quand vous avez répondu au Dr Frankenthal que *l'humanité était condamnée à l'amour ?* A présent, expliquez-nous comment le Grand Déclin pourrait engendrer un surcroît d'amour sur terre, quand nous savons tous qu'il plongera notre civilisation dans le chaos et les ténèbres ? Comment une intelligence supérieure a-t-elle pu choisir un moyen si contraire aux fins qu'elle poursuit ?

Jorge d'Aquino ferma les yeux en hochant la tête, et son visage livide accusa un intense effort de concentration.

– Nous attendions que la question fût posée par toi, Van Katwijk, puisque c'est grâce à toi que nous avons trouvé la réponse. Par le Grand Déclin, Sedna veut *protéger l'innocence !* Le métier de parent est le plus exigeant du monde, exercé dans le monde par le plus grand nombre d'incompétents ! Quand par exception le milieu familial favorise le développement harmonieux de l'*ihuma*, école et société auront tôt fait d'en saper l'épanouissement. Grégarisme, uniformité, compétition, coercition, intolérance ! *Rrrâh !* L'être humain naît, pétri d'argile divine, et meurt pétrifié dans sa glaise ! Cinquante ans ont passé depuis notre première année d'internat en pédiatrie – hier ! Découverte émerveillée du génie enfantin. Jaillissement, plasticité, adaptation ! Aptitude innée à l'utilisation optimale des ressources cérébrales, fluidité des transferts d'un hémisphère à l'autre, embrasements synaptiques en soleils, élan vital et saut de l'ange ! Ensuite, début de carrière en neuropsychiatrie dans une institution pour adolescents. Découverte horrifiée de la profondeur des dégâts ! *Ihumas* avortés, personnalités infirmes, névroses et perversions, douleur et désespoir ! *¡ Sin esperanza !* Quatre ans plus tard, vice-présidence d'une commission d'enquête de l'Unicef sur les abus des droits parentaux. Survol international, statistiques des pointes d'iceberg, et déjà des chiffres effroyables ! Photographies, témoignages, rapports médicaux, constats de police. Enfants séquestrés, vendus, abusés, martyrisés, assassinés ! Au rang des accusés : parents riches et parents pauvres, cultivés et illettrés, vertueux et dépravés ! Nous avons vécu dès lors avec la hantise d'une question sans réponse à l'égard des « malfaiteurs d'enfants » : comment les empêcher de procréer ? Comment éviter qu'ils n'ajoutent à l'universelle souffrance et perpétuent le cycle de l'iniquité et de la violence ? Et voici que Sedna nous propose une solution imprévue par un renversement du problème ! Aux termes de l'Ultime Alliance, la procréation humaine ne sera désormais ni obligation, ni devoir, ni fatalité, ni privilège – mais état de grâce ! Une mission confiée à l'homme et à la femme qui se seront qualifiés pour accueillir l'innocence, afin que l'innocence apprivoise l'avenir !

D'Aquino avait parlé d'un trait, sans ouvrir les yeux, comme s'il lisait son texte sur la face intérieure de ses paupières, mais son essoufflement s'était aggravé au point de rendre ses dernières paroles presque inaudibles. Jacques jeta un regard en coulisse vers Bertha Moll, qui se rongeait les ongles avec une voracité appliquée. A quoi pensait-elle ? S'était-elle sentie personnellement visée par les allusions aux enfants martyrs ?

– Je n'ai pas à être convaincue que l'éducation est la voie royale vers notre salut – et pourquoi pas la seule, en effet ! dit Anna Welikanowicz, visiblement contrariée par ce qu'elle venait d'entendre. Cela étant, je subodore des relents de « solution finale » dans l'entreprise de Sedna, dont l'application pratique m'échappe complètement. Car enfin, Jorge, comment juger de cette « qualification à la procréation » – et sur la foi de quels critères ?

Katja se retourna vers elle en secouant la tête, et sa physionomie illuminée par un soulagement indicible réfutait avec éloquence cette interprétation de « solution finale ».

– LaRocque Prévost vous a parlé hier de nos travaux conjoints sur la genèse du Troisième Ordre, reprit d'Aquino, après avoir bu avidement au verre que Schwester Ursula lui avait mis dans la main. Depuis que l'intelligence individuelle s'est émancipée de Sedna, les êtres humains ont été dominés par un impérieux désir de renouer le lien originel avec la conscience de l'espèce. Pratiques religieuses, incantations et prières collectives, cérémonies sacrées : autant de tentatives de solliciter la toute-puissance divine, de déclencher une réaction en chaîne par la synergie du plus grand nombre, afin d'influencer l'Esprit suprême, l'entité vivante et omnisciente, dont seul le nom change selon les époques et les cultures ! *Rrrâh !* Et, en marge de ces activités du pluriel, autant de tentatives individuelles d'établir un contact singulier avec Sedna : béatitude des mystiques, transe des Kalmuds, nirvana des yogis, visions des pythonisses, et tous les états seconds de l'occultisme et de la magie ! Et voici que Van Katwijk nous a révélé l'existence d'une troisième voie d'accès à Sedna en dehors du sommeil et de la transe, une voie ouverte à chacun et cachée à tous : l'union de l'homme et de la femme, principe premier de la vie ! *Rrrâh !* Depuis la nuit des temps, la sexualité humaine est prise au piège, immobilisée dans un nœud de tabous, d'interdits et de répression, dont la fonction n'a jamais été d'entraver la procréation, mais de contraindre la joie, et d'empêcher la transmission des acquis amoureux d'une génération à l'autre.

– L'amour est un secret bien gardé, parce que tout le monde le connaît, remarqua Alexander.

– En quoi le plaisir des amants représente-t-il une menace pour Sedna ? reprit d'Aquino. La réponse de Van Katwijk rejoint les philosophies orientales, qui ne considèrent pas la spiritualité comme un affranchissement de la matière, mais à l'opposé comme la fusion de l'esprit et de la chair ! Le but ultime de la jouissance amoureuse n'est pas la satisfaction charnelle, mais la communion extatique du couple avec la conscience collective ! Cette voie d'accès diffère de la transe individuelle, réservée à quelques initiés et dont les risques sont grands ! Glück avait deux cerveaux de son vivant, deux hémisphères indépendants l'un de l'autre, et elle contemplait Sedna en face sans être aveuglée ! La synergie des *ihumas* mâle et femelle au paroxysme de l'étreinte amoureuse, corps et âmes confondus, n'est pas seulement un moyen universel de fusion avec la conscience collective, elle représente aussi l'unique remède au Grand Déclin ! Désormais, l'accouplement de l'homme et de la femme ne portera fruit que célébré en réunion avec Sedna !

Le malade eut un soubresaut, sa tête partit à la renverse et frappa l'oreiller de crin avec un bruit de claque sèche. Ses dernières paroles s'étaient prolongées dans un râle effrayant, mais il trouva la force de faire un signe de la main à Schwester Ursula, pour la dissuader de mettre fin à la visite.

– Katja, pour l'amour, parle à sa place ! s'écria Élisabeth. Pourquoi Sedna impose-t-elle cette exigence à l'humanité ? Pourquoi veut-elle nous obliger à établir ce contact direct, alors qu'elle nous en a détournés pendant des millénaires ? Quel est son but, ce dessein ultime dont parle Jorge et que je n'ai pas encore compris ? Et d'abord, qui nous apprendra à réaliser cette synergie amoureuse ? N'est-ce pas une solution réservée aux êtres d'élite, comme le craint Anna ?

Sans quitter d'Aquino du regard, Katja répondit que le dessein de Sedna leur avait échappé en raison de sa simplicité. Pour déjouer la malédiction du Grand Déclin, il fallait réinventer l'amour ! Si l'intelligence spéculative avait aidé à poser le problème, elle ne serait d'aucun secours pour le résoudre, c'est-à-dire pour réaliser en couple cette fusion avec Sedna, clé de la fécondité retrouvée. Gertrude était un médium extraordinaire, mais elle ne brillait pas par sa vivacité d'esprit. Non, ce qui serait mis à contribution dans cette quête de l'extase médiatrice, c'était bien sûr la pulsion primitive de la sexualité, qui était la forme d'énergie répartie avec le plus d'équité dans le psychisme humain ; c'était ensuite une disposition de la personnalité considérée dans son ensemble – l'aptitude à envahir l'autre sans l'aliéner, à se donner entièrement sans se perdre, à s'amalgamer en restant soi-même, à atteindre à la quintessence de cette mystérieuse osmose psychique qu'on appelait l'Amour. Avant le Grand Déclin, la reproduction de l'espèce humaine avait été confiée indistinctement à tous. Maintenant elle ne l'était plus : les couples entreraient demain en apprentissage. Certains réussiraient et donneraient naissance aux premiers enfants de l'Ultime Alliance. Toutefois, ils ne se seraient pas qualifiés uniquement pour la procréation : l'expérience qu'ils auraient acquise en établissant le contact avec la conscience collective leur permettrait d'assumer avec compétence le métier de parents.

– Et qui empêchera le gouvernement, l'école et la société de contrecarrer l'œuvre de ces pionniers, en sapant l'*ihuma* de leur progéniture ? demanda vivement M. Léopold.

– Personne, répondit Katja. Si ce n'est que ces enfants grandiront et seront appelés eux-mêmes à procréer. Une collectivité qui n'aura pas protégé l'innocence en accord avec les termes de l'Ultime Alliance verra sa population s'éteindre à brève échéance. Les dictatures militaires et les fanatismes religieux peuvent contraindre à tout, sauf les esprits à la tolérance et les cœurs à l'amour ! Le calcul de Sedna est sans faille.

– Bonté ! s'exclama LaRocque Prévost, la face congestionnée par l'émotion. Le dessein de Sedna n'est rien de moins que la métamorphose de l'espèce humaine !

Lars Frankenthal se passa la main sur le front en regardant autour de lui comme s'il doutait de la réalité de la situation – ce colosse agonisant, ces gens si différents les uns des autres entourant le haut lit de métal, cette enfant femme qui annonçait la mutation de l'*Homo sapiens* avec autant d'assurance que d'exaltation.

– Je... je suis en état de choc, avoua-t-il. L'explication du Grand Déclin qui nous est proposée se fonde sur des spéculations philosophiques de haute volée, dont je reconnais la cohérence et même la plausibilité. Il n'en demeure pas moins que mon esprit est ainsi fait qu'il ne peut se contenter d'affirmations, si brillantes et généreuses soient-elles. Il réclame des preuves, une démonstration scientifique rigoureuse, une...

Jorge d'Aquino lui coupa la parole par un grognement sourd.

– Et votre âme, Frankenthal, votre intuition, votre sensibilité, la partie féminine de votre *ihuma*, que vous disent-elles ? Les avez-vous seulement écoutées ?

Le médecin se redressa et sembla prêter attention aux murmures de voix intérieures, comme s'il prenait le conseil du vieil homme au pied de la lettre. Il mit du temps à répondre, et le fit au prix d'un effort sur lui-même :

– Elles vous donnent raison. Pourtant, je serai de retour dès demain à mon laboratoire pour chercher une parade hormonale à la stérilité psychogénique. Je n'ai pas le choix de négliger cette voie, comprenez-vous ? Mais je... (il hésita à formuler sa pensée)... je ne suis pas loin de croire qu'il vaudrait mieux en effet pour la suite du monde que la solution au Grand Déclin ne sorte pas de mes éprouvettes, mais du cœur de l'homme.

Pendant qu'il parlait, l'éclairage de la chapelle se modifia. Dehors, le ciel s'était dégagé, un premier rayon de soleil timide jouait dans les vitraux, et des papillons prismatiques se posèrent sur le lit du malade.

– Et quelle est la seconde raison, Jorge ? demanda Alexander.

D'Aquino haussa ses sourcils touffus, qui n'avaient pas subi le même blanchiment que son abondante chevelure, et interrogea Élisabeth du regard.

– De quoi parles-tu, Alex ? demanda-t-elle à voix basse.

– Jorge a dit tout à l'heure qu'il nous avait fait venir pour deux raisons. La première concernait le dessein de Sedna, et nous sommes éclairés à ce sujet. J'aimerais connaître la seconde raison.

Un sourire fugitif se fraya un chemin dans l'entrelacs des rides qui convergeaient vers la bouche du malade, aussi profondes que des cicatrices.

– Prendre congé de vous, répondit-il dans un murmure chargé de crépitations. Vous réunir pour mieux nous quitter ! Dire au revoir à chacun et adieu à tous, en vous demandant l'amitié d'un départ sans larmes. *Rrrâh !* Que le Berghof vous soit un havre et une forteresse ! Une espèce en voie d'extinction est la proie de tous les marchands de rêves – une terre sans espoir, le lieu de tous les désordres ! Seuls, isolés les uns des autres, vous n'arriverez à rien. *¡ Unanse, constrogan juntos una nueva Torre !** Vous deux, Katja et Jacques, vous restez !

Il ferma les yeux et posa sa main droite sur ses paupières, comme pour s'empêcher de jeter un dernier regard à ceux qui l'entouraient. Cette fin brusquée était bien dans son caractère et n'aurait dû surprendre personne ; elle provoqua un désarroi consterné. On s'écarta lentement du lit, sans oser partir encore, ni se regarder. Était-ce par manque d'amitié si la Petite Sœur de Treblinka ne cachait pas son chagrin ? Elle en avait pourtant vu d'autres au cours de sa vie...

Un glapissement furibond éclata dans le silence feutré de la chapelle. Bertha Moll s'était levée de son banc et apostrophait celui qu'elle était la seule au Berghof à appeler « le Maître » :

– Vous avez pas le droit ! Tout ça c'est rien que des menteries ! Vous faites semblant, mais vous êtes pas plus malade que le pape ! Et tous les autres autour, avec vos simagrées, vous vous en fichez forcément, surtout la gamine avec ses grands airs, elle sait y faire celle-là ! Son Canadien devrait y penser à deux fois, vu que chez nous le détournement de mineure ça coûte cher ! Oh vous pouvez me faire les yeux que vous voulez, j'ai pas peur moi, j'ai payé mes dettes !

Les poings quelque part sur les hanches, elle avait pris une posture de défi que son obésité rendait infiniment grotesque, mais elle battit en retraite devant Élisabeth qui s'avançait, les joues enflammées et les yeux brillant de colère.

– Qu'est-ce qui vous prend, Bertha ? Vous perdez la tête ! s'écria-t-elle d'une voix contenue. Allez-vous-en !

La Mollosse retroussa ses lèvres luisantes dans un rictus de haine,

* Unissez-vous, bâtissez ensemble une nouvelle Tour !

puis se détourna pour tanguer vers la porte latérale qui ouvrait derrière l'orgue. Elle n'avait pas fait cinq pas qu'elle s'arrêtait pour virevolter comme une monstrueuse toupie.

– Pourquoi vous m'appelez pas Berthe, comme si vous le saviez pas tout le monde ! vociféra-t-elle, débordée par son trop-plein de hargne. Vous pouvez penser ce que vous voulez de moi, la Popesco, ça m'est bien égal, parce que même si vous avez trouvé quelqu'un d'autre à vous mettre dans le lit avec, il est trop vieux pour vous faire un mioche ! D'abord ces histoires de stérilité ça tient pas debout, mais tant pis si personne me demande mon opinion, après tout je suis qu'une rien du tout. Je vais vous faire voir de quoi que je suis capable dans ma tête, moi !

Elle reprit le chemin de la sortie. En passant à la hauteur du grand cierge, elle décida pour quelque obscure raison d'en éteindre la flamme. Sa rage l'ayant mise à bout de souffle, elle cracha furieusement sur la mèche, puis disparut derrière l'orgue silencieux. Dommage qu'elle n'eût pas entendu plus tôt le souffle divin passant dans les conduits de bois, elle aurait vibré à la cromorne et au bourdon, au prestant et à la régale, à la musette et à la flûte, à la harpe éolienne – voix célestes de la musique.

Katja était restée assise de guingois sur le haut lit, muette et immobile. Elle attendit que la porte à doubles vantaux au fond de la chapelle se fût refermée, puis saisit avec fermeté la main que le vieil homme avait gardée devant ses yeux, et la souleva comme un objet inerte pour la poser sur son propre front. Quêtait-elle une caresse, ou une bénédiction ? Jacques tressaillit en se souvenant d'avoir vu Chouri réclamer la même imposition primitive.

– Vous m'avez appelée par mon prénom, dit-elle d'une voix enrouée. Qu'est-ce qu'il arrive à la Mollosse ? Elle est devenue folle ?

Le géant ouvrit les yeux. Ses doigts glissèrent dans les boucles soyeuses de l'adolescente, puis s'arrondirent pour épouser la courbe de son visage, avant d'atterrir lourdement sur l'édredon.

– Moll est désespérée ! dit-il. Le mal n'est pas à l'abri de la souffrance. Paradoxe inconfortable ! Nous sommes son seul protecteur au Berghof, elle est terrifiée par le sort qui lui sera fait après notre mort : dénonciation, anathème, ostracisme, renvoi ! *Il faut lui donner tort !*

– Pourquoi ? demanda Jacques qui s'était approché pour tenir Katja par l'épaule. Vous avez quelque chose à nous dire à son sujet ?

– Ce que tu connais suffit à sa peine ! Elle est convaincue que tu as colporté l'affaire Molinard à tous vents. Elle rampe, et tu planes !

Katja leva un regard interrogateur vers Jacques.

– J'ai appris des choses sur elle, expliqua-t-il, mal à l'aise. Elle a fait de la prison pour une affaire sordide.

– *¡ Te cuidado del menosprecio, no de la verdad !** Moll est une créature de cauchemar, habitée par le mal. Elle a martyrisé sa fille pendant huit ans, la gavant d'immondices, l'empêchant de dormir par des douches glacées, la contraignant à retenir sa miction pendant des heures, ses selles pendant des jours. La petite est morte d'un empoisonnement généralisé, le corps couvert d'ecchymoses et de plaies. *Rrrâh !*

– Mais c'est un monstre ! s'écria Katja, horrifiée. Pourquoi vous l'avez embauchée au Berghof ? Vous pensiez être capable de l'aider ?

– Nous l'espérions en effet. Naïveté et présomption ! En vain avons-nous cherché en elle une lumière, une flamme, une étincelle ! Nous n'avons trouvé qu'obscurité, noirceur, ténèbres ! Chouri est le seul être sur terre à lui avoir jamais témoigné de l'affection : nous sommes intervenu à temps, elle l'empoisonnait avec des friandises interdites. *Rrrâh !* Mais nous l'avons gardée à nos côtés, sa présence nous était utile dans le confort amolissant du Berghof, dans l'influence délétère de l'ordre helvétique. Elle a été notre collaboratrice de grande, de première force ! Un pense-bête, une mise en garde, une douleur permanente ! *Rrrâh !* Ce qui fait de Moll une menace est ce que nous avons de commun avec elle. La créature est criminelle par les actes qu'elle commet, et monstrueuse par son appartenance à l'humanité ! La victime de Moll n'a pas été torturée en un lieu désert, mais au cœur d'une localité vertueuse – elle est morte à petit feu entourée de voisins, de commerçants, d'instituteurs, d'infirmières, de médecins ! *¡ Testigos ciegos... testigos mudos !*** Voici notre requête : gardez Moll au service du Berghof ! Elle a sa place parmi vous, elle vous tiendra dans la vigilance et le doute ! Si vous la chassez, vous éloignerez de vous la réalité du mal. Or le mal

* Garde-toi du mépris, pas de la vérité !
** Témoins aveugles... témoins muets !

est une répulsion nécessaire pour qui veut mener le combat de la vie. *Rrrâh !*

Il se tut, exténué. Sa respiration s'était changée en un râle continu. Jacques l'observait, le cœur serré par l'angoisse, découvrant comme une cruelle révélation cette fatalité qu'il connaissait pourtant depuis leur dernière rencontre : Jorge d'Aquino était en train de mourir. Comment n'avait-il pas compris plus tôt que ce regard passionné et inquisiteur ferait place sous peu à des yeux ouverts fixement sur le néant ? Que les articulations de cette charpente colossale se figeraient, que le soufflet de forge se déplierait pour un dernier appel d'air avant de cesser à tout jamais son grincement, que ce cerveau qui avait bâti l'édifice immense de la psychosynergie s'effondrerait sur sa propre masse comme une étoile géante bleue ? Le personnage de légende qui achetait autrefois ses rêves au petit Jacques était un être mortel, il n'en avait jamais douté – pourtant sa métamorphose inéluctable en une chose froide, inerte, minérale le révoltait tout à coup comme le plus grand des scandales.

– Vous nous avez demandé de rester... commença-t-il, mais il laissa sa phrase en suspens en comprenant que s'il cherchait à connaître les intentions du vieil homme, c'était par crainte qu'il ne s'éteignît sans avoir eu le temps de s'expliquer.

– Jacques ! Ton destin est parole ! Sois silence pour préparer ton témoignage, sois patience pour apprendre la rigueur, et solitude pour atteindre au détachement ! Le Grand Déclin annonce une époque propice à tous les bavardages, palabres, arguties, péroraisons ! *Rrrâh !* Dans la cacophonie des mots et le charivari des discours, ta voix sera un souffle dans la tempête.

– Que dois-je faire ? demanda le jeune homme.

– Katja ! Ton destin est vision ! poursuivit d'Aquino sans lui répondre. Tu as affronté la conscience collective dans le dénuement du Premier Ordre. Ne le fais plus, au grand jamais ! Prends la main de Jacques, unissez-vous, trouvez de concert le chemin de l'extase ! Ensemble, l'un par l'autre protégés, fusionnez avec Sedna ! Ne vous laissez pas distraire par les démons de l'urgence. *Rrrâh !* Le grand œuvre est gestation lente, maturation des forces vives, transmutation alchimique des éléments premiers... *¡ Realización y plenitud !*

– Vous croyez vraiment que nous réussirons ? s'exclama-t-elle, bouleversée par la certitude avec laquelle il s'était exprimé. J'ai si peur de vous décevoir, si vous saviez !

Avec une longue plainte, Katja bascula pour enfouir son visage dans le creux de l'épaule de d'Aquino, et elle s'abandonna à une crise de sanglots. Quand elle se redressa, pantelante, de grosses larmes enfantines roulaient sur ses joues.

– Non, je ne veux pas ! gémit-elle, sans se rendre compte qu'elle opposait avec désespoir un refus semblable à celui que Bertha Moll avait exprimé plus tôt avec rage. Elle ajouta d'un ton pressant : Vous ne pouvez pas nous laisser, quand nous avons encore tout à apprendre...

– Garder notre trinité en vie est une entreprise épuisante, dit-il dans un étranglement rauque qui confirmait implacablement ses paroles. Trahison du corps, corruption de la chair, l'union sacrée se désagrège ! Nous ne résistons plus à la mort, mais à la vie : notre combat est tout entier d'empêcher que l'un de nous ne survive aux autres ! *Rrrâh !*

Katja tenta de parler, mais sa gorge était si contractée que sa voix s'érailla, comme si elle avait cherché à faire une imitation de Schwester Ursula. Elle n'eut d'autre choix que de passer au chuchotement :

– J'aimerais... Élisabeth prétend que vous refusez toute discussion sur... sur votre personnalité multiple. Je n'ai jamais osé vous questionner, mais j'ai besoin de savoir ! Êtes-vous vraiment ensemble *tous les trois ?* Mon intelligence est à elle seule un encombrement dans ma tête, comment faites-vous pour en intégrer plusieurs ? Ce mystère me poursuit depuis que je suis au Berghof ! Cette trinité, est-ce un acte de votre volonté, qui inspire votre comportement – ou bien avez-vous réellement réussi à...

– *¡ Somos tres en uno solo !** Père, mère, enfant dans la plénitude de l'*ihuma !* Accomplissement suprême, unique orgueil de notre existence ! *Rrrâh !* Carpentier, es-tu là ? Van Katwijk ?

Il se redressa avec effort, son regard voilé les cherchant sans les voir, puis il se laissa retomber et avança le bras dans un geste d'appel.

– Je suis là ! dit Jacques en lui prenant la main.

– Moi aussi ! murmura Katja en frissonnant. J'ai froid de partout, j'aimerais vous entendre dire mon prénom encore une fois !

La respiration bruyante du malade était devenue plus régulière et une expression d'apaisement avait envahi ses traits austères. Avait-il entendu la requête de la jeune fille ?

– Katja et Jacques, Gaïa et Ouranos ! dit-il dans un souffle puis-

* Nous sommes trois en un seul !

sant, en fermant les yeux. Chemins confondus, lumière blanche ! L'amour est en vous, sous bonne garde ! Et nous, nous vous aimons, autant que nous sommes ! Nous serons présents aux célébrations de vos fêtes ! *Rrrâh !*

Il se tut, et l'éclairage poudreux de la chapelle, qui paraissait décliner sans cesse, accorda sa vibration à celle du silence. Quelque part dans la grande maison, un chœur de voix de femmes chantait un psaume *a cappella. ¿ O estaban los angeles que lo llamaban ?**

* Ou étaient-ce les anges qui l'appelaient ?

16

Anna Welikanowicz était debout, solitaire, sur la galerie extérieure, se tenant frileusement les bras à deux mains en observant le ciel nuageux d'un air soucieux, comme si elle déchiffrait des avertissements funestes dans la forme des nuages.

– Les autres sont déjà partis ? demanda Jacques avec surprise.

– Tadeus a réussi à les caser tous les cinq dans la voiture, six avec lui ! dit-elle en s'efforçant de répondre sur un ton dégagé. Élisabeth voulait vous attendre, mais votre père lui a dit que vous n'aviez pas l'intention de rentrer au Berghof pour le déjeuner.

– Première nouvelle, dit Katja. Il ne nous reste plus qu'à lui donner raison !

Et de fait ils ne prirent pas la Hohe Promenade mais le chemin opposé qui montait à Grüeni, et ils marchèrent longtemps au gré de leur inspiration, empruntant des sentiers sans un regard aux panneaux indicateurs, parlant peu, faisant halte pour s'étreindre comme des âmes en peine, surpris de constater que le partage n'adoucissait pas leur chagrin, mais l'approfondissait en le décantant. Leurs baisers, qui tôt ce matin les transportaient, avaient subitement un goût de larmes, et leurs soupirs des accents de plaintes. Ils songeaient à Jorge d'Aquino, aux révélations qu'il leur avait faites, à la tâche qu'il leur avait assignée, repassant en pensée chaque minute de la rencontre dans la chapelle et évoquant en silence les mêmes images. Ils éprouvaient de concert la même sensation d'impuissance et d'écrasement devant les ambitions démesurées de Sedna.

De retour à Davos vers le milieu de l'après-midi, ils s'arrêtèrent près de la gare au kiosque de Frau Zimmermann pour acheter l'édition internationale de l'*Herald Tribune*, dont les titres les avaient alarmés.

– Que dirais-tu d'aller le lire à la Kronen Konditorei ? proposa Jacques. Tu connais ?

– Et comment ! Didier m'a fait le coup de l'orphelin famélique pendant ton absence ! Il est tombé à bras raccourcis sur la coupe aux trois sorbets, avec meringue, panache Chantilly et chocolat chaud. Une monstruosité ! A propos, je l'ai entrevu pendant que tu étais avec ton père au chevet de Jorge. Il m'a chargée de t'annoncer une grande nouvelle : ton ami Sigmund est amoureux !

– Sigmund ! Es-tu sérieuse ? C'est la meilleure chose qui pouvait lui arriver ! Et qui est l'heureuse... Oh, mais regarde ! Je ne savais pas qu'ils devaient s'en aller !

Devant la gare, Mme Tchakalov surveillait d'un air lugubre le lot impressionnant de sacs et de valises qu'un porteur chétif chargeait sur un chariot à bagages aux grandes roues cerclées de fer. Elle tenait son sac à main ouvert devant elle, où Serguei dénichait des pièces de monnaie qu'il remettait une à une au chauffeur du taxi. Sa spéléologie prit fin avec la remontée d'un petit mouchoir prolétarien, qu'il utilisa pour tamponner les yeux humides de son épouse. Son geste avait une douceur féminine qui contrastait avec sa carrure massive.

– Tu y comprends quelque chose ? demanda Jacques du coin de la bouche. On dirait qu'elle a hérité de son désespoir. Élisabeth m'a parlé hier du message de Gertrude et de cette affaire de radiotélescope. Tout de même, ce cosmonaute qui trouve la paix en écoutant les murmures de l'univers... On croit rêver !

– Tu l'as dit ! Mais ça marche, la preuve !

Tchakalov les avait aperçus et son visage carré s'éclaira. Agitant les bras pour leur dire d'approcher, il appela sa femme qui était restée au bord du trottoir et examinait la cime des montagnes, les chalets de la Schatzalp, les panneaux-réclame, les voitures et les passants, en secouant son chignon gris en signe de douloureux désaccord. Elle interrompit Serguei qui, une fois de plus, s'était adressé au jeune homme en russe, avec volubilité.

– Je m'appelle Amalia, dit-elle en tendant une main brusque à Jacques, puis à Katja. Les adieux sont détestables, c'est pourquoi nous quittons dans le catimini ! Nous avons grande tristesse, mais espérance aussi pour un monde meilleur.

– Vous ne pouvez pas rester, vraiment ? demanda Jacques, surpris par l'émotion que lui causait ce départ inattendu.

Mme Tchakalov secoua sa tête ronde en fermant les yeux, puis elle prit une longue inspiration, comme pour faire une dernière provision d'air suisse. Elle déclara alors que les mois passés à Davos comptaient parmi les plus heureux de son existence.

– Serguei pour moi toute seule, une grande bénédiction ! dit-elle, et son regard vif passait alternativement de Jacques à Katja. Demain, affreuse séparation, pour lui retourner là-haut et moi mourir d'inquiétude !

– Vous pensez réellement qu'ils l'enverront de nouveau en mission ? demanda Jacques sans cacher son scepticisme.

– Ils ne veulent pas ! s'écria-t-elle, c'est Serguei qui a décidé ! Peut-être il va convaincre, peut-être non. Mais il a solide conviction pour la noble cause !

– La noble cause ? répéta Katja.

Amalia approuva d'un air entendu et, d'un geste large, montra autour d'eux les gens qui entraient dans la gare. Son mari, qui avait écouté la discussion avec des grommellements approbateurs, adressa un salut militaire à la jeune fille et embrassa Jacques avec vigueur. Puis il passa un bras protecteur autour des épaules de Mme Tchakalov et fit signe au porteur de se mettre en route. Ils s'éloignèrent vers le quai derrière le chariot à bagages, avec autant de solennité que s'ils avaient suivi un corbillard.

– Filons d'ici ! dit Katja. Je suis d'accord pour la Kronen Konditorei, un café noir me remettra les idées en place. J'ai l'impression que mon cerveau est en panne depuis que nous avons quitté Stella Maris.

Ils s'installèrent dans un coin tranquille au fond du salon de thé. Après avoir passé leur commande, ils se penchèrent sur le journal déplié devant eux.

– Je sens ta colère, dit Katja d'une voix sourde, après quelques instants de lecture silencieuse. J'éprouve la même émotion, mais elle me donne envie de crier et de tout casser, alors que toi tu gardes une apparence de calme, un détachement qui me fait penser à ton père.

– Ce n'est pas pareil, se récria-t-il. Lui, il est au-dessus de la colère, et moi je suis dominé par elle. Je me retiens de l'exprimer par peur de perdre le contrôle, de laisser libre cours à ma violence ! Si tu savais comme ça me fait mal !

– Maintenant, je le sais ! Regarde, tes mains tremblent... Rien ne me bouleverse plus que lorsque tu laisses parler le petit garçon en toi !

La nouvelle qui faisait la manchette relatait le massacre au Farghestan de cent vingt-six enfants d'une communauté islamique, qui prônait le retour à la spiritualité contemplative et la prééminence de l'esprit sur la lettre dans l'interprétation des grands textes sacrés. Cette orientation était farouchement combattue par les factions intégristes, et un groupuscule de fanatiques qui s'identifiaient eux-mêmes comme les « Illuminés de Dieu » avaient pris d'assaut une école de la banlieue de Rhages, en dénonçant comme blasphématoire l'enseignement réformé qu'on y dispensait. Ils avaient annoncé que les enfants contaminés par l'hérésie seraient soumis à la « purification par la mort ». Après avoir fusillé les quatorze adultes qui se trouvaient sur place, ils avaient fait monter les élèves sur le toit de l'établissement, et précipité trois d'entre eux dans le vide pour dissuader l'armée d'intervenir. L'exécution de la sentence purificatrice avait été toutefois retardée de quelques heures pour permettre à l'équipe d'une chaîne de télévision américaine d'arriver à temps pour filmer en direct le dynamitage de l'école.

Jacques leva les yeux du journal et affronta avec un papillotement de gêne le regard attentif de Katja. Il dit, cherchant ses mots :

– Je ne sais pas ce qui domine en moi : ma haine pour les assassins ou ma compassion pour les victimes ! A chaque nouvelle escalade dans l'abominable, je me dis que la mesure est comble et qu'on ne peut pas commettre pire. Je me sens comme anesthésié par l'abus de l'horreur... A quoi penses-tu ?

– A ce que d'Aquino a répondu à William Fowler à propos des troubles en Ulster : « La seule façon de dénombrer les victimes de la violence est de les compter une à une sans jamais les additionner ; toute autre arithmétique mène inexorablement à la banalisation du mal. »

– Je crois comprendre, dit Jacques, mais explique quand même !

– Enfin, regarde ce journal ! s'écria-t-elle en maîtrisant mal son irritation. La grosseur des titres est proportionnelle au nombre des morts – un otage unique aurait eu droit à un entrefilet ! Ce n'est pas mon impuissance à empêcher le mal qui me décourage, mais la fatalité de vivre à une époque où l'injustice faite à plusieurs commande plus d'indignation que l'injustice faite à un seul. Et là, cette complaisance de la presse à pervertir la langue sous la dictée des terroristes ! Lis toi-même, on dit *l'exécution des otages* pour parler de leur assassinat – et ici : *la sentence prononcée contre eux*, alors qu'il n'y a pas eu de procès, ni jugement.

– C'est la première fois que je te vois dans cet état ! dit Jacques. Tu as l'étoffe d'une *pasionaria !*

– Et si je te disais que je suis morte de peur derrière mes grands discours ? s'écria-t-elle avec une altération subite de la voix. Sais-tu quelle a été ma première réaction en lisant cet article ? Ne te moque pas, je suis consciente du ridicule ! J'ai pensé : « Il ne faut pas le dire à Sedna ! » Jorge d'Aquino a raison : nous n'influençons pas la conscience collective par nos idées, mais par nos émotions ! Lorsque la masse critique de l'angoisse est atteinte, nous devenons une menace pour l'équilibre de Sedna... Le massacre de la Saint-Barthélemy a fait trois mille morts, mais qui l'a su au Farghestan ? Par contre, les atrocités de Rhages ont été connues instantanément dans le monde entier... Et si l'horreur avait amorcé une réaction en chaîne ?

Jacques observait l'aménagement de la Kronen Konditorei, les gravures champêtres sur les murs pastel, les chaises cannées et les tables de pin verni, les lampes aux abat-jour en cotonnade fleurie, le trio de septuagénaires aux bas de laine et souliers cloutés, et la serveuse aux tresses rousses et petit tablier blanc. Où ça, l'horreur ?

– Qu'est-ce que Sedna pourrait faire de plus, elle qui menace de nous faire disparaître ? dit-il. Elle veut provoquer une mutation de l'espèce humaine, pour extirper la haine et l'intolérance du cœur de l'homme. La folie meurtrière des « Illuminés de Dieu » ne fait que justifier son dessein, non ?

– Est-ce que je sais ! Malgré l'annonce publique de Lars Frankenthal et de ses confrères, personne ne semble avoir pensé à une chose évidente : *les enfants de Rhages ne seront pas remplacés.* La vie humaine sera demain la seule richesse, et donc l'enjeu de toutes les convoitises et de tous les conflits. Oh, Jacques ! Vois-tu le danger ? Les fanatiques de tous bords ne voudront laisser personne occuper un monde qu'ils auront été incapables de repeupler ! Et, bien sûr, les femmes seront leurs premières victimes, puis les jeunes filles et les fillettes, soumises à toutes les violences pour les punir de leur infertilité ! Si nous accomplissons la mission que le professeur nous a confiée, nous serons condamnés à vivre dans la clandestinité, afin de « protéger l'innocence », comme il l'a dit. Les enfants de l'Ultime Alliance seront les porteurs de ce que l'humanité a de meilleur, et la cible de ce qu'elle a de pire !

Elle se cacha le visage dans les mains en étouffant un sanglot. La serveuse aux tresses rousses, qui s'était approchée pour déposer l'addition sur la table, toisa Jacques avec une moue de réprobation. N'avait-il pas honte de profiter de l'ingénuité de cette adolescente ?

Ils sortirent de l'établissement et décidèrent de rentrer au Berghof, car le ciel s'était assombri et de lointains roulements de tonnerre se répercutaient dans les gorges de la montagne. Katja fit découvrir à Jacques un sentier surplombant la Hohe Promenade, qu'elle avait emprunté pendant des mois pour descendre incognito à la station. La pente en était abrupte et ils s'arrêtèrent à mi-chemin pour reprendre leur souffle et s'asseoir sur une haute pierre plate, dont la surface était si lisse qu'aucune mousse n'avait trouvé à s'y accrocher. L'air était lourd, des nuées compactes dévoraient la crête de la Pischa, traversées d'éclairs qui donnaient de la perspective aux volutes bleu-noir : un réveil de volcan. Jacques avait retiré sa chevalière.

– Les armoiries des Carpentier, dit-il en présentant à Katja le chaton gravé. J'ai reçu cette bague pour mes dix-huit ans, selon les instructions testamentaires de mon grand-père paternel, qui est mort quand j'en avais trois. Autant dire que je ne l'ai pas connu ! De tous les objets que je possède, celui-ci est pour moi le plus précieux.

Il prit Katja au poignet et déposa la chevalière dans le creux de sa main :

– Je te demande de l'accepter.

Elle commença par secouer la tête, puis s'immobilisa pour lui lancer un regard singulier.

– Tu me la donnes ?

– Je te l'offre.

– Pourquoi ?

– Devine.

Elle avait pâli et gardait la main ouverte.

– Parce que tu m'aimes ?

– C'est une raison. Ce n'est pas la seule, mais l'autre est terriblement *quétaine*.

– *Quétaine* ?

– Une expression québécoise que Didier approuverait dans les circonstances ! On pourrait la traduire par « gentiment ringard ».

Elle hésita, cherchant à comprendre. Élisabeth avait prétendu que son intelligence était « un télescopage instantané des étapes logiques du raisonnement » et qu'il y avait « autant de différence entre le fonctionnement de son cerveau et celui du commun des mortels qu'entre la fission de l'atome et la fusion nucléaire ». Alors, qu'attendait-elle pour additionner deux et deux ?

– Écoute-moi, Jacques ! s'écria-t-elle avec un emportement soudain. Je ne veux pas te blesser, mais, si tu me dis que c'est une bague de fiançailles ou un truc du genre, j'aime mieux t'avertir tout de suite que c'est non et non !

– C'est une bague de fiançailles déguisée en chevalière, dit-il d'un ton ferme.

Elle entrouvrit la bouche et renversa la tête comme si elle s'apprêtait à éternuer, ou peut-être à éclater de rire. Elle ne fit ni l'un ni l'autre et cligna des yeux, éblouie par un soleil qu'elle était seule à voir. Puis elle ferma les doigts, cacha son poing dans le creux de son cou et se blottit contre Jacques en frissonnant. Elle n'y resta pas longtemps.

– Tirons les choses au clair ! dit-elle en se redressant pour le toiser. Tu prends pour acquis que je veux porter un enfant de toi, n'est-ce pas ?

– Mais... oui ! dit-il, sans savoir où elle voulait en venir. A moins que tu n'aies changé d'avis depuis notre rencontre sur la grande terrasse.

– Je t'ai dit ce soir-là ce que je voulais, justement ! Mais toi, tu ne m'as jamais fait part de tes intentions...

Elle sortit un calepin rouge de la petite sacoche de cuir qu'elle portait à la ceinture, et le lui tendit, ouvert à une page blanche. Il soutint son regard. Était-elle sérieuse, ou cherchait-elle à l'entraîner dans un nouveau jeu ? Il tira le portemine de sa ganse et écrivit : *Jacques demande à Katja de lui faire un enfant. »* Elle lui retira le crayon des doigts pour biffer le verbe *« faire »* et le remplacer par celui de *« donner »*, qu'elle s'appliqua à calligraphier de la main gauche, comme lui. Il réfléchit, puis, sans dire un mot, proposa à son tour *« partager »*, mais il ratura aussitôt en secouant la tête : l'intention de faire œuvre commune était bonne, mais on ne « partageait » pas un enfant. Alors qu'il cherchait une tournure plus heureuse, Katja traça du bout du doigt un point d'interrogation sur *« demande »*. Elle avait raison : pourquoi prendrait-il l'initiative de la chose ? Ils jonglèrent encore un moment avec les mots avant de trouver une formulation à leur gré, qu'ils reportèrent sur une nouvelle page : *Katja Van Katwijk et Jacques Carpentier veulent donner une nouvelle existence à la Vie.*

– Nous ferons le premier enfant de l'Ultime Alliance ! déclara-t-elle avec force. C'est notre destinée !

Ils reprirent leur montée sous les rouleaux noirs du ciel. Katja chantonnait à voix basse, serrait la main de Jacques au point de lui faire mal, et tout à coup s'étranglait dans des fous rires chuchotés, qu'elle n'expliquait pas. Jacques l'observait à la dérobée, soulagé de la voir si gaie et insouciante, mais désarçonné par la rapidité de ses sautes d'humeur. Il avait aimé son initiative de lui faire écrire cette déclaration, il avait été ému par cette recherche à deux de la formule la plus appropriée – alors pourquoi devait-il lutter contre la crainte douloureuse qu'ils faisaient fausse route, que cette destinée dont elle parlait était une impasse ?

Élisabeth était assise sur l'un des fauteuils en rotin blanc de la grande terrasse, qu'elle avait tiré à l'écart des tables comme pour affirmer son désir d'être seule. Elle se leva en voyant surgir Jacques et Katja au haut de l'escalier de pierre et vint à leur rencontre en commençant à parler bien avant qu'ils fussent capables de la comprendre :

– ...Welikanowicz... coup de fil... pas où vous trouver ! Le Dr Frankenthal veut absolument te parler, Katja ! En ce moment il règle des affaires avec M. Léopold, et Tadeus doit le conduire pour cinq heures à l'aérodrome. A part ça, la journée a été mouvementée, croyez-moi ! – et je ne parle pas de la rencontre de ce matin. Les Tchakalov ont fait leurs malles et sont partis comme des voleurs, sans un adieu ni un mot d'explication à personne ! Et, sur ces entrefaites, on découvre la Mollosse inconsciente dans l'ancienne buanderie. Selon la version officielle, elle s'est assommée en tombant à la renverse sur une des cuves en béton.

– La version officielle ne nous intéresse pas, dit Katja.

– Vous voulez vraiment savoir ? demanda-t-elle en étouffant son embarras et sa répugnance dans un ricanement sourd. C'est du dernier grotesque, je vous avertis ! Bertha s'est enfermée avec Chouri à l'heure de la sieste et s'est dévêtue pour le séduire. Hobayashi a interrogé le gorille, et son témoignage confirme ce que la malheureuse nous a dit en quittant la chapelle, mais que personne n'a pris au sérieux. Elle a demandé à Chouri de lui faire un enfant et a essayé de s'accoupler avec lui. Comment a-t-elle pu s'imaginer un instant... c'est insensé ! Sans compter que les gorilles sont extrêmement farouches au plan sexuel. Bref, il a pris peur et l'a repoussée, sans mesurer sa force. Quand Ado les a trouvés, elle était encore inconsciente et Chouri se cachait sous des couvertures au fond de sa litière. On a fait venir d'urgence le Dr von Haller – c'est lui qui a soigné ta scarlatine, Jacques. Il l'a fait transporter à l'infirmerie, et c'est tant mieux si vous avez manqué cette équipée, un vrai cauchemar ! Tadeus est allé chercher un ancien battant de porte au grenier en guise de civière, et ils se sont mis à six pour déménager la Molosse à l'étage. Je vous fais grâce des détails, ils sont sordides. Ah, voilà Frankenthal ! Veux-tu lui dire un mot, Katja ? J'en profiterai pour aller faire le tour du jardin avec Jacques.

La jeune fille acquiesça avec un sourire entendu. Comme elle se détournait, Élisabeth la retint en lui prenant la main avec douceur.

– Le romantisme a gardé ses droits ! dit-elle en examinant la chevalière comme si elle ne l'avait jamais vue.

Katja devint écarlate et s'enfuit pour aller rejoindre le médecin suédois devant la porte-tambour, et elle riait en glissant entre les premières gouttes de pluie qui s'écrasaient en étoiles sur les dalles grises de la terrasse.

– Mon Petit Prince a été à la hauteur ! dit Élisabeth en prenant Jacques par le bras pour l'entraîner vers l'escalier latéral.

– Tu ne trouves pas ça un peu décadent ? Les conventions et les cérémonies, ce n'est pas ton fort !

– Sans doute, mais je ne les mets pas dans le même panier ! Les règles du jeu social vont changer dans les temps à venir, et de façon plus brutale et plus déroutante que tout ce que nous pouvons imaginer ! Qu'adviendra-t-il par exemple de l'institution du mariage, dans un monde sans enfants ? Ne te méprends pas, ce n'est pas une préoccupation bourgeoise !

Ils passèrent devant le laboratoire de d'Aquino et s'engagèrent dans les allées du jardin, en contrebas de la grande terrasse. Les gouttes de pluie étaient de plus en plus serrées et Jacques ne comprenait pas ce qui retenait Élisabeth de faire demi-tour.

– Où est mon père ?

– Dans sa chambre, dit-elle. Quand je l'ai quitté, il était plongé dans la lecture de son allocution inaugurale de San Francisco. Je lui ai demandé ce qu'il ressentait à consulter ce texte après tant d'années, et sais-tu ce qu'il m'a dit ? « C'est une réflexion admirable ! » Ah, il n'a pas fini de m'étonner ! Depuis ce matin, je me demande ce qui serait advenu s'il avait révélé au monde l'existence du Troisième Ordre, il y a dix ans... Pourquoi tu me regardes comme ça ?

– Tu as rajeuni de dix ans !

– C'est facile quand on a quelqu'un pour qui se faire belle ! Imagine, Alex me parle de choses qui remontent à l'époque du Bateson, les événements importants aussi bien que les détails de la vie de tous les jours ! Pour lui ils datent d'hier, alors que pour moi ils appartiennent à un passé qui me semblait terriblement loin. Bref, je retombe en jeunesse, comme on dit qu'on retombe en enfance !

– Alors pourquoi es-tu triste ?

– Comment fais-tu pour le savoir ? Katja elle-même n'a rien remarqué ! C'est vrai, j'ai du chagrin, c'est pour ça que je voulais te voir.

Elle s'était assise devant la rocaille fleurie, sur le rebord du bassin ovale irrigué par une cascade d'eau, dont le gazouillis avait quelque chose de dérisoire sous l'averse qui tombait dru. Elle l'interrogeait des yeux, surprise de le voir encore debout.

– Tu n'as pas peur de te faire mouiller ? demanda-t-il.

La question était de pure rhétorique, car déjà sa robe légère était à demi détrempée et lui collait à la peau. Alexander n'avait pas eu tort ce matin de contremander l'achat des magazines spécialisés.

– Au contraire, ça me fait du bien ! dit-elle. Et toi, Petit Prince, une pluie d'été ne va pas te faire fondre ! Tu es plein de douceur, mais tu n'es pas en sucre ! Écoute, je veux te parler de Jorge... Pour la première fois, je ne le comprends plus ! Il est devenu... Et puis non, je vais droit dans une impasse en partant de ce pied-là ! C'est de moi qu'il faut parler, de mon chagrin et de mon amertume. Je me sens mise à l'écart, sans savoir pourquoi, sans savoir même s'il y a une raison. Quand il t'a demandé de rester avec Katja dans la chapelle, j'ai eu l'impression qu'il me mettait à la porte, comme une quantité négligeable ! C'est la goutte d'eau qui a fait déborder le vase ! Et ne me dis pas que je me fais du cinéma ! Ton ami LaRocque Prévost par exemple, il s'amène au Berghof comme une fleur et je découvre qu'il travaille depuis quinze mois sur la genèse de Sedna, en échangeant une correspondance régulière avec Jorge. Pourquoi je n'en ai rien su ? Et voilà que Tadeus commence à me faire des cachotteries, des petites choses sans importance, mais l'un dans l'autre je sens s'installer ici un climat trouble... Hier soir, je les surprends tous les deux à se parler en catimini, et dès que j'approche ces messieurs se taisent en prenant des mines de rien. Je m'en suis ouverte à Jorge, mais tu le connais, quand il a décidé de faire sa tête de mule... Oh, Jacques, dis quelque chose ! Je le vois s'en aller chaque jour davantage, il ne peut quand même pas me quitter comme ça, en me laissant sur l'impression que je ne compte plus pour lui ! Je n'ai pas mérité une chose pareille !

Elle le dévisageait d'un air suppliant, comme s'il possédait la solution aux questions qui la tourmentaient. La pluie n'était pas seule en cause dans le ruissellement de ses joues.

– Tu en as parlé à mon père ?

– Pas vraiment ! Je ne veux pas l'ennuyer avec mes frustrations, et encore moins menacer la paix qu'il a conclue *in extremis* avec Jorge. Tu sais, j'ai eu peur au tout début, il avait tellement changé ! Et puis, j'ai retrouvé l'amant magicien, celui qui a le pouvoir d'arrêter mes pensées rien qu'en posant la main sur moi ! Pourquoi faut-il que ce grand bonheur soit assombri par ce malaise stupide dans mon amitié avec Jorge ? Mais regarde, on est venu à ta rescousse !

Sous la voilure noire d'un grand parapluie aux baleines rebondies, Tadeus Bubenblick cinglait dans leur direction, avec une hâte qui le fit déraper du cours de l'allée et embarquer dans les plates-bandes. Curieusement, Jacques n'avait plus envie de s'abriter, et les rigoles de pluie tiède qui sillonnaient son corps lui causaient une sorte d'exaltation, une sensation de purification et de délivrance.

– Herr Doktor Frankenthal veut une fois vous dire adieu ! s'exclama Tadeus. Et il faut aussi rentrer pour les mauvaises nouvelles ! Ayayayaïe ! Vous entendez, là : c'est la voiture du Dr von Haller, mais il revient avant le dîner, parce qu'on peut rire tant qu'on voudra de la culbute de Mme Moll, ça ne l'a pas empêchée de se sonner comme une cloche.

– Qu'est-ce que ça veut dire ? demanda Élisabeth d'un ton abrupt.

– Pour le moment, elle est encore *knock-out*, voui ! Le docteur se demandait pour une fracture cervicale, mais il l'a examinée et rien n'est cassé, il a l'habitude avec les accidents de ski et les alpinistes qui dévissent, *nézebas* ? Les réflexes et le reste sont corrects, seulement il s'inquiète à cause de sa confusion, et surtout qu'elle se laisse aller comme une pattemouille. Comme que comme, plus question de la transporter nulle part ! Il a même dit qu'on aurait dû la laisser dans la buanderie, parce qu'elle cache peut-être des lésions que c'est difficile de savoir à cause du volume.

– Bref, une belle commotion cérébrale, murmura Élisabeth en se levant brusquement.

– Dans le mille, bravo ! confirma-t-il en avançant son parapluie secourable et en claquant des talons dans la flaque boueuse où il avait mouillé. *Gehirnerschütterung*, voui, voui ! Même que ça a l'air plus grave en français qu'en allemand. Ayayayaïe !

***

Jacques se dressa sur son coude pour jeter un coup d'œil embrouillé au cadran du réveil.

– Six heures moins dix, marmonna-t-il. Qui ça peut être ?

– Ne bouge pas, j'y vais ! dit Katja en sautant du lit.

Comme il lui disait de se couvrir, elle saisit au passage le casque de deltaplane accroché à la patère et l'enfila sur sa chevelure ébouriffée d'un geste théâtral. « Tout à fait le genre de pitrerie qui ferait les délices de Didier, pensa-t-il. Oh non, elle ne va pas ouvrir dans cette tenue ! » Elle entrebâilla la porte et, la jambe levée en ciseau, se pencha latéralement pour jeter un coup d'œil dans le couloir sans révéler sa nudité. Sa posture instable avait la grâce d'un exercice de ballet, son déhanchement immobile et son bras tenu en balancier révélaient une musculature faite pour la course et l'envol. Ils ne s'étaient pas lâchés de la nuit, tour à tour ombre et proie, ensemble ils avaient gémi et crié – pourtant son désir d'elle n'avait jamais été aussi impérieux qu'en cet instant où, espiègle funambule dans la pénombre indécise de l'aube, elle écoutait le chuchotement qui coulissait dans la chambre avec l'éclairage jaune du corridor. Enfin, elle referma la porte.

– Qu'est-ce que c'est ? demanda-t-il, inquiet.

– Tadeus nous demande de monter tout de suite à l'*hacienda*, répondit-elle en enfilant à la hâte la chemise qu'il portait la veille. (Pendant son absence de Suisse, elle avait fait main basse sur plusieurs de ses vêtements et se faisait tirer l'oreille pour les restituer.) Si j'ai bien compris, il s'agirait d'une réunion convoquée d'urgence par le professeur.

– D'Aquino a quitté Stella Maris ? s'exclama-t-il en sortant vivement du lit. Dans l'état où nous l'avons laissé hier, ça m'étonnerait !

– Avec lui, tout est possible ! Non, mets plutôt le blanc, celui-ci t'a accompagné au Canada. Je ne sais même pas si cette femme que tu n'as pas vue l'a touché...

Il sourit et changea de tee-shirt sans répondre.

A l'extrémité du corridor, ils tombèrent sur LaRocque Prévost qui sortait de sa chambre et parut soulagé de les voir. Il avait été réveillé lui aussi par Herr Bubenblick, mais n'avait pas eu la présence d'esprit de lui demander où se trouvait l'appartement de Jorge d'Aquino.

– Suivez-nous, dit Jacques, c'est au dernier étage. L'endroit n'est pas banal, préparez-vous à une surprise !

Il se rendit compte en arrivant à l'*hacienda* qu'il aurait aussi bien pu s'adresser l'avertissement à lui-même. A sa première visite, les lieux lui étaient apparus dans l'éclairage vacillant d'une couronne de sept bougies, et voici qu'il entrait dans une vaste salle emplie de lumière blanche, dont la réverbération était telle qu'il s'immobilisa sur le seuil en se protégeant les yeux. Il ne distinguait que des silhouettes fantomatiques assises sur des chaises pliantes d'un modèle ancien, disséminées au milieu des plantes exotiques et des grands cactus, mais bientôt les physionomies se précisèrent, où flottait comme un air de famille : l'hébétude volatile et désarmée des réveils précipités. Il reconnut son père, puis Élisabeth, M. Léopold, Anna Welikanowicz et, l'un après l'autre, une demi-douzaine de pensionnaires du Berghof.

Les fauteuils disparates qui avaient servi pour la réunion nocturne avec Jorge d'Aquino n'étaient plus là, et l'espace circulaire s'était rétréci, comme si la végétation tropicale avait gagné du terrain sur cette clairière de céramique aux couleurs vives. On avait fait coulisser les rideaux de coutil blanc sur toute la longueur de la verrière oblique exposée au levant, mais la clarté qu'ils tamisaient en une poudre impalpable était presque aussi aveuglante que les pleins feux du soleil. Des silhouettes d'oiseaux fantasmagoriques remuaient dans ces hautes toiles – c'étaient les ombres chinoises démesurément étirées d'une assemblée de corneilles, perchées sur les longues barres horizontales du dispositif extérieur d'ouverture des fenêtres.

Si les yeux de Jacques ne reconnaissaient pas grand-chose de l'*hacienda*, sa narine frémissante en retrouvait la senteur humide et pénétrante de terreau noir, et la touffeur végétative d'une serre étrangement silencieuse. Soudain, la tenture de laine brodée qui fermait la chambre de Jorge d'Aquino s'écarta pour laisser passer Schwester Ursula, qui trottina jusqu'au milieu de la salle et grimpa les trois marches de la petite estrade de bois verni, dont elle se servait habituellement à la salle à manger pour le cérémonial de l'assignation des places. Tadeus Bubenblick l'avait suivie, poussant devant lui une table à roulettes avec le magnétophone du laboratoire et, sur le plateau inférieur, la mystérieuse mallette en aluminium qui avait été chargée la veille sur la banquette arrière de la Land Rover, devant le porche de Stella Maris.

– Tu as vu ? demanda Katja à l'oreille de Jacques.

Tadeus promena son regard bleu sur la petite assemblée, puis dressa son index contre ses lèvres dans une intimation au silence, alors que personne ne disait mot. Il alla ensuite s'asseoir à côté d'un visiteur qui révéla sa présence en se poussant pour lui faire de la place : c'était le petit homme chauve du train, celui-là même auquel LaRocque Prévost avait apparemment graissé la patte à l'arrière des cuisines.

Sur son perchoir, Schwester Ursula sortit un diapason d'une de ses insondables poches et elle le porta à son oreille après en avoir pincé les branches du bout des ongles. « Elle ne va pas se mettre à chanter ! », se dit Jacques en pensant à sa voix de crécelle et aux ronflements de rogomme dont elle l'avait gratifié alors qu'il cuvait sa scarlatine. Après avoir pris une longue inspiration qui menaça l'équilibre de sa coiffe, la naine entonna un chant infiniment limpide et aérien, dans le vertigineux registre d'une voix de haute-contre. Une expression de gravité et de dépouillement transfigura son visage de gnome et elle ferma les yeux jusqu'à la fin de sa cantilène, indifférente au saisissement et à l'émotion qu'elle causait autour d'elle. La réaction de Dolorès Sistiega fut la plus démonstrative : elle leva ses mains à la hauteur de ses yeux morts, les paumes tournées vers l'avant pour capter les vibrations de cette voix inquiétante, comme si elle cherchait une confirmation à ce qu'elle entendait.

Un silence haletant succéda à la dernière note du chant. Personne ne manifesta son appréciation, tant il était évident qu'on ne s'était pas réunis à six heures du matin pour assister à un concert, tout extraordinaire qu'il était. Tadeus Bubenblick se leva et, avec une galanterie un peu raide, aida Schwester Ursula à descendre de son estrade. Puis il se passa la main sur le bas du visage comme pour s'empêcher de sourire, regardant ceux qui l'entouraient avec l'air de se demander ce qu'on attendait de lui, et pourquoi on ne lui facilitait pas la tâche. Sur le toit, les corneilles firent entendre un charivari de croassements lugubres, et leurs ombres portées s'ébrouèrent avec des claquements d'ailes sur l'écran des toiles blanches.

– *Herr Professor Jorge d'Aquino ist tot !* déclara-t-il enfin d'une voix ferme.

Jacques perçut une modification subite dans l'écoulement du temps, comme si chaque seconde retenait une concentration plus dense de l'instant présent, et simultanément il eut l'impression que l'histoire accélérait sa course, que quelque chose en lui se précipitait et qu'il commençait un compte à rebours – mais pour quelle échéance ?

L'annonce de Tadeus n'avait pris personne au dépourvu, on s'y était préparé en voyant Schwester Ursula sortir de la chambre du professeur, on s'en était même douté sitôt après avoir été réveillé par les coups frappés aux portes. Mais alors, si l'on savait déjà la nouvelle, pourquoi les paroles prononcées provoquaient-elles une telle commotion ? Quelle différence entre *avant* et *après* ? Pourquoi Élisabeth s'était-elle levée, et Alexander, puis LaRocque Prévost et Anna Welikanowicz, et bientôt tous et chacun dans un silence plein à craquer ? Que faisait-on debout, presque au garde-à-vous, quand celui qu'on saluait ici était ailleurs, et ailleurs éternellement absent ?

– Comment est-ce... A quelle heure... ? commença Élisabeth, mais sa voix lui fit défaut.

– A vingt et une zéro trois ! répondit Tadeus avec autant d'émotion que s'il avait donné l'heure d'un train. Maintenant, écoutez une fois les explications pour avoir attendu jusqu'à ce matin avant de vous avertir ! J'ai suivi à pied la lettre des instructions du professeur, le moment n'était pas à la fantaisie, *nézebas ?* Les obsèques seront célébrées vendredi, mais il faudra attendre pour les détails, parce que c'est les enfants de Stella Maris qui doivent organiser la cérémonie de A à Z. Ayayayaïe ! Sans compter que le décès du professeur doit rester un secret entre nous, la Fondation Delphi ne l'annoncera publiquement que trois jours après l'enterrement. Voui ?

– Je vois que vous avez pris les choses en main, dit sèchement Élisabeth. Faut-il demander une permission pour aller se recueillir à Stella Maris ?

– *Keine Erlaubnis zu erfragen !** Sauf que le professeur n'est plus là-bas, sa dépouille a été transportée sitôt après le constat du décès. Désolé, seulement vous le connaissez, *nézebas*, il avait les idées très arrêtées !

* Aucune permission à demander !

– Si je le connaissais ! murmura-t-elle avec une fêlure dans la voix.

Jacques se dit que Bubenblick aurait pu avoir la délicatesse de la prévenir avant les autres, même si ses consignes exigeaient la discrétion. Pour qui se prenait-il ? Il remplissait sa tâche avec une efficacité d'entrepreneur de pompes funèbres ! N'était-il pas plus attaché que ça au Pr d'Aquino ?

Alexander émergea de l'état second où l'avait plongé le chant de Schwester Ursula, et il posa une main apaisante sur la nuque d'Élisabeth.

– Jorge a-t-il laissé un message pour nous ? demanda-t-il en montrant l'enregistreur.

– Voui, voui, justement ! dit Tadeus en passant le cordon électrique au petit homme chauve, en lui demandant par signe d'aller le brancher dans une prise murale. On a installé la machine là-bas dans sa chambre pour ne pas perdre ce qu'il disait, parce qu'il se réveillait la nuit et parlait l'espagnol à Schwester Ursula qui comprenait des gouttes, mais comme ça on faisait traduire après par Frau Welikanowicz.

– Le malade a eu hier soir une mauvaise passe, dit Schwester Ursula en s'avançant, sans toutefois remonter sur son estrade. Il était très agité à cause de son échec à un examen pendant ses études de médecine, et il a protesté contre la décision du jury. Il était vraiment en colère et nous lui avons donné un calmant. Plus tard, il a demandé que les fenêtres de la chambre soient ouvertes pour qu'il puisse entendre jouer les enfants dans le parc. Il s'est assoupi, mais à son réveil il se croyait de retour dans la chapelle avec les visiteurs du matin.

Tadeus enclencha le magnétophone et un bruit familier s'éleva dans l'*hacienda* : c'était la respiration asthmatique de Jorge d'Aquino, les sifflements et les miasmes de l'expiration, l'interminable temps d'arrêt évocateur d'asphyxie et de mort, le râle vorace de l'aspiration. *Rrrâh ! Rrrâh !*

– *...Bierens de Haan, vous organiserez le congrès en Suisse,* prononça soudain la voix caverneuse du professeur. *Carpentier, vous donnerez la conférence inaugurale pour le Troisième Ordre. Et, Bogdan-Popesco, vous présenterez le livre, comme il se doit. Aaah ! Qui a éteint le jour ? Pourquoi les enfants se sont-ils tus ?*

Les bobines du magnétophone continuèrent de tourner, mais le haut-parleur ne diffusait plus à présent que la rumeur de l'effroyable respiration. Tout à coup, on entendit distinctement dans le lointain le clocher de l'église de Davos Platz qui sonnait neuf heures. Katja se tourna aussitôt vers Jacques et se blottit contre lui en tremblant. Et c'était en effet une expérience infiniment éprouvante que d'écouter l'enregistrement de ce souffle, quand on savait que dans trois minutes il s'arrêterait pour l'éternité. Contre toute attente, la voix de Jorge reprit, distincte et vibrante, puisant à ses forces ultimes :

– *¡ Nirvana ! ¡ El sol de Sedna se llama* Amor ! *¡ Muero y vivimos !*

On entendit une plainte qui se changea en une sorte de sanglot de triomphe, suivi d'un trottinement précipité de bottines sur un plancher de linoléum. Tadeus interrompit le défilement de la bande et, dans le coin où elle s'était dissimulée, Teresa Vincenti se signa.

– Pour ceux d'entre vous qui ne les auraient pas comprises, dit Anna Welikanowicz, voici les dernières paroles de Jorge d'Aquino : « Nirvana ! Le soleil de Sedna s'appelle *Amour* ! Je meurs, et nous vivons ! »

LaRocque Prévost intervint avec vivacité :

– Etes-vous certaine de l'exactitude de votre traduction ? Jorge a-t-il bien dit : « *Je* meurs, et *nous* vivons » ?

– *¡ Muero y vivimos !* répéta-t-elle gravement. Vous l'avez entendu comme moi, il n'y a pas place pour le doute. N'ayez crainte, révérend, je saisis l'importance que vous attachez à ce détail, car j'ai éprouvé moi-même un grand bouleversement en apprenant que notre ami avait finalement gagné sa plus grande bataille, et que la trinité était sauve ! Je ne suis pas une mystique, et ma foi ne s'embarrasse pas des orthodoxies religieuses. Cela étant, s'il est une chose en laquelle je crois, c'est bien en la triple personnalité de Jorge d'Aquino, et en sa survie !

M. Léopold n'était pas encore intervenu dans la discussion, trop occupé à nettoyer ses lunettes à l'aide d'un grand mouchoir bleu, dont il se servait aussi pour éponger son front et tamponner subrepticement ses paupières. Pourtant, sa diction n'avait rien perdu de son aridité quand il se décida à prendre la parole :

– *Nirvana* est un mot sanscrit qui signifie la fin du cycle des naissances et des morts, et tout ensemble un anéantissement et un état de sérénité suprême, la fusion de l'âme individuelle et de l'âme collective. Le professeur a certes utilisé l'expression à bon escient.

Jacques n'écoutait que d'une oreille, car il observait l'inconnu du train, qui s'était agenouillé pour ouvrir la mallette d'aluminium et en sortir un livre, qu'il remit à Tadeus Bubenblick. Celui-ci frappa dans ses mains pour réclamer l'attention.

– Je ne veux pas bousculer, dit-il, mais j'aimerais procéder avec la diligence, à cause que j'ai ma journée très occupée. Certaines exigences du professeur ne font pas bon ménage avec les règlements municipaux, il faut trouver des accommodements. Je veux maintenant une fois vous présenter M. de Preux, un homme excessivement courageux qui a publié la première édition française du *Traité de psychosynergie*, contre les vents et la marée, et sans rentrer dans ses sous avant la belle lurette. Ayayayaïe ! C'est seulement quand le professeur est devenu célèbre aux Etats-Unis qu'on s'est intéressé à lui à Paris, et surtout pour le critiquer.

Le petit homme chauve salua les personnes présentes d'un signe de tête, avec une moue destinée à pondérer les éloges de Tadeus.

– Il est vrai que mes compatriotes inclinent à se défier de tout discours sur l'intelligence humaine tenu dans une langue autre que la leur ! dit-il, la voix onctueuse et le sourire acide. A l'époque, la publication du *Traité* fut effectivement un échec commercial, mais au cours des années les réimpressions se sont succédé avec une régularité encourageante. Au début du mois, j'ai reçu un manuscrit inachevé de Jorge d'Aquino, avec une requête tout à fait inhabituelle. Je ne vous cache pas que nous avons dû faire un véritable tour de force pour y donner suite. M. Bubenblick nous a envoyé par télécopieur les chapitres manquants au fur et à mesure de leur rédaction, et nous avons organisé un va-et-vient d'épreuves entre Paris et Davos. Ne m'accordez toutefois pas plus de mérite qu'il ne m'en revient : la lecture du texte m'a convaincu dès les premières pages que j'étais en présence d'une œuvre capitale. J'ai eu le privilège d'être reçu par le professeur hier matin, dans l'heure qui a précédé votre rencontre. J'ai appris à cette occasion que cette conscience collective, dont il nous démontre l'existence de façon si magistrale, serait à l'origine de ce Grand Déclin que les médias nous cornent aux oreilles depuis quelques jours. Si vous me permettez de coiffer ma casquette d'homme d'affaires, je dirai que cette conjoncture va faire de ce livre savant un best-seller instantané – ce qui est d'autant plus paradoxal que le justificatif en page 4 se lit comme suit : « Il a été tiré de cet ouvrage 12 exemplaires, hors commerce, marqués de A à L, qui constituent l'édition originale du *Troisième Ordre de la psychosynergie.* » Douze exemplaires en tout et pour tout ! L'entreprise est sans doute unique dans le petit monde de l'édition, et nous n'aurions pu la tenter sans la garantie de la Fondation Delphi. Par contrat, je me suis engagé à remettre en main propre ces exemplaires aux douze personnes dont les noms m'ont été communiqués hier et qui, sauf erreur, se trouvent à l'instant réunies dans cette salle. L'auteur n'a signé qu'une seule copie, la première, et, si Mme Bogdan-Popesco y consent, cette dédicace figurera en bonne place dans la seconde édition, dont le tirage sera évidemment moins modeste !

– Une dédicace ? dit Élisabeth, le visage exsangue.

Elle prit le volume avec une sorte de crainte superstitieuse, hésita à l'ouvrir, puis tourna deux pages avant que ses yeux ne s'agrandissent sur l'écriture ample et baroque de Jorge d'Aquino. Elle se laissa alors tomber sur sa chaise et se recroquevilla, courbant la nuque pour cacher son visage dans ses mains. Katja s'avança pour la consoler, mais Alexander l'en dissuada d'un geste discret – lui-même était resté debout et feuilletait le livre qu'Élisabeth lui avait remis en tremblant.

– Elle a changé sa douleur de place pour avoir mal au bon endroit, expliqua-t-il. Si vous lui ôtez sa peine, que lui restera-t-il ?

Il tendit à Jacques le livre ouvert à la page où Jorge d'Aquino avait écrit de sa main :

à Élisabeth Bogdan-Popesco
notre sœur fraternelle
dans l'ombre et dans la lumière
silence, patience, présence
nacimiento, conocimiento, reconocimiento*
toujours
Jorge

Tadeus Bubenblick avait prêté son concours à M. de Preux pour distribuer les onze autres exemplaires du *Troisième Ordre*. Il termina sa tournée par Jacques.

– J'ai besoin de vos services pour cinq minutes, lui dit-il. C'est comme qui dirait confidentiel, *nézebas* ? Fraulein Katja n'est pas fâchée au moins ? *Gut, sehr gut !*

Il gagna le fond de la salle en zigzaguant entre les cactus hérissés et les palmes indolentes, puis écarta la tenture de laine en faisant signe au jeune homme de le précéder dans la chambre contiguë, plongée dans l'ombre. Avant d'entrer, Jacques jeta un coup d'œil

* Naissance, connaissance, reconnaissance.

derrière lui, pour faire provision de lumière blanche : l'*hacienda* était à nouveau silencieuse, réintégrée dans le monde végétal. Ceux qui s'y trouvaient examinaient l'ouvrage qu'ils avaient reçu, à l'exception d'Élisabeth, réfugiée dans son chagrin, et de Dolorès Sistiega, qui tenait le livre à deux mains contre le bas de son visage, comme si elle voulait le déchiffrer en respirant son odeur de colle, d'encre et de papier. « Douze exemplaires pour autant d'apôtres ! pensa-t-il en se détournant. Je me demande si c'est intentionnel. »

En avançant dans la chambre, il fut frappé comme à sa première visite par l'austérité de l'ameublement, qui évoquait une cellule de moine : la chaise unique, l'armoire basse en bois ciré, le lit aux dimensions inhabituelles où Gertrude Glück avait été transportée après sa crise, et le coffre militaire en cuir craquelé et aux ferrures de cuivre terni. L'unique fenêtre était aveuglée par une tenture rugueuse, sans couleur ni motif, qui laissait passer de chaque côté un rai de lumière dorée.

– Je fais seulement suivre les instructions du professeur, dit Tadeus en s'accroupissant devant le coffre. Il m'a parlé de sépultures de pharaons et de l'empreinte de l'esprit sur la matière, qui donnerait une âme aux choses inanimées. Je vous épargne une fois les détails compliqués, simplement il a exigé qu'on l'enterre avec cette malle. Ayayayaïe ! Il va falloir trouver une combine, parce que je me suis renseigné et c'est strictement défendu !

– Qu'est-ce que j'ai à voir dans cette histoire ? demanda Jacques en s'agenouillant pour lui prêter main-forte, car il n'arrivait pas à ouvrir la serrure.

– Il a dit comme ça que vous devriez regarder dans ses affaires avant qu'on en dispose, des fois que vous voudriez reprendre ce qui vous appartient.

– Je ne comprends pas ce qu'il... Ah, ça y est !

Le pêne s'était rétracté et ils soulevèrent ensemble le couvercle bombé. Une odeur passée de giroflée et d'eucalyptus se dilua dans la pénombre de la chambre.

– Est-ce possible ! murmura Jacques, le cœur serré. J'avais neuf ans, d'Aquino s'était enfermé dans son laboratoire à cause d'une fête organisée en son honneur. Il a ouvert ce coffre devant moi, je ne sais plus pour quelle raison...

Du bout des doigts, luttant contre le sentiment de commettre une fouille sacrilège, il souleva un chandail d'enfant, un chapeau de femme avec une voilette, un lionceau en peluche, des livres d'école aux couvertures tachées, des jouets cabossés, un éventail aux branches de nacre, une liasse de lettres retenues par un ruban de velours grenat, un accordéon nain qui, lorsqu'il le déplaça, protesta en émettant une portée de notes aigrelettes. Il prit finalement un petit cahier à couverture de toile, avec la sensation singulière que ses mains avaient reconnu cet objet bien avant sa mémoire.

– Ce sont des rêves que je lui avais donnés en cadeau, expliqua-t-il à voix basse, après avoir feuilleté les premières pages. Je n'arrive pas à croire que c'est mon écriture, par contre les dessins ont quelque chose de familier... Je ne sais pas pourquoi il vous a dit que ce cahier m'appartenait, de toute façon je le reprends en souvenir de lui. Quant à ces autres reliques, je pense que vous devriez en faire l'inventaire avec Élisabeth.

– *Lieber Gott !* Vous n'attendez quand même pas que je fasse le ménage dans ce *prikaprak* ! s'écria Tadeus en se masquant la bouche d'une main pour étouffer un fou rire.

Jacques lui lança un regard oblique, offusqué par cette hilarité déplacée. Il fut quelques instants avant de comprendre que l'autre s'efforçait en réalité de contenir un chapelet de petites plaintes aiguës, qui finirent par fuser entre ses doigts et se changèrent en un long gémissement de détresse. Il se tourna alors vers le jeune homme, en se courbant comme s'il avait reçu un coup dans l'estomac, et posa son front au creux de son épaule, le corps secoué de sanglots d'une violence extrême. Il balbutiait en français et en suisse-allemand des propos sans suite, où il était question de navire sans gouvernail, de naufrage, de bouée de sauvetage, d'île déserte et d'un orphelin qui perdait son père pour la seconde fois. Pris de court, Jacques l'étreignit gauchement, autant pour le réconforter que pour l'empêcher de s'affaisser davantage. Il avait sous les yeux le coffre ouvert sur les trésors que Jorge d'Aquino avait conservés de ses années de bonheur, et sous le nez la brosse plane et drue des cheveux blonds de Tadeus Bubenblick, qui fleuraient le shampooing à la camomille – et il se disait avec envie qu'il aurait bien voulu donner libre cours à son chagrin, lui aussi. Mais ses yeux restaient obstinément secs, cependant que la boule dans sa gorge augmentait de volume et l'étouffait.

***

En sortant de l'*hacienda*, Élisabeth était passée par sa chambre pour enfiler une veste et chausser des souliers de montagne, puis elle avait quitté le Berghof avec le *Troisième Ordre* sous le bras en prévenant qu'elle s'absentait pour la matinée.

On la revit à l'heure du déjeuner. Ses joues étaient rouges, sa chevelure en désordre et son regard brillant ; elle avait retrouvé son allant et prit place à table, après avoir serré les mains de M. Léopold et de LaRocque Prévost, puis embrassé Katja sur la joue, Jacques sur le front et Alexander sur la bouche. Elle déclara qu'elle avait fait un crochet par Stella Maris, afin de mettre les choses au point avec Anna Welikanowicz.

– Jorge a effectivement laissé des instructions pour ses funérailles, poursuivit-elle, et il a insisté pour que les enfants organisent la cérémonie comme bon leur semble. Cela dit, Anna veille au grain, on peut lui faire confiance.

– En traversant le bois, tu as mangé des fraises sauvages, remarqua Alexander. Tu devrais dire à la dame aux montres où tu les as trouvées.

– Mais de quoi parles-tu ? s'écria-t-elle, prise de court.

Jacques raconta à Élisabeth l'incident qui avait marqué le petit déjeuner. Julie Brochet avait appris le décès de Jorge d'Aquino en arrivant à la salle à manger. Quelques instants plus tard, elle causait une commotion autour d'elle en découvrant que plusieurs montres étagées sur ses bras s'étaient arrêtées à neuf heures et trois minutes. Appelée à la rescousse, Schwester Ursula avait produit une paire de ciseaux de couture et sectionné les capuchons de velours qui masquaient les autres cadrans. On avait constaté avec des exclamations de stupeur que le même phénomène s'était produit, au grand scandale de Théodore Shapiro qui avait accusé l'institutrice de fraude et d'abus de confiance. Insultée, elle lui avait répliqué qu'une telle calomnie avait des accents de louange dans la bouche d'un mythomane invétéré. L'avocat s'était levé de table en disant qu'il n'avait pas de leçon à recevoir d'une bijouterie ambulante.

Jacques connaissait les multiples précautions qui avaient été prises pour valider les résultats de cette recherche sur l'étrange pouvoir de l'institutrice, mais il n'en continuait pas moins à suspecter quelque supercherie. Qu'une seule montre se fût arrêtée à l'instant même où Jorge d'Aquino rendait l'âme, passe encore – mais douze d'un coup, non et non ! Tout en parlant, il se demandait si Élisabeth partagerait son scepticisme, mais elle le déconcerta en ne s'intéressant qu'au comportement de Théodore Shapiro.

– Tu dis qu'il est parti en colère, vraiment ? demanda-t-elle et, se levant à demi, elle fit des yeux le tour de la salle à manger. Ça m'a tout l'air qu'il a aussi boycotté le déjeuner.

– Qu'est-ce qui t'inquiète ?

– Ce n'est pas son genre. C'est un homme d'une grande délicatesse, on ne s'en rend pas toujours compte parce que ses fabulations agressent notre sens moral. Vous l'avez tous entendu parler du grand procès de sa carrière, celui de Kurt Bruchmann, ce criminel de guerre nazi condamné pour des atrocités commises en Grèce. Or tout ce qu'il raconte sur cette affaire est exact, à un détail près : il n'était pas le procureur chargé de l'accusation, mais l'avocat de la défense. On l'avait nommé d'office, et il s'est acquitté de sa fonction de façon exemplaire. Les premiers signes de sa mythomanie se sont manifestés peu après, et Jorge était d'avis que sa raison avait vacillé en approchant le mal de trop près...

– Bonté ! Chaque heure passée au Berghof me fait regretter davantage de n'y être pas venu plus tôt ! s'exclama LaRocque Prévost, dont le poil roux avait repris sa pleine charge d'électricité. Ce M. Shapiro m'a fait hier soir le récit passionnant de ses rencontres avec Charles de Gaulle, alors qu'il agissait au début des années soixante comme intermédiaire entre l'Elysée et le GPRA, pour organiser les pourparlers secrets qui ont abouti aux accords d'Evian. Je l'ai relancé, car l'histoire est une de mes marottes, et j'ai peine à croire que les remarquables précisions qu'il m'a données sont de pures inventions !

– Le cas Shapiro nous a posé un joli problème déontologique ! dit Élisabeth avec cette vitalité qu'elle manifestait chaque fois qu'on parlait boutique. Pour nombre de psychologues, à commencer par Claparède, la fonction principale de l'intelligence est l'adaptation à la réalité. Jorge trouvait cette définition trop restrictive, l'adaptation étant à ses yeux la fonction primaire, et le questionnement la fonction supérieure. Selon lui, le but ultime des intelligences évoluées est de transcender le réel – toute activité créatrice ne vise-t-elle pas la métamorphose de ce qui *est ?* Théodore Shapiro est un artiste en son genre : alors que les gens dits normaux s'adaptent tant bien que mal à la réalité au détriment de leur confort intérieur, il s'efforce, lui, d'adapter la réalité à ses désirs. Fuite du réel, bien sûr, mais *fuite de qualité !* Au lieu de s'étourdir dans le travail, le valium ou l'alcool, en faisant payer la note à son entourage, il se réfugie dans l'utopie et demeure l'une des personnalités les plus affables du Berghof ! Alors, Petit Prince, tu comprends pourquoi cette algarade au petit déjeuner me préoccupe ?

– Les vrais mythomanes trouvent généralement le point de départ de leurs fables dans la réalité, dit Katja pensivement. M. Shapiro m'a expliqué un jour que la Fondation Delphi était en fait un écran utilisé par la mafia et les trafiquants de drogues pour « blanchir de l'argent », selon un procédé dont les Suisses ont le secret. Je me suis informée auprès de Tadeus et d'Élisabeth sur le financement du Berghof, mais je n'ai reçu que des réponses évasives. Or, ce matin, le professeur parlait dans son enregistrement d'un certain Bierens de Haan...

Élisabeth s'apprêtait à répliquer, mais M. Léopold la devança d'autorité.

– Le port du masque n'a jamais été votre prérogative exclusive, dit-il à Katja. Cependant, dans mon cas, je dirais plutôt que je retirais le mien en arrivant à Davos, mais l'effet recherché était le même. Mon patronyme empêche les gens d'établir avec moi une relation spontanée. Gertrude Glück l'a imprudemment prononcé lors de ma première rencontre avec notre ami Jacques – dans le train, vous en souvenez-vous ? Par bonheur, le nom de Bierens de Haan n'a pas grande signification pour des oreilles canadiennes.

– Je ne vous le fais pas dire ! s'exclama LaRocque Prévost.

– C'est le nom d'une chaîne de grands magasins en Belgique et en Hollande, intervint Élisabeth, qui semblait penser que son explication serait plus expéditive que celle du principal intéressé. C'est aussi une multinationale pour le commerce des métaux précieux, avec des investissements dans les transports routiers et les marchés de l'alimentation. A l'origine, les Bierens de Haan ont amassé leur fortune au Congo belge où, dans l'entre-deux-guerres, ils possédaient près de la moitié des terres diamantifères de Mbuji-Mayi. M. Léopold est le dernier descendant de cette dynastie, et c'est à son instigation que Jorge est venu poursuivre ses travaux en Suisse. Par modestie, il nous a demandé de tenir son rôle de mécène sous silence.

– Que voilà une belle image d'Épinal ! dit M. Léopold, la mine sévère. Je dispose en effet de revenus confortables, pour employer un euphémisme. Toutefois, si j'ai demandé que mon incognito soit respecté au Berghof, ce n'est nullement par modestie, mais pour des raisons d'hygiène mentale. Vous ne sauriez croire à quel point le comportement des gens à votre égard se modifie dès qu'ils savent que vous êtes riche ! J'ai connu des hommes d'une indépendance d'esprit exemplaire, qui auraient gardé leur naturel en présence d'une star de cinéma ou d'un chef d'État, mais qui se laissaient impressionner de la façon la plus singulière par ma fortune. Élisabeth me présente comme un philanthrope, alors que mon rôle dans la Fondation Delphi a été à l'origine de tirer les sonnettes. D'autres financiers se sont joints à moi pour investir dans cet organisme de recherche. Je n'ai pas essayé de les convaincre des bénéfices que la psychosynergie pouvait apporter à l'humanité, ce qui a toujours été ma propre motivation, je me suis contenté de leur démontrer les avantages d'une couverture honorable pour justifier certaines transactions bancaires en Suisse. Katja a raison, les spéculations de M. Shapiro ne sont pas entièrement gratuites, abstraction faite de ses fantasmes de gangsters et de mafiosi ! Depuis quelques années, je me consacre de plus en plus aux affaires de la Fondation, et je m'en félicite. Vous serez peut-être scandalisés d'apprendre que j'ai mis à profit mes informations privilégiées sur le Grand Déclin pour réorganiser mes finances de fond en comble, en prévision de l'effondrement de la Bourse et de la flambée imminente du prix de l'or. En fin de compte, je serai ruiné comme tout le monde, simplement je vais tenir plus longtemps que les autres – et le Berghof avec moi. Si les informations que M. LaRocque Prévost a reçues d'Akuliarmiut se confirment, l'humanité est entrée dans *un monde sans durée*, c'est-à-dire dans un monde qui est l'antithèse du système économique international. Sans une reprise du cycle des naissances à court terme, le cataclysme est inévitable, et il se produira à l'échelle planétaire.

Alexander se pencha pour prendre une brioche, l'examina en la tournant entre ses doigts, puis la rompit et la porta à son visage pour en respirer l'odeur.

– On ne trouvera plus d'aussi bon pain, dit-il avec un soupir.

La condition de Bertha Moll ne s'était pas améliorée au cours de la nuit, et le Dr von Haller avait téléphoné à l'hôpital de Davos pour demander à un confrère de le rejoindre au Berghof, afin de s'assurer une seconde opinion. L'examen clinique n'avait pas révélé de fracture ni de lésion majeure, la sensibilité superficielle et les réflexes semblaient normaux, par contre le tonus musculaire continuait de présenter un relâchement inexplicable – ce que Tadeus avait décrit la veille en disant que Bertha « se laissait aller comme une pattemouille ». Elle n'était d'ailleurs pas sortie de son état de confusion profonde, émettant des mots sans suite et des gémissements sans fin, et bientôt des râles, alors que se manifestaient les premiers troubles respiratoires. Jacques avait été sceptique, au début de son séjour, en entendant raconter que la Mollosse était obligée de dormir dans un fauteuil pour ne pas être étouffée par son propre poids. C'était pourtant ce risque qui inquiétait le Dr von Haller, qui avait placé sa malade sous assistance ventilatoire et envisageait de l'immerger une heure ou deux par jour dans le caisson d'isolation sensorielle, pour la soulager d'une partie de son fardeau et donner à son cœur quelque répit.

Les nouvelles concernant Bertha Moll avaient été accueillies avec un mélange de gêne crispée et de réprobation par plusieurs pensionnaires du Berghof, qui paraissaient aussi incapables de feindre une quelconque sympathie à son endroit que de se réjouir ouvertement de son malheur. Ils n'en laissaient pas moins percer une sorte de reproche voilé, comme s'ils la soupçonnaient de s'être rendue infirme dans le seul dessein de jouer les trouble-deuil et, comme un monstrueux parasite, de chercher à détourner à son profit une partie de la douleur et de la consternation causées par la mort de celui qu'elle avait toujours appelé « le Maître », avec une soumission vindicative et hargneuse.

Katja, qui ne s'était pas manifestée de la soirée, rejoignit Jacques dans sa chambre peu avant minuit, sans offrir d'explication. Elle se montra d'une humeur capricieuse, lisant des ouvrages savants qu'elle annotait en poussant des soupirs de désapprobation, et refermait bruyamment. Il fit quelques tentatives pour savoir ce qui la tracassait, puis se résigna et reprit son travail. Son projet était de rédiger un mémoire sur le rôle et le dessein de Sedna dans le déclenchement du Grand Déclin, mais il avait décidé de se restreindre dans un premier temps à une suite de notes brèves, afin de ne pas s'épuiser à combattre ce blocage à l'écriture qui l'avait empêché de tenir régulièrement son journal depuis le début de l'été.

Jacques était certain que Katja ne passerait pas la nuit avec lui, pourtant elle s'étendit tout habillée sur le lit après l'avoir embrassé rapidement dans le cou. Cinq minutes plus tard, elle dormait à poings fermés.

Il travailla une autre heure, puis s'allongea près d'elle et l'observa pendant quelques instants, mais le sommeil restituait trop d'enfance à ses traits et il se hâta d'éteindre la lumière.

Elle le réveilla dans la nuit en lui secouant l'épaule :

– Jacques ! lui souffla-t-elle d'une voix effrayée. Il y a quelqu'un sur le balcon !

Il se dressa sur son séant, l'esprit brumeux, et se préparait à la rassurer lorsqu'une ombre s'encadra dans l'embrasure de la porte vitrée.

– Qui est là ? demanda-t-il en cherchant à tâtons le cordon de la lampe.

– C'est moi, dit la voix d'Alexander.

– Qu'est-ce qui se passe ? Comment es-tu entré ?

La haute silhouette se déplaça sans bruit dans la pénombre et vint s'asseoir sur le bord du lit.

– J'étais dehors, reprit la voix calme. Quand il fait nuit, le ciel gagne en profondeur. Pourquoi ne m'as-tu jamais parlé des trous noirs ?

Comme influencé par la question, Jacques renonça à presser le commutateur de la lampe.

– Des trous noirs ? murmura-t-il, éberlué. Que veux-tu dire ?

– Je désire savoir s'ils sont réels ou s'ils n'existent qu'en théorie. C'est important.

– Vous auriez pu me le demander ! intervint Katja d'une voix neutre. C'est un sujet que je connais bien.

Jacques se tourna vers elle et, bien qu'il ne pût distinguer son expression, il eut l'intuition qu'elle était hostile.

– Je vous écoute, dit Alexander.

Elle fit un exposé magistral, que Jacques se garda d'interrompre, même s'il pensait que la curiosité de son père aurait été satisfaite par une explication moins exhaustive.

– Liz m'a raconté l'histoire de cette Mme Moll, déclara Alexander après que Katja eut fini de parler. Cette femme a commis autrefois des actes d'une grande cruauté, mais l'attitude de Jorge à son égard m'a laissé perplexe. Comme je n'arrivais pas à m'endormir, j'ai pensé aux trous noirs. J'avais besoin d'être rassuré sur leur existence.

– Je ne vois pas le rapport, dit Jacques.

– Bertha Moll est un trou noir, la lumière ne peut s'échapper d'elle. Cependant la lumière est là, captive. C'est un soulagement de savoir que ce n'est pas seulement une théorie. Jorge a raison de prétendre qu'il ne faut pas ignorer l'existence du mal, mais il a eu tort de garder ses distances. Cette malheureuse femme a des choses à nous révéler, qu'elle ne peut plus nous dire, et que de toute façon elle ne connaît pas.

– Tu crois qu'elle va s'en sortir ?

– Non, mais je sais où elle se trouve. Je suis resté là-bas douze ans.

La silhouette se déplia et s'éloigna vers la porte, glissant dans la pénombre avec fluidité. Katja se pencha par-dessus Jacques et alluma la lampe de chevet.

– Élisabeth vous a parlé de moi ? demanda-t-elle en s'adossant contre la tête du lit.

Les yeux clignotants, Alexander s'immobilisa et considéra la jeune fille comme s'il la voyait pour la première fois.

– Elle vous aime, répondit-il enfin. Votre intelligence l'impressionne beaucoup, mais elle n'a pas pu me dire l'usage que vous vouliez en faire.

Katja se leva vivement, prit sur la commode le calepin de cuir rouge et le lui tendit, ouvert à la page du contrat signé avec Jacques.

– Voici la réponse ! dit-elle. Vous m'avez fait comprendre l'autre jour que je devais me décider entre l'amour et l'immortalité. J'ai choisi l'amour ! Vous ne me croyez pas ?

Elle l'apostrophait, irritée par l'intensité de son regard.

– Si vous avez choisi l'amour, pourquoi n'êtes-vous pas heureuse ? demanda-t-il sans trace d'ironie ; puis il ajouta, après avoir posé les yeux sur le calepin : Vous voulez porter le premier enfant de l'Ultime Alliance...

Elle le toisa fièrement, puis acquiesça d'un signe de tête. La physionomie d'Alexander fut assombrie par une expression inhabituelle de contrariété et de chagrin.

– C'est un non-sens, affirma-t-il gravement. Comment pourrait-il y avoir de premier enfant si l'humanité veut repartir à neuf ?

– Vous ne savez pas ce que vous dites ! s'écria-t-elle en lui arrachant le calepin. Personne ne m'empêchera de réussir !

Elle lança un regard de colère vers le lit et sortit de la chambre en claquant la porte.

– Je suis désolé, dit Jacques en se levant pour s'approcher de son père. J'aurais peut-être dû intervenir, mais je ne... Katja n'est plus elle-même, quelque chose la travaille, et je donnerais cher pour savoir ce que c'est !

– Elle a peur de toi, mon garçon ! dit Alexander.

***

Jacques était tourmenté par les tensions croissantes qui affectaient sa relation avec Katja. Il avait fait plusieurs tentatives dans la matinée pour provoquer une explication, mais elle s'était dérobée sous des prétextes qu'elle récitait sans conviction, le regard malheureux. Elle fit irruption dans sa chambre à l'heure de la sieste et se jeta sur lui, l'embrassant à bouche que veux-tu en gémissant, s'agrippant à son cou avec une panique de noyade, ouvrant son chemisier et le prenant au poignet pour lui faire toucher ses seins. Elle le quitta presque aussitôt, sans un mot, s'appropriant au passage le caillou noir de Serguei Tchakalov.

Une heure plus tard, de son balcon, il la vit qui traversait la grande terrasse ; il l'appela mais elle détourna la tête, faisant celle qui n'avait pas entendu.

En fin d'après-midi, il monta frapper à sa chambre, décidé à mettre les choses au point. Elle mit du temps à lui ouvrir, et sembla hésiter à le laisser entrer. Elle avait relevé ses cheveux et troqué son chemisier et sa jupe plissée contre une robe noire sans manches en tricot de coton, et s'était légèrement maquillée.

– Viens, aide-moi ! dit-elle. Mais ne pose pas de questions.

Elle se détourna pour aller s'agenouiller près de la fenêtre et ramasser les livres et les papiers qui jonchaient le plancher. Sa chambre n'était pas aménagée comme celle de Jacques. Le lit était placé le long du mur, le fauteuil au dossier articulé près de la porte et, pour sortir sur le balcon, il fallait contourner la longue table de bois qu'elle avait fait descendre du grenier pour travailler à l'aise. Mais la plupart de ses affaires étaient éparpillées sens dessus dessous dans la pièce, le clavier de l'ordinateur pendait dans le vide au bout de son fil, des bibelots avaient été brisés et des cahiers déchirés. Jacques comprit qu'elle avait tout envoyé valser dans un accès de colère, et qu'il était arrivé au moment où elle s'activait à réparer les dégâts. Il s'accroupit sans rien dire pour lui donner un coup de main. Le vase où elle avait mis le bouquet de Sigmund était renversé au pied de la table de chevet, et un lot de photographies flottaient dans la flaque d'eau. Il les prit une à une et les posa délicatement sur le lit, découvrant avec surprise que la plupart étaient des instantanés de lui : en compagnie de Christopher à l'école de deltaplane ; sirotant en solitaire un expresso à la terrasse du Belvédère ; sortant du Schweizerische Kreditanstalt aux côtés de M. Léopold ; à contre-jour dans la salle à manger du Berghof, où il tenait les mains de Dolorès Sistiega.

– Et moi qui croyais que Didier était le seul agent du Spectror en mission à Davos, dit-il. Tu es habile, je ne me suis jamais aperçu de rien.

– Tu es tellement dans la lune ! dit-elle à quatre pattes sous la table.

Troublé, il ne pouvait détacher les yeux de deux photographies. L'une avait été prise le lendemain de son arrivée, il se trouvait sur la grande terrasse avec la chemise qu'il avait jetée après son hémorragie dans la forêt. « Je comprends ce que William Fowler doit éprouver en voyant son double, pensa-t-il. Je regarde cette photo et je n'arrive pas à me reconnaître en ce personnage. Comment est-ce possible de changer autant en si peu de temps ? » Il se posait la même question en examinant avec incrédulité le petit portrait durement contrasté d'une gamine au visage frondeur, pris dans une cabine automatique. Katja avait eu raison : il ne se serait pas approché d'elle si elle n'avait eu son masque.

– Comment ça s'est passé avec Frankenthal ? demanda-t-il en l'aidant à mettre des photocopies dans une chemise cartonnée.

– C'était hier, répondit-elle sur un ton qui laissait entendre que beaucoup d'eau avait coulé sous les ponts. Il voulait s'excuser de ne pas m'avoir reconnue à Stella Maris au moment des présentations. Il m'a avoué que... que je le bouleversais. Il a une fille de seize ans qui file un mauvais coton, la drogue et tout le reste, et il m'a dit que je représentais tout ce qu'il avait rêvé pour elle. Il croyait peut-être me faire plaisir... De toute façon, il voulait me voir pour autre chose.

– On peut savoir ?

– Quelque chose le tarabustait dans les explications de Jorge d'Aquino... Pourquoi la conscience collective serait-elle subitement intoxiquée par l'angoisse humaine ? C'est une bonne question ! Les atrocités du Farghestan nous ont mis l'âme à l'envers à cause de leur actualité, mais ça ne veut pas dire que notre époque a le monopole des injustices et de l'horreur... Les communications n'étaient pas aussi développées au temps de la peste noire ou de l'Inquisition, mais la somme de souffrances que...

Un coup frappé à la porte la fit s'interrompre, et elle se leva pour ouvrir. Teresa Vincenti souriait aux anges dans le corridor sombre. Voyant que Katja n'était pas seule, elle recula d'un pas.

– Mille excuses, je repasserai ! dit-elle avec son accent qui chantait doux. D'après M. Bubenblick, vous me cherchiez en bas et j'ai cru bien faire...

– Entrez, j'insiste ! dit Katja en lui prenant le bras avec vivacité.

Mlle Vincenti s'avança à pas pieusement comptés et, refusant le fauteuil qui lui était offert, s'assit sur l'extrême bord de la chaise de bois, à côté de l'armoire. Ses cheveux blancs convergeaient sagement vers un chignon serré, et des poches sombres sous les yeux noirs accentuaient la maigreur tragique de son visage.

– Ainsi vos destinées se sont jointes ! dit-elle en dévisageant Jacques et Katja avec une expression émerveillée. *È una grande felicità a cui mi unisco con tutto il cuore !**

Jacques fit un effort pour sourire. La réaction de Katja lui avait fait mal : elle avait paru si soulagée de faire entrer la vieille demoiselle, pour n'être plus seule avec lui !

– M. Shapiro m'a assuré cet après-midi que ma conversation à table avec M. LaRocque Prévost vous a offensée, dit Katja, surtout lorsque j'ai prétendu que Iahvé et Sedna étaient une seule et même entité.

– L'ami Théodore est incorrigible ! Pourquoi aurais-je été offensée ? Ce sont là des questions qui me dépassent. Tout ce que je connais de Dieu me vient de la parole du Christ. Ce n'est peut-être pas la seule voix autorisée dans l'univers, mais c'est celle que j'ai entendue alors que je cheminais, et elle a guidé mes pas depuis lors. Pour le reste, vous êtes mieux placée que nous tous pour répondre.

– Que voulez-vous dire ? demanda Katja en tressaillant.

– *Cose molto semplici, ve lo assicuro !*** Dès nos premières rencontres je me suis fait ma petite idée à votre sujet. Vous êtes d'une grande intelligence, n'est-il pas vrai ? On dit même que vous êtes un génie comme on en rencontre une fois le siècle ! Je vous le rapporte sans détour, car vous n'êtes pas vaniteuse, et ma foi cette qualité m'impressionne plus que tout ce que vous avez dans la tête ! Avant de devenir le Christ, Jésus était un génie, lui aussi.

– Oui, dit Katja, qui renchérit aussitôt avec une intonation particulière : Oui, *bien sûr !*

* C'est un grand bonheur, auquel je m'associe de tout cœur !

** Des choses toutes simples, je vous assure !

Elle répondait à la lointaine conclusion du raisonnement, avant même d'avoir entendu le début de l'explication.

– Jésus avait douze ans quand il est allé deviser au temple avec les docteurs et les sages, poursuivit Mlle Vincenti en levant vers Katja son regard lumineux. Ensuite ce fut un long silence avant qu'il ne réapparaisse sur la place publique, vers sa trentième année. Or qu'avez-vous fait en vous réfugiant au Berghof, si ce n'est de cacher votre précocité sous un masque ?

– Le Christ était un mystique, murmura Katja, émue par cette évidence insoupçonnée. Les sottises de la religion ont réussi à détourner mon attention vers la statue au détriment du modèle... Vous avez raison, le génie est omniprésent, aussi bien dans ses paroles que dans ses actes. Sa solitude morale a dû être effroyable ! Regardez son acharnement à concrétiser l'inexprimable, à inscrire dans le quotidien une pensée foncièrement révolutionnaire ! Et, bien entendu, vous croyez que le Christ est entré en contact avec la conscience collective...

– Il n'était pas encore le Christ à ce moment-là ! dit Teresa, avec autant de spontanéité que si la discussion avait porté sur un de leurs amis communs. Le révérend LaRocque Prévost a parlé des divers moyens de provoquer des états de transe ou d'extase, mais il a oublié la privation de nourriture qui, lorsqu'elle se prolonge, provoque des effets hallucinatoires bien connus.

– Les quarante jours de jeûne dans le désert ! s'écria Jacques qui ne s'ennuyait plus.

– *Si, molto bene !* Jésus fut conduit par l'Esprit à travers le désert, où tous les règnes du monde lui apparurent en une vision aérienne fulgurante, transcendant les lois de l'espace et du temps. Savez-vous, Katja, j'ai du mal à ne pas faire le rapprochement avec ce que vous m'avez confié de votre rencontre avec Sedna !

– Pourquoi dites-vous qu'il n'était pas encore le Christ ? demanda-t-elle vivement.

– Vous ne l'avez pas compris, pour de vrai ? répondit Teresa avec une surprise qui n'était pas feinte. Jésus est *devenu* le Fils de Dieu, il nous a ouvert la voie royale en prenant à son compte la souffrance de l'humanité. Il n'est pas facile à suivre ni à imiter, je le concède, mais je cesserais d'essayer si on me prouvait qu'il était le Christ dès sa naissance. Ce serait la contradiction absolue de tout son enseignement.

– Mais que faites-vous du récit de la Nativité ? objecta Jacques. Et des autres passages des Évangiles qui nous disent que...

Teresa Vincenti l'interrompit d'un rire frais et cristallin :

– Ne me parlez pas de cette fable de l'Immaculée Conception ! *Che idea assurda !** A mon cœur ne sont vérités que les propos tenus par le Christ lui-même, et encore faut-il comparer entre les témoignages des évangélistes – ce n'est pas pour rien s'ils étaient quatre ! Jean, le plus intelligent d'entre eux, a rédigé son évangile après avoir lu ceux de Matthieu et de Luc, et s'il ne dit mot de la naissance de Jésus, qui était après tout son cousin germain, ce n'est certes pas par négligence ! Dommage qu'il n'y ait pas eu de femmes au nombre des évangélistes, le rôle de Marie aurait été traité avec plus de discernement. De toute façon, le Christ n'a jamais entériné les coquecigrues sur ses origines, et cela suffit à ma paix !

Jacques et Katja échangèrent un regard et, à retardement, firent chorus à la gaieté iconoclaste de Mlle Vincenti. « Des coquecigrues ! pensait Jacques. Mais où est-elle allée dénicher cette expression ? Il faudra que je la refile à Didier, il va en faire ses choux gras ! »

– Je vous cherchais tout à l'heure pour vous demander un service, dit Katja en lui présentant le caillou en forme de noix qu'elle avait emprunté à Jacques. C'est un cadeau de M. Tchakalov, qui a demandé qu'on « le rende aux dieux ». Pouvez-vous nous aider à comprendre ce qu'il voulait dire ?

Teresa tendit la main avec un sourire de confusion, protestant qu'elle n'avait malheureusement pas les merveilleux talents de « notre regrettée Gertrude ». Elle sursauta et se tut en regardant sa paume avec incrédulité, comme si le contact de la pierre l'avait brûlée.

– Je sens quelque chose, murmura-t-elle en refermant craintivement ses doigts. *Viene da lontano !***

Katja poussa une exclamation et lui prit le poignet. Des taches roussâtres d'inégale grosseur apparaissaient l'une après l'autre sur la peau diaphane de l'avant-bras, au-dessus de l'entrelacs des veines bleutées.

– C'est stupéfiant ! murmura Jacques. Mais qu'est-ce que ça veut dire ?

– Je l'ignore, répondit la vieille demoiselle avec une manière de pudeur effarouchée. Je ne tire pas la moindre fierté de ce genre de

* Quelle idée biscornue !

** Ça vient de loin !

phénomène, croyez-le ! Je me prête à cette expérience pour vous obliger, et parce que vous m'êtes tous deux très sympathiques.

– Serguei t'a donné le cœur d'un météorite ! déclara Katja après un silence. C'est tout ce qui en est resté après la traversée de l'atmosphère.

– Comment peux-tu être aussi affirmative ?

Elle montra des yeux la dizaine de taches qui constellaient l'avant-bras de Teresa Vincenti.

– Le gros point au centre figure le soleil, dit-elle d'une voix troublée, et les planètes sont représentées à la position qu'elles occupent actuellement dans le ciel. Teresa a raison, le cadeau de Serguei vient de loin !

Mlle Vincenti tendit l'objet au jeune homme comme si elle avait hâte de s'en défaire, maintenant qu'elle mesurait la course infinie qu'il avait parcourue dans le cosmos pendant des millénaires avant d'atterrir dans sa main. En recevant le caillou, Jacques eut l'impression qu'il était plus froid que la veille, et que son poids avait encore augmenté.

Élisabeth travaillait dans son laboratoire, assise devant une douzaine de rubans de papier qui ressemblaient à des électrocardiogrammes, et qu'elle avait déroulés sur toute la longueur du bureau.

– Je te dérange ? demanda Jacques.

– Oui, et c'est tant mieux. Je ne sais plus si je tourne en rond ou si je progresse en spirale ! Et toi ? Tu devrais être couché à cette heure !

– Tu peux parler ! dit-il en s'asseyant en face d'elle. J'ai vu briller la lumière au rez-de-chaussée, je suis descendu à tout hasard. Je t'admire, tu sais !

Elle retira les lunettes d'écaille qui lui mangeaient le visage et pencha la tête sur le côté.

– Il y a longtemps que tu ne m'as pas fait de compliment, ça m'a manqué ! dit-elle avec douceur. Et qu'est-ce qui me vaut cette déclaration ?

– Tu continues tes recherches, répondit-il, pourtant tu es la première à dire que le Grand Déclin va provoquer un tel chambardement dans le monde que toutes les...

– Arrête, tu n'y es pas du tout ! Je ne suis pas à l'abri du découragement, en voilà une idée ! J'ai eu mon moment de déprime, et puis j'ai regardé tous ces équipements perfectionnés qui m'ont servi à analyser et à mesurer le fonctionnement du cerveau, et je me suis dit qu'ils devaient jouer à présent un rôle plus actif... Ton père m'a aidée, je ne m'y attendais pas. Sais-tu qu'il s'intéresse beaucoup aux ordinateurs ? Il prétend que ce sont nos alliés, qu'ils vont dans la même direction que nous ! Quel homme !

– Es-tu en train de me dire que tu es sur une piste ? demanda-t-il en montrant les papiers étalés devant elle.

– Oui et non... La technologie a fait d'immenses progrès depuis l'époque du Bateson : plus besoin d'implanter des microsondes dans le rhinencéphale pour capter les rythmes *epson* et *epsilon*. Ce que tu vois là, ce sont les tracés simultanés de l'activité des régions profondes du cerveau pendant le sommeil, alors que l'inconscient communique avec Sedna. Ils proviennent de douze volontaires répartis dans diverses régions du globe. Les enregistrements sont relayés par télématique à cet ordinateur, qui les analyse et les compare...

– Un réseau de rêveurs ! s'exclama Jacques. Ma parole, tu donnes dans la poésie ! Et qu'as-tu découvert ?

– Jusqu'à présent, presque rien ! dit-elle sans émotion. Le projet dure depuis six mois, mais ces graphiques resteront sans signification pour nous aussi longtemps que nous n'aurons pas trouvé notre pierre de Champollion pour les décrypter !

Elle ajouta que la psychanalyse proposait une théorie et des techniques pour interpréter le discours onirique, sans expliquer pour autant la nature même du rêve, l'architecture biscornue de ses constructions, sa permanente confusion entre le présent et le passé, entre les vivants et les morts. Ni Freud, ni Jung n'avaient dit pourquoi les caractéristiques du rêve différaient à ce point du cheminement de la pensée consciente, ni pour quelle raison elles étaient universelles et transcendaient les différences culturelles liées à l'espace et au temps. De fait, les êtres humains à la surface de la terre ne rêvaient pas aux mêmes choses, pas plus que les générations de dormeurs au cours des siècles, mais tous rêvaient de la même façon, et tous parlaient avec Sedna une langue archaïque universelle, sans syntaxe ni vocabulaire, faite d'un amalgame de symboles à l'état pur, dont les origines remontaient à la nuit des temps – la langue maternelle de l'humanité ! Au profond du sommeil, ce langage était compréhensible à tous, et ésotérique pour chacun à l'état de veille.

Et quel était le rapport entre cette symbolique et la signature nerveuse de l'oscillographe ? Mystère !

– Tu as dit que tu n'avais « presque rien » trouvé...

– Ces rubans couvrent une semaine d'activité *epsilon*, répondit-elle, à raison de dix minutes d'enregistrement par nuit. Et, tu vois, la même perturbation s'est manifestée ici dans le tracé des douze rêveurs. J'ignore ce qu'elle signifie, et pourquoi cette courbe plutôt que celle-là, mais je sais qu'elle s'est produite dans les heures qui ont suivi le massacre des enfants de Rhages...

Médusé, Jacques attendit la suite de l'explication, mais Élisabeth balaya l'air de sa main avec impatience, comme si elle se reprochait d'en avoir trop dit.

– Et toi, Petit Prince, où en es-tu ? demanda-t-elle vivement. J'ai entendu dire que tu prépares un mémoire sur l'Ultime Alliance. A ce sujet, j'ai une proposition à te faire. Comme tu le sais, M. de Preux doit avoir l'autorisation de la Fondation Delphi avant de faire un nouveau tirage du *Troisième Ordre*. L'ouvrage contient déjà le texte de la communication de ton père au congrès de San Francisco, et le chapitre sur la genèse de Sedna, par LaRocque Prévost. Pourquoi ne pas attendre que ton travail soit achevé pour l'intégrer au livre, comme une sorte de codicille au testament de Jorge ?

– Je ne suis pas d'accord, dit Jacques. L'explication du Grand Déclin et du dessein de Sedna ne trouverait pas le moindre écho dans le tohu-bohu qui accompagnera la fin de ce que d'Aquino a appelé l'« ère du tout-venant ». Quand nous sommes restés seuls avec lui, Katja et moi, il nous a fait comprendre que le jour où un couple se présenterait avec un enfant nouveau-né, dans un monde frappé de stérilité depuis des mois ou des années, un grand silence se ferait sur toute la terre pour écouter les termes de l'Ultime Alliance... Comme tu t'en doutes, Katja est déterminée à relever le défi !

– Et toi, tu veux l'aider à réussir.

– Mais... évidemment ! dit-il. Pourquoi tu me demandes ça ?

Elle se leva pour faire le tour de son bureau et venir s'asseoir à côté de lui.

– Ce n'était pas une question, dit-elle. C'est important pour Katja d'être la première en tout, et c'est important pour toi de la rendre heureuse. Mais les deux choses ne sont pas forcément liées, ni même compatibles... Quand tu es entré tantôt, je me suis dit que tu venais me parler d'elle.

Elle tendit le bras et posa la main sur sa cuisse, paume ouverte vers le haut. Il la prit et, avec une crispation intérieure, il se vit en imagination tombant à ses pieds et posant la tête sur ses genoux, pour se faire caresser les cheveux comme au temps du Bateson.

– C'est vrai, j'ai besoin de ton conseil ! dit-il. Katja et moi, on est dans les montagnes russes depuis mon retour, et j'ai de la peine à le supporter ! Qu'est-ce qui nous arrive ?

– Il arrive que sa tête et son cœur ne font pas bon ménage ! dit-elle. Son intelligence prodigieuse est au service de sa raison, pour appréhender la réalité extérieure, visible et invisible – mais elle ne lui est pas d'un grand secours pour démêler ses sentiments et en résoudre les contradictions ! Intellectuellement, Katja n'a pas d'âge, elle est hors catégorie ! Mais affectivement, c'est une adolescente : ses émotions, ses impatiences, ses élans sont dictés par les forces jaillissantes et désordonnées de son cœur... Elle t'a voué dès le premier jour une passion idéalisée et exclusive, qui était sans danger tant qu'elle ne prenait pas corps dans le réel.

– Sans danger ? s'écria Jacques. C'est donc ça ? Mon père m'a affirmé que Katja avait peur de moi, mais il n'a pas su m'en dire davantage. Eh bien ?

– Elle est arrivée ici l'autre jour en état de panique : elle avait voulu poursuivre une réflexion en mécanique quantique, entreprise au début de l'été, et elle venait de se rendre compte qu'elle ne comprenait plus ses propres notes ! Elle m'a suppliée de lui faire passer des tests psychométriques, imagine-toi ! Il faut que tu le saches : elle est obsédée par la crainte que son intelligence finisse par se détériorer, par subir cette dégénérescence précoce de l'*ihuma* dont Jorge a si souvent parlé... Katja n'a pas encore réglé ses griefs contre le monde des adultes, qui s'est montré si obtus et intolérant à son égard. Au fond d'elle-même, elle a encore de la peine à nous faire confiance...

– Et moi, qu'est-ce que je viens faire là-dedans ? murmura-t-il.

De sa main libre, Élisabeth caressa la joue de Jacques, comme pour atténuer la cruauté de sa réponse :

– Toi, tu personnifies sa hantise ! Elle a peur d'être contaminée en t'aimant, peur que l'extase médiatrice ne se fasse à son détriment, peur que ton intelligence exerce un effet d'entropie sur la sienne... Et, par-dessus tout, elle a peur de te perdre en te le disant !

– C'est insensé ! s'écria-t-il en se levant avec indignation. Tu ne crois quand même pas qu'elle a raison !

– Je crois que vous vous aimez, dit-elle en se dressant à son tour. Et je connais Katja : elle apprend vite et elle n'abandonne jamais !

Elle retira de son poignet le bracelet en argent aux deux petites têtes de lionne, et le lui remit avec un sourire complice.

– Le soir de ton arrivée, tu m'as avoué qu'au Bateson j'étais ton idole, et que tu te cachais pour me voir passer... Chaque fois que j'y repense, ça me remue ici.

– Pourquoi me le rends-tu ? demanda-t-il.

– C'est un talisman, tu l'as dit toi-même ! J'aimerais qu'il te garde toujours secrètement amoureux de moi.

Ils échangèrent un long regard, limpide et chaud. Puis un frémissement malicieux courut sur les lèvres d'Élisabeth.

– Je n'en ai pas parlé à Katja, dit-elle, mais à toi je peux le dire : je suis dans la course ! Enfin, c'est une façon de parler, parce que l'ordre d'arrivée m'est complètement égal !

– Tu veux dire que mon père et toi...

– J'ai trente-huit ans, Petit Prince, qu'est-ce que tu crois ! Tu m'excuseras, mais Didier est plus dégourdi que toi ! Il m'a déjà demandé d'être le parrain, au cas où...

Ils sortirent du laboratoire. Avant de fermer la porte, Élisabeth se pencha pour éteindre les lumières. Dans le noir, elle déposa un baiser poids plume sur la bouche de Jacques.

17

A la fin de la matinée, en descendant l'escalier circulaire du grand hall, Jacques tomba sur son père qui était arrêté au milieu de la première volée de marches avec le magnétocassette d'Élisabeth sous le bras et contemplait le caoutchouc géant, dont les dernières feuilles atteignaient à présent le palier du deuxième étage.

– Impressionnant, tu ne trouves pas ? dit-il après l'avoir embrassé avec une spontanéité qui le surprit lui-même. Tout va bien ? Je suis resté dans ma chambre pour travailler à un projet dont j'aimerais te parler un de ces jours...

– C'est une plante décorative, répondit Alexander. Elle s'effondrerait si on lui ôtait ses tuteurs. Jean-Baptiste nous disait ce matin que le mot *Inuit* signifie en esquimau : « l'homme qui se tient debout ». Liz est descendue avec lui au village. J'ai suivi leurs explications, mais ça ne marche pas. Veux-tu m'aider ?

– Bien sûr ! Pour quoi faire ?

Alexander s'assit sans cérémonie sur une marche de l'escalier, posa l'appareil sur ses genoux et tenta sans succès d'y placer une cassette.

– Tu la mets à l'envers, dit Jacques en se penchant pour lui montrer comment faire. La partie découverte du ruban doit toucher la tête de lecture, tu comprends ?

– A Zurich, quand nous attendions le train, tu m'as prêté ton walkman. La cassette s'enfilait dans le bon sens.

– Tu as raison, mais pour ce modèle le bon sens est à l'envers.

– C'est un manque de respect envers les gens, déclara-t-il avec sévérité.

Alexander pressa sur une touche, et une sonnerie de trompettes éclata dans le puits de l'escalier.

– Ce n'est pas ce qu'il faut, dit-il en baissant le son. On ne peut pas faire jouer n'importe quoi sous prétexte que c'est mélodieux.

Il avait bourré ses poches de cassettes et en sortit une demi-douzaine avant d'arrêter son choix sur une romance de Chostakovitch. Il se leva et prit son fils par le bras.

– Peux-tu m'accompagner ? demanda-t-il gravement. Je dois accomplir une mission qui réveille en moi de grandes angoisses.

Un peu inquiet, Jacques l'escorta au rez-de-chaussée en pensant qu'il voulait se rendre au laboratoire d'Élisabeth, mais ils s'engagèrent dans le couloir au plafond voûté pour aller frapper à la porte de ce qu'on appelait dans le jargon de la maison « la salle du bain flottant ». Schwester Ursula leur ouvrit et resta campée dans l'entrebâillement en les dévisageant sans aménité.

– Nous sommes en traitement ici, croassa-t-elle. Le moment est mal choisi pour les visites.

– La malade a besoin de réconfort, répondit Alexander sans se démonter. La paix n'est jamais intempestive.

Fronçant les sourcils, la naine examina le magnétocassette qui lui était présenté comme une pièce à conviction. Son visage chiffonné s'éclaira et elle s'effaça pour les laisser entrer.

– Qui aurait jamais pensé à lui faire de la musique ! s'exclama-t-elle avec admiration. Si le génie était contagieux, le Berghof serait le dernier endroit où promener une tête aussi réduite que la mienne ! Hû-hû-hû ! Il n'y a pas que la tête, soit dit en passant, et je vais profiter qu'on soit venu ici pour m'occuper ailleurs de mes petites affaires naturelles. On ne touche à rien pendant mon absence, surtout si on est docteur ! Hû-hû-hû !

Jacques n'avait pas encore fait l'expérience du caisson d'isolation sensorielle, en dépit des encouragements d'Élisabeth qui l'utilisait deux ou trois fois par semaine et prétendait que ses intuitions professionnelles les plus fructueuses lui étaient venues lorsqu'elle dérivait en état d'apesanteur dans le noir. Au demeurant, la salle du bain flottant n'était guère accueillante : Thomas Mann racontait que les pensionnaires du sanatorium décédés au cours de la nuit étaient entreposés ici en attendant leur descente en bobsleigh au village, lorsque la neige rendait les chemins impraticables. Le carrelage froid du sol, terni par les détersifs et la brosse à récurer, était l'unique vestige de l'ancienne morgue ; quant aux murs sans fenêtre, au plafond et même au battant de la porte, on les avait recouverts d'épaisses tuiles acoustiques gris foncé. L'insonorisation était remarquable, mais Jacques prit rapidement conscience qu'elle déclenchait en lui une angoisse de claustrophobie, que l'éclairage parcimonieux des appliques murales et la moiteur de l'air ne faisaient qu'accentuer. « Ah, maintenant je comprends ! », se dit-il en voyant, à côté du lit qui avait été descendu de l'infirmerie, la haute structure tubulaire d'un palan de garagiste monté sur quatre roues caoutchoutées. Il avait assisté tôt ce matin de son balcon à la livraison de cet équipement par une dépanneuse de Davos Platz, et il s'était demandé ce qu'on voulait en faire au Berghof, mais son travail l'absorbait à un point tel qu'il s'était vite désintéressé de la question. Les larges sangles de cuir qui pendaient au bout des chaînes de la poulie le renseignaient à présent avec éloquence : on s'en était servi pour soulever la malade de son lit et la transporter dans le grand bassin circulaire, où plusieurs milliers de litres d'une solution concentrée d'eau et de sel d'Epsom étaient maintenus à une température constante de trente-huit degrés. Le cockpit du caisson était resté levé comme la valve supérieure d'une gigantesque conque. Un système de jets à faible pression, disposés à intervalles réguliers sous la surface de l'eau, imprimait un mouvement giratoire au corps de Bertha Moll, qui flottait sur le dos, recouverte d'un drap blanc. Jacques s'était approché et regardait, interloqué. Il aurait pu réciter les lois physiques qui la maintenaient ainsi à la surface, et pourtant son sens commun se révoltait de ne pas la voir couler aussi sec au fond de cette étrange baignoire. Avait-elle conscience de leur présence ? Elle regardait le plafond, les yeux fixes, et geignait d'un ton monocorde. Il guetta son visage en combattant une sensation d'étouffement : ses oreilles étaient immergées et seul le faciès sortait de l'eau – le menton, la bouche, le nez et le front, strié de mèches détrempées. Il remarqua que les jets invisibles entraînaient le drap sous l'eau et que le corps inerte, entraîné dans son lent carrousel, se dénudait inexorablement sous ses yeux. Il fut incapable de ne pas regarder, même si ce qu'il voyait l'offusquait, en provoquant chez lui autant de répugnance que de honte. La malheureuse s'exhibait lugubrement, les jambes écartées, mais ses cuisses étaient si énormes qu'elles restaient collées jusqu'aux genoux, et le sexe disparaissait dans le monstrueux giron, sous l'empilage des bourrelets du ventre. Les seins étaient deux poches démesurées qui couvraient le torse jusqu'au puits insondable du nombril, et tombaient mollement le long des flancs pour flotter sur l'eau, en maintenant les bras étendus loin du corps.

Alexander chaussa ses lunettes, après en avoir déplié les branches avec précaution comme s'il craignait de les briser, puis se pencha pour examiner la malade attentivement, sans manifester de surprise ni d'aversion.

– Elle vient de loin, déclara-t-il.

Jacques approuva, sans être certain d'avoir bien compris. Son père ne voulait-il pas plutôt dire qu'elle *revenait* de loin ? Il se remémora la fable de Jorge d'Aquino sur ce cerveau vivant, déconnecté de tous ses liens sensoriels avec la réalité extérieure. Troublé, il y vit une manière de prémonition de l'accident de Bertha Moll. Comprenait-elle la gravité de son état ? Quelles pensées son cerveau brassait-il à l'instant ? Repassait-elle le film de sa vie ? Avait-elle été condamnée à se tenir compagnie à perpétuité ? Et, si toute fuite hors d'elle-même lui était interdite, garderait-elle sa raison dans le rabâchage sans fin de son crime ? Il fut secoué par un long frisson d'horreur et se reprocha d'avoir été naïf une fois de plus, en prenant pour acquis que le rappel des sévices qu'elle avait infligés à sa fillette était pour elle l'ultime punition. Et si, au contraire, elle s'y réfugiait pour en tirer à nouveau quelque innommable volupté ? D'Aquino avait eu raison de les mettre en garde contre la négation du mal. Il était tellement plus rassurant de se figurer que la méchanceté portait en elle-même sa propre condamnation ! Cette illusion trompait leur vigilance, en leur faisant croire qu'il suffisait de faire le bien pour contrer le mal, alors que le mal devait être dénoncé et combattu activement.

Il eut envie de quitter au plus vite cet endroit dont les murs et le plafond lui semblaient se rapprocher de lui à mesure que le temps passait.

– Jacques, j'ai besoin de toi, dit Alexander dans son dos, en le tirant par le bras.

Il se retourna en croyant que son père lui demandait son aide pour faire fonctionner le magnétocassette, et tressaillit en découvrant sur son visage une expression qu'il aurait souhaité ne jamais y revoir – cette panique éperdue qui, avant son rétablissement, décomposait ses traits chaque fois que le téléphone sonnait dans la maison d'Outremont.

– *Father ! Are you OK ?* s'écria-t-il, sans se rendre compte qu'il s'était adressé à lui en anglais.

– *No, I am not ! There is suddenly a cold emptiness in my chest. Would you kindly hold me for a while ?*

Jacques le prit dans ses bras et l'étreignit avec force, sans rien trouver à lui répondre – de toute façon, les mots seraient restés bloqués dans sa gorge. Il le relâcha après que son tremblement se fut apaisé, et l'approuva d'un hochement de tête quand la musique s'éleva dans l'air moite de la salle, où elle perdait tout relief. Il se demanda si Bertha Moll pouvait l'entendre avec les oreilles sous l'eau, et cette question prosaïque modifia subitement sa perception de ce qu'il avait sous les yeux. Le caisson ovoïde lui apparut comme une couveuse où se développait l'embryon d'une nouvelle race d'êtres humains, dont la dégénérescence commençait dès la gestation. Se rappelant la remarque de son père en voyant la malade, il fut frappé à retardement par la similitude avec les paroles de Teresa Vincenti, quand elle avait reçu de Katja le fragment de météorite : *« Ça vient de loin ! »* La vision du fœtus s'effaça pour être remplacée par l'image de la Vénus de Lespugue, une statuette préhistorique dont il avait vu maintes reproductions dans des livres d'art, et qui lui apparaissait maintenant comme la préfiguration de la créature difforme étendue devant lui. Un caillou venu des confins de l'univers, un fétiche de la fécondité façonné à l'aube de l'humanité, un fœtus d'une espèce en voie de mutation, la boucle de l'espace et du temps se refermait – il eut devant les yeux le symbole de l'Ourobouros, le serpent avalant sa queue. « Tes divagations ne mènent nulle part ! pensa-t-il. Ces correspondances mystérieuses entre les choses et les événements n'existent que dans ton imagination ! » Il était pourtant loin d'en être convaincu et se rappela avec une grimace intérieure la citation de Ramuz, recopiée le matin même dans les notes préparatoires à son mémoire sur le Grand Déclin : « Je sens que je progresse à ceci que je recommence à ne rien comprendre à rien. »

Il fit signe à son père de l'accompagner dans un coin de la salle, comme s'il désirait lui parler à l'écart du plein volume de la musique, alors qu'il voulait en réalité s'éloigner du caisson et de l'odeur rance qui montait de l'amas de chairs, où la transpiration avait fait éclore une myriade de petites cloques brillantes.

– Élisabeth m'a dit que tu avais relu le texte de ta conférence inaugurale du congrès de San Francisco. Tu pourrais me le passer ?

– Il est à toi, répondit Alexander. Tu devras le corriger avant de le lire : il contient trop de mots savants, je manquais de confiance en moi quand je l'ai écrit. Il y a certainement une façon plus simple d'expliquer les mêmes choses, mais c'est une tâche qui est devenue trop difficile pour moi.

Jacques se récria qu'il n'en croyait rien. D'ailleurs, il voulait justement lui poser une question sur sa découverte des rythmes *epson* et *epsilon*, et ce qui s'était passé après la mort de ce violoniste coréen, lorsqu'il avait enregistré l'activité des régions profondes de son cerveau – la transmission de son *ihuma* à destination de Sedna. La nuit dernière, en écoutant le silence du Berghof, Jacques avait pensé à Bertha Moll et s'était interrogé sur la nature de l'héritage psychique qu'elle léguerait à la conscience collective. Cette femme avait commis un crime particulièrement odieux et lâche, et il se refusait à croire que Sedna intégrerait sa personnalité et ses souvenirs au même titre que ceux de Jorge d'Aquino. Se trompait-il ?

– Que resterait-il de notre libre arbitre si Sedna triait pour nous le bon grain de l'ivraie ? répondit Alexander avec une expression de surprise. Sans compter que les actes cruels auxquels tu fais allusion existent à présent dans ton esprit aussi bien que dans la mémoire de celle qui les a commis.

– Je le comprends, mais ce que j'éprouve envers cette cruauté fait toute la différence ! Jorge d'Aquino n'a-t-il pas dit que nous influençons Sedna par nos émotions davantage que par nos idées ? La méchanceté et la haine existent dans le monde, et elles engendrent de l'angoisse et de la répulsion dans le cœur des gens. Sedna doit en souffrir, puisqu'elle nous propose une nouvelle alliance !

– Cette pauvre femme nous apporte la réponse que tu cherches, dit Alexander en jetant un regard rasséréné à Bertha Moll. Les assurances que tu m'as données l'autre nuit m'ont réconcilié avec la noirceur. Sedna ne décide pas entre le bien et le mal pour des raisons morales liées au destin de l'humanité, mais pour des fins qui la concernent et que nous ne comprenons pas. L'amour est la forme d'énergie psychique la plus puissante, et Sedna nous en réclame aujourd'hui beaucoup plus que nous ne sommes capables de lui en fournir. Elle en a besoin pour elle-même, parce qu'elle a peur de devenir un trou noir et de brûler dans sa lumière.

Schwester Ursula était de retour et, après avoir jeté un regard circulaire dans la salle, elle trottina en cinquième vitesse vers le grand bassin avec une salve de claquements de langue réprobateurs, qui s'accordaient malgré elle au rythme de la musique. Au passage, elle tira vivement un drap hors du lit pour aller en couvrir sa malade, en grimpant sur le rebord du caisson avec une agilité surprenante.

En proie à une oppression croissante, Jacques confia à son père qu'il souhaitait quitter la salle au plus vite, mais la naine frappa dans ses mains en leur intimant l'ordre d'approcher. Elle leva ses bras trop courts pour vérifier si sa coiffe était bien droite, puis épousseta des miettes imaginaires sur le devant de sa robe bleue, ce qui était chez elle un signe de vive émotion.

– Il n'y a pas de petits miracles, déclara-t-elle avec une contraction du visage, comme si elle retenait un éternuement. On aurait touché une corde sensible que je n'en serais pas autrement surprise !

Elle se détourna pour se pencher vers sa malade, ses minuscules bottines vernies avancées à l'extrême bord du bassin circulaire, et Jacques leva instinctivement le bras dans sa crainte de la voir piquer une tête. Le visage de Bertha Moll était devant eux sans expression, mais l'empâtement de ses traits et le pli de sa bouche lui conservaient son air naturellement rébarbatif. Elle continuait de gémir sourdement, et elle avait sans doute le même regard hébété que tout à l'heure, mais on ne pouvait plus en être certain : ses yeux avaient fait naufrage au fond de trois ou quatre gouttes d'eau – un océan de larmes.

Après le déjeuner, Jacques monta à sa chambre et s'installa sur la chaise longue de la loggia pour continuer sa lecture du *Troisième Ordre*. Vers le milieu de l'après-midi, sa réflexion fut interrompue par un claquement sec contre la cloison de verre, et il sursauta en recevant un objet froid sur la nuque. Il ramassa une petite pomme encore verte, où deux yeux, un nez et un sourire avaient été gravés avec un objet pointu. Il se leva pour se pencher par-dessus la balustrade. Comme il s'y attendait, la grande terrasse était déserte. Il rentra dans sa chambre et, un œil sur sa montre, attendit trente secondes avant d'ouvrir la porte d'un seul coup en criant : « Houaaâ ! » Didier était dans le corridor, sur le point de s'annoncer ; s'il ne put retenir un sursaut de frayeur, il n'en passa pas moins vite à la contre-offensive :

– Herr Wilhelm Tell, je présume ? dit-il en louchant furieusement. Paraîtrait que vous auriez des réclamations à propos de notre dernière livraison ?

– Entre, espèce de singe ! dit Jacques en riant. Il faut bien être en

Suisse pour rencontrer un livreur nippé comme une gravure de mode ! Tu es sûr d'avoir ôté toutes les étiquettes ?

– Les sarcasmes de l'envieux sont musique céleste aux oreilles de l'élu !

– Viens t'asseoir et raconte ! *You're too much, man !*

Le compliment était justifié. Didier étrennait avec fierté une chemise sport à manches longues, un pantalon en velours à fines côtes et des souliers de marche en cuir épais. Il avait apporté une touche disciplinaire à sa tignasse bouclée par un semblant de raie sur le côté, qui le changeait plus que de raison.

– Je suis une victime des circonstances ! expliqua-t-il en se laissant tomber sur le lit. Élisabeth est passée hier à Stella Maris pour essayer de me tirer les vers du nez sur nos préparatifs pour les obsèques de M. d'Aquino, mais tu connais ma devise : « Dix sur discrétion » ! A propos, qu'est-ce que le vilain bailli Gessler a dit à ses soldats quand il a vu rappliquer le brave Guillaume avec son arbalète ?

– Vas-y, ça manque à ma culture.

– Il leur a crié : « C'est lui, c'est Tell ! » Note que t'es pas obligé de rire. Bref, dans le courant de la conversation, comme disait l'électricien, j'ai su que Liz emmenait Papa faire des courses cet après-midi, et je me suis offert pour porter les paquets et rendre service, tu vois, mon côté boy-scout et Nestor qui a pris le dessus. Une fois dans le magasin, j'ai eu le malheur de poser les yeux sur ces fringues, et mon charme irrésistible et dévastateur a fait le reste !

Il grimaça un sourire de réclame pour pâte dentifrice – son visage espiègle était à présent si bronzé que ses taches de rousseur se distinguaient à peine. « Il ne se doute pas à quel point sa fanfaronnade est fondée, pensa Jacques, et ce n'est pas la moindre de ses séductions ! »

– Granola n'est pas montée avec toi ?

– Si tu veux parler de cette jeune Camerounaise qui s'appelle Tabaski, la réponse est non ! répondit Didier. Elle est restée à Stella Maris pour les répétitions, parce que, sans te vendre la mèche avec la peau de l'ours, j'aime mieux te dire que la cérémonie de demain, c'est pas de la tarte ! Heureusement qu'on a Anna de notre côté pour mettre de l'ordre, parce que la cordée des petits voulait faire des choses complètement dingues. Il faut que j'y retourne au plus vite, je me suis tiré juste pour venir discuter rapidos avec Katja d'un truc superimportant. Tu vois, notre bonheur est en jeu.

– Tu veux m'en parler ? dit Jacques en dressant l'oreille.

Didier se leva et chercha dans ses nouveaux vêtements un endroit où mettre ses mains.

– Je veux pas te faire de peine, Yakyak, mais c'est une affaire de psychologie féminine, donc c'est vachement compliqué. D'abord, je t'avertis que moi et Tabaski, c'est devenu de l'amour permanent, et qu'à cause de ça on n'est pas pressés. C'est seulement que l'école recommence dans dix jours.

– Ne te casse pas la tête pour ça, dit Jacques. On n'a encore rien décidé pour notre retour, et, avec la confirmation du Grand Déclin, il est probable qu'on ne rentrera pas au Canada avant plusieurs semaines. Si tu veux, je peux téléphoner à Tante Lucie pour lui expliquer.

– T'es complètement à côté de la *track*, répondit Didier, la mine assombrie. Pour moi c'est OK, j'ai déjà écrit là-bas pour leur dire. C'est pour Tabaski que ça coince avec son père qui est trop diplomate pour être capable de moyenner, tu comprends ?

– Dans les grandes lignes ! Et qu'est-ce que la psychologie féminine vient faire là-dedans ?

– Tu vas pas me croire, je sais, mais des fois Tabaski m'en veut à cause que c'est elle qui est obligée de partir, c'est pas logique ! Le pire, c'est qu'elle s'en rend compte et que ça la met à l'envers, mais elle peut pas s'en empêcher. Tu trouves ça normal, toi, que l'amour puisse faire mal ? C'est contre nature.

– En un certain sens, c'est contre nature, oui ! dit Jacques, en baissant les yeux pour dissimuler le chagrin que lui causait son acquiescement. Remarque que ce n'est pas l'amour qui fait mal, c'est notre incapacité à lui faire de la place.

– Je te demande pas de répéter, dit Didier en plongeant négligemment la main dans la boîte de biscuits aux amandes posée sur la commode, mais c'est justement pour ça que je préfère en parler avec Katja. Toi t'es trop intelligent, tu coupes toujours les cheveux en quatre dans le sens de la longueur.

– Tu veux dire que je suis trop intellectuel, c'est pas pareil ! N'empêche que je suis heureux de savoir que tu vas prendre ton temps avec Tabaski. Des fois, pour se prouver quelque chose, on se croit obligé de précipiter le mouvement, même si on ne se sent pas prêt.

Didier s'était immobilisé, la main sur la poignée de la porte. Il se retourna pour dévisager intensément son frère, alors qu'un kaléidoscope de sentiments contradictoires se reflétait sur son visage à ciel ouvert.

– Prends-nous quand même pas pour des enfants de chœur ! dit-il avec un soupçon de bravade. Tu vois, on s'est trouvé un coin rien qu'à nous dans le grenier de Stella Maris. Un soir, on en a d'abord discuté, ensuite on s'est montré chacun tout nu devant l'autre.

– Ah bon ! murmura Jacques après avoir cherché en vain une repartie moins intellectuelle.

– C'était *hypnotique !* Je sais pas pour moi de quoi j'avais l'air, mais pour elle tu peux juste pas t'imaginer : elle est ma-gni-fi-que !

Son regard se voila, alors qu'il contemplait cette vision qui l'avait si profondément troublé, puis il se ressaisit et sortit dans le corridor en faisant avec trois doigts le signe de ralliement des agents du Spectror.

Jacques termina le cinquième chapitre du livre posthume de Jorge d'Aquino, puis quitta la chambre et sortit à l'arrière du Berghof, en s'arrangeant pour ne rencontrer personne. Il s'engagea dans la forêt en se tenant à l'écart des sentiers, observant le mouvement des rayons du soleil dans la haute voûte des feuillages, et parlant à mi-voix à Jorge d'Aquino pour lui confier mille choses urgentes qu'il n'avait pas pris le temps de lui dire.

Après une longue errance qui lui fit le plus grand bien, il se retrouva sur le ruban asphalté de la Hohe Promenade. Il s'y était à peine engagé que M. Léopold arrivait à sa rencontre, sa canne à la main et une serviette de cuir sous le bras.

– Je descends poster à Davos un lot de faire-part à destination d'outre-mer, expliqua-t-il. A première estimation, ce n'est pas un fardeau bien pesant ! Pourtant, je le sens s'alourdir à mesure que je passe mentalement en revue les destinataires de ces plis – j'imagine la réaction de Piero Della Santa quand il en prendra connaissance, celle de Jennifer Woods, du Pr Descout, des frères Han et Tao Xeping – la liste est longue et n'aura d'intérêt pour vous que lorsque vous mettrez des visages sur ces noms.

– Je peux vous accompagner ? demanda Jacques. J'aimerais faire appel à vos lumières sur certains points de l'histoire de la psychosynergie.

– Je ne demanderais pas mieux, mais je vous suggère plutôt de rentrer au Berghof, où on vous cherche activement. Sur mon départ, j'ai croisé une charmante Canadienne, qui arrivait du village et m'a demandé si je vous connaissais. Je ne puis vous en dire plus : notre conversation a été fort brève et je me suis contenté de l'escorter au bureau de Tadeus Bubenblick. Corrigez-moi si je me trompe, mais cette visite n'a pas l'air de vous faire plaisir.

– Disons plutôt que je ne l'attendais pas, répondit-il, mal à l'aise de se trouver sous la loupe de son regard de superviseur. Merci quand même de m'en avoir informé.

Jacques reprit sans entrain le chemin du Berghof. La charmante Canadienne ne pouvait être que Christine, c'était tout à fait son genre d'arriver comme ça à l'improviste. Il n'avait rien à se reprocher, mais la perspective d'une rencontre à trois avec Katja n'était certes pas pour lui plaire. « Il va falloir mettre les choses au point sans tarder, se dit-il en pressant le pas malgré lui. Franchement, elle ne pouvait pas plus mal tomber ! »

Tabaski était accoudée à la balustrade de pierre, sur la grande terrasse, en sweat-shirt rose et short blanc. Il devina à son regard qu'elle l'avait observé pendant qu'il montait l'escalier.

– Vous parlez tout seul ! dit-elle en s'approchant, la main tendue avec un brin d'affectation. Il y a une dame qui vous cherche en dedans, c'est moi qui lui ai montré comment venir jusqu'ici. Maintenant j'attends Didier, il discute avec Katja à propos de nous deux.

– C'est une bonne idée, dit Jacques d'un ton neutre, en s'abstenant de révéler qu'il le savait déjà. A propos, Tabaski, tu peux me tutoyer !

Elle leva vers lui un regard déterminé, qui exigeait une réponse sans détour à une question qu'elle ne formulait pas.

– Si vous voulez, dit-elle.

Il leva la main pour lui caresser la joue. Voyant qu'elle ne lui retournait pas son sourire, il acheva son geste en examinant le tressage savant de ses rastas, égayées d'un semis de perles multicolores. Elle était très attentive à ce qui se passait autour d'elle, mais on la devinait en même temps sur la réserve à l'égard du monde des adultes, comme si elle n'était pas pressée d'en faire partie. Comment aurait-on pu le lui reprocher ?

Jacques la quitta pour entrer dans le grand hall, où il se trouva nez-à-nez avec Tante Mathilde, en jupe écossaise plissée, bas de laine montants à petits pompons et chandail à col roulé. Elle était en conversation animée avec Théodore Shapiro. Il se précipita pour l'embrasser, sans pouvoir retenir un grand éclat de rire.

– Si je comprends bien, tu ne m'attendais pas ! dit-elle en lui rendant son étreinte avec cette raideur qui était la marque de son affection. Alexander n'en fera jamais d'autres, j'aurais dû me méfier ! Au moins, tu n'as pas l'air trop malheureux de me voir, c'est déjà une consolation ! Ce monsieur m'a gentiment fait la conversation pendant qu'on était parti à ta recherche.

Elle adressa un petit signe de tête amical à l'avocat, qui répondit par une courbette plongée et s'éloigna dans le corridor en leur faisant signe qu'il ne voulait pas s'immiscer dans leurs affaires de famille.

– Vous voulez dire que mon père était au courant de votre venue ? demanda Jacques. Si j'avais su, je serais allé vous accueillir à la gare, vous pensez bien !

– Au courant ? Mais c'est lui qui m'a invitée ! Il m'a téléphoné avant-hier pour me dire que ce n'était pas bon pour le moral de faire des confitures dans une maison vide. Je lui ai demandé comment il le savait, et sais-tu ce qu'il m'a répondu ? Qu'il avait senti l'odeur des abricots en pensant à moi. Imagine-toi ! Cela dit, il fait bien trop chaud pour prendre le train ! J'ai loué une voiture à Zurich, où il m'a fallu me battre pour avoir une automatique.

Ce voyage en Suisse, organisé à la dernière minute, ne semblait pas l'avoir éprouvée beaucoup plus qu'une course au centre commercial de Rockland. En arrivant à Davos, elle s'était même arrêtée à la Villa Stella Maris dans l'intention d'y voir Didier. Elle avait fait la connaissance de Tabaski, qui s'était offerte pour la conduire au Berghof, et elle avait accepté en croyant qu'il s'agissait d'une marche de cinq minutes.

– Note bien que je ne regrette pas cette magnifique promenade, dit-elle, et cette petite négresse s'est révélée tout à fait adorable. Jamais je ne me serais doutée de ce qui l'attend. Quel scandale !

– Que voulez-vous dire, ma tante ?

– Allons donc, tu l'ignores ? La pauvrette est la fille d'une sorte de Premier ministre africain, tu vois le genre ! Il l'a promise à un chef de tribu pour des raisons politiques, un affreux rastaquouère dans la cinquantaine, et polygame par-dessus le marché ! Le mariage sera célébré dès que la petite sera nubile, ce qui hélas ne va pas tarder. M. Shapiro n'a pas voulu m'en dire davantage pour ne pas me choquer, et franchement j'aime mieux ne pas savoir. Vendre une enfant, au XXe siècle, tu te rends compte ! D'ailleurs, on a vu au Farghestan de quoi ces gens-là sont capables. Quelle horreur !

– Avant de vous laisser poursuivre, ma tante, je dois vous avertir que le Berghof n'est pas un endroit comme les autres ! Vous y rencontrerez des personnalités... hors du commun. Ce M. Shapiro en est un bon exemple ! C'est un homme fort aimable, sans aucun doute, mais vous devez savoir qu'il...

Elle ne l'écoutait plus et regardait par-dessus son épaule, bouche bée, les yeux ronds. Il se retourna et aperçut Didier et Katja qui descendaient le grand escalier circulaire, bras dessus, bras dessous.

– *Good Lord !* murmura-t-elle.

Didier fut moins discret dans l'invocation en poussant un « *Jeeesus !* » sonore, puis il se précipita en titubant, une main sur le cœur, comme s'il luttait contre une crise d'apoplexie, sans paraître remarquer que ses démonstrations exubérantes plongeaient sa tante dans un état semi-catatonique. Mais il eut beau faire, son théâtre n'empêcha pas l'émotion de passer.

Katja fut alors présentée à Mathilde, laquelle ne lui accorda qu'une attention distraite, incapable qu'elle était d'empêcher son regard de revenir à son neveu, pour l'examiner avec une incrédulité combative. La jeune fille ne sembla pas s'en offusquer et, évitant les yeux interrogateurs de Jacques, prit Didier par le bras :

– Regarde qui se pointe aux nouvelles ! dit-elle en désignant Tabaski qui s'engageait dans la porte-tambour. Viens, on a des choses à tirer au clair tous les trois. Si vous voulez bien nous excuser...

Mathilde acquiesça et les suivit des yeux alors qu'ils s'éloignaient en courant.

– Es-tu certain que les Suisses ne mettent pas des hormones dans leur nourriture ? demanda-t-elle d'un ton soupçonneux. Ton frère est en grande forme, c'est évident, mais une crise de croissance aussi spectaculaire soulève certaines questions. Quant à ses fréquentations, Alexander m'en a touché deux mots au téléphone, et j'ai peut-être eu tort de prendre la chose à la légère. Cette jeune fille a l'air convenable et assez dégourdie, je ne dis pas, mais ne la trouves-tu pas un peu âgée pour lui ? Elle le dépasse quasiment d'une demi-tête, sans compter que... qu'elle est bien nantie, je ne te fais pas de dessin. Tu as l'air découragé, mon garçon.

Jacques observait Katja, Didier et Tabaski qui étaient sortis sur la terrasse, où ils discutaient avec animation. Une bouffée de tendresse mêlée d'une inexplicable envie de pleurer remua dans le fond de sa gorge, alors qu'il voyait son jeune frère poser la main sur la nuque de la fillette, qui redressa machinalement la taille, faisant saillir un renflement sur le devant de son sweat-shirt – ces prémices qui avaient médusé son amoureux en herbe dans le grenier de Stella Maris. « Je n'y couperai pas ! pensa-t-il. Tôt ou tard, il me faudra expliquer à Mathilde qui est qui, qui fait quoi, qui est l'ami de qui, et pourquoi Tabaski ne sera pas mariée de force à un roi nègre. *Good grief !* »

– Je prendrais volontiers une tasse de thé, dit sa tante. Cet établissement n'est peut-être pas un endroit comme les autres, mais on doit bien y trouver une place pour s'asseoir et discuter tranquillement, n'est-ce pas ? D'une certaine façon, je ne suis pas fâchée de l'absence d'Alexander, tu vas pouvoir me dire tout ce que je dois savoir avant de le retrouver.

– Allons à la salle de lecture, dit-il en lui montrant le chemin, nous n'y serons pas dérangés. Je ne sais pas si M. Shapiro vous l'a annoncé, mais Jorge d'Aquino est décédé avant-hier. C'est ce qui explique l'ambiance plutôt inhabituelle de la maison.

– Personne ne m'a informée de rien, répondit-elle avec une ombre de réprobation dans la voix. Je suis désolée de cette triste nouvelle, et j'ai bien peur d'arriver comme un cheveu sur la soupe.

Dolorès Sistiega sortait à l'instant de la salle de lecture. Après quelques pas dans le corridor, elle s'immobilisa en levant la main, les doigts écartés en rayons pour capter ces vibrations mystérieuses qui, selon ses dires, lui permettaient de se déplacer sans canne au Berghof.

– Mon bon ami canadien ! dit-elle en écoutant approcher le pas du jeune homme, la tête penchée sur le côté. Et n'est-il pas accompagné d'une personne énergique que je n'ai pas encore eu le plaisir de rencontrer ? Dites-moi tout de suite si je me trompe, que je ne fasse pas rire de moi !

– Vous avez raison comme d'habitude, dit Jacques. Ma tante, je vous présente Dolorès Sistiega, qui est en quelque sorte notre « artiste en résidence ». Plusieurs de ses modelages sont exposés à la salle à manger, où vous pourrez les admirer tout à l'heure.

– Enchantée ! dit Mathilde en serrant la main que l'aveugle lui tendait au jugé.

– Vous pouvez être fière de votre neveu, chère madame, déclara Dolorès avec ce sourire mobile qui paraissait sans cesse sur le point de tourner aux larmes. Il est vite devenu la coqueluche de tout ce qui porte jupon dans cette maison. Raison de plus pour ne pas croire ses exagérations : je ne suis qu'une dilettante qui, dans ses moments perdus, s'exprime avec ses mains à la va-comme-je-te-pousse.

Elle changea brusquement de registre et se pencha vers Jacques.

– Je quitte à la minute notre ami Fowler *soi-même*, chuchota-t-elle. Il traverse une passe difficile... Si je puis me permettre un conseil, n'intervenez pas dans son magma à moins qu'il ne vous le demande. Il est en compagnie de qui vous savez, à son corps défendant si j'ose dire ! Je me tiens le plus souvent possible avec eux, tant pis pour le qu'en dira-t-on ! Ma cécité me permet de détecter des présences qui vous échappent. Et, sans me vanter, je crois qu'*on* s'est pris de sympathie pour moi ! En tout cas, William prétend que l'*autre* est tout sourire et enjouement quand je suis là, alors qu'il fait toujours sa mine d'enterrement quand il est seul avec lui. Mais le véritable problème est tout autre : *on* s'est mis à rajeunir.

– A rajeunir ? murmura Jacques. Que voulez-vous dire ?

– A chaque nouvelle rencontre, *on* a perdu quelques années, répondit-elle en minaudant. *On* est actuellement un jeune militaire gagnant ses galons, et personnellement je ne m'en plains pas, mais William prend la chose très mal. A présent je vous laisse, je sens que madame votre tante a les jambes qui fatiguent. Une dernière suggestion : évitez le fauteuil en osier près de la cheminée. C'est *sa* place et, de plus, vous y seriez inconfortable.

Visiblement perplexe, Mathilde regarda l'aveugle s'éloigner, puis suivit Jacques dans la salle de lecture. Ils n'y trouvèrent personne, à l'exception de Kugli qui les accueillit par des cabrioles et des jappements aigus. La porte-fenêtre qui donnait sur la terrasse était entrouverte, et Jacques en conclut que l'honorable Fowler s'était défilé en les entendant venir. « Nous n'avons pas été très discrets, pensa-t-il en s'agenouillant pour caresser la boule de fourrure électrisée qui voulait à tout prix lui lécher la figure. Pour peu qu'il ait eu l'oreille fine, il aura certainement entendu notre conversation avec Dolorès. »

– Je croyais que tu avais peur des chiens, dit Mathilde en prenant place dans un fauteuil de cuir avec un soupir d'aise. Apparemment, Didier n'est pas seul à avoir changé pendant les vacances ! Dis-moi, es-tu sûr que cette Espagnole est vraiment aveugle ? Quoi qu'il en soit, elle est tombée pile, j'ai effectivement les jambes en flanelle !

– Donnez-moi deux minutes, dit-il en se redressant, le temps d'aller vous faire une tasse de thé à l'office. Eh bien, qu'est-ce qui lui prend ?

Kugli était allé se poster devant une porte étroite, découpée dans la boiserie sombre, à gauche de la cheminée. Il aboyait frénétiquement en bondissant sur place.

– Il veut que tu lui ouvres, ça me semble assez évident, dit Mathilde. C'est quand même une drôle d'idée de l'avoir appelé William. Avant d'entrer, je croyais que cette femme te parlait d'une véritable personne, imagine-toi !

– Mais c'était le cas, je vais vous expliquer ! dit-il et, revenant sur ses pas, il cria à l'adresse du chiot : Ça suffit à la fin, tu nous casses les oreilles !

A sa surprise, Kugli lui obéit aussitôt et fila s'asseoir face au siège en osier, les oreilles dressées et la queue frétillante. « C'est invraisemblable, pensa-t-il avec un frisson d'angoisse. On jurerait qu'il voit quelqu'un assis dans ce fauteuil ! Et comment expliquer son attention, alors que d'ordinaire il ne tient pas en place ? » Il avait toujours vaguement soupçonné Dolorès Sistiega d'en rajouter pour se rendre intéressante, mais le comportement de cet animal l'obligeait à considérer des hypothèses autrement plus choquantes et inconfortables. Et qu'avait-il à japper comme ça devant cette porte ? Après une brève hésitation, Jacques ouvrit le placard et découvrit avec un sursaut de frayeur que M. Fowler s'y tenait debout, la tête rentrée dans les épaules, les mains croisées à l'entrejambe, levant vers lui un regard empreint d'une telle détresse que son premier réflexe fut de refermer la porte comme s'il n'avait rien vu.

– Je... je suis désolé ! dit-il en tendant le bras pour l'aider à s'extraire de sa cache exiguë. Vous ne vous sentez pas bien ?

Le visage congestionné, reprenant son souffle avec peine, l'ex-politicien se redressa en ajustant son col dans un effort pathétique pour reprendre contenance. Il fit trois pas vacillants vers la sortie, mais dut s'appuyer sur l'épaule du jeune homme et se laissa choir lourdement sur le canapé aux ressorts grinçants, en face de Mathilde qui s'était figée dans une pose victorienne, le sourcil levé en point d'interrogation. Jacques décida néanmoins que le moment n'était pas propice aux présentations formelles et s'assit au côté de William Fowler.

– Qu'est-ce qui vous effraie à ce point ? lui demanda-t-il en anglais.

– Avec le temps, j'ai appris à vous connaître, Jacques Carpentier, répondit Fowler sourdement, en évitant de le regarder. Vous êtes un gentleman, et ce n'est pas un compliment que j'ai l'habitude de galvauder, croyez-moi ! En la circonstance, toutefois, vous n'êtes pas assez âgé pour pouvoir comprendre la cruauté de l'épreuve qui m'est infligée !

Il s'arracha à l'examen des arabesques du tapis et, levant des yeux égarés vers Mathilde, montra le fauteuil d'osier d'un geste défiant.

– N'allez surtout pas croire qu'il me fait peur ! lui dit-il sur un ton de confidence qui laissait entendre qu'il la jugeait plus apte que son neveu à saisir la nature de son tourment. J'avais fini par m'habituer à sa présence et à ses airs de reproche, mais voilà qu'il est chaque jour plus jeune que la veille, et cela je ne le supporte pas ! S'il continue, je vais craquer, je le sens ! Comprenez-vous ce que j'essaie de vous expliquer ?

– Je n'ai pas à me prononcer sur le bien-fondé de ce qui vous préoccupe, répondit Mathilde sur la défensive, en jetant un coup d'œil au chiot assis immobile devant le fauteuil d'osier. Mais il me paraît clair que William ne peut plus continuer à rajeunir encore bien longtemps.

M. Fowler tressaillit et la dévisagea avec une condescendance inquiète :

– Mais qui êtes-vous ? Vous me répondez comme si vous étiez capable de le voir ! Si tel était le cas, vous sauriez qu'il est aujourd'hui au début de sa vingtaine et fait le Beau Brummel dans son uniforme flambant neuf ! Je vous le dis : il finira par aller trop loin et par me démolir !

Il se masqua les yeux de la main, et le pli hautain de sa bouche s'effaça alors qu'il tentait en vain de libérer de son gosier un sanglot sec.

– Vous risquez de perdre le respect de vous-même si vous continuez à vous donner en spectacle ! décréta Mathilde, avec d'autant plus de sévérité qu'elle sentait la situation lui échapper.

– J'aimerais bien vous y voir ! s'écria-t-il en se révoltant avec colère. Nous ne nous sommes jamais rencontrés, madame, et cependant je connais votre secret : vous avez été un jour une petite fille de huit ans ! La chose peut vous paraître aussi invraisemblable à vous qu'à moi, mais il ne sert à rien de la nier. Vous semblez être une personne pleine d'assurance, trop prosaïque pour jouer avec le fantasme d'un voyage dans le temps, mais vous êtes-vous jamais demandé ce qui se passerait si vous étiez capable d'aller visiter votre passé, de vous cacher derrière un arbre sur le chemin de l'école pour regarder passer l'enfant que vous avez été ? Je vais vous dire ce qui arriverait : on vous ramasserait à la petite cuillère !

Son éclat l'avait ragaillardi et il se leva, faisant trembloter ses bajoues avec un clapotis, comme s'il se gourmandait d'avoir accepté d'établir un contact aussi familier avec une parfaite inconnue. Il la salua, lança un regard de connivence à Jacques et sortit de la salle de lecture, détournant ostensiblement la tête en passant à la hauteur de Kugli.

Mathilde s'était levée à sa suite et, croisant les bras sur sa poitrine d'un air défiant, regarda pendant quelques secondes la porte restée ouverte sur le corridor. Son neveu l'observait en silence : quelque chose dans sa physionomie l'incitait à attendre qu'elle prît la parole en premier.

– Nous n'avons pas encore réglé entre nous le contentieux de la coupe de Palerme, dit-elle en lui faisant face. Je n'aime pas garder une crotte sur le cœur, c'est mauvais pour la circulation. Mais, tu me connais, je ne suis pas rancunière une fois que les cartes ont été mises sur la table.

– La coupe de Palerme ? répéta Jacques, déconcerté.

– Tu t'imagines peut-être qu'on trouve ce genre d'article chez Woolworth à cinq quatre-vingt-quinze ! Eh bien, j'ai le regret de t'apprendre que j'ai rapporté cette coupe d'un voyage en Italie, et qu'elle m'a fidèlement servie pendant vingt-sept ans avant que tu n'en fasses un exutoire à ta colère.

– Oh, le compotier ! murmura Jacques en rougissant de confusion. J'aurais dû vous avertir à l'aéroport, mais notre départ a été si mouvementé que je... J'y ai repensé dans l'avion, en me promettant de vous appeler à notre arrivée à Zurich. Je suis désolé, ma tante, sincèrement !

– Le chapitre est clos, n'en parlons plus ! dit-elle en se détournant pour gagner la porte-fenêtre, et elle ajouta comme pour se contredire : Le retour à la maison n'était déjà pas bien gai, aussi je te laisse imaginer ma réaction quand je suis entrée dans la... Oh, Jacques, est-ce possible !

Il la rejoignit, suivi de Kugli qui paraissait curieux lui aussi de connaître la cause de son émoi. Alexander et Élisabeth venaient d'arriver sur la grande terrasse, en se tenant par la taille, le visage rougi par leur promenade, où ils avaient fait ample provision de grand air, de soleil et de paix. Tabaski s'approcha d'eux et, d'un geste rapide et surprenant, saisit la main d'Alexander et la porta à ses lèvres en courbant le front.

Mathilde avait reculé d'un pas, craignant d'être vue et marchant par mégarde sur une patte de Kugli, qui protesta en poussant une plainte aiguë. Elle se pencha vivement pour le soulever de terre et le consoler par une succession de petites tapes affectueuses qui auraient abruti un animal moins robuste, mais le chiot prit le traitement avec philosophie, habitué qu'il était à la poigne amicale de Chouri.

Dès l'instant qu'il avait aperçu sa tante dans le grand hall, Jacques s'était demandé comment elle réagirait en retrouvant Alexander en compagnie de celle qu'elle appelait encore, deux semaines plus tôt, « la bolchevique ». Il le savait à présent : elle était émue, ce qui n'avait rien de surprenant, et sa physionomie reflétait une expression qui, elle, était tout à fait inattendue – une fierté victorieuse, comme si la scène qu'elle voyait sur la terrasse confirmait une opinion qu'elle avait été seule à défendre contre tous.

– Ton père est *quelqu'un*, dit-elle péremptoirement. Regarde comme il a réussi à amadouer la petite négresse, et pourtant c'est une sauvageonne, j'en sais quelque chose !

– Elle s'appelle Tabaski, ma tante. Je ferais mieux de vous avertir, vous avez sauté un peu hâtivement aux conclusions tout à l'heure : c'est elle, la petite amie de Didier.

– Tu plaisantes, n'est-ce pas ? Ma foi non, tu as l'air sérieux ! Mais alors, ce mariage infamant avec le chef de tribu est tombé à l'eau ? Ne crois pas que je sois raciste ! D'ailleurs, en un sens, je suis plutôt soulagée que ce ne soit pas la jeune fille blonde, qui m'a l'air un peu trop avertie pour son âge. Nous nous comprenons, je pense.

– A demi-mots, oui ! acquiesça-t-il. Son nom est Katja, je vous parlerai d'elle plus tard. Vous venez ? Mon père et Élisabeth ignorent sans doute que vous êtes déjà arrivée.

– Ne précipitons rien ! dit-elle en reculant d'un autre pas. Conduis-moi d'abord à une salle de toilette, que je me donne un coup de peigne avant de rencontrer cette dame. Non, mais regarde-moi, j'ai l'air d'une bohémienne !

– Suivez-moi, je vais vous montrer le chemin. Vous avez tort de vous en faire, vous êtes tout à fait présentable ! Si vous le voulez, vous pouvez laisser Kugli ici.

– Évidemment, je n'ai pas l'intention de m'en faire un manchon ! dit-elle en posant le chiot à terre. Mais pourquoi l'appelles-tu comme ça ?

– Parce que c'est son nom !

Elle le dévisagea avec un début d'impatience :

– Tu m'as dit qu'il s'appelait William.

– Non, ce n'est pas moi ! La confusion vient de Dolorès Sistiega, qui faisait allusion à... à une sorte de double, que M. Fowler et elle sont seuls à voir.

– Ils voient deux chiens ? Comme ça j'avais raison, elle n'est pas complètement aveugle ! Pourquoi ris-tu ? Tu m'as fait marcher et je suis tombée dans le panneau, bravo ! Il n'empêche que cet Anglais m'a traitée comme si le Canada était encore une colonie de l'Empire ! C'est un drôle de pistolet et je ne comprends toujours pas ce qu'il fabriquait dans cette armoire. Quoi qu'il en soit, ce n'est pas aujourd'hui qu'on me ramassera à la petite cuillère !

Alors que Jacques s'apprêtait à passer la porte, elle lui fit signe d'attendre et se pencha pour jeter un rapide coup d'œil dans le corridor. Puis elle se retourna pour lui parler à voix basse, sur un ton qu'il ne lui avait jamais entendu.

– Peut-être la chose te paraît-elle invraisemblable à toi aussi, mais le fait est que j'ai été un jour une petite fille de huit ans. Parfaitement ! Ton père en avait quinze à l'époque, et sais-tu ce que je faisais ? J'entrais dans sa chambre en catimini quand il dormait et je lui coupais deux ou trois mèches de cheveux, pour les vendre à mes amies qui étaient toutes en pâmoison devant lui. Est-ce assez prosaïque à ton goût ?

– Vous ne m'aviez jamais dit ça, murmura-t-il, alors que son envie de rire s'évanouissait. Et vous lui diriez quoi, à cette fillette, si vous l'aperceviez aujourd'hui assise dans ce fauteuil d'osier ?

– Tu joues au psychologue à présent ! répliqua-t-elle avec une ironie qui réussissait à concilier acidité et affection. Je trouve ta question indiscrète, mais ce n'est pas mon genre de me dérober. Je lui dirais simplement que...

Ses lèvres continuèrent à remuer, mais aucun son ne sortait plus de sa gorge. Ce qu'elle voulait dire ne devait pas être aussi simple qu'elle l'avait supposé, car elle se raidit et prit une grande inspiration avant de retrouver la voix :

– Je lui dirais de prendre son temps avant de me rejoindre, de faire l'école buissonnière et de suivre tous les détours de son cœur, même ceux qui la conduiront à une impasse. Je lui dirais que je l'attends sans impatience de la voir arriver, et qu'elle peut rester trois jours de plus à Palerme, et trois nuits aussi ! Je lui dirais que le doute est un poison pour le cœur et un bienfait pour l'esprit !

Jacques la dévisagea sans même songer à lui dissimuler sa stupéfaction. Il n'aurait jamais pensé que la Montagne magique pût exercer si vite ses sortilèges, et il éprouva l'impression poignante que le visage anguleux de sa tante était en réalité un masque impavide et que, derrière les deux orifices en amandes, des yeux d'enfant l'observaient, limpides et lumineux..

Non sans peine, Jacques avait convaincu sa tante d'annuler sa réservation à l'hôtel Schweizerhof, et il s'était arrangé avec Tadeus pour qu'on lui offrît une chambre au deuxième étage, avec vue sur les montagnes. Elle en prit possession sur-le-champ en passant son doigt sur le dessus de l'armoire et en vérifiant le fonctionnement de la chasse d'eau.

– Pas étonnant que leur économie se porte si bien ! déclara-t-elle avec satisfaction.

Jacques la laissa à son coup de peigne et descendit rejoindre son père et Élisabeth sur la grande terrasse, pour les prévenir de cette visite inattendue. Il les trouva en compagnie de M. Léopold et de Katja, et s'abstint d'interrompre leur discussion, surpris par la vivacité du ton. Il comprit à leurs propos que trois journalistes s'étaient présentés plus tôt dans l'après-midi au Berghof, pour vérifier une information d'une agence de presse suédoise, selon laquelle le Dr Frankenthal était venu consulter secrètement Jorge d'Aquino à deux reprises au cours de l'été, en rapport avec le phénomène du Grand Déclin. Ils avaient été reçus par M. Léopold, qui s'était arrangé pour noyer le poisson, avant de les éconduire avec diplomatie.

– Nous les avons croisés à notre retour de promenade, dit Alexander. Ils étaient désappointés et je leur ai parlé. Pourquoi ne m'avez-vous pas consulté avant d'intervenir dans cette affaire ?

M. Léopold se raidit et lança un coup d'œil à Élisabeth. Le vague sourire qui frémissait sur ses lèvres ne fit qu'ajouter à son indignation.

– J'ai agi conformément aux dernières volontés du professeur, répondit-il d'une voix acerbe.

– Ce n'est pas exact, répliqua Alexander. Jorge a laissé des instructions pour l'annonce de son décès, et elles seront respectées. Il a chargé la Fondation de veiller à la publication de son dernier ouvrage, ce qui sera fait dans les règles. Il ne s'est pas prononcé sur les relations publiques du Berghof, ce qui a été sage. Des informations doivent être données aux autorités et à la presse sur le Troisième Ordre et le Grand Déclin. J'entends assumer dorénavant cette responsabilité.

– Peut-on savoir à quel titre ? dit M. Léopold, qui ne désarmait pas.

Alexander le dévisagea, et son regard gris sembla dire avec une ombre de réprobation : « N'êtes-vous pas embarrassé de poser une telle question ? »

– Je suis la personne compétente pour ce travail, répondit-il avec simplicité. Nous devons tous collaborer pour ouvrir le Berghof sur la réalité du monde : le savoir se pervertit quand il est enfermé. J'ai convoqué ces trois journalistes et leurs collègues pour jeudi prochain. La Fondation devra préparer le communiqué pour annoncer publiquement la mort de Jorge.

Subjugué, Jacques découvrait une nouvelle facette de la personnalité de son père – une autorité naturelle, qui se justifiait par elle-même et s'exerçait avec une détermination tranquille, sans condescendance ni menace. « Je ne suis pas au-dessus de vous, disait-il silencieusement à M. Léopold. Je suis devant ! »

– Léo, ne faites pas cette tête ! dit Élisabeth avec chaleur. Nous sommes restés trop longtemps dans une tour d'ivoire, reconnaissez-le ! Je suis d'ailleurs la première à faire amende honorable. Vous n'auriez pas une citation pour clore le débat ?

Il eut un retrait de la nuque et un souffle du nez, pour montrer qu'il n'était pas dupe de cette manœuvre pour le circonvenir, mais il n'en roula pas moins son œil gauche derrière la loupe de ses lunettes, ce qui était le signe qu'il mettait sa mémoire en marche.

– Si je pense au professeur et à sa méfiance des médias, je dirai : « Platon m'est cher, mais la vérité me l'est encore davantage », déclara-t-il avec un chat dans la gorge. Si je pense à l'humanité, je dirai : « Qui meurt a le droit de tout dire ! »

Katja était restée silencieuse pendant cet échange. Jacques avait noté que sa physionomie allait s'assombrissant, mais il ne s'attendait pas à ce qui allait suivre.

– Vous vous prenez pour qui ? cria-t-elle à Alexander, en le défiant du regard. Le professeur n'est même pas enterré que vous essayez de lui voler sa place !

– Katja ! s'écrièrent ensemble Élisabeth et Jacques.

Elle leur fit face, les yeux étincelants :

– Vous pouvez penser ce que vous voulez, ça m'est égal !

Alexander considéra la jeune fille avec gravité, puis leva la main pour l'inviter à faire quelques pas en sa compagnie.

– Mademoiselle, dit-il posément, vous et moi avons des choses à nous dire...

Jacques s'était retiré dans sa chambre pour travailler à son mémoire. Il disposait d'une centaine de pages de notes éparses, et voulait s'atteler à une première mise en forme. Il calligraphia au haut de la page blanche : *L'Ultime Alliance*, et, à sa stupéfaction, il se lança aussitôt dans la rédaction d'un texte serré, avec une plume qui ne tremblait pas d'hésitation mais d'impatience, car son esprit courait les idées plus vite que sa main n'en prenait la dictée. A la fin de la première page il aurait aimé se relire, mais déjà la suite se déroulait devant lui et il continua sans s'arrêter, craignant constamment de perdre le fil, et sans cesse surpris de constater que l'inspiration l'attendait au début de chaque nouvelle phrase. Il s'interrompit à deux ou trois reprises et, sortant en trombe de sa chambre, partait à la recherche de M. Léopold pour solliciter le concours de sa mémoire, émerveillé à chaque fois de l'entendre citer mot pour mot telle partie des explications données par Jorge d'Aquino dans la chapelle de Stella Maris, ou telle réplique échangée dans l'*hacienda* lors de la nuit des étoiles filantes.

Il laissa passer l'heure du dîner sans s'en apercevoir, mais Élisabeth lui monta un plateau.

– As-tu des nouvelles de Katja ? demanda-t-il.

– Aucune. Elle doit être avec ton père. Ils ne sont pas encore rentrés. Tu veux en parler ?

– Non, pas maintenant...

Il continua d'écrire jusque tard dans la nuit, dans un état d'exaltation si intense qu'il en perdait le souffle et devait se lever pour sortir sur le balcon, où il prenait de longues respirations en se tenant à deux mains à la balustrade pour lutter contre l'étourdissement. Il écoutait les bruits nocturnes de la prairie et de la forêt, qui contrastaient de façon si troublante avec le lourd silence où le Berghof avait sombré après que la cloche fêlée de l'horloge sans aiguilles eut compté au plus juste les douze coups de minuit. Une brise fraîche de fin d'été montait de la vallée, imprégnée de l'odeur pénétrante des foins coupés, et un long tressaillement l'ébranla alors qu'il se demandait avec angoisse en quel lieu secret on avait transporté la dépouille de Jorge d'Aquino. Mais que lui importait après tout de savoir s'il reposait ici plutôt que là, quand à cette heure il était mystérieusement partout et nulle part ? Et pourquoi faisait-il à l'instant le dos rond en se demandant avec un regret déchirant ce qui l'avait retenu d'aller se blottir contre lui, à cette époque où il entrait par les fenêtres et lui vendait ses rêves un dollar pièce ?

Il posa la plume vers deux heures du matin, vaincu par l'émotion autant que par la fatigue, et s'aperçut avec consternation qu'il avait oublié Katja. Était-elle rentrée ? Pourquoi n'était-elle pas venue lui souhaiter bonne nuit ? Il rangea son manuscrit et regarda avec incrédulité le plateau posé sur le lit, le verre et l'assiette vides, incapable de se rappeler ce qu'il avait bu et mangé. Il monta au troisième étage, mais trouva porte close, et son tambourinement discret resta sans réponse.

Il déambula alors dans les corridors du Berghof pour se dégourdir les jambes, et aussi parce qu'il affectionait ces tournées nocturnes dans la grande maison silencieuse. Se retrouvant au dernier étage de l'édifice central, il hésita avant d'entrer dans l'*hacienda*. Mais avait-il le choix ? Il céda à son impulsion comme s'il répondait à un appel et s'avança dans l'ancienne salle d'héliothérapie, dont les verrières obliques laissaient entrer à la grandeur du plafond la froide clarté d'un croissant de lune. Il franchit avec précaution la triple barrière des hauts cactus et prit place dans le large fauteuil que Jorge d'Aquino avait occupé le soir de la réunion.

Était-ce l'effet de la stimulation intellectuelle des heures passées à écrire ? Il fut assailli par des pensées surprenantes, où il ne reconnaissait pas le cheminement habituel de son esprit – des réflexions qui lui étaient étrangères et qu'il accueillait avec un intérêt amical. Le Berghof lui apparut comme un haut lieu magique, où l'histoire retenait son souffle à la veille des grands cataclysmes. Thomas Mann l'avait présenté autrefois comme un monde en réduction, où s'étaient retrouvés les éléments qui composaient l'Occident à la veille de la Grande Guerre. Dans ce théâtre s'étaient joués la fin d'une époque et le tournant d'une civilisation. Des hommes et des femmes des quatre coins de l'Europe y avaient été réunis par le hasard, atteints d'un même mal qui leur déchirait les poumons, jusqu'à ce « coup de tonnerre historique » qui avait ébranlé l'humanisme dans ses fondements, et fait exploser la Montagne magique comme un volcan ! Et voici que le Berghof remplissait à nouveau son rôle de microcosme, non plus de la société européenne, mais de la communauté planétaire, dans une conjoncture unique et grandiose : au crépuscule d'un siècle et à l'aube d'un millénaire !

Jacques ressentit une crampe dans la nuque et, pour ne pas interrompre sa contemplation du firmament, il glissa de son siège. Étourdi par les lourds parfums des plantes tropicales, il eut la sensation que le sol de mosaïque où il s'était étendu les bras en croix basculait avec le reste du bâtiment et qu'il se retrouvait à la verticale, plaqué contre les dalles par une accélération prodigieuse, face au vide du cosmos, comme s'il avait été à la proue du vaisseau *Terre* fonçant dans l'espace. « Le Berghof est l'arche de l'Ultime Alliance ! », pensa-t-il, halluciné.

Une ombre traversa l'obscurité laiteuse de l'*hacienda*, des doigts légers se posèrent sur son front brûlant, une voix tremblante lui ordonna de ne pas bouger. D'emblée, il sut que Katja n'était plus la même, un bouleversement profond l'avait à jamais transformée.

– Je te suis revenue, et c'est pour de bon ! murmura-t-elle, essoufflée. Non, ne dis rien ! Ton père m'a prise par la main et m'a fait sortir du *no woman's land* où je m'étais égarée... Il a apaisé mes craintes en me démontrant que *je ne devenais pas moins intelligente, mais plus humaine !* Il m'a dit que mon esprit mettait sa logique en sourdine pour donner voix à la déraison de l'amour ! Que l'enfant renonçait à être prodige pour donner à la femme la chance de se trouver ! Oh, je sais, tout ça te paraît si évident !

Jacques ne répondit pas : il n'avait pas éprouvé de longtemps un tel bonheur à se taire.

– Tu vas rire ! reprit-elle, avec une émotion contenue qui laissait présager autre chose. Ton père a eu une éducation très puritaine. Quand il était petit, il croyait que les femmes enfantaient par la bouche ! Il m'a raconté ça pour me dire que, malgré toute mon intelligence, je ne pouvais pas faire un enfant avec ma tête, ni le mettre au monde en paroles ! Il faut d'abord que j'habite ma chair, que je m'approprie mon ventre...

Elle se tut et s'écarta pour se livrer à de mystérieux préparatifs dans la pénombre. Il tourna la tête en l'entendant actionner la molette d'un briquet, et la vit qui allumait la courte bougie d'un réchaud miniature, surmonté d'une coupe de métal où elle versa avec précaution le contenu d'une petite fiole.

– On peut savoir ?

– De l'huile de sésame avec un soupçon de camphre, murmura-t-elle. Enlève ta chemise et retourne-toi ! Ton dos n'est qu'un vieux paquet de nœuds...

– Tu as préparé ton coup, dit-il, c'est presque inquiétant ! Tu penses toujours à tout ?

– Je pense toujours à tout quand je pense à toi. Laisse-moi te gâter !

Elle plongea le bout de ses doigts dans l'huile tiédie, et il sentit bientôt la prise ferme de ses mains sur ses épaules, puis leur dérapage contrôlé dans le creux de ses omoplates. Chacun de ses muscles était l'objet d'un traitement particulier, pétri à son mérite, pressé, pincé, étiré, effleuré. Il s'abandonna en soupirant d'aise, à peine surpris de la trouver si experte en la matière, et ému par le soupçon qu'elle avait acquis son savoir d'Élisabeth.

– Pendant notre première nuit à la Walpurgis, dit-il à voix basse, tu m'as confié que la sexualité humaine était à la fois la clé et le verrou, la voie royale et l'impasse... Mais comment atteindre à l'extase médiatrice, à cette fusion amoureuse avec Sedna ? Nous avons tant de choses à apprendre ! Par où commencer ?

– Par la fin, Jacques, je veux dire : par l'Amour ! Nous ne sommes pas seuls... Comment ai-je pu ne pas comprendre quand ton père nous a dit l'autre soir que c'est un non-sens de parler du premier enfant de l'Ultime Alliance ?

– Éclaire ma lanterne ! dit-il avec un soupir résigné.

Il eut l'impression d'entendre à nouveau le timbre voilé qu'elle prenait quand elle portait son masque. Elle murmura :

– L'ère du tout-venant s'achève... Le drôle de révérend l'a dit : les Netsiliks croient que la stérilité universelle a déjà commencé. Pour combien de temps ? Des mois, des années ? Ton père pense que c'est une épreuve initiatique, qui durera le temps nécessaire à l'humanité pour réussir son nouveau départ. Il dit que, le moment venu, des naissances auront lieu simultanément en divers points du globe, mais que les parents tairont l'heure et le jour où leur enfant aura été mis au monde.

– Pourquoi ça ?

– Ton père dit que, pour atteindre au nirvana amoureux, ces couples auront suivi la même démarche, où la rivalité et la domination n'ont pas de place. Ils feront en sorte que l'humanité ne sache jamais si le premier enfant de l'Ultime Alliance aura été un garçon ou une fille, et rien non plus de ses origines ni de la couleur de sa peau...

– Mon père t'a vraiment dit tout ça ? demanda Jacques, incrédule. Tu n'en rajoutes pas un peu ?

Il sentit que les mains de Katja se retiraient de son dos pour être remplacées par le repos d'un front lourd, et la caresse de ses lèvres se substitua à la pression de ses doigts. Son souffle tiède sur sa peau le fit frissonner, alors qu'elle répondait avec un rire dans la voix :

– A peine... Il a dit qu'il restait trop peu de temps pour le perdre à se presser. Le reste coule de source !

L'aube pointait quand il entrouvrit les yeux, elle était nue tout autour de lui dans la lumière ocrée, l'enveloppant de partout en arrondissant ses angles, sa peau de soie le peaufinant, sa cuisse nerveuse emprisonnée entre ses jambes, ses bras et ses mains le retenant captif comme liane et lierre, dans un corps à corps immobile. Elle dormait les lèvres entrouvertes, le visage irradié de bonheur et de scandaleuse innocence. Jacques chercha le refuge de sa chevelure et de sa nuque pour retrouver l'obscurité complice et l'odeur enivrante, et se laisser à nouveau couler dans le sommeil, la poitrine oppressée et le cœur en fête. « C'est plus fort que moi, pensa-t-il. Je l'aime. »

Dans ses dernières volontés, Jorge d'Aquino avait demandé que la Fondation Delphi n'annonçât publiquement son décès que trois jours après les obsèques, que les détails de celles-ci fussent communiqués aux gens du Berghof à la dernière minute, et qu'aucune photographie ne fût prise à cette occasion. Il avait de surcroît donné des directives précises à Tadeus Bubenblick sur la façon de tenir les « chronophages » à l'écart : « Nous ne laisserons de nous aux journalistes que l'essentiel, avait-il écrit, c'est-à-dire rien qui puisse leur servir. »

On sut peu après le petit déjeuner que la cérémonie se tiendrait à onze heures à la chapelle des Trois-Croix, ce qui était surprenant quand on connaissait l'état de délabrement du lieu. La nouvelle fit rapidement le tour du Berghof, murmurée de bouche à oreille sur le ton de la confidence – alors qu'il aurait été plus économique de l'annoncer par le système des haut-parleurs ou de l'afficher dans le grand hall. Mais ce secret étant un privilège pour chacun, personne ne s'était arrogé le droit de le crier sur les toits. L'heure du rendez-vous approchant, les pensionnaires quittèrent la propriété par petits groupes de deux ou trois en affichant des mines de promeneurs innocents et en empruntant des itinéraires variés, comme pour donner le change à d'hypothétiques observateurs. Mais qui se serait jamais douté que le révérend LaRocque Prévost se rendait à des funérailles avec cette chemise polo jaune, ce pantalon court en cuir suédé gris et ces bretelles tyroliennes ? Il avait rejoint Jacques et Katja sur le chemin qui montait en serpentant dans la forêt.

– Notre ami Jorge souhaitait que la préparation de son livre fût tenue rigoureusement secrète, dit-il en prenant le jeune homme affectueusement par l'épaule. J'ai accepté de jouer le jeu, en m'occupant avec Georges de Preux des arrangements financiers et légaux relatifs à la publication de l'ouvrage. Ce faisant, je me suis mis en porte à faux dans notre relation d'amitié. Tu ne m'en veux pas ?

– Vos manigances avec Tadeus et ce M. de Preux m'ont fait douter de vous, c'est vrai ! dit Jacques, heureux de clarifier la situation. N'en parlons plus, c'était pour la bonne cause ! J'ai commencé à lire *Le Troisième Ordre*, et votre chapitre sur la genèse de Sedna m'a aidé à mettre en perspective les événements des dernières semaines.

Jean-Baptiste s'arrêta au milieu du chemin pour reprendre son souffle, car le sentier montait raide. Des marches grossières avaient été creusées par endroits dans le sol, étayées par des rondins de bois. Il regarda la forêt autour d'eux en passant ses doigts dans sa barbe flamboyante, comme s'il se demandait ce qu'il faisait ici, et murmura quelque chose au sujet d'un automne précoce. Puis il jeta un coup d'œil intrigué au petit sac que Katja tenait à la main, et Jacques espéra qu'il poserait une question sur son contenu, comme il l'avait fait lui-même en quittant le Berghof, sans obtenir de réponse. Mais le « drôle de révérend » n'en fit rien et, venant se placer entre eux, reprit sa marche en les tenant l'un et l'autre par le bras.

– Pardonnez-moi de vous infliger cette séparation momentanée, dit-il de sa voix ronde, mais je quitte Davos après la cérémonie et j'aimerais profiter de ces derniers moments en votre compagnie pour vous tenir tous les deux.

– Pourquoi vous partez si vite ? demanda Katja.

– Je vais rejoindre Ouvilou à Akuliarmiut, dit-il. Je lui ai parlé à cinq heures ce matin. Bonté ! Je n'aurais jamais pensé qu'elle me manquerait à ce point ! Il faut dire que le spectacle que vous offrez n'est pas de tout repos pour un témoin esseulé, sans parler de l'insolent bonheur d'Élisabeth et d'Alexander !

– Et votre fils ? dit Jacques. Il vous accompagne ?

– Non, en tout cas pas dans l'immédiat. Comme tu le sais, il entre à l'École nationale de ballet dans deux semaines, pas question de retarder sa formation ! Nous le croyons voué à une carrière exceptionnelle. En toute objectivité parentale !

LaRocque Prévost ajouta que les artistes étaient appelés à jouer un rôle primordial à l'ère du Grand Déclin. M. Léopold prédisait l'effondrement du système monétaire international, et sur cette question il n'opposerait pas sa parole à celle d'un millionnaire ! Il croyait toutefois que la planète possédait assez de ressources matérielles pour accommoder les besoins d'une population en peau de chagrin, et que le chaos à venir ne serait pas tant économique que spirituel. Le monde allait avoir besoin plus que jamais de ses poètes, de ses musiciens, de ses comédiens, de ses peintres – de tous ceux qui exprimaient la vérité de la condition humaine par la transfiguration de l'art.

– Dommage que tu ne sois pas resté plus longtemps à Vancouver, s'exclama-t-il. Tu aurais pu voir danser Qajo, et tu saurais ce que je veux dire !

Jacques hocha la tête et fit un clin d'œil à Katja, mais elle était absorbée dans ses pensées et n'y prit pas garde.

– Vous voulez avoir un autre enfant avec Ouvilou ? demanda-t-elle abruptement, en s'arrêtant pour faire face à LaRocque Prévost.

– C'est notre projet, oui ! répondit-il avec bonhomie, sans s'étonner de la question. Akuliarmiut est à mi-chemin entre l'Équateur et le ciel, c'est un creuset propice à l'Ultime Alliance !

– Aidez-nous ! s'écria Katja avec émotion. Seuls, nous n'y arriverons pas ! Nous comprenons les termes de l'alliance, mais nous ne savons pas comment réaliser en pratique l'extase médiatrice avec Sedna. Les Netsiliks pourraient nous guider, eux qui luttent pour leur survivance depuis la nuit des temps !

LaRocque Prévost répondit avec un sourire en coin qu'Ouvilou avait anticipé cette requête, en lui confiant ce matin un message à l'intention de Katja, qu'elle appelait « sa petite sœur ». Elle lui annonçait que des correspondances mystérieuses s'établiraient entre elles, sans égard à la distance, et que « le soleil de minuit éclairerait la route du septième chakra ». Bonté !

Ils avaient repris leur montée et surgirent à ciel ouvert devant la chapelle des Trois-Croix, où une vingtaine de personnes étaient rassemblées, parlant à voix basse en cherchant à se donner une contenance : toutes étaient venues à ce rendez-vous sans savoir ce qui les y attendait. Après un début de matinée radieux, de petits nuages compacts s'étaient empilés à l'horizon, ourlés comme des édredons suisses, que le vent d'est dispersait par rafales dans l'azur. Des pointes de fraîcheur et des ondes de chaleur passaient en alternance sur la crête arrondie et verte du coteau. La Land Rover déboucha en cahotant d'un chemin forestier et vint s'arrêter devant la fontaine creusée dans le rocher, là où Jacques avait trouvé Jorge d'Aquino en si piteux état. Élisabeth était au volant, Dolorès Sistiega et Teresa Vincenti se partageaient à sa droite le siège du passager, tandis qu'Alexander, Mathilde et M. Léopold se serraient sur la banquette arrière. « Avec nous, le compte y est ! pensa Jacques en se joignant au reste du groupe. Mais où est Tadeus ? Heureusement qu'Anna Welikanowicz est là, elle doit quand même savoir ce que les enfants ont préparé... Oh, mais voilà qui répond à une question qui me trotte dans la tête depuis deux jours ! »

Il serra le coude de Katja et, du regard, lui montra Sigmund et Gisella qui se tenaient par la main sur le parvis de la chapelle. La petite Rose-Marie dormait dans les bras de l'adolescent, la joue appuyée contre son épaule, les bras passés autour de son cou.

– Didier n'avait pas tort, murmura Jacques. C'est une vraie bonne nouvelle !

– Et ton père avait raison, répondit-elle avec un regard lumineux. L'Ultime Alliance est pour tous !

Le martèlement d'un pivert contre un tronc d'arbre se fit entendre dans le bois qui encerclait à demi la chapelle délabrée. Mais non, le bruit ne pouvait pas être produit par un oiseau, puisqu'il se multipliait à présent de tous côtés pour former un étrange ensemble de percussions. La cadence uniforme des premières mesures fit place à des partitions rythmiques de mieux en mieux orchestrées, puis une déchirante lamentation s'éleva à l'arrière-plan dans un nouveau registre, et se diversifia à son tour en prenant du relief. Ce n'était plus une improvisation, mais une œuvre musicale rigoureuse, aux accents durs, précipités, tragiques – et, alors que pas une branche, pas un taillis, pas une fougère n'avait remué avant cet instant, soudain une trentaine d'enfants se matérialisèrent en divers endroits de la forêt, et convergèrent lentement vers le terre-plein, gardé par les trois hautes croix de pierre qui étaient à l'origine de l'appellation du lieu. Ils portaient tous autour du front, des plus jeunes qui avaient cinq ans aux plus âgés qui en avaient treize ou quatorze, un bandeau de soie grège blanche dont les pans étroits tombaient à gauche de la tête, derrière l'oreille. Certains tenaient un bloc de bois évidé, de forme oblongue, sur lequel ils frappaient à l'aide d'une baguette de tambour, avec un synchronisme saisissant. Les autres jouaient de l'harmonica, les deux mains recourbées au bas de leur visage comme s'ils dévoraient quelque friandise en cachette ; parmi eux, Didier et Tabaski avançaient côte à côte, leurs doigts battant de l'aile pour moduler les vibrations du souffle qui, découpé par les lamelles de métal, se changeait en une longue plainte aux résonances primitives. Jacques se souvenait que son frère lui avait demandé de l'argent, peu après leur arrivée à Davos, pour s'acheter ce qu'il appelait en québécois un « ruine-babines », et lui avait parlé à cette occasion de la place prépondérante faite à la musique dans la vie quotidienne de Stella Maris. « J'ai pris tout ça à la légère, pensa-t-il, j'étais encore sous le choc des révélations de Bubenblick sur le “ clafoutis pédagogique ” ! Mais il est clair que je ne peux pas terminer mon mémoire avant d'avoir eu une longue discussion avec la Petite Sœur de Treblinka ! »

Les enfants passèrent à travers l'assemblée sans regarder personne. Ils officiaient à la cérémonie avec une gravité recueillie et la compréhension intuitive de ce qu'était le néant de la mort. Ils se regroupèrent devant la chapelle, face à la porte massive, où leur concert prit une nouvelle ampleur, insistante et provocatrice, comme si les sons n'étaient plus produits pour être entendus, mais pour forcer l'entrée du sanctuaire. « Jéricho ! », dit LaRocque Prévost dans sa barbe de feu. Jacques, qui avait perçu son chuchotement, tressaillit en voyant les vantaux s'ouvrir silencieusement. Les gonds en avaient été récemment huilés, des bras invisibles tiraient les lourds battants de l'intérieur, son cœur battait violemment. L'extraordinaire tambourinement et les lamentations des harmonicas prirent fin d'un seul coup – sur quel signal ? – et un silence poignant leur succéda, troublé seulement par la stridulation des grillons et les remuements de la brise dans le feuillage.

Les enfants entrèrent les premiers dans les ruines de la chapelle, avançant avec précaution sur les dalles inégales, aux multiples fissures colmatées par des lisérés de mousse et de lichen. Des plantes opiniâtres et des arbustes nains avaient forcé leur chemin çà et là et, à l'emplacement où se trouvaient autrefois les fonts baptismaux, un mélèze avait majestueusement grandi, faisant lentement exploser les blocs de pierre autour de son tronc. La charpente du toit était restée en place, comme une ossature quadrillant le ciel, et de grosses cordes avaient été fixées aux poutres maîtresses, de part et d'autre du chœur. Elles descendaient jusqu'à un mètre du sol environ, traçant dans l'espace deux longues sangles en forme de V, dans le creux desquelles reposait un cercueil de dimensions inhabituelles, au bois encore luisant de rosée et au couvercle parsemé d'une fine couche d'aiguilles de pin. Jacques examinait l'étrange dispositif en essayant de se convaincre que cette boîte suspendue ne contenait plus le moindre souffle de vie, mais il n'arrivait pas à chasser la pensée dérangeante que Jorge d'Aquino avait passé la nuit ici, sous les étoiles froides, plus cruellement solitaire qu'il ne l'avait jamais été de son vivant.

Un souvenir d'enfant lui revint à l'esprit. Il se vit dans le laboratoire du professeur au Bateson Institute, observant avec un haut-le-cœur cette moitié de chou-fleur grisâtre flottant dans un bocal de formol. C'était le « cerveau vide » sur lequel son père se faisait la main, semblable en tout point à cet autre cerveau qui se trouvait à l'intérieur du cercueil, dans la tête massive du Sage des Grisons, désormais rigide et froide, et bientôt nécrosée et pourrissante, avec l'auréole touffue des cheveux blancs qui survivraient longtemps aux chairs du visage, aux globes oculaires, aux circonvolutions de l'encéphale, et à tous ces liquides qui circulaient hier encore dans ce corps aujourd'hui à l'abandon. Il savait pourtant qu'une intense activité s'était poursuivie dans la région la plus archaïque de ce cerveau, longtemps après que le cœur eut cessé de battre, et que chaque idée, chaque émotion et tous les souvenirs de cette vie tragique avaient été transmis à quelque mystérieux destinataire, dans un ultime cri silencieux, jusqu'à sa dernière étincelle.

Les enfants s'étaient déployés en arc de cercle au fond du chœur, derrière l'impressionnant catafalque. Ils chantaient depuis un moment en sourdine, la bouche fermée, mais on ne s'en était pas rendu compte tout de suite, tant l'attaque de l'œuvre s'était faite en douceur. Le murmure intérieur se changea peu à peu en lamentation sourde, puis en grondement de révolte, et le choral qui avait débuté par une ligne mélodique dépouillée se développa en une ample mélopée funèbre, dans une polyphonie savante qui ne semblait pas faite pour des voix enfantines, et qui néanmoins y trouvait ses sonorités les plus justes – des timbres de pur cristal sonnant le plus lugubre des glas.

Jacques et Katja, Élisabeth et Alexander, Tadeus Bubenblick et sa sœur Magdalena, Anna Welikanowicz s'appuyant d'une main sur l'épaule de Gisella, le révérend LaRocque Prévost et Schwester Ursula, Sigmund soufflant sur les boucles légères de la petite Rose-Marie, qui gazouillait le langage des anges, Léopold Bierens de Haan donnant des explications chuchotées à Mathilde Carpentier, Teresa Vincenti aux joues sillonnées de larmes, Dolorès Sistiega tenant le bras de l'honorable Fowler, le redoutable Koraman entouré du personnel de maison, un groupe de religieuses de Stella Maris, ceux-là et d'autres encore – tous comprenaient pourquoi celui qui n'était plus avait confié à des enfants le soin de lui dire adieu, et tous succombaient à l'envoûtement de ce plain-chant élégiaque qui résonnait entre les murs de pierre de cette chapelle ouverte aux quatre vents, à ces vocalises aux modulations déconcertantes, reprises en canon, sans signification par elles-mêmes, et cependant plus éloquentes que les paroles les mieux senties.

Tout à coup, Jacques eut l'illusion de se trouver à l'intérieur d'une immense crypte, provisoirement ouverte sur le ciel, où des fossoyeurs avaient descendu à bout de cordes la dépouille d'un géant. Cette impression angoissante fut d'autant plus forte qu'une accalmie des vents de haute altitude avait laissée béante une trouée dans les nuages, et que les rayons du soleil à son zénith tombaient drus dans la chapelle comme au fond d'un puits carré, creusant les regards et transformant en noirs orifices les bouches grandes ouvertes des petits chanteurs. Katja poussa une exclamation sourde, et Jacques comprit la cause de son émoi en découvrant qu'une buée légère, à la limite du visible, se dégageait du cercueil et montait dans la lumière blanche.

Le chant prit fin sur une psalmodie lancinante, et on sut que la cérémonie était terminée. Pas un mot ne serait donc prononcé pour cet homme qui avait déclaré à son dernier souffle : *« ¡ Muero y vivimos ! »*, nulle oraison pour celui qui avait tendu un nouveau miroir à l'intelligence humaine, et proposé à l'*Homo sapiens* un regard neuf sur sa condition.

Un flottement troubla le recueillement de l'assistance silencieuse, un début de fièvre et de chuchotement dans les rangs des enfants, une surprise incrédule qui se propageait sur les visages, causée par un événement qui n'était pas prévu au programme. Par l'embrasure des fenêtres au châssis vermoulu, où pendaient par endroits des serpentins de plomb et des petits morceaux de vitrail, on apercevait la silhouette massive de Chouri qui, dans un grand craquement de branchages, descendait la pente du coteau boisé dominant la chapelle. Ado Hobayashi l'accompagnait d'un pas décidé, vêtu d'un ample kimono blanc qu'on lui voyait pour la première fois.

Dolorès Sistiega avait levé les bras devant elle, les doigts écartés. Son expression extasiée témoignait qu'elle captait à sa façon l'arrivée de ces invités retardataires, et peut-être même en découvrait-elle de nouveaux qu'on ne voyait pas, mais qu'on devinait à des frémissements dans les broussailles. Les enfants les plus jeunes ne purent résister à la curiosité et se défilèrent par une porte latérale. On les vit grimper lestement à l'assaut du tertre, puis ralentir alors qu'ils s'approchaient du gorille. (Avec leur bandeau blanc, on eût dit un détachement de jeunes samouraïs.) Une nuée de passereaux leva de la futaie et monta comme un signe dans le ciel dégagé, échappant bientôt au regard en se dissolvant dans les feux du soleil.

Dans la chapelle, sans que personne eût donné le signal de la fin, la petite assemblée prit silencieusement le chemin de la sortie, cependant que Katja entraînait Jacques à contre-courant vers le chœur. Ils croisèrent Élisabeth, qui cachait son visage dans l'épaule d'Alexander ; puis M. Léopold qui ne les reconnut pas, car il avait ôté ses lunettes pour s'essuyer les yeux. Mathilde le guidait en le tenant par le coude.

Jacques croyait que Katja voulait se recueillir un dernier instant devant le cercueil suspendu, qui paraissait encore plus impressionnant maintenant que les gens s'en étaient éloignés, mais elle bifurqua vers l'emplacement des fonts baptismaux. Ils avançaient tous deux avec précaution, sentant sous leurs pas le léger mouvement de bascule des grandes dalles du sol.

Sigmund était debout au pied du mélèze, devant le coffre militaire en cuir craquelé, posé de guingois sur les blocs de pierre. Il serrait un livre contre sa poitrine, sa physionomie ingrate transformée par une lumière intérieure. Il eut conscience d'être observé et présenta son trésor d'un geste brusque : c'était une traduction allemande du *Traité de psychosynergie*. Il avait ouvert le volume à la page de garde, qui portait l'ample signature de Jorge d'Aquino.

– Dire que j'ai failli le laisser mourir sans savoir ce qu'il avait écrit ! dit-il en allemand. Personne ne m'avait expliqué.

– Et comment l'as-tu découvert ? demanda Jacques dans la même langue.

– J'ai commencé le livre au milieu, parce que j'étais sûr de rien comprendre. Quand j'ai vu que ça me parlait de moi, j'ai continué par le commencement, et à la fin j'ai su que ma vie ne serait plus jamais la même !

Spontanément, Jacques lui prit la main. L'adolescent baissa les yeux pour inspecter le sol, comme s'il venait d'y laisser tomber un objet microscopique, puis il murmura en cherchant ses mots :

– J'aimerais pouvoir te dire que tu es mon meilleur ami. Mais ça serait stupide, parce que tu es le seul.

– Je ne trouve pas ça stupide ! Dis, je ne savais pas pour Gisella...

Pour la première fois depuis qu'ils se connaissaient, Sigmund soutint le regard de Jacques sans ciller : ses yeux étaient vert-de-gris, troublés par un surprenant mélange de doute et de droiture.

– Je n'arrive pas à savoir ce qu'elle me trouve, dit-il précipitamment. Mais, depuis qu'on est ensemble, je n'ai plus envie de partir.

– Partir ? Où ça ?

L'adolescent coula un regard oblique vers le cercueil et haussa les épaules, l'une après l'autre :

– Partir, tu sais...

Jacques sentit un vent froid passer sur sa nuque. Pendant qu'il vibrait aux grands malheurs de l'humanité, une détresse toute proche creusait son trou, cachée par le quotidien.

Didier les avait rejoints au fond de la chapelle. Jacques rencontra son regard interrogateur et répondit par une mimique éloquente : oui, la cérémonie organisée par les enfants de Stella Maris avait été une réussite grandiose. Il articula silencieusement des lèvres, à son intention : « Cha-ris-ma-tique ! » Didier se trémoussa de confusion, tout en observant son frère du coin de l'œil pour s'assurer qu'il n'en rajoutait pas. Puis, à la demande de Katja, qui était restée étrangement silencieuse, il s'agenouilla pour soulever le couvercle bombé du coffre, libérant les effluves de giroflée et d'eucalyptus – si légers l'avant-veille dans l'*hacienda*, et comme revigorés par les heures nocturnes passées dans l'humidité de la forêt.

Didier leva la tête pour poser une question, mais son expression changea sous l'effet de la surprise et il murmura : « Fu-nam-bulesque ! » Jacques se retourna et ne put retenir à son tour une exclamation : Katja tenait par le menton, plaqué contre son visage, le masque impavide et blafard qu'elle avait apporté dans le petit sac, et il eut devant lui la créature énigmatique rencontrée le soir de son arrivée au Berghof, à l'entrée de la salle à manger, cette inconnue sans âge qui avait chuchoté en le voyant : « Jacques ! Enfin ! »

Elle retira lentement son masque, dont la blancheur semblait avoir déteint sur son visage aux commissures frémissantes et au regard brouillé, et le laissa choir dans le coffre parmi les jouets du petit Eduardo, l'éventail de nacre de Doña Isabel, les livres d'école, le petit accordéon hexagonal – tout le *prikaprak*. Jacques sentit alors qu'une déchirure se faisait au fond de lui, qu'un long cri silencieux montait du vide à la recherche d'air. Il aurait accueilli une crise de larmes comme une délivrance, mais rien ne lui venait qu'un bourdonnement d'oreilles, et des frissons qui irradiaient sa nuque et ses épaules.

Tadeus Bubenblick s'était approché d'eux et ferma le coffre après avoir demandé du regard l'assentiment de Katja, puis il sortit un mouchoir de sa poche pour essuyer le couvercle avec des claquements de langue. Il avait revêtu pour la circonstance un complet anthracite qui sentait la naphtaline, et arborait une cravate noire nouée comme une ficelle sur une chemise blanche au col trop amidonné. Ses intentions vestimentaires étaient louables, mais, avec sa brosse blonde, ses yeux bleu pâle et son éblouissante vitrine dentaire, il ressemblait tout crûment à un croque-mort de vaudeville.

– Herr d'Aquino a laissé des instructions, *nézebas !* dit-il à voix basse. Seulement même avec les arrangements du papa de Sigmund qui fait le commissaire les yeux fermés, c'est impossible absolument d'enterrer le bagage avec le professeur. Ça fait qu'on va vider une fois tous les souvenirs dans le cercueil avant le cimetière, voui ! *Comme que comme*, personne n'est invité là-bas, c'est mieux pour le moral ! Par contre, j'ai obtenu l'autorisation pour le monument, une dalle carrée sans rien de frisottis, avec juste les trois noms gravés, et une seule date. Ayayayaïe !

Jacques se préparait à féliciter Tadeus de ses initiatives, quand son regard fut attiré par Chouri, qui venait d'entrer dans la chapelle, suivi d'une demi-douzaine d'enfants. Le gorille considéra la singulière disposition du catafalque, la tête penchée et les bras ballants, figé dans une immobilité impressionnante. Hobayashi et Katja se retournèrent en cessant de parler, Didier arrondit les lèvres comme s'il se préparait à siffler, et Tadeus répéta dans un chuchotement : « Ayayayaïe ! »

Chouri sortit de sa léthargie et fit le tour du cercueil en le palpant avec une curiosité manifeste, qui se changea en anxiété fébrile, alors qu'il promenait son museau aux narines éclatées le long des jointures du couvercle. Puis il se redressa en accomplissant le geste le plus apparenté à une attitude humaine que Jacques lui avait jamais vu faire : il couvrit de ses bras le sommet aplati de son crâne et secoua sa tête ronde de gauche à droite, refusant d'accepter le scandaleux témoignage de son odorat. Son agitation s'accrut et, poussant des gémissements de panique, il reprit précipitamment son inspection de l'étrange boîte oblongue suspendue à la hauteur de son torse colossal, cherchant désespérément une ouverture, une issue pour libérer celui qu'on y avait enfermé. Comprenant enfin l'inutilité de sa tentative, il assena des coups de poings rageurs sur les planches de chêne, avec une force telle que les ruines de la chapelle renvoyèrent en écho une succession d'explosions sourdes. Son martèlement cessa brusquement et, alors que le cercueil était maintenant animé d'un lent mouvement de balancier, il leva son faciès d'ébène vers le ciel, ses lèvres retroussées sur ses formidables mâchoires, sa gueule grande ouverte sur un interminable râle, un cri de révolte primitive et de terreur sans nom.

Les jambes fauchées, Jacques s'assit sur le coffre militaire et découvrit avec surprise que Tabaski était devant lui, le regard attentif et le bras tendu. Pourquoi lui donnait-elle ce petit mouchoir brodé de deux gentianes ? Sa vision se brouilla, et il prit conscience que des larmes bienfaisantes coulaient sur ses joues.

Katja esquissa un mouvement vers lui, mais se ravisa et fit signe aux autres de s'éloigner avec elle. Comment avait-elle deviné qu'il ne désirait rien tant que de rester seul avec son chagrin ? Fallait-il qu'elle l'aime, pour se priver de le consoler !

Chouri tressaillit en voyant approcher Ado Hobayashi. Il étendit ses bras velus sur le cercueil, comme pour le protéger contre ceux qui voulaient s'en emparer et le faire disparaître dans d'innommables lieux souterrains. Il finit par renoncer à cette garde insensée et prit la fuite en bondissant avec une agilité surprenante à travers l'embrasure en ogive au fond du chœur, puis il s'éloigna entre les arbres en frappant son thorax à grands coups de poings. Longtemps après qu'on l'eut perdu de vue, son tam-tam funèbre continua de se répercuter dans les profondeurs de la forêt, colportant aux quatre coins de la Montagne magique un message de désolation, de deuil et de néant.

L'heure du crépuscule avait sonné pour les dieux déchus.

Épilogue

Emmitouflée dans son épais chandail blanc à col roulé, Katja rentre précipitamment dans le refuge. Le soleil pénètre par la minuscule fenêtre exposée au levant et projette à l'horizontale, sur toute la longueur de la pièce, quatre poutres de lumière solide, aux arêtes aiguisées. D'un geste léger de la main, elle fait danser au passage la myriade de poussières suspendues dans l'air, puis s'approche de la large couchette surélevée, encastrée au fond de l'abri. Jacques proteste dans son sommeil, alors qu'elle l'embrasse au creux du cou, et il tente de se retourner sur la litière d'épeautre pour échapper à ce souffle frais, ces lèvres froides, ces joues glacées.

– Écoute ! murmure-t-elle en l'agrippant aux épaules.

Il se dresse à demi, un peu éberlué, et met du temps à saisir qu'il n'y a *rien* à entendre : elle l'a réveillé pour lui faire écouter le silence – un silence autre, étale, pétrifié.

– Tu ne devines pas ? dit-elle. Viens !

Il se dégage de l'amas de couvertures et, même s'il a des jambes assez longues pour se laisser glisser du châlit sur le sol sans utiliser l'escabeau de bois, elle s'empresse de lui prêter main-forte, avec des doigts de velours. Puis elle l'aide à enfiler ses vêtements, et, comme il grelotte, elle le frictionne vigoureusement, avant de l'entraîner vers la porte. Elle soulève le loquet et pousse le battant, qui ouvre vers l'extérieur.

– Un nouveau monde ! dit-elle.

Une fine couche de neige, tombée pendant la nuit, a métamorphosé le sommet de la Walpurgis en un champ éclatant, unifié, une vaste étendue aux courbes adoucies, où les pierres, encapuchonnées de blanc, ne se devinent qu'à l'encre noire de leur ombre.

Avant de tirer la porte, Jacques regarde en direction de Davos, puis vers Langwies et Küblis. La situation n'a pas changé depuis la veille : le brouillard a tout englouti. C'est à perte de vue un moutonnement gris et blanc, au lent et silencieux ressac. Seules les plus hautes cimes émergent, îles bleutées aux falaises abruptes et aux rives enneigées.

Deux bols de café au lait attendent sur la table de bois ; des volutes blanches montent dans la lumière mordorée, aussi denses qu'une fumée de pipe. Jacques et Katja s'assoient l'un en face de l'autre et prennent leur petit déjeuner, se dévisageant comme s'ils ne s'étaient vus depuis une éternité. Les lèvres sourient, mais les yeux restent graves. La confiture de mûres et de myrtilles, préparée par Schwester Ursula selon une recette argovienne, fait passer le pain brun, qui est un peu rassis. C'est qu'il a fallu limiter les provisions en fonction des deux sacs de montagne, des sept heures de marche et des cinq jours d'absence.

– Cette femme au visage mongol, avec cette longue robe brodée, dit Katja, c'était Ouvilou ?

– Ça lui ressemble, répond Jacques. Mais de quoi parles-tu ?

– Tu as oublié ? Nous étions dans une maison ancienne, probablement chez toi, au fond d'un vestibule sombre. Tu m'as demandé d'entrer dans une sorte d'armoire, en réalité c'était un escalier très étroit. Ouvilou nous attendait en haut, assise sur un banc. Elle nous a offert des fruits, et nous... Oh, je ne voulais pas t'effrayer !

Elle se lève et, après avoir repoussé du bras la miche de pain, la cafetière d'aluminium et les couverts dépareillés, elle s'assied cavalièrement sur la table, puis enfile ses jambes sous les bras de Jacques, pour l'emprisonner.

– Les occasions d'observer des phénomènes psychiques ne m'ont pas manqué au Berghof ! dit-il, essoufflé. Mais là, ça m'arrive à moi ! Le plus troublant, c'est que ce rêve date de mon enfance ! Je l'ai retrouvé dans les affaires de Jorge, écrit dans un cahier que je lui avais donné pour son anniversaire. Cette nuit, je n'ai fait que le revisiter, et tu étais là, en tout cas au début !

– Quand je suis partie, tu m'as demandé pardon de ne pas savoir comment me retenir...

– J'ai dit ça ? Je ne me souviens de rien ! Si, attends ! Ça me revient par bribes... Je voulais désespérément te faire de la place, mais j'avais peur d'en manquer pour moi, d'être rejeté dans le néant, de perdre la liberté de me réveiller. Quelle impression déroutante !

– J'ai essayé de toutes mes forces, mais j'avais peur, moi aussi ! Oh, Jacques ! Je peux me tenir nue devant toi sans gêne, mais, pour rester dans ton rêve, il m'aurait fallu renoncer à toutes mes défenses, me laisser envahir, changer d'état et devenir *nous*. Je ne désespère pas de réussir, maintenant que je ne suis plus pressée ! Le drôle de révérend a tenu parole, Ouvilou nous aide, je le sens ! Il l'accompagnera peut-être la prochaine fois... Et, avec eux, Élisabeth et ton père, Sigmund et Gisella, et avant longtemps Didier et Tabaski !

– A propos, mon mémoire sur l'Ultime Alliance est prêt ! dit Jacques. Je l'ai fini hier soir pendant que tu dormais. As-tu déjà écrit en t'éclairant avec une lampe à pétrole ? La lumière devient vivante, on dirait que le papier frémit sous la plume... J'aimerais beaucoup que tu y jettes un coup d'œil.

– C'est déjà fait ! avoue-t-elle en prenant le manuscrit. Je l'ai lu à mesure que tu l'écrivais, chaque fois que tu avais le dos tourné !

Il s'étonne qu'elle n'ait rien dit. Mauvais signe ? Elle rit. Le doute n'est-il pas la condition obligée de la créativité ? Elle ne voulait pas lui couper les ailes, en lui laissant savoir trop tôt tout le bien qu'elle pense de son texte !

– Vrai, ça tient le coup ? Parfois, j'ai la sensation d'être un scaphandrier avec des semelles de plomb, et je te vois évoluer là-haut, dans un autre élément, comme un oiseau de haut vol ! Je t'ai fait de la peine...

– Quand tu t'appliques, c'est toi qui atteins des sommets insondables ! dit-elle, les yeux pleins de larmes. Tu es un *véritable* écrivain, Jacques, les mots sont dociles sous ta plume. Sous la mienne, ils se rebellent et finissent toujours par me trahir ! Gertrude Glück l'avait deviné, en te disant que tu devais « attester de la lumière ». Le témoin doit avoir de l'humilité, c'est-à-dire la force nécessaire pour s'effacer derrière son témoignage. C'est ce que tu as fait, et c'est là où, moi, j'aurais échoué, par orgueil !

– J'ai peut-être des doutes sur la clarté de mon texte, dit-il, mais je n'en ai pas sur ce qu'il faut en faire ! J'ai dit à Élisabeth que je ne voulais pas le publier avant la naissance du premier enfant de l'Ultime Alliance. Quelle erreur ! Je l'ai compris en voyant mon père ouvrir le Berghof sur le monde... C'est bien beau de s'isoler au sommet d'une montagne, mais le vrai défi est en bas, dans le brouillard ! Publier ce mémoire n'est pas suffisant, je vais aller rencontrer les gens où ils se trouvent, m'exposer à la critique, prendre des risques...

– Je t'accompagne.

Katja rend le manuscrit, en lisant à mi-voix la citation en exergue : « *Tous les espoirs sont permis à l'homme, même celui de disparaître.* »

– Et, à la femme, quels désespoirs sont permis ? s'écrie-t-elle.

En contrepoint à ses paroles, un claquement sonore retentit dans la charpente du refuge. Ils sursautent, même s'ils connaissent l'origine du bruit depuis la veille. Dehors, la température à l'ombre ne s'élèvera que de quelques degrés au cours de la journée, mais en plein soleil la chaleur sera vite cuisante. Katja, feignant la peur, se laisse glisser du bord de la table sur les genoux de Jacques. Elle se fait une niche dans le creux de son épaule, où elle reste immobile, murmurant des confidences dans sa langue natale. Il respire l'odeur de sa chevelure cendrée.

– Quand nous avons quitté le Berghof, dit-il, mon père t'a fait une allusion à la « plénitude de Sedna ». Je n'ai pas compris... Un secret entre vous ?

– Si tu veux ! J'attendais le moment propice pour t'en parler. Viens !

Elle se lève et pousse la porte du refuge, mais bat en retraite en se protégeant les yeux, et va chercher les deux paires de lunettes fumées offertes par le prévoyant Tadeus Bubenblick.

Jacques s'arrête après avoir fait quelques pas dans la neige, en proie au vertige. Le sol autour d'eux a perdu tout relief, le versant de la Walpurgis exposé au soleil plonge à pic vers la mer de brouillard, pour être englouti par la houle cotonneuse, plus compacte et figée à mesure que le jour avance.

Jacques et Katja s'entraident pour monter sur une longue dalle rocheuse piquée d'éclats de quartz, qui surplombe le refuge et couronne le sommet de la Walpurgis, à la manière d'une table d'orientation dressée pour les dieux. Quand enfin ils s'assoient l'un en face de l'autre, ils comprennent à la chaleur douce de la pierre pourquoi il n'y a plus trace de neige autour d'eux.

– Sedna poursuit une fin qui nous a échappé à tous, même à d'Aquino, dit Katja. Choisis !

Elle présente ses deux mains fermées, et Jacques montre celle qui porte la chevalière.

– Un fragment de stishovite, dit-elle en ouvrant les doigts sur l'énigmatique cadeau de Serguei Tchakalov. Cilice, oxygène, quartz polymorphe, avec une densité de quatre grammes et demi au centimètre cube. Cela dit, la réponse à mes questions n'était pas dans l'encyclopédie, mais dans les rimes du poète, comme il se doit !

Elle dépose le cœur du météorite dans la main de Jacques, qui s'étonne une fois de plus de le trouver si froid et si pesant.

– « Qu'y a-t-il à l'intérieur de cette noix ? », demande-t-elle. « Qu'est-ce qu'on y voit quand elle est fermée ? »

– « On y voit mille soleils, tous à tes yeux bleus pareils », récite Jacques.

– La première fois que tu me l'as dit, je n'ai retenu que l'allusion aux yeux bleus, dit-elle en souriant. C'est aux mille soleils qu'il fallait faire attention ! Tu comprends ? Ce caillou contient toutes les étoiles de l'univers ! A présent, comment ferais-tu pour un « retour à l'expéditeur » – pour le rendre au cosmos ?

Jacques réfléchit. Katja est sur le point de lui révéler un secret, qu'il essaie de deviner avant qu'elle ne le lui dise. La seule chose qui lui vient à l'esprit est un commentaire sur l'Ecclésiaste, lu dans un des ouvrages de la bibliothèque de son père à Montréal : « Il n'y a rien de nouveau sous le soleil ; mais, au-dessus du soleil, tout est nouveau ! »

– Je peux le lancer vers le ciel, mais il me retombera sur la tête, dit-il enfin. Et je suppose que la réponse que tu attends ne fait pas appel à des moyens mécaniques.

– En effet ! La pierre retombe parce que l'impulsion que tu lui as donnée est insuffisante pour l'arracher à l'attraction terrestre. Mais, si tu pouvais ajouter à la détente de ton bras la force musculaire de tous les hommes de la planète, ce météorite reprendrait son voyage vers l'infini...

– Je ne vois pas où tu veux en venir, dit Jacques, mais je te suis !

Katja lui répond que, pendant des millénaires, l'humanité et Sedna ont vécu en symbiose. Soudain, l'alliance a été rompue. Pourquoi ? A tort, ceux du Berghof ont vu dans le Grand Déclin un châtiment ou une malédiction. Ils ont cru que la condition de Sedna était achevée et immuable. Sa naissance remontant aux origines de l'espèce humaine, ils se la sont représentée comme une entité ayant atteint sa pleine maturité, alors qu'elle émerge à peine de l'enfance, et prépare sa première grande mutation. C'est cette évolution qui a déclenché la crise, et non les remous qui brassent la société des hommes – ces remous si importants à l'échelle de la planète, et si dérisoires aux dimensions du cosmos ! Sedna veut que les hommes se transforment, non pour les voir différents de ce qu'ils sont, mais parce qu'elle a besoin de leur métamorphose pour accomplir son propre destin.

– Toutes et chacune de mes petites cellules grises me sont précieuses, continue Katja. Pourtant, la finalité de mon intelligence n'est pas de les rendre heureuses, mais d'accomplir quelque chose qui est extérieur à ma personne. Et, quand ma pensée se dépasse elle-même, sa croissance profite à chaque molécule de mon cerveau !

Comme tous les organismes vivants, Sedna tendait vers sa plénitude. Si elle exigeait davantage d'amour dans la contribution des humains aux échanges du Troisième Ordre, ce n'était pas pour investir cette énergie suprême dans sa relation avec l'humanité, mais parce qu'elle en avait besoin pour se libérer de la Terre et remonter les courants de l'espace et du temps, afin d'aller rejoindre ses semblables. Peut-être avait-elle essayé d'établir cette liaison depuis des siècles, sans succès – et, en ce cas, le pari du Grand Déclin était une tentative désespérée d'échapper à la solitude, un quitte ou double, l'entreprise tragique d'une intelligence prodigieuse en quête d'une âme sœur... La plénitude de Sedna était l'ultime forme de psychosynergie : la fusion des consciences collectives de l'univers en une conscience unifiée.

– Nous lui faisons la courte échelle vers l'infini, dit Katja.

Jacques sent le soleil peser sur sa nuque, sur le bord ourlé de ses oreilles, et son corps tout entier irradié par une onde de chaleur, si déconcertante dans cette étendue polaire. Le souffle frais du vent effleure sa peau sans la pénétrer, laissant sur ses lèvres comme un picotement électrique. Il aide Katja à se relever, puis lui retire avec douceur ses lunettes noires, pour mieux voir ses yeux. Elle a le même geste pour les siennes ; éblouie, elle se fait des œillères de ses deux mains et approche son visage du sien. Ils se regardent dans un tunnel d'ombre, troué d'arcs-en-ciel.

– *Vernitié iévo bogam !* murmure-t-il.

Il sent une vibration puissante monter en lui, une énergie brute puisée aux profondeurs de la terre, et transmuée au contact du feu et du roc. Les doigts de Katja se glissent dans les fentes de sa chemise molletonnée, en défont les attaches sans hâte. Va-t-elle poser l'oreille contre sa poitrine, comme elle le fait souvent pour « écouter ton cœur me dire badoum-badoum » ? Non, elle veut davantage : lui retirer ce vêtement, s'en débarrasser en le lançant au bas du promontoire, hors de sa vue ; davantage encore, maintenant qu'elle déboucle sa ceinture. Il s'active à son tour, la dénudant avec des gestes d'aveugle, comme le premier soir dans l'obscurité du refuge – mais aujourd'hui, c'est la réverbération du soleil sur la neige qui l'oblige à garder les yeux clos. Il a l'illusion que, sous eux, la grande dalle grise s'est mise à tanguer.

Ils se retrouvent nus, debout face à l'immensité. Katja s'appuie de dos contre la poitrine de Jacques, et tient à deux mains ses cuisses plaquées contre les siennes, les bras tendus vers l'arrière comme une figure de proue. Il l'enlace, lui fait une garde oblique de son bras gauche replié contre elle, cependant que sa main droite repose, attentive, sur le ventre plat.

– Je t'aime, Katja.

Il entrouvre les yeux, son regard cesse de lui appartenir, plane comme un aigle dans la lumière liquide, s'abîme dans les volutes de la mer de brouillard, et retrouve le monde des hommes dans la grisaille de la plaine : des chemins qui se croisent, des clôtures qui séparent, des ponts qui relient, un hameau, une église, un préau d'école, les tombes d'un cimetière.

– Je nous aime, Jacques. Tu te souviens des derniers mots de Jorge ? *« ¡ El sol de Sedna se llama Amor ! »*

Le premier tressaillement de la vie, l'émoi et l'attente, les contractions et la délivrance, le pleur triomphal de l'enfant nouveau-né – jamais plus ? La pression des doigts de la mère sur le sein qui allaite, la petite bouche ouverte, la succion goulue – jamais plus ? Une berceuse chantée tout bas, une couverture bordée, une joue effleurée, un soupir confiant – jamais plus ? Les premiers pas, la première écorchure, les bras paternels qui relèvent, l'étreinte aérienne, la voix consolatrice dans le creux du cou – jamais plus ? Main offerte, main prise, l'audacieuse expédition au fond du jardin, petite Amazonie aux grands mystères – jamais plus ? Jeux espiègles, poursuite et capture, rires insouciants, nuit tombée et pleine lune, coucher tardif et petits grands bonheurs – jamais plus ? Une fête, un cadeau, des petits doigts impatients sur une ficelle récalcitrante, une découverte émerveillée – jamais plus ? La rencontre de l'ami, la confiance et les confidences, les secrets partagés, la trahison et la réconciliation, les projets d'avenir et la conquête du monde – jamais plus ? Premier amour, premiers détours, regards fugitifs, sourire donné, sourire rendu, joues en feu, cœur en fête – jamais plus ? L'apprivoisement, l'approche, la fusion, le don de soi, la nuit écarlate, le matin vermeil, le chant d'allégresse dans la lumière de midi – jamais plus ? Plus jamais d'enfants aux yeux étonnés, plus jamais de garçons ni de filles, plus jamais de femmes ni d'hommes, plus jamais d'êtres humains sur la planète Terre – vaisseau fantôme en dérive dans l'océan des étoiles ?

– Nous avons besoin des autres, dit Jacques.

Katja a répondu que les autres étaient là, qu'il y avait dans le monde davantage de cœurs au chômage que de cœurs à la haine, que l'amour était partout et le savoir-faire nulle part... Tous les espoirs leur avaient été permis, un seul leur restait : survivre. Et, pour qu'une aube nouvelle se levât sur l'humanité, il fallait que l'intelligence fasse la paix avec la vie.

Au sommet de la montagne, nus dans la lumière blanche, Jacques et Katja se tiennent étroitement enlacés, sans plus savoir où l'un finit, où l'autre commence.

TRANSCODAGE : HÉRISSEY À ÉVREUX
IMPRESSION : FIRMIN-DIDOT AU MESNIL-SUR-L'ESTRÉE
DÉPÔT LÉGAL : MAI 1990 - N° 12197 (14549)